Michel MASTROJANNI

LE LIVRE DU VIN

SOLAR

Avec la collaboration de :

Françoise Bonnefoy

Claude Peyroutet

Bernard Gazé

ainsi que :
Jean Gerber, Michel Gilin, Pascal Madevon, Christine Nadalié, Anne Simonet, Pierre Sokoloff, Claude Thorin

ISBN 2-263-01635-X
Numéro d'éditeur 1891
Maquette: Bernadette Allain
Photocomposition: P.F.C., Dole
Imprimé en Italie

Avant-Propos

Le vin : une boisson admirable, unique mais sans cesse métamorphosée,
qui vous « enchante » au sens premier. L'acte de boire :
un geste d'essence sacrée, une explosion d'émotions sensorielles
qui vous fait « toucher » littéralement le temps et l'espace,
à travers la magie du millésime
et le génie du terroir.

Une aussi précieuse alchimie
passe forcément par la connaissance.
Il vous faut donc emprunter le chemin initiatique,
celui-là même que vous invite à parcourir
ce « Livre du Vin ».

Longue et délectable route autour de votre verre !

M. Mastrojanni

Sommaire

Une exceptionnelle destinée

Histoire de la vigne et du vin en France 6
Le vin dans la peinture 22

La genèse du vin

La viticulture 34
La vinification 52

Les vins de France

L'Alsace 70
La Bourgogne 88
Mâconnais et Beaujolais 122
Le Bordelais 136
La Champagne 180
Les Côtes du Rhône 196
Les vins du Centre 216
Les vins de la Loire 224
Les vins du Sud-Ouest 244
Jura et Savoie 262
Languedoc et Roussillon 274
Provence et Corse 286
Les vins de pays 298

Les vins dans le monde

Europe 305
Amérique du Nord 323
Amérique du Sud 326
Afrique 328
Australie 330
Proche-Orient 332

Conservation, dégustation et harmonies gourmandes

Conserver 334
Servir 338
Déguster 341
Harmoniser vins et mets 345

Le vin pratique

Le langage de l'étiquette 353
Les métiers du vin 354
Mettre votre vin en bouteilles 363
Où acheter votre vin 365
Expositions, concours et foires aux vins 366
Les mots du vin 368
Table-index des A.O.C. et V.D.Q.S. 374

MISE EN BOUTEILLES AU CHATEAU

75 cl

Histoire de la vigne et du vin en France

Coutume gallo-romaine : les jarres à vin sont enduites de poix. Mosaïque de Saint-Romain-en-Gal, IIIe siècle (musée de Saint-Germain-en-Laye).

Ce sont les Phocéens, commerçants et colons grecs fondateurs de Marseille, vers 600 avant J.-C., qui introduisirent la viticulture en Provence en y acclimatant des plants d'Asie Mineure. Un siècle plus tard, de Nice à Ampurias, d'autres comptoirs grecs, et donc des vignobles, étaient créés. Mais, peu soucieux d'enseigner l'art viticole aux Ligures et Ibères qui peuplaient alors la Gaule méditerranéenne, les Grecs cultivèrent la vigne eux-mêmes ; ils exportaient les vins obtenus, comme ceux venus de Grèce, vers le nord et, par cabotage, vers les îles Britanniques. Des amphores, des coupes finement ornées, telles celles découvertes à Ensérune, attestent l'importance de ce trafic. Et, au IVe siècle, lorsque des Celtes s'installent dans la région, ils passent de la cervoise et l'hydromel à ces vins, échangés contre des esclaves.

A l'appel des Massaliotes menacés par les Celtoligures, les Romains interviennent en 125 avant J.-C. En trois ans, Provence et Languedoc sont conquis : ils vont devenir la Narbonnaise. La romanisation y est systématique et les commerçants italiens évincent les Massaliotes. Après la conquête du reste de la Gaule, de 58 à 52 avant J.-C., César puis Auguste s'emploient à créer les conditions d'une intégration. Toutefois, la citoyenneté romaine étant difficilement accordée aux Gaulois, seuls les colons et commerçants romains de la Narbonnaise peuvent cultiver la vigne et exporter vers le nord les vins qu'ils produisent ou qu'ils importent d'Italie. Pendant le Ier siècle avant J.-C. et la première moitié du siècle suivant, leurs amphores, par bateaux ou par chariots, voyagent jusqu'à Bordeaux, puis vers les îles Britanniques ; par le couloir rhodanien, depuis Lyon, capitale des Gaules, elles atteignent les pays de la Moselle et du Rhin. Les demandes gauloise et germaine sont fortes, mais, pour des raisons climatiques, les cépages méditerranéens ne peuvent être plantés au-delà de Gaillac, des Cévennes et de Vienne.

La vigne gallo-romaine

La viticulture gauloise, ou plutôt gallo-romaine, commence au milieu du Ier siècle, lorsque l'empereur Claude, originaire de Lyon, concède très largement la citoyenneté romaine aux élites locales. Dans un contexte économique très favorable, de grandes exploitations vont se créer et des progrès décisifs vont permettre de cultiver la vigne jusqu'à une ligne qui va de Bordeaux au lac Léman. Vers le nord-ouest, dès le début du siècle, la viticulture s'était développée à Gaillac, à la limite des influences méditerranéennes. Mais le fait essentiel est l'apparition d'un vignoble à Bordeaux, capitale des Bituriges Vivisques. Ces commerçants, jusque-là spécialistes du commerce de l'étain, se reconvertissent dans la viticulture grâce à la plantation du *biturica*, cépage adapté au climat océanique qui, selon Columelle, « supporte très bravement les tempêtes et les pluies ». Mieux, ajoute cet agronome, le vin obtenu « se garde longtemps et se bonifie au bout de quelques années ». Il s'agissait peut-être d'un cépage issu des lambrusques sauvages de la vallée d'Aspe ou de Navarre. Une autre hypothèse : un cépage de Dalmatie, adapté à un climat humide, avait été acclimaté par les Bituriges. A la même époque, les Allobroges du Dauphiné auxquels, pour des raisons stratégiques, les Romains ont accordé des privilèges importants, ont créé un cépage adapté au froid, l'*allobrogica*.

Ces deux vignobles gaulois vont exporter leurs vins, l'un vers la Gaule du Nord-Ouest et les îles Britanniques à partir de Bordeaux, l'autre vers le nord-est et la Germanie, à partir de Vienne et de Lyon. Cette concurrence inquiète à ce point les marchands italiens et narbonnais qu'en 92 l'empereur Domitien, par un décret protectionniste, ordonne l'arrachage de la moitié des vignes dans les provinces. En fait, cette décision sera plutôt bénéfique puisque ce sont les plants prolifiques des terres trop riches qui seront éliminés. Et l'édit ne sera pas toujours respecté !

Au début du IIIe siècle, les empereurs vont accélérer la romanisation. En 212, l'édit de Caracalla accorde la citoyenneté romaine à tous les hommes libres de l'Empire : les Gallo-Romains vont être ainsi directement associés à la défense des frontières septentrionales. Des privilèges de plantation, accordés pour s'assurer de leur fidélité, vont susciter la création de deux grands vignobles situés sur l'axe stratégique Provence-Rhin : le vignoble bourguignon et celui de Trèves. Au siècle suivant, en 280, après les incursions meurtrières des Germains, l'empereur Probus annule l'édit de Domitien : tous les Gaulois pouvant désormais planter de la vigne, la viticulture s'installe alors à Saint-Pourçain, à Sancerre mais aussi, très largement, dans le Bassin parisien. Ces nouveaux vignobles vont profiter de leur proximité des pays du Nord pour concurrencer ceux de Bordeaux, de Bourgogne et des pays du Rhône.

Durant toute l'Antiquité, les vins de type méditerranéen sont conservés dans des amphores, des *dolia* et des outres. Le tonneau, probablement d'origine subalpine, convient aux vins plus fragiles des zones septentrionales : on le descend facilement dans les caves. Le précieux breuvage se dégradant très vite, on le consomme jeune. Souvent, il est aromatisé avec des épices, des fruits ou des fleurs, et, pendant la vinification, on ajoute au moût du miel ou des raisins secs. Étrange breuvage !

Des vignobles épiscopaux au vin des pèlerins

Après l'effondrement de l'empire romain, pendant le haut Moyen Age, les évêques détiennent la réalité du pouvoir. C'est d'abord grâce à eux que la viticulture se maintient puis se développe. Le prestige gallo-romain du vin, l'importance qui lui est accordée dans les textes sacrés, les besoins pour le culte et pour les réceptions expliquent le développement des vignobles épiscopaux, comme à Trèves, Metz, Reims, Paris, Tours, Bordeaux... Mieux, des évêchés se déplacent pour s'installer sur des territoires favorables à la vigne, par exemple de Langres à Dijon, avec le futur saint Grégoire au VIe siècle, ou de Saint-Quentin à Noyon en 614. Et les résidences campagnardes des évêques s'établissent elles aussi près des vignes : à Épernay et Hautvillers en Champagne, à Lormont et Pessac près de Bordeaux. Dans les monastères, l'usage du vin est admis. De plus, ceux-ci assument une importante fonction sociale : l'hospitalité pour les pauvres, les malades et, plus tard, les pèlerins. Autant de raisons pour inciter les moines à cultiver la vigne, parfois d'ailleurs à des latitudes fort septentrionales. Plus que la piété, la recherche du prestige et l'habitude des réceptions expliquent l'essor d'une viticulture princière, du roi aux seigneurs locaux, de la Méditerranée à la Normandie et à la Flandre. Quant aux exportations, elles concernent plutôt Laon, la Champagne et Paris, régions les plus proches des pays sans vignes.

Aux XIe et XIIe siècles, les progrès économiques des Flandres et de l'Angleterre, l'engouement de leurs bourgeoisies pour les vins ont des effets heureux sur les régions viticoles du nord de la Seine. Mais, comme la demande est telle qu'elles n'arrivent pas à la satisfaire totalement, les vignobles de l'Auxerrois, de la Loire, de Saintonge et de Bordeaux vont pouvoir prendre le relais. C'est aussi l'époque du pèlerinage à Saint-Jacques-de-Compostelle : les vins de Bordeaux et de tout le Sud-Ouest sont massivement consommés sur place.

Bordelais et Bourgogne : le premier âge d'or

Malgré les crises et les guerres, les trois siècles suivants sont fastes pour la vigne et le vin. Lorsque, en 1152, par suite du mariage d'Aliénor d'Aquitaine avec Henri Plantagenet, l'Aquitaine devient anglaise pour trois cents ans, Bordeaux, la Guyenne et la Gascogne vont développer leurs vignobles pour répondre à l'insatiable demande britannique. La Jurade de Bordeaux a obtenu l'exemption des taxes dès 1214 et, à partir de 1241, elle parvient à pro-

Le travail du tonnelier, ici en compagnie du charron. Détail d'un vitrail du XIIIe siècle (cathédrale de Bourges).

téger ses vins en interdisant la descente de ceux de la Garonne et de ses affluents avant la Saint-Martin. En fait, la demande s'accroît tellement que des accords seront souvent conclus avec les marchands du « Haut Pays », c'est-à-dire ceux de Gaillac, de Toulouse, de Cahors... La flotte du vin — entre 100 et 200 bateaux ! — appareille deux fois par an : en automne, elle emporte vers Londres et Bristol les vins privilégiés de la sénéchaussée de Bordeaux, et au printemps partent ceux du Haut Pays, sans doute un peu vinaigrés. Des ports anglais, le vin est réexpédié vers les pays du Nord par Bruges. Commerce florissant si l'on sait qu'en 1308-1309 près d'un million d'hectolitres furent expédiés ! Le grand perdant est le vignoble rochelais : à ses vins restés français, les Anglais préfèrent le « claret » bordelais et gascon.

En Bourgogne, les moines cisterciens ont savamment mis en valeur des terroirs riches de promesses comme le clos de Vougeot, fondé à l'orée du XIIIe siècle. Dès 1300, les vins bourguignons sont servis à la table royale, mais c'est de cette date à la fin du XVe siècle qu'ils connaissent leur plus grand succès grâce au travail minutieux des moines vignerons, grâce aussi à la publicité des ducs de Bourgogne qui en offrent généreusement à leurs invités, l'envoient à d'illustres personnages, de Beaune et de Dijon à leurs possessions flamandes.

Soucieux de qualité et désireux d'imposer le pinot, le duc Philippe le Hardi, en 1395, ordonne d'éliminer le « très déloyal plant nommé le gamay » ! Contre le vin blanc, alors prépondérant, il s'efforce de promouvoir le « vin vermeil », c'est-à-dire le rouge. Les Flamands, acheteurs de Bourgogne mais aussi des vins de Champagne qui, à l'époque, sont rouges et non effervescents, fréquentent les foires renommées de Provins, Bar-sur-Aube et Troyes.

Le foulage du raisin et l'entonnage du vin. Miniature d'un livre d'heures de 1490 (bibliothèque de l'Arsenal).

En Languedoc, après la crise albigeoise, les vignes des bourgeois et des paysans alimentent un commerce important vers l'Italie et, malgré les freinages bourguignon et bordelais, vers l'Angleterre et les Flandres. Il s'agit de vins liquoreux obtenus par passerillage du muscat à petits grains ou par addition de miel ou de moût concentré. Dès le XIVe siècle, on produit des vins de liqueur mutés à l'alcool.

La vigne médiévale

L'extension des vignes médiévales fut facilitée par les baux « à complant » : un propriétaire confiait une plantation à un preneur, n'exigeait rien pendant les cinq ans nécessaires à l'établissement du vignoble puis, ce délai passé, en récupérait la moitié en propriété directe, l'autre étant concédée à perpétuité au preneur et à ses descendants selon différentes conditions juridiques. D'autres propriétaires préféraient un faire-valoir plus direct, en faisant cultiver leurs vignes par des « closiers », vignerons logés sur place, employés à temps complet et payés en fonction de la superficie de l'exploitation. Dans les vignobles suburbains étaient souvent employés des ouvriers salariés qui entrèrent fréquemment en conflit avec les propriétaires, soit pour améliorer leurs salaires, soit parce que, détenteurs eux-mêmes de quelques vignes, ils les entretenaient mieux que celles de leurs employeurs. En dehors de ces conflits sociaux, les communautés de vignerons et de tonneliers ont participé activement au mouvement communal, et leurs corporations ont organisé la profession et contrôlé la qualité.

La vigne médiévale est presque toujours sur échalas plantés en lignes, mais le procédé de multiplication par provignage a perturbé cette belle rectitude. Dans les villes et dans certains monastères, comme à Wissembourg et Murbach en Alsace, le procédé romain de la treille s'est longtemps maintenu. On travaille le sol à la houe, à l'araire ou très rarement, comme en Bordelais au XVe siècle, à la charrue. La taille se fait à la serpe. La vinification est rudimentaire : on foule et, parfois, on presse. Les pressoirs, propriété du seigneur, sont à levier ou, de plus en plus, à vis centrale. Le vin se dégradant vite en l'absence de techniques d'élevage, on vendange très tôt pour obtenir plus d'acidité, gage de conservation, et on ouille systématiquement.

Le poids de la demande nordique

Sous l'Ancien Régime, du XVIe siècle à la Révolution, les structures sociales et professionnelles, comme les techniques, restent à peu près les mêmes, et la lutte des vignerons contre les privilèges aristocratiques et les impôts s'amplifie. Les transformations importantes concernent les structures économiques et la qualité des produits.

Indépendante en 1579, la Hollande devient une grande puissance maritime : trois bateaux sur quatre sont hollandais. Pendant trois siècles,

les commerçants des Provinces Unies vont rechercher des vins blancs doux et des vins courants. Pour les premiers, ils s'approvisionnent surtout dans l'Ouest et dans le Sud-Ouest, d'où la progression des cépages blancs, par exemple dans le Bergeracois et sur les rives de la Garonne. Les vins les plus ordinaires les intéressent dans la mesure où ils les « trafiquent », les « mixionnent » disait-on, avant de les revendre dans les pays de la mer du Nord et de la Baltique. Pour pouvoir « mixionner », pour étancher la soif de leurs équipages, pour répondre à la demande nordique, les Hollandais achètent des eaux-de-vie. Dès le XVIe siècle, l'Aunis et la Saintonge s'en font une exclusivité, et le cognac apparaît au XVIIIe siècle. Le Languedoc, la Bigorre et l'Armagnac sont les autres grands fournisseurs, à partir de cépages prolifiques.

Avec le progrès des voies de communication et de la sécurité, les vignes les plus septentrionales disparaissent. Elles sont devenues peu rentables, et leurs vins, médiocres, seront supplantés par ceux des régions climatiquement plus favorisées. Après le terrible hiver de 1709, qui a durement affecté les vignobles d'Ile-de-France, on fait appel aux vins de la vallée du Rhône, de Provence et du Languedoc. C'est une aubaine pour le Languedoc qui, par ailleurs, est en plein renouveau grâce à l'amélioration du réseau routier, au creusement du canal des deux mers, à la création du port de Sète en 1666, aux encouragements de Colbert, pour qui les vins sont « la principale mine d'or du royaume ». Des rouges de qualité, des vins doux naturels, des vins de chaudière et des eaux-de-vie sont donc produits pour satisfaire la clientèle française et les marchés nordiques et méditerranéens.

La réaction de la qualité

Dans les autres vignobles, face aux dangers d'une production massive de piètre niveau encouragée par les Hollandais, une lutte pour la qualité est partout engagée. On prohibe des cépages grossiers ou considérés comme tels (parfois à tort comme à Arbois où l'on proscrit... le chardonnay), on défend les cépages locaux

Le jaugeage des tonneaux à Paris, sous le contrôle d'officiers royaux. Gravure du début du XVIe siècle.

comme à Cahors ou à Riquewihr, on arrache les vignes occupant des espaces propices à la culture céréalière. Cependant, la qualité dépend parfois davantage de la demande que des dispositions naturelles d'un terroir : ainsi, Orléans exporte des vins produits aux environs sur des sols submersibles, alors que le calcaire favorable de la Champagne berrichonne reste sans vignes !

En Bourgogne, le Chablis connaît une extrême vogue au XVIe siècle. Le siècle suivant est favorable à tout le vignoble bourguignon, et, au XVIIIe siècle, les premiers négociants s'organisent à Beaune, Nuits-Saint-Georges et Dijon pour exporter vers l'Angleterre, les Flandres, l'Allemagne et la Scandinavie.

En Champagne, dès le XVIIe siècle, on sait stabiliser le vin pour le conserver quelques années. Mieux, on arrive à obtenir un vin blanc à partir des raisins noirs du pinot. Grâce aux moines bénédictins de Hautvillers et, notamment, à Dom Pérignon, procureur du couvent de

1668 à 1715, on arrive à provoquer l'effervescence du vin en ajoutant une liqueur sucrée. La méthode champenoise sera au point à la fin du XVIIIe siècle, d'autant mieux que les Anglais installent des verreries et que le bouchon de liège est apparu. Mais des efforts innombrables furent nécessaires pour imposer le nouveau produit, d'abord très méprisé.

C'est au XVIIe siècle qu'apparaît, timidement il est vrai, la notion de cru. En Bourgogne comme à Arbois, en Savoie comme en Alsace, certains terroirs sont beaucoup plus cotés que d'autres. A Bordeaux, on hiérarchise déjà les produits : les vins des coteaux de la rive droite, ceux du Haut-Brion mais aussi de Gaillac s'apprêtent à supplanter ceux des « palus » qui, en 1647 encore, s'achètent plus cher que les graves et les médocs. C'est en fait grâce aux Anglais que les grands crus bordelais vont naître et se développer, de 1650 à la fin du XVIIIe siècle. Forte est la demande de la gentry britannique en « new french claret ». Pour y répondre, la vigne devient la culture dominante du Médoc. Les quatre premiers grands châteaux, propriétés nobiliaires, sont le Haut-Brion à Pessac, Margaux, Lafitte et Latour en Médoc.

Enquêtant sur la vigne et les terroirs, le philosophe Locke avait visité le Haut-Brion en 1677. Ses remarques, publiées seulement en 1776, annoncent celles du futur président des États-Unis, Thomas Jefferson, qui est reçu dans le Bordelais en 1787. Pour ces observateurs, le grand vin implique un sol maigre de graves, non ou très peu fumé, et des ceps vieux d'au moins douze ans. Ces conditions étaient réalisées dans les quatre châteaux cités. Quant au vieillissement, il doit également beaucoup aux Anglais, importateurs désireux d'obtenir des vins sains pour les réexporter. Les produits sur lies qui parviennent à Londres sont élevés dans des fûts neufs et propres, sont collés, soufrés et soutirés. Le soufrage des vins et des fûts, sans doute inventé par les Hollandais, est un progrès considérable. Ce travail « à l'anglaise » aboutit à la mise en bouteilles. Dès la fin du XVIIe siècle, les verreries anglaises et irlandaises produisaient massivement, au moindre coût, les bouteilles nécessaires à la bière. Il fut donc facile d'en produire pour le vin. La première verrerie bordelaise fut fondée en 1723 par un Irlandais.

Il restait aux producteurs et aux négociants bordelais à adopter ces méthodes. Ce fut vite fait à une époque où Bordeaux, second port européen, était en plein essor économique et culturel : on s'intéresse au vin aussi bien à la Chambre de commerce qu'à l'Académie de Bordeaux dont fait partie Montesquieu. Vers la Hollande partent des blancs moelleux et des eaux-de-vie, vers l'Angleterre des vins de crus. Et, le voyage aux « Isles » d'Amérique bonifiant les vins, on a même pris l'habitude, à Bordeaux comme à Bandol, de les utiliser comme lest !

Page ci-contre : l'ancien cellier de l'abbaye de Clairvaux (Aube). Infatigable défricheur, l'ordre cistercien joua un rôle décisif dans l'essor du vignoble français.
A droite : un juré-crieur en vins, armé de sa clochette. Gravure de Bonnard, XVIIe siècle (musée Carnavalet).

Vendanges à Suresnes, dont le vignoble — autrefois l'un des plus réputés de l'Ile-de-France — a été de nos jours restauré. Gravure pour une pièce de théâtre du XVIIIe siècle (Bibliothèque nationale).

Bouteilles du milieu du XVIIIe siècle (musée du Vin à Beaune). Au centre, un magnifique flacon armorié en verre noir, sorti de la verrerie de Sèvres et dit à la « façon d'Angleterre ». Si la bouteille existait depuis longtemps déjà, ce sont les verriers anglais qui systématisèrent son emploi dans la conservation des vins au début du XVIIIe siècle.

Des vignobles de masse

Avant et après la terrible crise du phylloxéra : pour la viticulture, très nettement, il y a deux XIXe siècles. Pendant le premier, les surfaces se sont accrues, de 1 572 000 hectares en 1788 à 2 300 000 en 1850, et, la même année, la production atteint les 45 millions d'hectolitres. En Bourgogne, on plante « en foule » partout où les ceps s'enracinent, en Anjou, on introduit les cépages rouges, en Alsace, la vigne descend dans la plaine, mais les cépages, productifs, sont hélas fort communs. Les vins du Sud-Ouest profitent de l'abolition du privilège bordelais, et, en Gironde, après les années de décadence commerciale dues aux guerres napoléoniennes, on plante allégrement, surtout sous la Monarchie de juillet. La Provence double sa surface : 40 000 hectares en 1800 et 80 000 en 1850. Mais le négoce marseillais va délaisser ses rouges charnus pour les vins plus légers du Languedoc et du Roussillon, les deux provinces où le développement est le plus spectaculaire. Pendant la Révolution et l'Empire, les superficies y ont progressé pour répondre à la demande d'eaux-de-vie : des cépages à fort rendement, le terret et l'aramon, envahissent la plaine. Après 1815, le mouvement s'accentue et les rendements s'accroissent. Lorsque, vers 1860, les alcools de betterave et de grain concurrencent les eaux-de-vie méridionales, le Midi se réoriente facilement et produit massivement les vins de table pour les classes moyennes et les couches populaires des villes. Ces vins bon marché s'exportent facilement dans toute la France grâce à la révolution des chemins de fer, surtout à partir de 1850. Une révolution bénéfique pour l'aramon et son vin léger et fruité, mais la concurrence est fatale aux régions septentrionales où les surfaces diminuent, sauf en Champagne, qui profite notamment du déclin du vignoble de Laon.

Le vin objet de science

Les premières recherches scientifiques sur le vin datent de cette époque. Lavoisier avait expliqué correctement la fermentation alcoolique, et Chaptal, dès 1800, conseille de remplacer le miel par le sucre de betterave pour enrichir le vin : c'est la fameuse chaptalisation. Vers le milieu du siècle, Pasteur conduit ses premiers travaux sur les fermentations, le rôle des bactéries et de l'oxygène. C'est le prélude à la science œnologique. Mais, il faut bien le reconnaître, la vinification reste très empirique, et les vins produits sont souvent d'un faible degré et ont beaucoup d'acidité volatile. La pratique des cuvaisons longues les rend fort tanniques. Aujourd'hui, beaucoup seraient... déclassés ! Tout de même, viticulteurs et maîtres de chais utilisent de nouveaux procédés, comme l'éraflage et le foulage, et s'interrogent sur les arrêts de fermentation et la durée des cuvaisons. C'est le cas en Médoc où, on l'a vu, de nouvelles techniques ont été impulsées par les Anglais au siècle précédent. Élevage et vieillissement s'améliorent aussi, et la notion de cru s'impose à tel point qu'en 1855 paraît la fameuse classification bordelaise où figurent les vins du Médoc et du Sauternais, le seul Haut-Brion pour les Graves, aucun Pomerol, aucun Saint-Émilion. La recherche de la qualité explique le développement de la production des vins jaunes et des vins de paille du Jura ainsi que l'attente de la fameuse « pourriture noble » à Monbazillac, dans les pays de Loire et, surtout, dans le Sauternais où, en 1847, au château d'Yquem, ce procédé permit d'obtenir un vin exceptionnel.

Un cataclysme venu d'Amérique

La première rupture brutale intervient en 1852. Un champignon microscopique, l'oïdium, qui attaque tous les organes verts de la vigne, anéantit les trois quarts des récoltes entre cette date et 1856 : de 45 millions d'hectolitres en 1850, la production est tombée à 11 millions en 1854. Heureusement, une riposte est vite inventée : le soufrage de la vigne. Mais c'est le terrible *Phylloxera vastatrix*, insecte venu d'Amérique, qui déclenche la crise la plus grave que la vigne ait jamais connue. Il fut observé et identifié pour la première fois par Planchon, dans le Gard.

Le cycle évolutif du phylloxéra est d'une incroyable complexité, ce qui permet de comprendre les échecs rencontrés par les chercheurs. Sur la vigne française, le phylloxéra développe surtout ses formes radicicoles : par parthénogenèse, les larves se multiplient sur les racines qu'elles détruisent.

La crise phylloxérique commence dès 1863 en Languedoc, gagne la vallée du Rhône en 1868, la Provence et le Bordelais en 1870. A partir de ces grands foyers, le phylloxéra, en trente ans, gagne toute la France et l'Europe : les cépages autochtones français, tous de l'espèce *Vitis vinifera*, ne résistent pas. La récolte, du record de 1875 — 83 millions d'hectolitres ! —, tombe à 25 millions en 1879. Près d'un million d'hectares ont été anéantis, et, dans certains vignobles, comme à Bandol, la destruction a été totale.

Pour lutter contre le phylloxéra radicicole, fatal pour la *Vitis vinifera*, on essaya de badigeonner les souches avec des insecticides ou de désinfecter le sol à l'aide de sulfure de carbone. Les résultats furent médiocres. La submersion des sols asphyxie l'insecte, mais le procédé est rarement utilisable, hormis en Camargue et dans quelques secteurs languedociens. Le phylloxéra ne vivant pas dans les sols sableux, quelques vignobles furent épargnés. Le seul moyen vraiment efficace consista dans le greffage des cépages français sur porte-greffes américains résistants. On évita en effet de cultiver directement les cépages américains, qui donnaient des raisins trop petits à goût désagréable.

L'adoption du greffage eut de nombreuses conséquences sur les plants les plus divers. D'abord, il fallut choisir des porte-greffes adaptés à tel sol ou à tel cépage français. Dans le Midi, on put greffer sur place, ailleurs on dut mettre au point des techniques de greffage « sur table ». Pour la reproduction, le provignage devenait impossible. Et on replanta, en lignes, des vignes palissées sur fils de fer, ce qui, bien sûr, devait

Litige au comptoir : la fraude sur le vin devient une plaie à la fin du XIXe siècle. Caricature de Draner, 1883 (bibliothèque des Arts décoratifs).

faciliter l'emploi de la charrue et, souvent, entraîner la mise au point de nouveaux systèmes de taille. L'heure du sécateur était venue ! Grâce à cette révolution technique née d'un grand malheur, le vignoble français put se reconstituer. Rapidement en Bordelais, en Bourgogne et dans le Beaujolais. Dans la vallée du Rhône, grâce à la replantation, on dépassa les anciennes superficies. En revanche, la reconversion fut plus difficile dans les pays de Loire : par exemple, en Touraine, la résurrection se fit attendre jusqu'en 1901, et on replanta en noah et en othello, hybrides américains aujourd'hui prohibés, donnant un vin médiocre. En Languedoc et en Roussillon, après la crise phylloxérique qui dura de 1863 à 1878, la production du vignoble de masse créé sur 465 000 hectares devint complémentaire du vin d'Algérie, plus corsé et plus alcoolisé. Néanmoins, sur les coteaux des Corbières et du Minervois au Gard, un vignoble de qualité subsista.

Le coût financier de l'opération fut très élevé : 4 500 F l'hectare ! De plus, les nouvelles méthodes culturales imposèrent des frais supplémentaires. Et il importait de s'y adapter, donc de remettre en question nombre d'anciennes habitudes. Il n'est pas étonnant, dans ces conditions, que de nombreux petits propriétaires aient vendu leurs terres et que l'exode rural se soit amplifié. Dans certaines régions, on ne replanta que sur les sols les mieux adaptés, et la qualité y gagna. Parfois, on reconvertit les terres à vignes en prairies ou en cultures. Le cas du Bassin parisien est caractéristique : en Ile-de-France, 44 000 hectares disparurent, dans l'Aube et dans la Haute-Marne 38 000. A l'exception de Chablis, le vignoble de Basse-Bourgogne ne fut pas reconstitué. Seule la Champagne se maintint, grâce à la qualité de son incomparable produit et parce que le phylloxéra ne la toucha qu'en 1891, à un moment où la solution du greffage était déjà au point. En Alsace, annexée par la Prusse en 1871, puis victime du fléau phylloxérique, trop de vins communs vont être produits que les négociants allemands utiliseront pour des coupages...

La tragédie n'était pourtant pas terminée. Avec les plants américains, on avait importé deux maladies cryptogamiques : le mildiou et le black-rot. Le premier, observé pour la première fois par Planchon en 1878, s'attaque à tous les organes verts de la plante, comme l'oïdium. Le mildiou entraîna des chutes de récolte catastrophiques. Heureusement, une parade fut assez vite inventée : la bouillie bordelaise, solution de sulfate de cuivre neutralisée par de la chaux. Autre champignon, le black-rot apparut dans l'Hérault en 1885. Il provoqua de gros dégâts dans le Sud-Ouest et l'Isère. Heureusement, les traitements antimildiou le combattent efficacement.

En 1900, la ténacité, les facultés d'adaptation des vignerons et les investissements avaient eu raison des difficultés : 68 millions d'hectolitres furent récoltés. A l'orée du XXe siècle, les recherches œnologiques se sont développées : on étudie l'influence de la température sur la fermentation alcoolique et les arrêts de cette fermentation dans les années chaudes. La chaptalisation et l'emploi de l'anhydride sulfureux sont conseillés.

La révolte des vignerons

Le début du XXe siècle aurait donc pu être euphorique, mais ces victoires aboutirent à leur désastreuse antithèse : la surproduction aggravée par la concurrence algérienne. C'est en Languedoc-Roussillon qu'éclate la première crise grave. Dans les départements de l'Aude, de l'Hérault, du Gard et des Pyrénées-Orientales, la production a augmenté de près de 80 p. 100 entre 1890 et 1909. Et la fraude s'est généralisée : certains négociants « mouillent » et « sucrent », ou fabriquent des vins artificiels. Mévente et chute des prix, dans cette région de monoculture, entraînèrent la baisse des salaires des ouvriers vignerons, des difficultés inouïes pour les petits propriétaires et, par réaction en chaîne, la baisse de revenus des artisans et commerçants.

Devant l'inaction du gouvernement, les vignerons créèrent un Comité de défense viticole présidé par un cabaretier et petit propriétaire d'Argeliers, Marcellin Albert, qui devint très vite populaire. Dans ses discours et dans le journal *Le Tocsin*, il plaidait pour le « vin naturel », la répression des fraudes, l'union des viticulteurs et « contre la politique ». En avril et mai 1907, des manifestations impressionnantes eurent lieu à Narbonne, Béziers, Perpignan, Carcassonne et Nîmes. Le 9 juin, à Montpellier, sept cent mille personnes réclament des dispositions pour redresser la situation. C'est le moment où le mouvement se durcit et se politise avec l'entrée en scène du maire socialiste de Narbonne, le docteur Ferroul. Les maires des communes viticoles démissionnent, et un ultimatum est adressé au gouvernement qui riposte en envoyant des troupes. Mais une première mutinerie a lieu le 9 juin au 100e de ligne, à Narbonne. Des mandats d'amener sont lancés contre les dirigeants du Comité de défense, et la situation devient insurrectionnelle. Le drapeau occitan flotte sur Narbonne qui connaît deux journées d'émeute, les 19 et 20 juin. Le 21, à Béziers, le 17e de ligne se mutine : les soldats, languedociens, fraternisent avec les vignerons. Clemenceau recevra Marcellin Albert et le discréditera en lui payant le retour en train, mais, le 29 juin, le Parlement votera une loi satisfaisante contre la fraude et pour la déclaration obligatoire de récolte.

En 1911, la révolte des vignerons champenois ressemble en partie à celle du Languedoc. Dans la Marne, elle est déclenchée par la mévente et, donc, la situation désastreuse des vignerons, dépendants du négoce pour la vente de leurs raisins. De plus, certains négociants achètent des vins en Touraine, en Roussillon et en Espagne, pour en faire... du champagne ! Dans l'Aube, le mécontentement est d'un autre ordre : ce département est exclu de l'appellation « Champagne » depuis 1908. Dans la Marne, des actions directes contre les vins « étrangers » et des manifestations ont lieu dès 1910. En janvier 1911, des chais du négoce sont saccagés et la troupe vient rétablir l'ordre. Le 11 février, les vignerons obtiennent un décret antifraude. Le relais est pris en avril par les vignerons de l'Aube : grève des impôts, démissions d'élus, défilés avec le drapeau rouge. Le 11, le Sénat donne en partie satisfaction aux vignerons. Les troubles reprendront dans les deux départements que la troupe investit jusqu'aux vendanges !

Contre le fléau de la surproduction

Ces crises sont hélas exemplaires puisque, de 1911 à nos jours, la surproduction est restée chronique, sauf pendant les deux guerres mondiales. Après 1918, les vignerons planteront beaucoup d'hybrides producteurs directs importés d'Amérique. Cultivés francs de pied, ils craignent peu le mildiou et l'oïdium, sont très productifs, mais leur vin est médiocre... Entre 1940 et 1945, les plantations clandestines de tels

La révolte du Midi : Marcellin Albert, âme vive du soulèvement vigneron, est acclamé à Argeliers par les viticulteurs en colère. Couverture du « Petit Journal », juin 1907.

La maison natale de Pasteur à Arbois. Les travaux du grand savant jurassien sur les fermentations alcooliques ouvrirent une voie royale à l'œnologie contemporaine.

hybrides se multiplieront. Une autre cause de surproduction subsiste : la concurrence des vins algériens.

Dès avant 1914, des décrets délimitèrent des zones d'appellation pour éviter les fraudes. Dans les années 30, on adopta des mesures d'organisation de la production et du marché, et le « statut viticole de Barthe » fut inspiré par trois grandes règles : réduire la production en interdisant de nouvelles plantations et en pénalisant les hauts rendements, bloquer à la propriété une partie de la récolte pour échelonner les ventes, résorber les excédents par la distillation obligatoire. En 1935 était créé l'I.N.A.O. (Institut national des appellations d'origine). Son rôle fut décisif dans la délimitation et la production des vins d'A.O.C. Au critère géographique retenu jusque-là s'ajoutaient des critères draconiens de qualité : encépagement, terroir, système de taille, rendement, degré alcoolique... Les grandes régions de vins fins bénéficièrent des décrets de classement de 1935 à la guerre.

A partir de 1951, la surproduction, due aux causes habituelles, se manifesta à nouveau. Aussi, un décret-loi de 1959 institua une politique à long terme : élaboration du cadastre viticole, classement des cépages et des terroirs, arrachage volontaire indemnisé, aide financière au stockage, soutien des cours, fixation d'un prix minimal et d'un prix maximal d'intervention. Ces mesures assainirent la situation d'autant mieux que l'indépendance de l'Algérie allégea progressivement le marché.

Dans le cadre de la C.E.E., la France s'efforça, surtout à partir de la libération des échanges en 1970, de faire adopter une législation aussi poussée que la sienne, le danger principal venant de l'Italie dotée d'une économie viticole fort libérale. Elle eut à peu près gain de cause.

Toutefois, si le développement de la C.E.E. est plutôt positif pour les vins d'appellation, il a présenté des risques pour les vins de table du Midi : les achats massifs de vins italiens ont provoqué la crise de 1975 en Languedoc : 1907 revenait !

La révolution œnologique

Une constante de l'évolution viticole en France depuis vingt ans est l'accession au statut de V.D.Q.S. et d'A.O.C. d'un grand nombre de vins. Ce fut possible grâce aux efforts et à la discipline des viticulteurs et des coopératives.

Les progrès spectaculaires de l'œnologie contribuent à cette évolution. Depuis les années 50, les recherches ont concerné la maturation du raisin, la microbiologie des levures et des bactéries, la maîtrise des fermentations. Vers 1960, la détection du vin d'hybrides par chromatographie permet de stopper les fraudes. En viticulture, c'est aussi la révolution : la chimie fournit massivement les produits de traitement et permet même la non-culture. La mécanisation s'impose : tracteurs enjambeurs, pulvérisateurs pneumatiques, sécateurs hydrauliques, planteuses au laser, machines à vendanger. Cette mécanisation bouleverse le vignoble : elle exige de grands écartements, de nouveaux systèmes de taille. Et les procédés de greffage et d'hybridation, la recherche de nouvelles variétés, la pratique du clonage permettent d'obtenir des plants plus sains et plus performants.

Certes, cette évolution comporte quelques dangers : déséquilibre écologique, appauvrissement génétique, recherche de vins standardisés, mépris du vieillissement, obéissance aux lois conjoncturelles du marché. Que les inquiets se rassurent : si les Américains, les Allemands, les Hollandais et les Japonais s'intéressent de si près à nos vignobles, qu'ils essaient de s'y implanter ou qu'ils achètent leurs produits, c'est que ces derniers sont fiables et prestigieux. Gageons que l'avenir appartient à des vins élaborés sur d'irremplaçables terroirs, selon les strictes règles d'une législation intelligente et d'une œnologie préventive. Des vins fils de la technique, de la nature et... de l'amour.

« Le bon vin de France », gravure patriotique de 1915 (collection personnelle). Boisson encore peu contrôlée, trop souvent frelatée, le vin servit aussi de « pousse-à-l'assaut » pour les poilus de la Grande Guerre.

Le vin dans la peinture

Couple remplissant un fût. Détail de la tapisserie des Vendanges, *début du* XVIe *siècle (musée de Cluny). Cette grande pièce flamande, de style mille-fleurs, retrace la genèse du vin, depuis la grappe jusqu'au tonneau.*

Pourpre, mordoré, cuivré, rouge flamboyant, ocre ou rosé, le vin se pare de multiples adjectifs colorés aux chaudes nuances, qui ne peuvent laisser indifférents ces éternels amoureux de la couleur que sont les peintres. Sensibles à la beauté du liquide qui danse dans les verres en créant mille reflets, les artistes ont trouvé dans le vin prétexte à une représentation digne de la richesse de leur palette. La diversité des coloris qu'offre le breuvage ensoleillé donne naissance, sous la main habile du peintre, à une matière lumineuse, tour à tour vive, claire, foncée, pâle ou diaprée.

Outre cette évidente symphonie chromatique, le vin tient une place importante dans la peinture par toutes les variations plastiques auxquelles il donne lieu : de la figuration de la vigne ou du raisin, de celle des flûtes en cristal, des bouteilles ou des cruches en terre à la fête réunissant de joyeux buveurs, les sources d'inspiration sont aussi nombreuses que variées.

Et puis le vin fait l'objet d'une célébration quasi universelle dans la peinture : seule la civilisation islamique (à l'exception de quelques très rares images) a échappé à cette séduction, écartée par le double interdit religieux de représentation figurative et de consommation d'alcool.

Élément de civilisation, le vin était vénéré dans toutes les religions antiques. Offrande agréable aux dieux, il faisait partie des libations sacrées de l'ancienne Égypte, qui a immortalisé ces cérémonies sur les parois des tombeaux. Divin cadeau de Dionysos, le vin est dans la Grèce antique la boisson des dieux : breuvage de vie ou d'immortalité, il est de ce fait fréquemment représenté dans l'art funéraire.

Intimement lié aux cultes païens, le vin joue aussi un rôle primordial dans la tradition biblique et dans la symbolique du christianisme. Il est, par conséquent, abondamment célébré dans la peinture occidentale, où sa représentation iconographique revêt de multiples aspects : sujets religieux, thèmes mythologiques, portraits, scènes de genre, natures mortes... rendent hommage au breuvage éternel, qu'il soit mystique, païen, porteur d'ivresse, philtre d'amour, objet de méditation...

Les images sont si nombreuses qu'il ne peut être question ici que de donner quelques exemples particulièrement représentatifs. Choix arbitraire donc, et en aucun cas exhaustif, au milieu d'un large éventail iconographique.

La saison du raisin

Georges Brassens chantait les louanges du « bon lait d'automne », soulignant qu'il est une saison propice à la glorification du « jus d'octobre ». A travers les « cycles des saisons » que la peinture propose, il faut s'attarder quelque peu sur *l'Automne*, sujet qui appartient généralement à une série de quatre tableaux réalisés par le peintre comme un tout en soi (de même, en musique, les quatre célèbres concertos de Vivaldi).

Dans son cycle des saisons de 1573, Giuseppe Arcimboldo (v. 1527/30-1593) donne à *l'Automne* (musée du Louvre, Paris) l'apparence d'un être humain grotesque : le nez est une poire, la joue une pomme, la bouche une châtaigne, l'oreille un champignon... et la chevelure, figurée par d'abondantes grappes de raisin, est ceinte d'une couronne de feuilles de vigne en guise de joyau bachique. Car il ne faut pas oublier que l'automne est placé sous les bons augures de Dionysos !

Monstre grotesque, extraordinaire d'humour et d'invention chez Arcimboldo, l'automne revêt plus fréquemment la forme d'une figure allégorique. Prétexte pour l'artiste à peindre un nu : le tableau représente alors une jeune femme savamment mise en scène avec les attributs qu'impose le thème, fruits et légumes, citrouilles et profusion de raisins dorés ou violacés. Ainsi apparaît *l'Automne* (musée du Louvre, Paris) d'Antoine Watteau (1684-1721), qui tient à la main droite une serpe tandis qu'elle semble protéger de la main gauche les cadeaux de la nature. Parfois, c'est une corne d'abondance regorgeant de toutes les richesses saisonnières qui illustre l'automne. Parfois encore, le thème se développe en fonction d'une symbolique plus complexe : chez Nicolas Poussin (1594-1665), par exemple, dans sa série des *Paysages bibliques* (musée du Louvre, Paris), *la Grappe de Canaan*, énorme, portée par deux hommes dans un vaste paysage, figure l'automne ; chargée de signification religieuse, cette série est également une méditation sur les différents âges de la vie.

Par ailleurs, le cycle des saisons, dans son perpétuel recommencement et son éternel retour, offre une image de la pérennité des travaux propres à chaque époque de l'année. Gestes immuables, traditions millénaires, chaque automne sonne l'heure des vendanges.

Le temps des vendanges

L'ancienne Égypte a laissé de précieux témoignages de cette activité saisonnière : dans la tombe de Sennefer (Thèbes, règne d'Aménophis II), une immense treille recouvre le plafond de la sépulture tandis que scènes de récolte et de foulage du raisin ornent les tombes d'Ipouy (Thèbes, XIXe dynastie) et de Nakt (Thèbes, XVIIIe dynastie).

Illustration de livres d'heures, les vendanges évoquent le mois de septembre, avec le château de Saumur dominant le vignoble, dans la suite de miniatures des frères Limbourg, *les Très Riches Heures du duc de Berry* (1411-1416 ; musée Condé, Chantilly). Dans une tapisserie de style mille-fleurs, réalisée aux Pays-Bas au début du XVIe siècle et conservée au musée des Thermes et de l'Hôtel de Cluny à Paris, tous les travaux qui accompagnent les vendanges sont représentés : l'histoire du raisin transformé en vin est racontée à travers ses différentes étapes.

Le thème de la cueillette du raisin a inspiré également de nombreux peintres occidentaux, tels l'Italien Jacopo Bassano (1510-1592 ; *les Vendanges*, musée du Louvre, Paris), le Français Nicolas Lancret (1690-1743 ; *l'Automne ou les Vendanges*, musée du Louvre, Paris), l'Espagnol Francisco Goya (1746-1828), dont *l'Automne ou la Vendange* (musée du Prado, Madrid) fait partie d'un ensemble de cartons réalisés pour la Manufacture royale de Tapisseries d'Espagne en 1786-1787.

Après le labeur, la fête : les vendanges se terminent toujours par de grandes réjouissances populaires, et, de passage dans le Beaujolais alors que coule le vin nouveau, l'Anglais Joseph Mallord Turner (1775-1851) immortalise *la Fête des vendanges à Mâcon.*

Fêtes et ripailles

Le vin, il est vrai, est de toutes les fêtes. Il préside aux réunions familiales, amicales ou villageoises comme aux cérémonies et aux banquets officiels. Dans *le Repas de noces* (Kunsthistorisches Museum, Vienne), Pieter Bruegel (v. 1525/30-1569) réunit autour de la même table aussi bien les paysans que le moine et le seigneur du voisinage ; et, à gauche au premier plan, un homme n'a de cesse de remplir les cruches de vin. Au son de la musique, on mange et on boit beaucoup ! Lien social, le vin est aussi source d'excitation et il accompagne *la Danse des paysans* (Kunsthistorisches Museum, Vienne), une danse effrénée et bruyante que Pieter Bruegel met en scène : tandis que les couples se lancent dans la danse, des propos enflammés animent, à gauche, la discussion des buveurs.

Dans *le Déjeuner d'huîtres* (musée Condé, Chantilly) de Jean-François de Troy (1679-1752), les bouchons de champagne sautent de-ci, de-là, pour le plus grand plaisir des gentilshommes qui, réunis dans une salle luxueuse autour de mets raffinés, perdent, le vin aidant, leur habituelle distinction. Le même esprit préside au *Déjeuner de jambon* (1735, musée Condé, Chantilly) de Nicolas Lancret où, au premier plan, s'entassent bouteilles vides et débris de vaisselle cassée. Déjà, dans l'ancienne Égypte, on représentait des scènes d'orgies et d'ivresse, et l'on peut voir à Beni Hassan des esclaves transportant leurs maîtres ivres-morts tandis que vomissent d'élégantes jeunes femmes ! Les figurations d'ivrognes étaient tout aussi

Famille de Paysans, *toile attribuée à Louis Le Nain (musée du Louvre). Gravité et atmosphère intériorisée font ressortir la symbolique chrétienne du vin, objet de partage eucharistique.*

fréquentes en Grèce : les disciples de Dionysos y sont souvent couronnés de pampres et de lierres, plantes utilisées contre les maux de tête.

Et, dans les fêtes païennes que la peinture occidentale s'est plu à agencer, des personnages aux visages rubiconds font ripaille autour de tables chargées de victuailles et de pichets de vin, laissant imaginer l'hilarité générale, les chants, les rires et même les grivoiseries qui donnent vie à ces scènes de genre où ont excellé les maîtres flamands et hollandais. *Comme chantent les vieux piaillent les jeunes*, dit un proverbe flamand illustré par Jacob Jordaens (1593-1678) dans un tableau (Alte Pinakothek, Munich) où les convives, ayant fait bombance, se laissent aller à une « franche rigolade ». L'état d'ébriété joyeuse est également le propos du thème *le Roi boit*, cher à Jacob Jordaens et à son contemporain néerlandais Jan Steen (v. 1623/26-1679). A l'opposé, *la Famille de paysans* (1642 ; musée du Louvre, Paris) des frères Le Nain montre des gens humbles et pauvres qui vont partager en silence, avec une noble simplicité, le pain et le vin, modeste repas qui prend ici une dimension religieuse, celle de la communion eucharistique. Seule la tache rouge du verre de vin rehausse le chromatisme sombre, camaïeu de gris et de beige.

Pour compléter ce rapide panorama iconographique de la représentation du vin dans sa fonction sociale, il faut également citer les scènes d'auberge et de café, lieux privilégiés de jeux et de divertissements que le répertoire caravagesque mit à l'honneur au XVIIe siècle. Dans *le Tricheur* (musée du Louvre, Paris) de Georges de La Tour (1593-1652) se trouvent réunies autour du beau jeune homme les tentations majeures définies par la morale de l'époque : le jeu, la luxure et le vin. Pour les impressionnistes, habitués des guinguettes et des cafés, le vin est

Les joueurs de cartes *de Cézanne (galerie du Jeu de Paume). Au milieu des deux hommes et au centre du tableau, la bouteille prend toute sa dimension sociale.*

aussi l'artisan des réunions et des divertissements, comme en témoignent, parmi tant d'autres chefs-d'œuvre, *Un bar aux Folies-Bergère* (1881 ; Courtauld Institute, Londres) d'Édouard Manet (1832-1883), *le Déjeuner des canotiers* (Philips Collection, Washington) de Pierre-Auguste Renoir (1841-1919) ou encore les célèbres *Joueurs de cartes* (galerie du Jeu de Paume, musée du Louvre, Paris) de Paul Cézanne (1839-1906)... Dans cette dernière toile, il ne s'agit plus d'un groupe, mais seulement de deux personnages face à face, séparés dans l'espace de la composition par une bouteille...

Vin gai, vin triste

Certaines images à deux personnages confèrent au verre de vin une tout autre signification : celle où le breuvage devient, comme par enchantement, philtre d'amour. Sa présence renforce et participe alors à l'ivresse amoureuse d'un couple dont l'euphorie se teinte d'irréalité dans *les Amoureux au verre de vin* (Centre national d'Art et de Culture Georges-Pompidou, Paris) de Marc Chagall (1887-1985), ou de préciosité dans les scènes galantes du XVIIIe siècle. *Le Fils prodigue* (Staatliche Kunstsammlungen Gemäldegalerie, Dresde) de Rembrandt (1606-1669), intitulé parfois *Saskia et Rembrandt au verre de vin* car on y voit un autoportrait de l'artiste en compagnie de sa jeune femme, est une invitation au bonheur : le jeune homme levant son verre semble porter un toast à l'amour et à la jeunesse. A la gaieté aussi, cette gaieté que donne la boisson magique et qui fait pétiller de malice le regard de *l'Homme avec un verre de vin* (Toledo Museum of Art, U.S.A.), gentilhomme remarquablement portraituré par Diego Velàzquez (1599-1660), ou qui anime le visage rieur du *Joyeux Buveur* de Frans Hals (v. 1581/85-1666).

Mais, si le vin procure une jouissance intense qui rayonne sur le visage de l'homme jovial et insouciant, il peut être également le triste compagnon des désespérés et des mélancoliques. Le « vin-poison », source de malheur et de tragédie, est en fait une notion relativement récente. A l'époque de Jérôme Bosch (v. 1453-1516), l'ignominie de l'alcool est rattachée au péché de gourmandise (*les Sept Péchés capitaux*, musée du Prado, Madrid). Jean-Baptiste Greuze (1725-1805), champion des sujets larmoyants et anecdotiques, donne une dimension morale à l'abus de boisson avec *le Retour de l'ivrogne* (Portland Art Museum, U.S.A.).

Le XIXe siècle, avec l'apparition du prolétariat, prend conscience du caractère tragique de l'ivresse — ce que retrace parfaitement le roman de Zola, *l'Assommoir* — tandis que le romantisme introduit l'idée de l'« artiste maudit » (étiquette qui définit encore les Van Gogh, Modigliani, Utrillo, Nicolas de Staël ou Jackson Pollock). Honoré Daumier (1808-1879), Henri de Toulouse-Lautrec (1864-1901) ou Edgar Degas (1834-1917) avec *l'Absinthe* (1876 ; galerie du Jeu de Paume, musée du Louvre, Paris) ont laissé des portraits de lugubres buveurs, images de solitude et de détresse qui atteignent leur plus grande force émotionnelle quand le modèle choisi est une femme. Celle que l'on voit représentée souriante et gaie, la coupe aux lèvres, dans les groupes, les scènes galantes, amoureuses ou mythologiques, est, dans la solitude, une femme sinistre, plongée dans la rêverie d'un bonheur perdu ou inaccessible. Et c'est un spectacle de déchéance et de désolation qu'offrent *la Buveuse ou la Gueule de Bois* (musée Toulouse-Lautrec, Albi) de Toulouse-Lautrec, *la Prune* (1878 ; National Gallery of Art, Washington) d'Édouard Manet ou encore *la Buveuse d'absinthe* (1901 ; musée de l'Ermitage, Leningrad) du jeune Pablo Picasso (1881-1973).

Bacchus et la boisson divine

Dans les sujets mythologiques, en revanche, aucune gravité n'entache le vin « porteur d'ivresse ». *Le Triomphe de Bacchus* (1628-1629 ; musée du Prado, Madrid) de Diego Velàzquez est, à cet égard, remarquable : tableau connu d'ailleurs sous le titre beaucoup moins grandiose de *Los Borrachos*, c'est-à-dire « les Ivrognes », il représente un dieu coiffé d'une trop imposante couronne de lauriers et qui, mollement avachi sur son tonneau, préside à une réunion de paysans andalous, lesquels semblent se moquer de la noble grandeur du sujet pour profiter pleinement des plaisirs terrestres et boire à la coupe de la vie. Vin fou, vin allègre, il arrose, parmi les cortèges de bacchantes et les ballets de satyres et de silènes, les jeunes années de Bacchus. L'éducation de l'enfant par les nymphes du mont Nysa, que relate Ovide dans les *Métamorphoses*, a inspiré, entre autres, Nicolas Poussin dans *l'Enfance de Bacchus* (v. 1630-1633 ; musée du Louvre, Paris).

Titien (v. 1488/89-1576), avec sa *Bacchanale* du musée du Louvre, puis à sa suite Nicolas Poussin (*Bacchanale*, également au musée du Louvre) ont mis en scène un autre épisode de la vie du dieu, celui des *Adriens*, tiré des *Eikones* de Philostrate : dans l'attente de Dionysos, qui est sur le point d'arriver à Andros, petite île de la mer Égée, les habitants chantent, dansent et s'enivrent de la divine boisson. Dans la peinture de Titien, où une très belle carafe de vin se profile sur le ciel et où le breuvage narcotique coule à flots, on peut lire, sur une partition musicale, l'inscription : « Qui boit et reboit ne sait que boire soit. » Sous les joyeux auspices de Dionysos, la nature riche et riante est en harmonie avec les hommes, eux-mêmes évoluant dans la commune et douce émotion de l'ivresse.

L'Enfance de Bacchus *de Poussin (musée du Louvre). La mythologie mouvementée du dieu de l'ivresse a souvent inspiré les peintres classiques.*

Commune exaltation du plaisir aussi dans les allégories de l'amour comme *Vénus, Bacchus et l'Amour* (1727 ; musée du Louvre, Paris) de Noël Coypel (1690-1734) ou encore dans *Bacchus, Cérès et l'Amour* (Kunsthistorisches Museum, Vienne), peinture de l'Allemand Hans von Aachen (1552-1615) qui montre la déesse de la terre — la Demeter grecque — levant un verre de vin blanc en hommage à l'amour et à l'opulence de la nature. Richesses de la terre également que ces fruits juteux et ces magnifiques grappes de raisin que l'on admire dans le portrait de *Bacchus* (Galerie des Offices, Florence) brossé par Le Caravage, où corbeille de fruits, carafe lumineuse et coupe de vin rouge, au premier plan, constituent en réalité une véritable nature morte.

Plaisir des sens ou objets de méditation

Longtemps considérée comme mineure par rapport à la « grande » peinture religieuse ou d'histoire, la nature morte est sans doute le genre le plus privilégié en ce qui concerne la représentation picturale du vin. Il est vrai que la présence d'un verre coloré au milieu de citrons, d'huîtres, de fruits ou d'autres victuailles, et parmi les porcelaines, les cuivres ou les étains, permet de subtils jeux de lumière et de savants contrastes de matière que le peintre utilise à plaisir.

Dans sa *Tourte aux cassis* (musée des Beaux-Arts, Strasbourg), par exemple, le Hollandais Wilhelm Claesz (1593-1682 ?) laisse le scintillement d'un verre de cristal saisir et refléter une douce lumière pour envelopper les objets dans leur immobilité et créer un chromatisme délicat. Son compatriote Pieter Claezs

Nature morte à l'échiquier de Lubin Bauguin (musée du Louvre). Variation sur le thème des cinq sens, cette toile fait la part belle au vin, qui les convoque tous.

(v. 1595-1661), également maître du genre, donne, par le biais d'un miroir, deux images du même verre de vin dans la *Nature morte aux instruments de musique* de 1623 (musée du Louvre, Paris), et l'Alsacien Sébastien Stoskopff (1597-1657) fait tinter le cristal de sa *Corbeille de verres* (musée de l'Œuvre-Notre-Dame, Strasbourg), matière légère, transparente, fragile qu'illuminent de leurs reflets de lourds et robustes gobelets dorés. Quant à Jean-Baptiste Chardin (1699-1779), qui a donné à la nature morte occidentale ses plus splendides lettres de noblesse, on ne peut lui rendre plus bel hommage que de citer quelques lignes de la description qu'a faite Marcel Proust du *Buffet* (1728 ; musée du Louvre, Paris) : « ... Transparents comme le jour et désirables comme des sources, des verres où quelques gorgées de vin doux se prélassent comme au fond d'un gosier sont à côté de verres déjà presque vides, comme à côté des emblèmes de la soif ardente, les emblèmes de la soif apaisée. Incliné comme une corolle flétrie, un verre est à demi renversé ; le bonheur de son attitude découvre le fuseau de son pied, la finesse de ses attaches, la transparence de son vitrage, la noblesse de son évasement. A demi fêlé, indépendant désormais des besoins des hommes qu'il ne servira plus, il trouve dans sa grâce inutile la noblesse d'une buire de Venise... »

Profusion et variété de mets raffinés et de vins fins, ou sobriété et élégance austère de quelques objets et d'un verre qui font le charme du *Dessert de gaufrettes* (musée du Louvre, Paris) de Lubin Baugin (v. 1612-1663), la nature morte « comestible » est susceptible d'exciter les papilles gustatives. Elle est de ce fait utilisée pour illustrer *le Goût* dans le thème traditionnel des « Cinq

Sens », allégorie qui peut être traitée en une série de peintures ou en un seul tableau, telle la *Nature morte à l'échiquier* (musée du Louvre, Paris) de Lubin Baugin.

Invitation aux plaisirs des sens, la nature morte « au verre de vin » peut également être empreinte d'un symbolisme plus grave et plus proche des *vanitas* ou « peintures de vanités ». Incitation à la réflexion, le verre de vin, dans la lueur immobile de sa vie silencieuse, devient alors objet de méditation, et sa présence, comme celle des autres éléments de la composition, symbolise la nature éphémère des plaisirs de l'existence. Fuite inexorable du temps, vaine splendeur des biens terrestres, la mort met fin à tous les plaisirs d'ici-bas...

Le sang du Christ

Dernier aspect, et non des moindres : le vin et la peinture religieuse. Dans la symbolique chrétienne, le vin se substitue au sang du Christ : « Il prit ensuite une coupe et, après avoir rendu grâces, il la leur donna en disant : Buvez-en tous, car ceci est mon sang, le sang de l'alliance, qui est répandu pour plusieurs, pour la rémission des péchés. Je vous le dis, je ne boirai plus désormais de ce fruit de la vigne, jusqu'au jour où j'en boirai de nouveau avec vous dans le royaume de mon Père » (Matthieu, XXVI, 27-29).

Mais, pour un peintre, *la Cène* — thème majeur, magistralement traité par Léonard de Vinci (1452-1519) au réfectoire du couvent Santa Maria delle Grazie à Milan (1495-1497) ou par Tintoret (1518-1594) en l'église San Giorgio Maggiore à Venise — engendre essentiellement des recherches de composition, de perspective, de rendu des expressions du Christ et des Apôtres, plus que des variations plastiques sur le vin.

Parmi les sujets tirés de l'Ancien Testament, on peut citer *l'Ivresse de Noé*, illustrée entre autres par une peinture de Giovanni Bellini (v. 1430-1516 ; musée des Beaux-Arts, Besançon), ou *le Festin de Balthazar*, dont Rembrandt donna une version extraordinaire (National Gallery, Londres), montrant le roi surpris au moment où, dans le désordre et le trouble que provoque l'apparition divine, les vases d'or et d'argent contenant le vin sont renversés. On peut encore évoquer le thème de *Loth et ses filles* : l'histoire incestueuse de la Genèse (« Viens, faisons boire du vin à notre père et couchons avec lui, afin que nous conservions la race de notre père », *Ge.*, XIX, 32) a souvent inspiré les peintres. Lucas de Leyde (1489 ou 1494-1533 ; musée du Louvre, Paris) ou Jan Metsys (v. 1509-1575 ; musée de Cognac), par exemple, ont représenté au premier plan Loth, le vieillard, séduit par l'une de ses filles et enivré par la seconde — versant le vin dans une cruche ou lui offrant une coupe —, tandis qu'à l'arrière-plan brûle la ville de Sodome.

Loth et ses filles *de Lucas de Leyde (musée du Louvre). Cet épisode biblique, maintes fois traité dans la peinture, met au tout premier plan le vin, qui devient l'agent privilégié de la volonté divine.*

Détail des Noces de Cana *de Véronèse (musée du Louvre). Remplies par des esclaves, les coupes d'eau changée en vin passent de mains en mains...*

Outre la Cène, d'autres « repas » relatés par le Nouveau Testament, tels celui en compagnie des Pèlerins d'Emmaüs ou celui chez Simon le Pharisien, ont été fréquemment illustrés en Occident. Le plus intéressant pour notre sujet reste bien évidemment celui des Noces de Cana, où Jésus, le vin venant à manquer, transforma l'eau en vin. Et c'est une traduction profane du thème évangélique, donnée par Véronèse (1528-1588) dans une version surprenante du premier miracle de Jésus (musée du Louvre, Paris), qui retient particulièrement notre attention : cette toile gigantesque n'a pas pour propos le caractère sacré du vin, mais sert de prétexte à la représentation brillante d'un grandiose banquet de contemporains de l'artiste où le vin coule à flots.

On s'éloigne de la symbolique chrétienne, et c'est comme lien social que la présence du vin prend ici sa signification essentielle. Car, témoin attentif de son temps, le peintre traduit toujours, à travers des images exprimant sa propre sensibilité, les caractéristiques sociales et les préoccupations de son époque. Et nul ne contestera que les plaisirs de la table et du bon vin sont un fait de société qui traverse allégrement tous les siècles !

Le Dessert de gaufrettes *de Lubin Bauguin (musée du Louvre). Sous la transparence cristalline du verre, la robe du vin chatoie et participe à l'élégance austère de la composition.*

La Genèse
du Vin
MISE EN BOUTEILLES AU CHATEAU
75 cl

La viticulture

Longue est la naissance du vin. Bien avant d'aller reposer sous son logement de bois, il lui aura fallu subir l'enfantement premier, dans l'éclosion d'un minuscule bourgeon de vigne.

Avec le blé, la vigne est une des cultures les plus anciennes au monde, vieille de quatre à cinq millénaires, au moins. Elle serait originaire de la rive sud-orientale de la mer Noire, en Transcaucasie, dans des territoires qui correspondent actuellement à la Géorgie, l'Arménie et l'Azerbaïdjan. Dès la IVe dynastie pharaonique, la viticulture était connue des Égyptiens.

C'est aux environs de 600 av. J.-C. que des plants de vigne provenant d'Asie mineure furent introduits dans le sud de la Gaule, par les Grecs. Au Ier siècle av. J.-C., cette culture se répandit dans la majeure partie de la Gaule, à partir du Midi, sous l'influence romaine. Mais, en 92 après J.-C., Domitien ordonna l'arrachage de la moitié du vignoble gaulois, dont la production commençait à concurrencer celle de l'Italie. Il fallut attendre l'an 280 pour que l'empereur Probus autorise à nouveau la viticulture, qui prit alors une grande extension dans les régions extra-méridionales.

Durant le Haut Moyen Age, la viticulture déclina à la suite de la domination arabe dans les pays méditerranéens et des invasions barbares dans les pays chrétiens. Elle dut sa survie à l'Église. Au XIIe siècle, avec le développement économique, la viticulture reprit son essor, d'abord dans le nord de la France puis, progressivement, dans le Midi.

Après une extension importante du vignoble français sous le règne de Louis XIV, on assista, jusqu'à la Révolution, à une régression des surfaces plantées et du commerce du vin. Le premier Empire vit une nouvelle progression de la vigne, qui prit fin avec la crise phylloxérique.

Avant l'invasion du phylloxéra, des attaques massives de ravageurs, contre lesquels le viticulteur restait impuissant, avaient eu lieu. En 1830, ce fut la pyrale, suivie de l'oïdium en 1850, puis du mildiou en 1880. Le phylloxéra, quant à lui, apparut vers 1870 et, en vingt ans, ravagea le vignoble français.

En 1907, le monde viticole fut à nouveau secoué par une crise pléthorique, due aux trop nombreuses replantations et à la généralisation des pratiques frauduleuses. Plusieurs lois tentèrent de mieux contrôler la viticulture. Ainsi, le viticulteur devait garantir l'authenticité, l'origine et la qualité du produit ; de même, il lui était obligatoire de déclarer sa récolte. Il fallut néanmoins attendre 1935, et la loi instituant le régime des appellations, pour assainir définitivement le marché.

1956 reste une année maudite pour l'ensemble des viticulteurs, puisqu'ils assistèrent à la destruction, partielle ou totale, de leurs vignobles par les gelées. Ces vingt dernières années, des progrès technologiques considérables ont permis d'exploiter la vigne au maximum de ses possibilités, tant en quantité qu'en qualité. L'apparition de la machine à vendanger est l'une de ces révolutions.

Actuellement, le vignoble français, avec 1 million d'hectares, est le troisième vignoble mondial par la superficie, après ceux de l'Espagne et de l'Italie, tandis qu'en quantité il est le deuxième après le vignoble italien. Mais il est de loin le premier producteur de vins de qualité, tant en volume qu'en diversité.

Le canon contre la grêle, vieille pièce d'artillerie vigneronne contre les aléas de la météorologie. Couverture du « Petit Journal », juillet 1901.

Les cépages

Les cépages cultivés pour l'élaboration du vin proviennent principalement de l'espèce *Vitis vinifera.* Dans certains vignobles produisant des vins de table, il existe encore des hybrides provenant d'un croisement entre *Vitis labrusca, riparia, cordifolia, rupestris* et *Vitis vinifera.* Ces hybrides sont apparus après l'invasion phylloxérique, car ils ont une bonne résistance aux maladies cryptogamiques, ce qui évite le greffage ; en revanche, leurs qualités organoleptiques sont médiocres et leur rendement est très élevé, ce qui ne favorise pas la qualité du vin produit. Les hybrides, pour la plupart, ont la pulpe colorée, contrairement à l'espèce *Vitis vinifera,* où les matières colorantes sont présentes seulement dans la pellicule. *Vitis vinifera* a un potentiel de rendement moins élevé que l'hybride et d'excellentes qualités organoleptiques. Aussi la législation viticole tend-elle à faire disparaître complètement les vignes hybrides.

Chez *Vitis vinifera,* il existe 5 000 cépages différents dont 300 dits « de cuve », parmi lesquels 120 seulement sont tolérés, c'est-à-dire qu'ils peuvent entrer en proportions limitées dans la composition du vin. Quant aux cépages recommandés, ils peuvent produire à 100 p. 100 un vin d'appellation. Il existe aussi des cépages de table, tel le chasselas, qui peut d'ailleurs produire des raisins de cuve.

Sélection clonale et cépages améliorateurs

• Les techniques modernes ont créé de nouveaux moyens d'augmenter la qualité et la production des cépages : tel est le cas de la sélection clonale. Désormais, les centres de recherche s'orientent vers une sélection stricte du maximum de cépages.

La sélection clonale commence par une sélection massale, qui sélectionne visuellement les individus présentant les qualités requises : vigueur satisfaisante, bon aoûtement des bois, etc. Ces derniers vont ensuite subir le test de l'indexage, opération qui consiste à greffer la partie à tester sur un individu dont la particularité est de faire apparaître les signes d'un ou plusieurs virus : par exemple, le *rupestris* indiquera la présence du court-noué. La sélection clonale est une sélection à la fois génétique et sanitaire.

Parmi tous les cépages existants, certains sont considérés comme améliorateurs et sont donc fortement recommandés dans la plupart des régions viticoles. Ces cépages doivent avoir :
— une intensité colorante supérieure à 0,6 ;
— un titre alcoométrique supérieur à 11 p. 100 du volume ;
— des arômes marqués, qui doivent être ressentis lors d'assemblages avec d'autres cépages lorsqu'ils sont utilisés à raison de 10 à 30 p. 100 ;
— de la finesse de goût ;
— des qualités culturales ;
— un rendement régulier, compris entre 60 à 80 hl/ha.

Ils doivent également être peu sensibles à la coulure et avoir un débourrement tardif pour parer aux risques de gelées printanières. Il leur faut des baies de petite taille pour éviter une forte diminution de la qualité lors de rendements excessifs. Ils doivent bien se vendanger à la machine, résister à la pourriture grise et pouvoir être implantés sous d'autres climats sans pour autant être perturbés dans leur développement.

Le cabernet sauvignon, le merlot, la syrah et le mouvèdre sont des cépages améliorateurs en rouge, le chardonnay l'est en blanc. Ces cépages sont présents dans le monde entier ; en France, ils sont la base des grands vins d'appellation.

Les cépages rouges

• Le *merlot* est très cultivé dans le vignoble bordelais, où il est la base des Saint-Émilion et des Pomerol ; en Médoc, il est assemblé pour 30 p. 100 en moyenne avec le cabernet-sauvignon. En Dordogne, il apporte toute sa finesse et sa légèreté à l'élaboration de vins rouges légers. Il fait également son apparition dans le Midi. Il a un débourrement précoce, ce qui l'expose aux gelées printanières, et il est sensible à la coulure : 1984 aura été une année noire pour lui dans le Bordelais, puisque ses rendements n'ont pas atteint 20 hl/ha. Les vins de merlot sont moelleux, souples, assez riches en alcool et vieillissent rapidement.

• Le *cabernet-sauvignon* est le cépage typique du Bordelais. Il ne cesse de s'étendre en France et à l'étranger, plus particulièrement en Californie. Ce cépage est un faible producteur, car il possède de petites baies ; il produit en revanche des vins tanniques, corsés, très colorés, bouquetés et aptes à de longues gardes. Le vieillissement en fûts de chêne lui convient parfaitement bien. Le cabernet-sauvignon est aussi utilisé dans le Midi pour apporter de l'acidité, mais son titre alcoométrique est plus faible que celui du merlot.

• Le *cabernet franc* est surtout présent en Gironde et dans la vallée de la Loire (Bourgueil, Chinon...). Il donne de bons vins de garde, même si, qualitativement, il est inférieur au cabernet-sauvignon.

• Le *petit verdot* est typique du Médoc. Actuellement, il tend à disparaître, bien que certains châteaux médocains le plantent encore. Il donne un vin de bonne qualité, coloré, riche en tannins et apte au vieillissement.

• Le *tannat* est un cépage caractéristique du Sud-Ouest, entrant notamment dans la composition du Madiran. Il donne des vins très tanniques, astringents et alcooliques, qui doivent obligatoirement vieillir pour s'assouplir. Ce cépage est vigoureux et donne de grosses baies, mais sa qualité peut pâtir de rendements importants.

• D'autres cépages sont encore à signaler dans le Sud-Ouest, comme la *négrette*, le *jurançon*, le *duras* ou le *portugais bleu*. Chacun d'eux apporte au vin sa touche particulière. Malheureusement, ces cépages tendent à disparaître, cédant leur place au merlot et au cabernet-sauvignon.

● Un grand choix de cépages existe en Languedoc-Roussillon. Le *carignan* est le plus répandu. Lorsque ses rendements sont relativement faibles (Minervois, Corbières...), il donne des vins fins et corsés, tandis que, s'il est poussé, il n'offre guère d'intérêt. C'est le cépage le plus cultivé en France.

● Le *grenache* donne des vins très alcooliques mais souvent pauvres en anthocyanes (matières colorantes) ; aussi est-il souvent associé au carignan pour donner des vins équilibrés. L'*aramon*, bien qu'il ne soit pas recommandé, est un cépage très répandu dans le Midi. Il a la particularité de fournir de gros rendements et d'être facilement entretenu. Autrefois, on le coupait avec des vins médecins d'Afrique du Nord. Aujourd'hui, ses surfaces sont en diminution, et il est remplacé par le cinsault et le mouvèdre.

● Le *cinsault* et le *mouvèdre* sont des cépages améliorateurs. Le cinsault peut être consommé en raisin de table mais donne aussi d'excellents vins rouges ; il résiste bien au vent et à la sécheresse qui sévissent fréquemment dans le vignoble du Midi. Le *mouvèdre*, quant à lui, donne d'excellents vins rouges de garde. L'*alicante bouschet* est un cépage teinturier qui produit des vins très colorés mais de degré et d'acidité faibles, n'ayant donc pas une bonne aptitude au vieillissement.

● La *syrah*, également cépage améliorateur, est à la base des vins des Côtes du Rhône septentrionales. Ses vins sont très colorés, alcooliques et aromatiques. Ce cépage a l'avantage de débourrer tardivement, ce qui le protège des gelées de printemps. Dans les Côtes du Rhône méridionales, il cède la place au grenache.

● Le *gamay* donne des vins fruités et souples, qui sont généralement bus jeunes, comme le Beaujolais.

● Le *pinot noir* donne les grands vins de Bourgogne, mais entre également pour une grande

Cabernet-sauvignon. Il engendre surtout les grands rouges du Médoc, mais ses qualités l'ont fait adopter un peu partout dans le monde.

Cabernet franc à Bourgueil. Ce vigoureux cépage triomphe dans le Val de Loire, où il donne des vins odorants, et réussit bien à Saint-Émilion.

partie dans la composition du Champagne. Il possède un caractère très aromatique. Vinifié en rouge, il donne des vins de garde et de très grande finesse.

- Le *pinot meunier*, dont la qualité est inférieure à celle du pinot noir, participe aussi au Champagne.

- Le *grolleau* et le *pineau d'Aunis*, présents dans la vallée de la Loire, produisent des vins honnêtes. Le grolleau, apportant peu d'alcool et de couleur, est essentiellement vinifié en rosé.

- Le *malbec*, peu répandu, est surtout localisé dans la région de Cahors, où il donne aux vins du corps, de l'astringence et de la couleur. Ceux-ci doivent vieillir longuement.

Pinot noir. C'est le plant-roi des Bourgogne rouges. On le rencontre également en Champagne et en Alsace.

- Le *poulsard* et le *trousseau* sont souvent associés pour leurs qualités complémentaires dans le Jura.

Les cépages blancs

- Le *sauvignon* produit d'excellents vins blancs secs très parfumés mais aussi des vins liquoreux, comme en Sauternais, où il est associé au sémillon. Il est présent également dans la vallée de la Loire (Sancerre, Pouilly-sur-Loire...) et la Dordogne. On l'utilise beaucoup dans la production de « vins de cépage ».

- Le *sémillon* est originaire du Sauternais où il donne des vins liquoreux puisqu'il a la particularité de résister au botrytis et de bien se comporter vis-à-vis de la « pourriture noble ». Parfois, il est vinifié en sec et assemblé au sauvignon.

- La *muscadelle* sert également à l'élaboration des vins liquoreux, en particulier dans le Sauternais. En Dordogne et dans le Tarn, elle a été adoptée pour son parfum très puissant.

- Le *colombard*, originaire de Charente, est présent dans le Blayais et dans l'Entre-deux-Mers, où il produit d'honorables secs.

- Le *petit manseng* est le cépage typique du

Le sauvignon est un cépage blanc très typé sur le plan aromatique. Il est notamment répandu en Bordelais, dans la vallée de la Loire et le Sud-Ouest.

Jurançon. Il donne des vins moelleux très parfumés et d'excellente qualité. Ce cépage résiste au botrytis et convient bien au passerillage. Le *gros manseng* a des arômes moins fins mais engendre de bons vins secs.

- Le *mauzac* est assez peu sensible aux maladies, a de faibles rendements et est alcoolique. Il convient à l'élaboration de vins de base pour les mousseux ; c'est sa principale destination à Limoux. A Gaillac, il sert autant à l'élaboration des vins mousseux qu'à celle des vins secs.

- La *clairette* est de plus en plus abandonnée à cause de sa faible résistance aux maladies et à la coulure, et de son rendement élevé. Elle produit des vins de fort degré, mais peu parfumés et s'oxydant rapidement.

- L'*ugni blanc*, localisé principalement dans la région de Cognac, est le cépage blanc le plus cultivé en France. Il est également présent en Gironde et dans le Midi, où il produit des vins secs aux arômes fins. De même, il convient bien à l'élaboration de vins de base pour les mousseux, lorsqu'il n'est pas trop poussé.

- Le *piquepoul*, réduit à de faibles superficies dans le Midi, tend à disparaître du vignoble français. Ses caractères le rapprocheraient de la clairette.

- Le *muscat à petits grains* est un cépage très aromatique. Donnant des vins au goût musqué, il sert à l'élaboration du Frontignan, du Rivesaltes, de la Clairette de Die. Il est sensible aux maladies et produit peu, mais sa qualité le classe parmi les meilleurs muscats.

- Le *maccabeu*, surtout utilisé pour la production de vins doux naturels, donne des vins aromatiques et fruités.

- La *mondeuse blanche*, l'*altesse*, la *jacquère*, le *savagnin* sont des cépages tendant à disparaître, sauf dans le Jura et en Savoie, où ils fournissent leur meilleure expression. Le savagnin est le cépage unique du « vin jaune ».

- L'*aligoté* n'est présent qu'en Bourgogne. Les vins qu'il produit sont acides, moyennement alcooliques et se gardent peu. Sa précocité au débourrement et sa sensibilité aux gelées printanières le rendent inintéressant pour le viticulteur, qui lui préfère souvent le *chardonnay*, cépage améliorateur. Ce dernier donne des vins blancs extrêmement fins, bouquetés, de garde. Il est également, partiellement ou totalement, à la base du Champagne. Son débourrement précoce exige néanmoins des systèmes antigelées dans certaines régions, comme à Chablis.

- Le *melon*, présent surtout en Loire-Atlantique (Muscadet), est originaire de Bourgogne. Il donne des vins secs, légers et frais. Son débourrement précoce le rend sensible aux gelées printanières.

- Le *sylvaner*, que l'on trouve en Alsace, dans les vignobles allemands et autrichiens, produit des vins de qualité souvent médiocre, acides, peu alcooliques et faiblement parfumés. C'est en revanche un cépage productif.

- Le *riesling*, d'origine allemande, donne en Alsace des vins très fins, bouquetés et fruités. Il entre, en Allemagne, dans la production de vins moelleux. Son débourrement est tardif.

- Le *gewurztraminer*, présent surtout en Alsace,

Les régions viticoles possèdent souvent leur mode de taille particulier. Ici, en Alsace, la vigne est conduite en Guyot double arquée.

donne des vins secs de qualité, riches en alcool, et des vins moelleux, fins et fruités.

- Le *chenin*, principal cépage blanc de la vallée de la Loire, est originaire d'Anjou. Ses vins sont fruités et souvent de grande garde. Il donne des vins secs ou moelleux lors de sa surmaturation, mais aussi des vins mousseux.

- La *folle blanche*, originaire de Charente, est présente à l'extrémité de la vallée de la Loire (Gros-Plant) et dans la région de Cognac. Ce cépage donne des vins acides et peu aromatiques. Mais, sensible au botrytis, il est actuellement en cours d'abandon à Cognac.

Le cycle végétatif

Il est caractérisé par plusieurs stades. Le réveil de la végétation se manifeste vers la fin du mois de février par des exsudations au niveau des plaies de la taille : ce sont les *pleurs*. Ces derniers apparaissent lorsque le sol atteint une température de 10 à 12 °C. Ils sont dus à la reprise d'activité des racines. Les pleurs se poursuivent tant qu'il n'y a pas cicatrisation des plaies de taille ou développement des bourgeons ; leur durée est donc très variable, pouvant aller jusqu'à plusieurs semaines. L'arrêt de l'écoulement est déclenché par l'action de bactéries saprophytes.

Vers le début du mois d'avril, les écailles protectrices qui recouvrent les bourgeons s'écartent, laissant apparaître la bourre. C'est le *débourrement.*

Chaque cépage a un réveil de croissance différent, mais, généralement, la température de 10 °C est considérée comme le zéro de croissance. Aussi les jeunes pousses vont-elles ensuite se développer assez rapidement si les conditions météorologiques sont convenables. Elles ne fabriquent pas d'éléments nutritifs pour leur propre consommation mais font appel aux réserves accumulées par la plante l'année précédente. Les organes vont alors se différencier et croître, les feuilles s'agrandir, les mérithalles et les rameaux s'allonger, les inflorescences apparaître, ainsi que les vrilles.

A la mi-août, les rameaux ralentissent leur développement ; peu à peu, leur croissance va s'arrêter, les bourgeons terminaux vont se dessécher puis tomber. Au cours de cette phase, la teinte verte des pampres disparaît, et le rameau devient sarment en se durcissant et en s'imprégnant de liguine. A ce stade, la sève commence à descendre et les réserves vont s'accumuler dans les racines, sous forme d'amidon, permettant la protection future contre le froid hivernal et le développement des bourgeons l'année suivante. C'est l'*aoûtement.* Si l'aoûtement est réalisé dans de mauvaises conditions ou incomplètement, la vigne sera plus sensible au froid, et la récolte de l'année suivante risque d'être compromise.

Cette phase se prolonge jusqu'à la mi-novembre, au moment où les feuilles commencent à tomber sous l'effet de la formation d'une couche de liège. C'est la *défeuillaison.* A ce stade, la vigne entre en complet repos végétatif.

Le cycle reproducteur

Il débute à la mi-avril, lors du débourrement. Dans les semaines qui suivent, les inflorescences apparaissent et se développent rapidement jusqu'à la fin juin. A ce moment intervient l'étape fondamentale du cycle reproducteur, car il y a chute des capuchons floraux et libération du pollen par les étamines. La *fécondation* suit normalement la *floraison.* Les conditions météorologiques sont alors déterminantes. Dans l'absolu, les températures doivent être comprises entre 20 et 25 °C, et les précipitations être quasi inexistantes, car elles diminuent la chaleur et déposent le pollen au sol. De plus, l'alimentation de la vigne doit être bien équilibrée. Malheureusement, certaines années, des conditions climatiques défavorables provoquent une mauvaise fécondation, donnant lieu à deux maladies :

— la *coulure,* qui aboutit à la chute des fleurs ou des jeunes fruits ;

— le *millerandage,* qui correspond en fait à une fécondation partielle : les grains ne grossissent pas et restent sans pépins.

Actuellement, les organismes de recherche viticole s'intéressent de près aux problèmes de floraison et, en particulier, à la durée de celle-ci (10 à 15 jours). Des travaux sont engagés pour la réduire au minimum, de manière à réguler le cycle végétatif et à obtenir une maturité homogène au niveau de la parcelle.

Jeunes pousses en pleine croissance. On aperçoit les futures grappes, se détachant sur la couleur tendre des feuilles.

Lorsque les ovules sont fécondés, les fruits se développent : c'est la phase de la *nouaison.* Les baies grossissent, tout en restant vertes (elles assurent une fonction chlorophyllienne), et la pulpe qui se forme s'enrichit considérablement en acides organiques : acide tartrique, acide malique, acide citrique. 50 jours après la nouaison, les fruits s'arrêtent de croître (fin août), et les pépins sont aptes à se développer.

Cet arrêt de croissance précède de quelques jours la *véraison,* qui se caractérise par un changement de teinte des baies, mais aussi par un bouleversement de leur composition. Pendant cette phase, la couleur s'affirme et la quantité d'acide diminue fortement, tandis que celle de sucre augmente rapidement. De plus, de nouveaux composés phénoliques s'élaborent, en particulier les tannins, les matières colorantes et aromatiques. Lorsque ces divers constituants sont au maximum, la *maturité* est atteinte et la récolte peut commencer. La maturité est variable selon les cépages ; c'est pourquoi l'on distingue des cépages tardifs et des cépages précoces.

Avant leur chute, les feuilles de la vigne se parent de chaudes couleurs. Ainsi resplendissent d'or et de rouge les paysages automnaux des vignobles.

La conduite de la vigne

Le mode de conduite est l'ensemble des techniques choisies par le viticulteur à la plantation, hormis les règles qui lui sont imposées dans certaines zones d'appellation.

Celui-ci se caractérise d'abord par le choix de la densité de plantation qui agit directement sur la puissance des souches, en déterminant le volume de sol exploité par les racines et les possibilités aériennes de développement. La disposition « en foule », c'est-à-dire sans aucun ordre, n'est pas recommandée : cette pratique était courante au XVIIe siècle et était encore répandue au XIXe siècle en Champagne, avant l'invasion phylloxérique. La disposition « au carré » est certainement la meilleure, car le sol est exploité de manière parfaitement régulière : elle est assez fréquente en Bourgogne, où certaines parcelles sont plantées à 1 m sur 1 m, ainsi que dans le Midi, mais avec de plus grands écartements. Actuellement, la disposition « en lignes » est la plus courante : les intervalles qui séparent les lignes (rangs de vigne) sont plus grands que la distance entre les pieds d'une même ligne. Le *palissage* permet d'éviter l'inconvénient de l'entassement du feuillage. C'est un système rationnel, car il permet une bonne mécanisation tout en garantissant un nombre suffisant de pieds.

En ce qui concerne l'écartement des rangs, il n'y a pas de règle fixe : cela dépend du type de matériel utilisé par le viticulteur et de la fertilité du sol. Dans la plupart des vignobles de qualité, il varie de 1 à 2 m. Depuis quelques années, on assiste à une augmentation des écartements, pour permettre une meilleure récolte mécanique. Cette augmentation s'accompagne de l'élévation du tronc, ce qui facilite la récolte mécanique et tous les travaux manuels. L'élévation du tronc permet également de diminuer les risques de gelée au printemps, ainsi que les contagions dues aux champignons (mildiou, botrytis). En revanche, elle entraîne une sensibilité accrue à la sécheresse, car les raisins sont plus éloignés des racines ; ce phénomène est d'autant plus accusé que le sol est superficiel et que les vignes sont jeunes. Elle provoque aussi un retard de la maturation, car le rayonnement thermique du sol est moins bien capté.

L'orientation la plus satisfaisante semble être nord-sud : elle assure le meilleur ensoleillement, mais, dans les vignobles en pente, on ne peut pas toujours l'adopter. Dans ce cas, la vigne devra être plantée perpendiculairement à la pente, en terrasses ou selon les courbes de niveau.

Bien que les vignes puissent se développer sans support, comme dans le cas du gobelet, il est souvent nécessaire de les palisser pour faciliter le passage des outils et pour maintenir la charpente dans une position bien définie par le système de taille.

Les vignobles de la zone méditerranéenne bénéficient d'un fort ensoleillement, d'une pluviométrie modérée qui limite les risques d'infection, et de cépages peu vigoureux : ces divers facteurs permettent d'utiliser la taille en gobelet. Les vignes sont conduites soit à tronc court (30 cm), avec des variantes à port dressé (carignan), soit à tronc haut (jusqu'à 1 m), mais avec un port retombant (aramon) ; la végétation forme alors une cloche qui protège les grappes d'un ensoleillement trop intense.

Le palissage collectif est néanmoins le plus usité. On utilise surtout le palissage vertical : les rameaux sont maintenus verticalement par des fils de fer parallèles. Dans certaines régions très ensoleillées, le palissage est horizontal pour éviter au raisin une trop forte exposition solaire, mais ce système est favorable au développement de l'oïdium. Il existe encore d'autres variantes comme le palissage en U ou en lyre, ou le palissage oblique, actuellement à l'étude.

Depuis dix ans, la machine à vendanger est utilisée dans la plupart des vignobles français, sauf en Champagne, où la loi l'interdit, et dans les régions de vins liquoreux où la récolte s'effectue par tris. Dans les vignobles où elle est en progression, les modes de conduite comme le gobelet sont délaissés au profit du palissage vertical, qui semble mieux adapté à la vendange mécanique.

Les travaux de la vigne

Depuis que l'homme a commencé à cueillir les fruits de la vigne sauvage, il a voulu la domestiquer pour qu'elle produise plus et mieux.

La taille

La taille de la vigne est une opération indispensable car, en limitant le nombre d'yeux par souche, donc le rendement, elle favorise la qualité. Les substances nutritives, plutôt que de se répartir entre 80 et 100 grappes, s'accumulent dans 20 à 30 grappes qui seront ainsi plus grosses et plus sucrées. La légende rapporte que c'est un âne qui inventa la taille en dévorant quelques pampres : l'année suivante, les hommes s'aperçurent que les grappes produites par la souche sectionnée étaient bien plus belles.

Jusqu'à nos jours, la taille n'a cessé de s'améliorer. De nouveaux modes de taille sont apparus, chacun ayant ses avantages et ses inconvénients. On distingue actuellement les systèmes suivants :

- à charpente longue et taille courte : taille Chablis, utilisée dans le Chablisien et en Champagne, cordon Sylvoz, répandu dans les vignobles à forte production ;
- à charpente courte et taille courte : gobelet, utilisé dans les vignobles du Midi, dans le Sauternais et en Beaujolais ;
- à charpente courte et taille longue : taille Guyot simple, mixte ou double, répandue dans la plupart des vignobles français et mondiaux.

Il existe d'autres tailles particulières, souvent locales ou bien expérimentales (dans les centres de l'I.N.R.A.). Dans certains vignobles, différents systèmes de taille cohabitent, puisque chaque cépage n'a pas le même potentiel selon que la taille est courte ou longue ; le viticulteur doit choisir la mieux adaptée.

Les techniques modernes permettent de remplacer la taille manuelle par une taille semi-automatique, grâce au sécateur assisté. De même, l'utilisation de prétailleuses diminue considérablement les temps de travail. Généra-

lement, la taille débute à la tombée des feuilles et continue jusqu'au débourrement. Après la taille, les bois doivent être déposés au milieu du rang pour le passage du broyeur. Dans certaines régions, les sarments sont brûlés sur place car les pentes sont si fortes que l'utilisation du tracteur y est impossible.

De l'attachage au rognage

Aussitôt la taille et le tirage des bois terminés, l'*attachage* des bois sélectionnés peut commencer. Seules les tailles longues sont attachées pour éviter la cassure des bois de taille sous le poids de la récolte ou pour qu'ils ne retombent pas sur la souche, favorisant ainsi les maladies cryptogamiques.

Dès le mois de mai, les pampres commencent à être bien développés. A cette époque, certains démarrent du tronc de la souche. La plupart n'étant pas fructifères, ils jouent un rôle parasi-

La vigne doit bénéficier de soins constants, répartis tout au long de l'année : taille d'hiver (ci-dessous) ou remplacement des piquets au printemps (ci-contre).

taire en détournant une partie des substances nutritives au détriment des organes supérieurs. Ces pampres parasites sont détruits manuellement, mécaniquement ou chimiquement.

En juin et juillet, la végétation devenant importante, le *palissage* peut débuter, évitant ainsi que les pampres ne retombent sur le sol ou ne cassent sous le poids des fruits ou sous l'action du vent. Dans les vignobles non palissés, comme ceux du Midi, lorsque les pampres sont suffisamment longs, ils sont coupés.

Les vignes palissées vont produire des entrecœurs ; le *rognage* sera donc nécessaire pour éviter le développement du mildiou sur ces parties végétatives très sensibles.

La fumure

La vigne est l'une des plantes qui demande le moins d'engrais, puisque c'est dans les conditions les plus difficiles qu'elle donne le maximum de ses qualités. L'excès de fumure, en particulier azotée, favorise le rendement, qui est souvent facteur de médiocre qualité. Le viticulteur doit donc savoir utiliser rationnellement les engrais mis à sa disposition ; pour effectuer une fumure, il est indispensable d'étudier préalablement le terrain, la vigne, son âge, le porte-greffe, etc. Généralement, dans les vignobles de haut niveau, l'apport en azote est très faible, parfois même inexistant, ne dépassant jamais les 30 unités. Fréquemment, il est fourni par du fumier.

Les doses de potasse et de phosphore peuvent être plus importantes sans nuire à la qualité. Elles sont généralement de 50 unités pour le phosphore et de 80 unités pour la potasse. Dans certains vignobles où le sol est acide, un apport d'amendement calcaire est indispensable pour éviter des problèmes de toxicité.

La fumure azotée est répandue au printemps, tandis que le phosphore et le potassium, non lessivables dans le sol, sont utilisés en automne.

Labours et désherbage

Autrefois, la majorité du vignoble français était labourée et cultivée à l'aide de chevaux, puis le vigneron mettait la dernière touche en bêchant les quelques herbes restantes. Ce temps est révolu, et la machine s'est substituée à l'homme et à l'animal.

Sécateurs anciens (Champagne). Ils détrônèrent naguère la serpette, l'outil multiséculaire de la taille, avant d'être remplacés à leur tour par des modèles plus récents.

En octobre-novembre, les vignes sont « chaussées » : c'est le labour de *buttage*, réalisé à l'aide d'une charrue vigneronne. Celle-ci amène la terre du milieu du rang vers les pieds de vigne en les recouvrant sur 10 à 15 cm. Ce labour protège le bourrelet de soudure des risques de gel en hiver, assure la destruction des mauvaises herbes, un stockage de l'eau et l'enfouissement des engrais.

En mars-avril, les vignes sont « déchaussées » : la charrue fait le travail inverse. Le *déchaussage* détruit les mauvaises herbes, assure l'aération du sol et permet de bien mélanger la fumure. Le bourrelet est dégagé grâce au *décavaillonnage*.

Dans les semaines qui suivent, et jusqu'à la fin août, le viticulteur entretiendra fréquemment la

L'attachage de la vigne (Bordelais). Cela consiste, après la taille, à fixer au fil de fer les futurs rameaux fructifères, grâce à des liens d'osier.

partie superficielle du sol en passant un outil à dents, le « cultivateur ». Cette opération permet une bonne aération du sol, facilite la pénétration de l'eau lors de pluies d'orages et détruit les mauvaises herbes.

Mais ces actions sur le sol ne sont pas totalement bénéfiques (destruction des racines superficielles, structure du sol remise en cause, introduction de parasites, risques de gelées de printemps accentués, érosion plus rapide dans les sols en pente...). Largement généralisé, le *désherbage chimique* permet de pallier la plupart de ces inconvénients. En revanche, la vigne devient plus sensible à la sécheresse, le sol tassé rendant la pénétration de l'eau plus difficile. De même, les engrais ne s'enfouissant pas (mis à part l'azote), la majorité des racines auront tendance à rester en surface.

Chaque année, la vigne est désherbée une fois au printemps, une autre fois en été lorsque les mauvaises herbes ont résisté, parfois une troisième fois en automne. A chaque désherbage, le vigneron choisit une gamme de produits pouvant détruire toutes les herbes sans endommager la vigne.

L'enherbement permanent s'est développé dans plusieurs vignobles sensibles à l'érosion (comme à Jurançon), mais cette technique exige un apport plus important de fumure et une pluviométrie bien répartie sur l'année.

La protection du vignoble contre les parasites

Depuis que l'homme cultive la vigne, il n'a cessé de déployer des efforts pour améliorer la quantité et la qualité, mais divers obstacles se sont dressés sur son chemin, en particulier l'apparition de nouvelles maladies.

Des maladies très problématiques, comme l'esca ou le pourridié, sont apparues dès le Moyen Age. Plus tard, à l'époque des échanges avec les États-Unis, ce furent la pyrale, l'oïdium, le mildiou, le redoutable phylloxéra... Grâce à de nouveaux procédés de culture ou à des traitements spécifiques, ces maladies ont pu être efficacement combattues et, pour certaines, définitivement enrayées.

On distingue différents types de maladies de la vigne :

- les maladies parasitaires cryptogamiques ;
- les maladies bactériennes ;
- les maladies à viroses ;
- les maladies induites par des parasites animaux.

Chaque année, le viticulteur doit établir un calendrier de traitements et lutter contre ces maladies lorsqu'elles sont à leur stade le plus sensible.

La publicité pour les produits phytosanitaires ne date pas d'aujourd'hui, car les maladies guettent en permanence la vigne. Affiche de Mich (bibliothèque Forney).

Les maladies cryptogamiques

- *Le mildiou.* C'est l'une des maladies les plus répandues dans le vignoble français. Ce champignon se nourrit des substances nutritives des cellules de la vigne qu'il absorbe par l'intermédiaire d'un mycélium : les cellules dépérissent alors. Les lésions sont observables sur les feuilles sous forme de taches d'huile, mais le mildiou attaque également les rameaux et les grappes. Il se développe dans de bonnes conditions d'humidité et à une température moyenne de 15 °C. Le premier produit utilisé pour lutter contre le mildiou fut le cuivre, qui entre dans la composition de la fameuse « bouillie bordelaise » (dont le centième anniversaire a été fêté en 1985). Actuellement, il existe une multitude de produits actifs comme le mancozèbe, le captafol, le folpel...), qui ont une meilleure efficacité et sont d'une application plus facile.

- *L'oïdium.* Ce champignon est assez répandu dans le vignoble français, mais les cépages n'ont pas tous la même résistance à cette maladie. Il se développe dans des conditions d'humidité assez faible et à une température de 20 °C. Une poussière blanche sur les organes atteints ainsi qu'une déformation des feuilles caractérisent la maladie, mais seuls les organes verts peuvent être touchés. Le soufre fut le premier produit utilisé pour lutter contre l'oïdium. De nouveaux produits, d'une bonne efficacité, ont été mis au point par la suite (comme le triadinéfon et le fémarénol).

- *Le black-rot.* Ce cryptogame est fort répandu dans le vignoble français, en particulier en Gironde où il provoque de nombreux dégâts. Sous son action, les grains deviennent noirs. Cette maladie est combattue grâce aux produits antimildiou.

Le premier labour de printemps permet de « déchausser » la vigne, qui a été buttée avant l'hiver contre les risques du gel. Il aère et assainit le sol, et le prépare également aux divers amendements.

Le sulfatage reste le moyen de lutte fondamental contre les maladies cryptogamiques, mais l'ancienne « bouillie bordelaise » a cédé la place à divers produits de synthèse.

• *L'excoriose.* Ce champignon attaque la base des rameaux, provoquant leur éclatement ; le passage de la sève est ainsi rendu difficile, ce qui compromet le débourrement des deux premiers bourgeons.

• *La pourriture grise ou botrytis cinerea.* Cette maladie est, avec le mildiou, l'une des plus ravageuses puisqu'elle peut occasionner, à l'approche des vendanges, une importante perte de récolte. Au printemps et en été, lorsque les conditions d'humidité sont suffisantes, le champignon attaque les feuilles. En été et en automne, il occasionne d'importants dégâts sur les grappes. Dans certains vignobles, comme celui de Champagne, les raisins sont striés et ceux atteints de botrytis jetés. Actuellement, plusieurs matières actives luttent très efficacement contre cette maladie. Dans les régions productrices de vins liquoreux (Sauternais, Coteaux du Layon...), le botrytis est accueilli au contraire comme une bénédiction, puisqu'il est l'agent de la « pourriture noble ».

• *Le pourridié.* Ce champignon attaque uniquement la souche en transformant les cellules du bois en amadou. Si la maladie progresse, la vigne finit par périr. Le pourridié est combattu avec des produits à base d'arsonite de soude, appliqués en traitements hivernaux.

Les maladies bactériennes

Ces maladies sont l'œuvre de bactéries qui attaquent les cellules et provoquent des nécroses sur les pampres, mettant ainsi la récolte en péril. Ce genre de maladies est assez peu répandu, et il n'existe aucun moyen efficace de lutte.

Les maladies à viroses

Ces maladies (*court-noué, cannelure, panachure*), appelées aussi « dégénérescences infectieuses », sont dues à des virus qui désorganisent complètement le système intérieur de la plante. Elles entraînent la coulure. Les nématodes, porteurs de virus, contaminent les souches saines en les piquant au niveau des racines. Seuls la destruction de ces parasites et l'arrachage des racines peuvent en venir à bout.

Les parasites animaux

- *Cochylis, endemis et noctuelles.* Ces insectes sont des prédateurs de la vigne, à l'état larvaire seulement, car ils se nourrissent des organes verts et des raisins favorisant en particulier le botrytis. L'emploi d'insecticides est primordial.
- *Les cicadelles.* Elles attaquent principalement les feuilles et peuvent provoquer leur dépérissement. Les insecticides sont nécessaires pour leur destruction.
- *Les acariens.* Ce sont de minuscules araignées qui vivent sur la surface intérieure des feuilles et se nourrissent des substances nutritives de celles-ci. Les feuilles vont donc se dessécher et tomber. Les acaricides sont les moyens de lutte.
- *Les nématodes.* Ils sont responsables de la contamination des souches par le court-noué. Une désinfection du sol avant une plantation peut les détruire.

Chaque année, hormis dans quelques vignobles de nature récalcitrante, la machine à vendanger ne cesse de gagner du terrain et de dévorer goulûment les grappes mûres.

La vinification

Échantillons au laboratoire. Produit vivant et fragile, le vin bénéficie aujourd'hui d'une formidable surveillance technique, où les œnologues sont comme autant de médecins traitants, en permanence à son chevet.

Sont traités ici les principaux modes de vinification : vinification en rouge, en blanc et en rosé, macération carbonique. Les vinifications particulières (méthode champenoise, vin jaune, vins doux naturels...) sont abordées dans les chapitres régionaux.

La vinification en rouge

La vinification en rouge comporte trois grandes phases :
— la fermentation alcoolique, qui est une transformation des sucres en alcool par l'intermédiaire de levures ;
— la macération, qui consiste à faire passer les tannins et la couleur de la pellicule dans le jus ;
— la fermentation malolactique, deuxième fermentation dite d'affinement, où l'acide malique est transformé en acide lactique.

La rentrée du raisin

L'élaboration d'un bon vin rouge commence par la cueillette d'une vendange au maximum de ses qualités : maturée, saine et entière. Longtemps sous-estimée, la maturation du raisin joue pourtant un rôle très important pour le futur vin. Elle correspond à une augmentation des sucres due à l'assimilation chlorophyllienne et à une diminution des acides provoquée par la dilution et la respiration cellulaire dans la baie. Lorsque le gain en sucre de la baie s'achève, la grappe est à maturité. Les matières odorantes atteignent leur maximum avant maturité, les matières colorantes et les tannins après. Pour déterminer la maturité, deux méthodes :
— la première, empirique, consiste en des observations de la baie ou des repères végétatifs : 100 jours après la mi-floraison et 45 jours après la mi-véraison ;
— la seconde, plus scientifique et plus sûre, consiste à mesurer le rapport sucres sur acides à partir d'un jus extrait de baies ramassées au hasard sur une parcelle. A maturité, cet indice doit être de 35 à 50.

Arrivée de la vendange au chai de vinification. Les raisins sont déversés dans le fouloir-égrappoir.

Le but est de déterminer la date des vendanges suivant le vin que l'on veut obtenir. Pour un vin primeur, apprécié pour son fruité et ses arômes primaires, on récolte avant maturité (plus d'acides et plus de fraîcheur). Pour un vin de garde, on vendangera après maturité (plus de couleur, plus de tannins).

L'opération suivante est la cueillette suivie du transport. La cueillette traditionnelle au sécateur tend à laisser place à la machine à vendanger qui permet une récolte plus rapide et moins coûteuse. Le transport au chai s'effectue par bennes ou par divers récipients. Il doit être le plus rapide possible pour éviter tout risque d'oxydation et d'altération, risque qui peut néanmoins être écarté par l'adjonction d'anhydride sulfureux (SO_2), en s'oxydant à la place des constituants du moût et en détruisant les levures et les bactéries indésirables.

Égrappage et foulage

La vendange est ensuite éraflée et foulée. La première opération consiste à séparer la rafle des baies : elle évite des goûts herbacés apportés par une trop forte accumulation des tannins de la rafle, permet une économie de cuverie d'environ 30 p. 100, une augmentation du titre alcoolique de 0,5 p. 100, en évitant l'absorption de l'alcool par la rafle pendant la cuvaison, et un gain de couleur pour les mêmes raisons.

La deuxième opération a pour but d'éclater la baie de façon à libérer le jus et la pulpe de la pellicule, à mettre en contact, d'une part, les levures situées sur la peau du grain et responsables de la fermentation avec un milieu riche en sucres, d'autre part, les matières colorantes de la pellicule avec le jus pour permettre l'extraction de la couleur. Mais il ne faut pas que le foulage soit trop intense car les pépins, en étant écrasés, risqueraient de donner des goûts amers et un volume de bourbes trop important.

Ces deux opérations sont généralement combinées dans une même machine. La vendange est d'abord déposée dans un conquet vertical, passe ensuite dans un tambour horizontal perforé muni d'un arbre à palettes disposées hélicoïdalement. Le tambour et l'arbre tournent en sens inverse, à vitesse réduite. Les baies passent au travers des perforations du tambour et sont entraînées vers le fouloir alors que les rafles sont expulsées. Dans le fouloir, les grains sont écrasés par deux rouleaux tournant en sens inverse et dont l'écartement est réglable de manière à ne pas écraser les pépins. La vendange est ensuite pompée vers les cuves, qui peuvent être en bois, en ciment ou en acier.

La cuvaison

Les cuves en bois furent les premières employées mais elles tendent actuellement à disparaître, sauf dans certaines exploitations où l'on veut conserver un certain cachet traditionnel. Ce type de cuve nécessite un entretien difficile. Une cuve en bois mal entretenue peut facilement pourrir et retenir dans les pores du bois des micro-organismes indésirables difficiles à éliminer.

Les cuves en ciment, qui sont encore les plus répandues, peuvent être recouvertes à l'intérieur d'un enduit protecteur : ce qui peut être un badigeonnage par une solution d'acide tartrique à 200 g/m^2, une couche de peinture alimentaire — mais il y a risque de goûts néfastes (résines époxydes) —, mieux encore des carreaux de verre ou de céramique. Ce type de cuve est le moins coûteux, mais, selon la nature du revêtement, il y a parfois des problèmes d'asepsie.

Les cuves en acier sont de deux sortes : en acier brut recouvert de peinture alimentaire ou en acier inoxydable. Elles sont actuellement en plein essor, car elles sont plus mobiles et faciles d'entretien, mais restent d'un coût élevé.

La cuve est remplie aux deux tiers afin d'éviter tout débordement pendant la fermentation alcoolique. En effet, l'élévation de température et le dégagement de gaz carbonique entraînent une augmentation du volume de la vendange. Au fur et à mesure du remplissage, de l'anhydride sulfureux est ajouté si cela n'a pas été fait lors du

Début de cuvaison. La cuve — ici en bois — est remplie de moût frais, qui va pouvoir démarrer sa fermentation alcoolique.

transport. Celui-ci protège la matière première en inhibant les enzymes responsables de l'oxydation. Il empêche l'oxydation en captant le premier l'oxygène présent. Il exerce également une action antiseptique sur certaines levures et bactéries. Suivant les doses employées, il permet encore une sélection des levures favorables à la fermentation alcoolique. C'est pourquoi il est indispensable d'appliquer des doses précises de SO_2 ; un excès ralentirait considérablement le départ en fermentation. La dose conseillée est de 3 à 5 g/hl pour une vendange saine, tandis que, sur des raisins atteints de pourriture, elle peut monter jusqu'à 6 à 8 g/hl.

La fermentation alcoolique

C'est la transformation en alcool, par les levures, des sucres contenus dans le moût. Pendant cette transformation se dégage du gaz carbonique (CO_2). Lorsque le moût est introduit dans la cuve, il est constitué d'un mélange homogène de jus, de pulpes, de pellicules et de pépins. Au départ de la fermentation, le dégagement de CO_2 entraîne la remontée des parties solides (pellicules, pulpes) pour former à la surface de la cuve une masse compacte, appelée « chapeau ».

C3
C7
C2
C4
C6
C8

La fermentation est une réaction résultant du métabolisme d'êtres vivants, les levures : celles-ci utilisent les sucres et les transforment en alcool. Dans certains cas, pour s'assurer d'une population suffisante, il faudra pratiquer un *levurage*, qui consiste à ajouter au moût une certaine quantité de levures en pleine activité. Cela permet un départ rapide de la fermentation lorsque les vendanges sont trop froides, trop riches en sucre, ou encore trop sulfitées, ce qui ralentit le développement des levures. Le levurage permet d'obtenir un degré alcoolique plus important car les levures sélectionnées ont un meilleur rendement sucre-alcool. On se les procure dans le commerce sous forme de levures sèches actives ; celles-ci ont été récoltées en pleine activité, déshydratées et mises sous vide. Les doses d'emploi sont de 5 à 20 g/hl.

Pour que la fermentation se déroule normalement, il faut que le moût contienne une certaine quantité d'oxygène, nécessaire à la multiplication des levures, et que la température soit comprise entre 25 et 33 °C. L'oxygène est apporté au cours des « remontages ». Cette opération consiste à pomper du moût, à l'aérer dans un bac, puis à le rejeter sur le chapeau.

Certaines années, les conditions climatiques sont à l'origine d'une mauvaise maturation, qui se traduit par une faible teneur en sucre des baies. Il est donc nécessaire de pratiquer une correction, la *chaptalisation*. Elle n'est pas systématique et doit s'opérer selon la réglementation en vigueur. Elle sera effectuée le plus tôt possible en fermentation active. Il faut bien dissoudre le sucre, l'incorporer au moût et homogénéiser au maximum. 17 g de sucre sont nécessaires pour augmenter 1 litre de vin blanc de 1 p. 100 (18 g en rouge).

On considère que la fermentation alcoolique est achevée lorsque le vin contient moins de 2 g/l de sucres résiduels. Généralement, cela est acquis au bout de 6 à 8 jours.

Rutilante de propreté, une cuverie moderne et fonctionnelle : les cuves métalliques ont remplacé les anciens logements de bois, le sol est soigneusement carrelé et le pressoir se déplace sur rails.

La macération

Le vin rouge est un vin dit de macération. Parallèlement à la fermentation, les tannins et les matières colorantes des pellicules contenues dans le chapeau vont se dissoudre dans le jus : c'est la macération. Cette dissolution est favorisée par l'alcool mais aussi par une température élevée. La température optimale de vinification en rouge est de 28 à 30 °C ; on dépasse difficilement cette température — bien que cela accélère le passage de la couleur —, car au-dessus de 33 °C les levures ne peuvent plus travailler. Pour augmenter le passage des tannins et des matières colorantes, on effectue un lessivage du chapeau lors des remontages. La couleur est maximale au bout de 6 jours et la quantité de tannins au bout de 15 jours. Ainsi, plus la durée de cuvaison sera longue, plus la teneur en tannins sera élevée et plus le vin sera de garde. Suivant le type de vin que l'on veut obtenir, vin à boire jeune ou vin à conserver, la cuvaison s'étalera entre 6 jours et 1 mois.

La cuvaison étant terminée, il faut décuver. Le *décuvage* s'effectue en deux temps :

— le « vin de goutte », c'est-à-dire le jus fermenté, est pompé au bord de la cuve puis introduit dans une autre cuve : c'est l'*écoulage* ;

— le marc constitué par le chapeau qui repose au fond de la cuve après l'écoulage est recueilli puis pressuré pour donner le « vin de presse ».

Ce démarcage est généralement réalisé manuellement. Une personne entre dans la cuve et, à l'aide d'une fourche, sort le marc qui va être acheminé vers le pressoir. Cette opération pénible et dangereuse, à cause de la présence de gaz carbonique dans la cuve, devient de plus en plus assistée. On voit se répandre les systèmes de cuves autovidantes. En principe, le vin de presse contient encore quelques grammes de sucre résiduel, qui fermentera alcooliquement avant de subir la fermentation malolactique.

La fermentation malolactique

Il y a trente ans, ce phénomène était encore considéré comme une maladie néfaste au vin.

Depuis, on s'est aperçu que cette deuxième fermentation modifie favorablement le goût du vin. La fermentation malolactique est une réaction chimique : c'est la transformation de l'acide malique en acide lactique. Elle se traduit par une forte diminution de l'acidité du vin par rapport à celle du moût initial. Au point de vue gustatif, il en résulte une amélioration considérable. Ce gain de qualité tient à deux choses : la diminution du taux des acides et le remplacement d'un acide à goût prononcé, l'acide malique, par un acide beaucoup moins agressif sur les papilles de la langue, l'acide lactique. Le vin jeune perd son caractère acerbe et dur et devient plus souple : c'est pourquoi on l'appelle encore fermentation « d'affinement ».

Cette transformation de l'acide malique est réalisée par des bactéries lactiques. Elle est effectuée à une température d'environ 20 °C et préférentiellement après achèvement complet de la fermentation alcoolique. En effet, la fermentation malolactique entraîne une légère augmentation de l'acidité volatile, d'autant plus élevée que les sucres résiduels sont importants. Pour cette raison, on la réalise uniquement sur les vins secs (sucre inférieur à 2 g/l), principalement les vins rouges, sur les vins blancs, si ces derniers sont trop acides, ou pour des vins qu'on veut garder. La fermentation malolactique permettant d'obtenir une stabilité biologique, le vin va pouvoir ensuite être clarifié.

La clarification

La limpidité est une qualité de présentation que le consommateur exige d'un vin. Elle doit de plus être permanente. Pour cela, quatre possibilités :

- La *clarification spontanée*, ou *sédimentation*, consiste dans la chute naturelle et progressive des particules en suspension (levures, bactéries, débris de cellules provenant du raisin...) sous l'effet de la pesanteur. Dans la pratique du chai, le vin est mis en cuve et les particules en suspension vont se déposer avec le temps. On effectue ensuite un soutirage qui a pour but de séparer le vin clair des dépôts formés. Le vin ne

Le soutirage. Dans les installations traditionnelles, il s'effectue par simple gravité et permet la clarification progressive du vin.

sera vraiment clair qu'après plusieurs soutirages. Cette sédimentation se fait d'autant mieux que les cuves sont de petite contenance, la hauteur de chute étant plus faible. Cette action est favorisée par des températures basses.

- La *clarification par collage* est réalisée par l'adjonction au vin d'une matière organique, la « colle », qui, en s'associant avec les particules en suspension, va faciliter leur chute. Le collage est un moyen rapide de sédimentation du trouble. Il est pratiqué depuis longtemps. Naguère, on utilisait des produits naturels tels que le lait et le blanc d'œuf, dont on avait observé empiriquement les propriétés clarifiantes. Actuellement, les produits les plus usités sont la gélatine, l'albumine de sang et une argile : la bentonite. Par la suite, des soutirages seront effectués, mais leur nombre est plus limité que dans la clarification spontanée.
- La *clarification par filtrage* est opérée par le passage du vin au travers d'un filtre, permettant ainsi la séparation du jus et des particules solides. Suivant la grosseur des pores filtrants, on peut clarifier un vin jusqu'à la stérilisation de celui-ci. Cette filtration peut être réalisée soit à travers une terre d'infusoires, soit à travers des plaques cellulosiques. Le filtrage s'est répandu

L'ouillage. Cette opération, qui consiste à rétablir le niveau du vin dans les fûts, rythme la vie du chai.

Collage au blanc d'œuf. Ce procédé de clarification déjà ancien reste d'un usage fréquent dans l'élevage traditionnel, notamment en Gironde.

dans toutes les régions vinicoles. On lui a reproché d'amaigrir les vins, ce qui est faux car un vin limpide se goûte toujours mieux qu'un vin trouble.

- La *clarification par centrifugation.* C'est un procédé récent, qui s'est surtout développé dans les installations traitant de grands volumes. Il a pour but d'accélérer la chute des sédiments et de permettre leur décantation rapide. On sait que, lorsqu'on fait tourner un corps à grande vitesse autour d'un axe, il se crée une force dite « centrifuge », qui tend à éloigner le corps du centre de rotation. Sur un vin trouble, la force centrifuge réalise en quelques instants la sédimentation des suspensions inertes ou microbiennes. La centrifugation sera effectuée après un premier soutirage qui aura permis d'éliminer les particules les plus grossières.

Le vin clair n'a pas encore atteint son optimum de qualités gustatives. Selon le type obtenu, il va subir un vieillissement plus ou moins long, en cuves ou en fûts.

Le vieillissement

Durant le vieillissement, le vin va subir une succession de phénomènes modifiant son aspect et ses qualités gustatives. Sa robe, rouge vif durant les premières années, va s'atténuer pour devenir plus orangée au fil des ans ; à ce stade, on dit que le vin vieux a un aspect « tuilé ». Cette modification de la couleur est due à une transformation chimique des matières colorantes sous l'action de l'oxygène.

Les arômes sont également modifiés. Si pour un vin jeune on parle d'arômes, souvent caractérisés par des odeurs florales et fruitées, par la suite, ceux-ci s'affinent et s'associent entre eux pour former le « bouquet », composé d'odeurs plus complexes et plus subtiles.

Quant au goût, le vin dans sa première jeunesse apparaît souvent dur et astringent. Pendant le vieillissement, les tannins, en se combinant avec l'oxygène, préservent le vin contre les oxydations. Une fois les tannins complexés, le vin devient plus souple et moins âpre.

Le vieillissement du vin est réalisé en fûts de bois, en cuves de ciment ou de métal. Le vin jeune se développe plus rapidement en petits volumes. La cuve retarde l'évolution et ne permet pas d'atteindre l'optimum qualitatif.

L'élevage sous bois

Le vieillissement en fûts joue un rôle important dans les transformations subies par le vin. Le bois n'étant pas hermétique, il favorise l'action de l'oxygène. Cependant, ce type d'élevage permet surtout d'apporter au vin des tannins provenant du bois des fûts. La modification de la composition et des qualités organoleptiques du vin, qui est très progressive, augmente en outre les possibilités de conservation. En effet, les tannins jouent un rôle de conservateurs en protégeant le vin contre l'oxydation.

Le vin est mis en fûts dès le premier hiver, après la récolte. Les fûts sont remplis et mis « bonde dessus » afin de pratiquer plusieurs soutirages jusqu'à clarification complète. Une certaine perméabilité du bois entraîne une évaporation de liquide : c'est le « consume ». Ce phénomène impose donc des *ouillages*, qui consistent à rectifier le niveau du vin dans le fût. Ils sont régulièrement effectués, le consume pouvant atteindre 4 ou 5 p. 100 par an. Lorsque le vin est clair, on retourne le fût de 1/5e de tour, de manière à avoir la bonde sur le côté et, en réduisant ainsi le consume, à limiter le nombre des ouillages.

Les fûts seront stockés dans un local frais et humide pour éviter un dessèchement trop grand de la surface du bois. Avec un fût de plus de 5 ans, le passage des tannins du bois dans le vin s'atténue. Ce contenant n'apporte plus grand-chose au vin, si ce n'est une légère oxydation. Un fût trop vieux et mal entretenu peut même apporter de mauvais goûts.

La conservation en cuve

Le vin peut également être conservé en cuve. Celle-ci devra être remplie au maximum. Le haut de la cuve est formé d'une cheminée, qui sera remplie à moitié de façon à avoir toujours la même surface au contact de l'air, quelle que soit la température. En effet, toute variation de température provoque un changement de volume, qui, dans ce cas, reste localisé dans la cheminée.

Pour éviter l'altération du vin, il faut limiter le contact de l'air avec la surface du vin. Pour ce faire, on peut créer une nappe protectrice d'huile de paraffine qui, en flottant à la surface du vin, empêchera toute oxydation. On peut également enrichir en anhydride sulfureux l'air en contact avec le vin, cela par l'intermédiaire des bondes aseptiques. Il existe encore un système plus efficace, mais plus coûteux : la conservation sous gaz inerte. Les cuves sont étanches, l'air étant remplacé par de l'azote.

Assemblage et mise en bouteilles

Avant d'être préparés à la mise en bouteilles, les vins sont assemblés. L'assemblage est le mélange des vins d'une même origine et d'une même appellation. En fonction du type de vin souhaité, le vinificateur mélangera les vins de plusieurs cépages, chacun apportant sa touche particulière, mêlera vin de goutte et vin de presse.

Parfois, au fond de la bouteille, apparaissent de petits cristaux qui sont en fait un précipité de bitartrate de potassium, provoqué par un séjour prolongé de la bouteille à une température basse. Pour éviter ce phénomène, le vinificateur provoquera lui-même la précipitation au bitartrate avant la mise en bouteilles, en plaçant le vin à une température proche de son point de congélation.

Le vin rendu stable pourra alors être mis en bouteilles. Pour un vin de garde, on effectuera cette mise deux hivers après la récolte, pour un vin primeur, dès la fin des fermentations.

La vinification en blanc

Elle se différencie de la vinification en rouge par deux aspects principaux :
— l'absence de macération, qui entraîne l'obtention de la couleur et des tannins pour les vins rouges ;
— la sélection des jus, qui détermine différentes qualités de vin.

Ce principe explique pourquoi le pressurage précède la fermentation dans le cas de la vinification en blanc.

La cueillette

La cueillette des raisins joue un rôle primordial dans la qualité du vin futur. Pour les vins blancs, la maturité peut être définie de plusieurs façons, selon le type que l'on recherche :
— dans le cas d'un vin blanc sec, la maturité est obtenue lorsque le maximum d'arôme est atteint, car un vin blanc sec est surtout caractérisé par son fruité et sa complexité aromatique ;
— dans le cas d'un vin blanc liquoreux, la surmaturité est recherchée : elle assure une augmentation de la teneur en sucre, de manière à garder une partie de sucre non fermentée dans le vin, ce qui donne le goût « doucereux » caractérisant les vins liquoreux.

La surmaturation s'effectue grâce à l'action de la « pourriture noble », qui se développe sur les baies dans certaines régions comme le Sauternais ou l'Anjou. Ces deux régimes de maturité vont donc fixer des modes de récolte différents.

Pour les vins blancs secs, il faudra vendanger quelques jours avant la « maturité industrielle », qui correspond au maximum de sucres contenus dans la baie. Généralement, cette récolte se fait à la main et en un seul passage, ou à la machine à vendanger. Cependant, à l'inverse, on peut

L'usage du bois neuf s'est largement développé dans le vieillissement des vins de qualité (à gauche), tandis que l'habillage du goulot avec des capsules d'étain parachève la présentation des bouteilles (ci-contre).

aussi trier les grappes bien mûres dans le rang : cette dernière technique est rarement utilisée, car coûteuse, mais elle permet l'obtention de vins de grande qualité.

Pour les vins blancs liquoreux, tributaires de la pourriture noble, il faut effectuer plusieurs tris de manière à obtenir une vendange uniformément pourrie. A ce niveau, la mécanisation n'est pas possible.

Dans la vinification en blanc, une vendange de qualité est définie comme une vendange saine (excepté pour les vins liquoreux) et entière.

Le transport et la réception du raisin

Le transport du raisin a également une forte influence sur la qualité de la vendange. Il faut en effet prévenir deux phénomènes indésirables :

— la *macération*, d'abord : celle-ci est indésirable car elle apporte des goûts de vert au jus par contact avec les pellicules et les rafles. Ce phénomène est évité en effectuant un transport rapide et en obtenant une vendange composée de raisins entiers ;

— les *oxydations* : elles sont provoquées soit par un trop long contact du jus avec l'air, soit par l'action d'enzymes apportés par les raisins pourris. Ces deux actions déforment les arômes naturels contenus dans le raisin. Il faut donc une vendange saine, un transport rapide au cuvier et une absence totale de matière métallique en contact avec la récolte.

Sont à conseiller des bacs de faible capacité, ce qui évite tout tassement, permet le maintien de la vendange entière, empêche tout processus de macération. De plus, on évitera les manipulations intempestives, qui pourraient dégrader l'état de la vendange.

La réception du raisin se fait en fonction des modes de récolte et de transport choisis. En général, un conquet de réception est placé à l'entrée du chai, et la vendange y est déversée. Par la suite, le raisin sera foulé puis amené au pressoir par le biais d'une pompe à vendange. Parfois, le conquet est placé directement au-dessus du pressoir et il n'y a pas de foulage.

Le foulage

C'est la première action mécanique que subit la vendange. Le foulage consiste à briser la pellicule de la baie, de manière à mieux extraire le jus dont il favorise la chute par gravité : ce jus, appelé « jus de goutte », correspond à la meilleure qualité car il provient du centre de la baie.

Égouttage et pressurage

Ces deux opérations sont les plus délicates à réaliser dans la vinification en blanc.

L'égouttage se fait de deux manières ; soit « statique », c'est-à-dire que l'on utilise exclusivement la gravité pour faire tomber le jus, soit « dynamique », et, dans ce cas, la vendange subit de légères poussées pour permettre un égouttage plus rapide et l'obtention d'une plus grande quantité de jus.

Pressurage à l'ancienne en Anjou. Le vigneron utilise ici un petit pressoir vertical à cliquets.

Le pressurage, lui, a pour but d'extraire le moût resté après égouttage et se fait par pressées successives, de plus en plus fortes ; il donne le « jus de presse », plus astringent et contenant plus de bourbes.

Il existe différents types de pressoirs :

— le *pressoir vertical* : c'est un principe déjà ancien qui comprime la vendange de haut en bas. Dans ce type de pressoir, le *rebêchage* (opération consistant à casser le « gâteau » de marc) ne peut être que manuel et le débit est très limité ;

— le *pressoir horizontal* : il travaille par rotation et fait se rapprocher deux plateaux qui compriment la vendange. Ici, le rebêchage est assuré par des chaînes en acier inoxydable qui émiettent le « gâteau » par rotation en sens inverse. Ce type de pressoir est actuellement le plus employé, car il est d'une utilisation simple et assure de bons rendements en jus ;

— le *pressoir pneumatique* : là, le travail est effectué par pression d'air, laquelle gonfle des poches en caoutchouc épais qui compriment le marc. Dans ce type de pressoir, la vendange est bien respectée car la poussée s'exerce vers l'extérieur ;

— le *pressoir continu* : il est basé sur le principe de la vis sans fin, qui pousse la totalité du raisin contre une butée mobile. Ces pressoirs sont généralement utilisés dans les endroits où il faut traiter de forts volumes de vendange (caves coopératives).

Le pressoir horizontal est actuellement le plus répandu dans le vignoble français, comme ici en Bourgogne.

Le sulfitage

L'anhydride sulfureux (SO_2) est un composé chimique qui lutte efficacement contre les oxydations dans la vinification en blanc, car il capte l'oxygène qui pourrait oxyder les constituants du moût. La dose d'utilisation est variable selon l'altération de la vendange : elle va de 3 à 6 g/hl pour les vins blancs secs et de 4 à 8 g/hl pour les vins liquoreux, car, dans ce dernier cas, le SO_2 sert à bloquer la fermentation pour qu'il reste du sucre.

Débourbage et traitement à la bentonite

Le débourbage est une opération qui permet d'éliminer les particules en suspension dans le moût. C'est une clarification du jus de raisin qui va limiter tous les phénomènes de macération. Le vin issu d'un moût débourbé aura une meilleure limpidité, et, de plus, cela évitera toute dégradation des goûts : cette opération favorise donc la qualité.

Les bourbes sont formées de diverses matières : des débris terreux, des parties de pellicule et de rafle déposées lors du traitement de la vendange, des substances pectiques et des protéines précipitées.

Le débourbage peut se faire de différentes manières. Il est généralement statique et consiste à attendre la précipitation des particules au fond de la cuve. Le sulfitage à ce stade empêche le départ en fermentation, car le débourbage dure de 24 à 48 heures. Avec un débourbage statique, toutes les bourbes ne sont pas éliminées mais cela n'est pas forcément un défaut, car les bourbes contiennent des levures qui peuvent favoriser le déclenchement de la fermentation et apportent parfois des goûts agréables, si elles ne sont pas en trop grande quantité.

Les autres modes de débourbage sont en fait des procédés de clarification des vins par centrifugation et filtration. Centrifugeuses et filtres permettent d'obtenir de meilleurs rendements, car ils ne nécessitent pas le blocage d'une cuve et sont donc plus rapides.

Dans le vin subsistent des protéines qui ont une influence sur sa limpidité : il va donc falloir les éliminer. C'est le but du « bentonitage », qui est l'opération destinée à coaguler ces corps et à les faire précipiter lors du débourbage statique.

C'est à ce stade que vont encore pouvoir s'effectuer toutes les corrections à apporter au moût : sucrage, acidification et désacidification. Ces corrections se font de la même manière que dans la vinification en rouge.

La fermentation alcoolique

Après le débourbage, les levures vont se développer et provoquer la fermentation alcoolique. En blanc, cette fermentation est surtout soumise aux conditions de température. La transformation du sucre en alcool doit se faire lentement pour éviter toute perte d'arômes. Pour empêcher une fermentation tumultueuse, il faut qu'elle se produise à basse température, entre 18 et 20 °C.

La fermentation se déroule dans deux types de récipients : la cuve ou le fût. De nos jours, elle est plutôt conduite dans des cuves en acier inoxydable, car celles-ci permettent un meilleur contrôle des températures et sont d'un entretien plus facile. Le refroidissement de la cuve s'effectue généralement par ruissellement d'eau à l'extérieur (tuyauterie en contact avec la cuve) ou encore grâce à un système de drapeau immergé, où circule de l'eau froide générée par un groupe frigorifique. Il n'est pas conseillé de faire circuler le vin pendant la fermentation, à cause des risques d'oxydation pouvant dénaturer le vin fini.

Dans le cas d'une vinification en fûts, la conduite de la fermentation est beaucoup plus difficile, car le contrôle des températures est moins simple à réaliser. Cependant, la fermentation ne peut pas être aussi explosive que dans la cuve, car le bois est un matériau beaucoup moins conducteur, ce qui limite l'augmentation de température ; de plus, l'aération étant moindre, elle atténue le développement des levures en fermentation.

La durée de la fermentation peut être très variable selon le soin qui lui est apporté. Une

Une cuverie tout inox en Bordelais (ci-dessus). Du ventre luisant des cuves sortira le vin fraîchement fermenté qui régale les amateurs (ci-contre).

bonne fermentation doit être longue et durer plusieurs semaines. La fermentation est considérée comme terminée lorsque moins de 2 g de sucres demeurent contenus dans le vin.

Soutirage et conservation

Le soutirage s'opère après que la fermentation est terminée. Il consiste à évacuer le vin de la cuve ou du fût sans entraîner les lies de fermentation, essentiellement composées des levures détruites par le milieu qu'elles ont produit.

Cependant, il peut arriver que la fermentation malolactique soit désirée : dans ce cas, il faut laisser le vin sur lies, car les bactéries qui réalisent cette fermentation vont utiliser les composés des levures pour se développer. Cette fermentation est rarement souhaitée, car elle tend à diminuer l'acidité du vin, qui donne le fruité, et peut créer un déséquilibre gustatif.

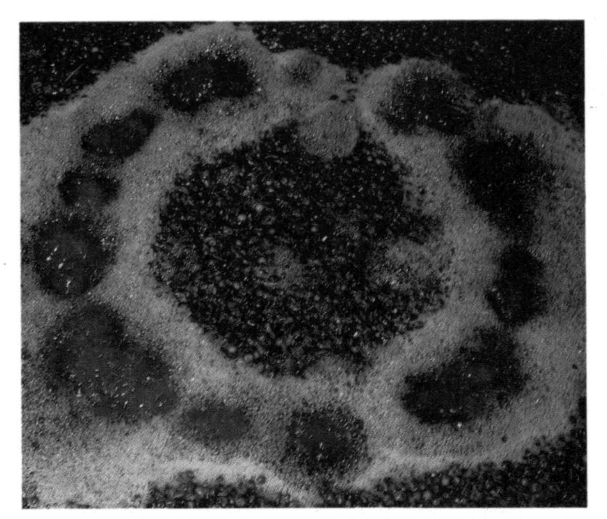

Géométrie fermentaire, pendant la phase tumultueuse du processus alcoolique. Le « chapeau » du marc émerge sous la pression du gaz carbonique.

Généralement, les vins blancs sont conservés en cuves jusqu'à la mise en bouteilles. Quelquefois, après une vinification en fûts, ils peuvent subir un vieillissement en barriques. Ce vieillissement ne doit pas s'effectuer dans des barriques neuves, car l'apport trop important de tannins par le bois risque de masquer les caractères organoleptiques du vin.

La macération carbonique

C'est une technique de vinification en rouge qui consiste à placer des grappes entières dans une cuve fermée et dans une atmosphère de gaz carbonique. Le raisin, dans ce cas, subit une autofermentation au niveau de chaque baie. La macération carbonique, c'est-à-dire la vinification sans foulage, est utilisée depuis longtemps dans certaines régions de France comme le Beaujolais ou dans des vignobles du Midi.

La vinification se déroule en deux temps :
— temps de macération carbonique et de phénomènes autofermentaires ;
— temps de fermentation alcoolique classique en milieu liquide, après pressurage du raisin ayant macéré.

Phénomènes autofermentaires ou intracellulaires

Ce sont eux qui caractérisent la macération carbonique. Ils se produisent lorsqu'un raisin mûr est placé en anaérobiose (sans oxygène, en l'occurrence sous atmosphère de gaz carbonique). A l'intérieur des baies se produit alors une fermentation d'origine enzymatique, qui transforme un faible pourcentage des sucres et permet d'obtenir 1 ou 2 degrés d'alcool.

Lors de cette fermentation intracellulaire, les éléments contenus dans les parties solides se diffusent vers la pulpe : c'est pourquoi, lors du pressurage, on obtient plus de couleur et de composés aromatiques.

Déroulement de la vinification

Une condition de réussite de la macération carbonique est d'avoir une vendange entière et dans un bon état sanitaire. On déverse délicatement la vendange dans une cuve hermétique, remplie au préalable de gaz carbonique. La vendange n'est pas foulée, ni écrasée comme dans une vinification classique. En fait, au fond de la cuve, il se produit quand même un écrasement, et l'on trouve donc du jus qui va macérer et fermenter normalement ; celui-ci permettra le maintien de l'état d'anaérobiose par dégagement de gaz carbonique lors de la fermentation.

La durée de macération est variable suivant la température : elle dure généralement entre 8 et 10 jours. Dès que le gaz carbonique ne se dégage plus par la valve de sécurité, on prend la densité, on observe la couleur du jus et on le goûte pour savoir si l'on peut décuver. Au moment de l'écoulage, la fermentation n'est pas terminée car, pendant la macération carbonique :
— 20 p. 100 des raisins écrasés subissent la fermentation classique ;
— 20 p. 100 des raisins restent intacts et font une fermentation intracellulaire ;
— 60 p. 100 subissent les deux fermentations.

Le jus est donc à 80 p. 100 déjà fermenté lorsqu'on écoule la cuve. Le jus de presse étant encore sucré, il faut lui faire achever sa transformation des sucres en le mélangeant au jus de goutte.

La fermentation terminale se déroule en phase liquide, comme pour une vinification en blanc. Généralement, le sulfitage est effectué à ce stade car, pratiqué auparavant, il risquerait de bloquer les phénomènes de fermentation intracellulaire.

La macération carbonique a la particularité de dégager des arômes spécifiques, plus intenses, à dominantes végétales et lactiques, qui différencient les vins ainsi produits des vins classiques.

La vinification en rosé

Le vin rosé est caractérisé par sa couleur intermédiaire entre celles du vin blanc et du vin rouge. Pour obtenir cette couleur, le vinificateur utilisera les mêmes cépages que pour un vin rouge ; le vin rosé se différencie en effet du vin blanc par sa plus forte teneur en anthocyanes (substances colorantes).

Il faut considérer deux types de vins rosés :

— ceux qui proviennent d'un pressurage avant la fermentation et qui tendent à ressembler à des vins blancs ;

— ceux qui subissent une légère macération pour avoir de la couleur et qui ressemblent plus aux vins rouges.

Généralement, les rosés sont des vins secs, qui renferment moins de 2 g de sucre non fermenté par litre. Cependant, il existe des rosés moelleux, qui contiennent une trentaine de grammes de sucre résiduel. Dans ce cas, on a utilisé la même méthode que pour les vins blancs liquoreux, en bloquant la fermentation avec de l'anhydride sulfureux.

Même si de nombreux rosés sont élaborés à partir de raisins de médiocre qualité, certaines appellations d'origine utilisent de belles vendanges (Tavel, Rosé d'Anjou...) pour produire des vins d'excellent niveau.

Notons encore que l'intensité colorante dépend du cépage utilisé ; par exemple, le cinsault donne peu de couleur, alors que le carignan en fournit beaucoup.

Le rosé type blanc

Ce type de vinification consiste à presser un cépage rouge comme l'on presse du raisin blanc. Ici, il faut en revanche obtenir une couleur et donc faire précéder le pressurage d'un foulage rigoureux, car ce dernier, en faisant éclater les baies, permet la libération des anthocyanes dans le jus. Au stade du pressurage, l'augmentation de la couleur est proportionnelle à l'augmentation de la force de la pressée. Il faudra donc mélanger les vins des différentes pressées pour obtenir une couleur uniforme du moût.

La pipette, outil indispensable du maître de cave, lui servant à prélever du fût les petites doses de vin à goûter ou à analyser.

Une cuverie classique, avec ses rangées de cuves cimentées. On remarque au premier plan l'installation de pompage, nécessaire aux soutirages.

Ensuite, on opère comme dans la vinification en blanc :
— un sulfitage de 4 à 8 g, qui protège des oxydations ;
— un débourbage, qui évite l'apparition de mauvais goûts ;
— un bentonitage, qui stabilise la couleur.

La fermentation malolactique pourra être effectuée : elle affine le goût mais diminue la fraîcheur ; c'est donc une question de choix.

Le rosé type rouge

Ici, on utilise la macération pour faire passer la couleur, comme dans la vinification en rouge, mais, au lieu que la macération dure tout le temps de la fermentation, on la limite en général à 24 heures. La dissolution de la couleur dépendra de trois facteurs : le sulfitage, la durée de macération et la température de celle-ci. Après 24 heures, on écoule le jus de goutte dans une autre cuve, où il finit de fermenter.

Il faut encore considérer les rosés issus de l'association des deux méthodes : c'est-à-dire de l'assemblage dans une cuve d'un pourcentage important de moût blanc issu du pressurage de raisin rouge et d'un autre, plus faible, de vendange rouge égrappée et foulée. Dans ce cas, la vinification se poursuit comme une vinification en rouge classique.

Les
Vins de France
MISE EN BOUTEILLES AU CHATEAU
75 cl

L'Alsace

Vendanges alsaciennes. Dans un décor de rêve à l'ombre de la montagne, le vigneron déverse sa longue hotte, lourde de raisins blancs et parfumés. Imagerie pieusement conservée au-delà des Vosges...

Une cigogne tenait au bout de son bec une bouteille... Si ces grands oiseaux ont déserté nombre de communes viticoles, le folklore vineux va toujours bon train.

Entre Vosges et Rhin, le vignoble alsacien a su remarquablement préserver son fort particularisme, ce qui en fait une des régions vinicoles les plus attrayantes pour l'amateur et le touriste. Lorsque l'on y pénètre depuis la « France de l'intérieur », on ressent toujours l'impression d'ouvrir toutes grandes les pages d'un album de Hansi, son célèbre illustrateur, et de feuilleter un livre d'images vivant. Même si le décor et le folklore ne dédaignent point le clin d'œil commercial, il faut reconnaître que la tradition s'est maintenue ici avec beaucoup plus de vigueur et d'authenticité qu'ailleurs. Pourtant, les vins d'Alsace restent largement — et injustement — méconnus de nos compatriotes, alors qu'ils font depuis longtemps les délices de nos voisins germaniques.

Dans les vignes de Hansi

L'Alsace vineuse se présente comme un long ruban de vignes, ponctué de ravissants villages fleuris, qui court sur une centaine de kilomètres depuis Marlenheim au nord jusqu'à la petite ville de Thann au sud. S'y ajoute, plus au nord, un petit îlot viticole concentré autour de la commune de Cleebourg, dans la région de Wissembourg.

Logé sur les collines sous-vosgiennes et les premiers contreforts de la montagne, le vignoble s'étage à des altitudes variant de 200 à 400 m, occupant des pentes douces qui peuvent se transformer en coteaux aux aplombs vertigineux. Si son orientation générale est le levant, les meilleures expositions sont néanmoins au sud et au sud-est. Les terres à vignes représentent un éventail de sols extraordinairement variés : on y découvre pêle-mêle des argiles, des calcaires, des marnes, des granits, des grès roses, des sables, des graviers, des schistes, etc. Cet enchevêtrement résulte de l'ancien effondrement du fossé rhénan qui, en séparant les Vosges de la Forêt Noire, bouscula de fond en comble les différents étages géologiques. Il s'est en tout cas révélé extrêmement propice à la vigne, comme il est à l'origine des mille nuances qui font la variété des crus.

La barrière que forment les Vosges détermine en grande partie le climat semi-continental dont jouit l'Alsace. Barrant le passage des masses d'air océaniques, la montagne diminue fortement la pluviométrie locale, qui est l'une des plus faibles de France : 500 mm d'eau par an à Colmar. Si les hivers sont rigoureux, le printemps est en revanche souvent précoce, l'atmosphère se réchauffant grâce aux vents tièdes descendus des Alpes. Les étés sont volontiers très chauds, entrecoupés d'épisodes orageux. Quant aux automnes, ils sont fréquemment ensoleillés et se prolongent tardivement. Ces caractéristiques climatiques, et notamment la beauté de l'arrière-saison, expliquent que, malgré une latitude très septentrionale, on atteigne généralement ici une maturité complète du raisin, et cela de manière remarquablement équilibrée. De par leur exposition, certains coteaux baignent même dans de véritables microclimats de style méditerranéen, comme en témoigne leur flore. Ce n'est tout de même pas par hasard que les frileuses cigognes d'Afrique ont choisi l'Alsace pour terre d'élection estivale...

Un pays de micro-propriété

Le vignoble recouvre actuellement une superficie totale d'environ 12 000 hectares. Il faut noter qu'un bon millier d'hectares ont été gagnés depuis une ou deux décennies en mordant sur la plaine d'Alsace : cette extension ne s'est malheureusement pas faite en faveur de la qualité, qui est pourtant la règle d'or alsacienne, car les riches limons du Rhin, avec leurs surrendements assurés, se prêtent plus à la culture céréalière qu'à celle de la vigne. Cela n'a d'ailleurs abouti qu'à raviver la vieille querelle du « haut » et du « bas », l'antagonisme séculaire des coteaux et de la plaine.

Réparti sur le territoire de 110 communes viticoles, c'est un vignoble incroyablement morcelé. Jugez donc ! Sur les quelque 8 500 viticulteurs que compte l'Alsace, plus de 5 500 producteurs possèdent moins de 1 hectare de vignes ; au-dessus de 5 hectares, on n'en rencontre qu'environ 500. Avec près de 150 hectares en pleine propriété, le domaine Schlumberger, à Guebwiller, fait évidemment figure ici de dinosaure...

Cette prédominance écrasante de la petite propriété explique le poids qu'a pu prendre en Alsace le mouvement coopératif. Au nombre de dix-huit, les coopératives alsaciennes bénéficient ainsi d'approvisionnements abondants et variés, qu'elles savent vinifier avec compétence, grâce à des équipements souvent ultra-modernes. La plus grosse d'entre elles, la cave d'Eguisheim, est un modèle de référence pour ses installations fonctionnelles, à la pointe de la technologie œnologique.

Le reste de la production est réparti entre les propriétaires-récoltants qui vinifient et vendent eux-mêmes leur propre récolte (une catégorie en constant essor) et ceux qui alimentent le négoce local, un négoce traditionnel qui reste à échelle familiale.

Une histoire mouvementée

La création du vignoble alsacien remonte probablement à l'époque gallo-romaine. Néanmoins, c'est à partir du IXe siècle qu'il prit un essor durable. Sous les Carolingiens, les évêques, puis les grandes communautés religieuses entreprirent de nombreuses implantations et prirent en main le commerce des vins : dès l'an 900, on recensait près de 160 villages viticoles en Alsace.

Le Moyen Age fut une période particulièrement florissante. Grâce à la voie d'eau du Rhin, les vins d'Alsace pouvaient facilement être transportés vers les pays hanséatiques, la Hollande et l'Angleterre, leurs débouchés principaux. La constitution de grands domaines, appartenant principalement aux évêques de Bâle et surtout à ceux de Strasbourg, favorisa une certaine stabilité du vignoble, lequel comptait plus de 400 villages vignerons à l'orée du XVe siècle. Jouissant du statut de villes impériales, plusieurs cités vinicoles — comme Colmar, Turkheim, Kaysersberg ou Obernai — s'unirent en 1354 au

sein de la Décapole d'Alsace, cette ligue qui joua un rôle de premier plan jusqu'au XVIIe siècle.

A cette époque, les vins rouges — comme ceux d'Ottrott ou de Saint-Hippolyte — égalent en réputation les vins blancs. Et déjà pointe, dans les meilleurs finages, le souci d'une production de qualité. Tel est le cás de Riquewihr qui,

La profusion des enseignes (ci-contre) fait partie du charme des bourgades d'Alsace. Mais le vignoble impose aussi la séduction de ses sites, comme au pied des châteaux de Ramstein et d'Ortenbourg (ci-dessus).

dès le XVIe siècle, se dote d'une réglementation communale très stricte, laquelle prescrit le rejet des plants ordinaires au profit des cépages nobles : bel exemple d'anticipation sur la législation vinicole contemporaine !

Région frontalière, le vignoble alsacien eut à souffrir cruellement des ravages de la guerre de Trente Ans. Devenue française sous Louis XIV, l'Alsace, pendant l'épisode napoléonien puis sous l'occupation des Alliés, se transforma en réservoir à vins pour soldats. Dictée par les circonstances, cette situation gomma bien vite la tradition ancestrale de qualité. La dégradation s'accentua encore avec l'annexion, en 1871, de l'Alsace au IIe Reich. Sous l'influence néfaste de la viticulture allemande et des goûts de la clientèle, le vignoble fut agrandi avec des plants courants et grossiers, à fort rendement. Une législation vinicole extrêmement laxiste généralisa en outre des pratiques contestables, comme le coupage ou le mouillage.

Pis, avec les graves attaques parasitiques de la fin du XIXe siècle (oïdium, phylloxéra), la vigne fut souvent arrachée et replantée en cépages hybrides. La réaction se fit jour au début de notre siècle, grâce à la prise de conscience des meilleurs viticulteurs alsaciens. Au lendemain de la Grande Guerre, qui vit rentrer l'Alsace dans le giron national, une politique de rénovation du vignoble fut mise en œuvre systématiquement (réadoption des plants nobles, diminution des superficies avec abandon des sites impropres, amélioration des techniques viticoles...). Malgré l'opiniâtreté avec laquelle elle fut menée, elle fut longue à porter ses fruits : ce n'est qu'en 1962 que fut obtenue l'appellation d'origine contrôlée pour les vins d'Alsace. En revanche, la législation tendit ensuite vers une rigueur accentuée : en 1972 était adopté un décret qui rendait obliga-

toire la mise en bouteilles dans la région de production (l'Alsace, avec la Champagne, demeure la seule dans ce cas).

Ce bel édifice réglementaire fut complété en 1975 par un décret créant l'appellation fort recherchée d'*Alsace grand cru*, puis en 1984 par un autre décret fixant les conditions de production des vins de « vendanges tardives » et de « sélection de grains nobles ». Encadrés de la sorte, les vins d'Alsace peuvent désormais voguer sans crainte vers un nouvel âge d'or...

La ronde des cépages

L'Alsace offre la particularité de désigner ses vins, non sous la dénomination de leur terroir d'origine (cru ou commune), mais sous le nom du cépage dont ils proviennent. A ce principe déroge seulement la minorité des vins issus de lieux-dits notoires qui peut ajouter le nom du cru à celui du cépage (voir plus loin).

Ils sont ainsi neuf cépages à pouvoir figurer sur l'étiquette, accompagnant l'appellation *Alsace* ou *Vin d'Alsace*. Quatre cépages blancs nobles : riesling, gewurztraminer, tokay d'Alsace et muscat. Quatre cépages blancs de qualité plus courante : sylvaner, pinot blanc, auxerrois, chasselas. Un unique cépage rouge : pinot noir.

Commençons cette exploration des cépages alsaciens — et des vins auxquels ils donnent naissance — par un représentant prestigieux.

Le riesling

Cépage en très forte progression ces dernières années, le riesling sait fournir, lorsqu'il subit une habile vinification, l'une des expressions les plus accomplies du terroir alsacien.

Ce plant d'origine rhénane, dont il est fait mention en Alsace dès le XVIIe siècle, est un cépage tardif, dont le cycle végétatif se trouve nettement décalé par rapport à ses congénères régionaux. Il connaît un débourrement retardataire — ce qui lui permet souvent d'échapper aux ravages des gelées printanières — mais, en revanche, n'atteint généralement sa maturité que dans la seconde quinzaine d'octobre. Aussi se trouve-t-il particulièrement adapté au climat franchement continental de l'Alsace, et notamment à ses arrière-saisons très ensoleillées. On le cultive actuellement sur près de 2 500 hectares. Avec ses grappes aux petits grains sphériques et serrés de teinte verdâtre, il est très productif, avec des rendements extrêmement confortables, de l'ordre de 100 hl/ha. Singulièrement à son aise sur les sols schisteux ou granitiques, il se prête volontiers à la pourriture noble.

Souvent considéré comme le premier des vins d'Alsace, le *Riesling* réussit en effet une remarquable synthèse entre la finesse, le fruit, la force de caractère et la tenue en bouteille qu'on aime à attendre des vins de la contrée. Sous une robe légère (un vert pâle qui, avec l'âge, tire très lentement sur le jaune d'or), il recèle une discrète puissance et une mâle vigueur, grâce surtout à un excellent support acide, équilibrant une teneur alcoolique qui sait rester raisonnable.

Corsé, mais sans brutalité, enveloppé, mais sans mollesse, ce vin très sec, nerveux, voire même mordant au départ, développe avec le temps une élégance souveraine, tout en préservant sa fraîcheur et sa charpente initiales. La race éclate avec la maturité. Aux arômes de jeunesse, fondés sur le fruit, succède une belle palette aromatique, beaucoup plus complexe : coing, tilleul, musc, citronnelle, fleur d'acacia... et souvent ce fameux « goût de pétrole » qui n'appartient qu'à lui. Son potentiel de garde, contrairement aux idées reçues, peut être impressionnant : jusqu'à 20-25 ans dans les millésimes d'exception, en ne retenant pas les vins de « vendanges tardives », encore plus aptes à la longue durée.

Le célébrissime village de Riquewihr semble évadé tout droit du XVIe siècle. Les linteaux de pierre des maisons y portent des dates vénérables, tout comme à Kaysersberg (en haut, à gauche). Mais le clin d'œil au client ne perd pas droit de cité (en bas).

Bien sûr, tous les Riesling n'obéissent pas à cet archétype. Il est des vins acerbes et sans caractère, qui s'effondrent sans beauté à l'issue de quelques années. Cela n'empêche pas l'existence d'une aristocratie de crus, classés ou non.

Les meilleurs crus

● Dans le Haut-Rhin : *Rangen* (sur Thann) ; *Olwiller* (sur Wuenheim) ; *Saering* et *Kitterlé* (sur Guebwiller) ; *Brand* (sur Turkheim) ; *Clos Sainte-Hune* (sur Hunawihr) ; *Schlossberg* (à cheval sur Kaysersberg et Kientzheim) ; *Schœnenbourg* (sur Riquewihr) ; *Sommerberg* (à cheval sur Niedermorschwihr et Katzenthal) ; *Kirch-*

berg et *Geisberg* (sur Ribeauvillé) ; *Altenberg* (sur Bergheim) ; *Kaefferkopf* (sur Ammerschwihr).

- Dans le Bas-Rhin : *Wiebelsberg* et *Kastelberg* (sur Andlau) ; *Kirchberg* (sur Barr) ; *Muenchberg* (sur Nothalten).

Le gewurztraminer

Autre prince d'Alsace, le gewurztraminer est une variété aromatique du traminer (ou savagnin rose), un plant originaire d'Allemagne mais qui a trouvé ici sa patrie d'élection. Son nom nous renseigne déjà sur sa forte personnalité, le mot « gewurz » signifiant « épicé ».

Avec ses petits grains de couleur rose, c'est un cépage précoce — donc malheureusement assez sensible à la coulure — et qu'il faut vendanger tôt, à cause d'une acidité naturelle peu élevée. En revanche, il donne des vins fortement alcoolisés et, dans les années favorables, se prête merveilleusement à la botrytisation et à la récolte en « vendanges tardives ». Comme le riesling, il constitue près d'un cinquième de la superficie totale, avec une production légèrement moindre. Les expositions méridionales lui réussissent particulièrement bien.

Le *Gewurztraminer* est un vin de grand caractère, qui ne laisse pas indifférent. Puissant et corsé, titrant volontiers 14° et plus, il offre une bouche extrêmement séveuse, qui donne une sensation de moelleux alors que le fond reste plutôt sec. Le nez, quant à lui, est intense et violent, inimitable en tout cas, marqué par des arômes de violette, de musc et d'épices fortes qui imprègnent durablement les récepteurs gustatifs. Cette domination aromatique, si elle est excessive, peut gêner le dégustateur non averti, d'autant que parfois elle est artificiellement ou maladroitement renforcée. Néanmoins, quand il est bien vinifié, le gewurztraminer se comporte en grand seigneur, tout en puissance subtile, plein d'une sève parfumée qui s'affine avec l'âge pour donner des bouteilles remarquables après 10 ans de garde, et plus encore dans les millésimes d'exception.

Son association avec le munster vosgien est un des mariages les plus heureux qui se puissent concevoir.

Ruelles fleuries et admirable clocher roman de grès rose, sur fond de vignes : tel se présente le village de Gueberschwihr, perle architecturale mais aussi haut-lieu du vin, notamment avec son grand cru du Goldert.

Les meilleurs crus

- Dans le Haut-Rhin : *Kessler* (sur Guebwiller) ; *Spiegel* (à cheval sur Guebwiller et Bergholtz) ; *Goldert* (sur Gueberschwihr) ; *Eichberg* (sur Eguisheim) ; *Hengst* (sur Wintzenheim) ; *Brand* (sur Turckheim) ; *Sonnenglanz* (sur Beblenheim) ; *Weissengrund* et *Sporen* (sur Riquewihr) ; *Altenberg* (sur Bergheim) ; *Mambourg* (sur Sigolsheim) ; *Zinnkoepflé* (à cheval sur Westhalten et Soultzmatt).
- Nettement moins à l'aise dans le Bas-Rhin, le gewurztraminer possède peu de secteurs réputés dans ce département, à l'exception du *Kirchberg* de Barr.

Les verrous des fûts alsaciens étaient autrefois richement ouvragés. Toute une faune sous-marine peuple ces sculptures, comme ces aimables sirènes (Nothalten).

Le tokay-pinot gris

Très improprement baptisé « tokay », car il ne présente aucun rapport avec le célèbre vin hongrois, il n'est autre que le vieux pinot gris, un plant répandu en France dès le Moyen Age (le nom de celui-ci peut d'ailleurs remplacer le sien sur l'étiquette). La tradition locale en attribue l'implantation en Alsace au baron de Schwendi.

Avec ses petits grains bleutés, c'est un cépage

Au premier plan, un petit oratoire campagnard. Au fond de la vigne, l'église de Kintzheim. A l'arrière-plan, coiffant le sommet, le château du Haut-Kœnigsbourg.

assez fragile, exigeant sur ses expositions, de rendement plutôt faible. Son extension reste très limitée (environ 5 p. 100). Si sa culture n'est pas toujours facile, en revanche, il est capable d'accoucher de vins de très grand style.

Le *Tokay-Pinot gris*, sous une teinte pâle qui se dore avec l'âge, est un vin capiteux, sachant dissimuler sa noble vigueur sous une tendre onctuosité. Sec mais avec rondeur, généreux en diable, il est surmonté d'un bouquet puissant, à dominante florale et épicée. Plutôt timide à ses débuts, il sait s'imposer au vieillissement et peut alors témoigner d'une opulence exceptionnelle, qui va de pair avec celle du foie gras alsacien. Il donne de magnifiques réussites lorsqu'il est récolté en vendanges tardives. Ce vin trop méconnu gagne à être découvert et apprécié à sa juste valeur.

Les meilleurs crus

• Dans le Haut-Rhin : *Rangen* (sur Thann) ; *Spiegel* (à cheval sur Guebwiller et Bergholtz) ; *Eichberg* (sur Eguisheim) ; *Hengst* (sur Wintzenheim) ; *Brand* (sur Turkheim) ; *Sonnenglanz* (Blebenheim) ; *Bollenberg* (sur Orschwihr) ; *Schlossberg* (à cheval sur Kaysersberg et Kientzheim) ; *Sporen* (sur Riquewihr).

• Dans le Bas-Rhin : *Gloeckelberg* (à cheval sur Rodern et Saint-Hippolyte). Le secteur viticole de Cleebourg, près de Wissembourg, produit un excellent tokay, très coulant.

Le muscat d'Alsace

Il est issu en fait de deux variétés de muscat : le muscat ottonel et le muscat d'Alsace proprement dit, ce dernier accentuant davantage le type des vins. Ces deux cépages, précoces, représentent une très faible proportion de la superficie plantée (moins de 4 p. 100). Il faut dire qu'ils donnent un vin tout à fait original, voué par là à la production confidentielle.

Le *Muscat d'Alsace* est un vin sec — contrairement aux autres muscats —, moyennement alcoolisé, mais doté d'une belle richesse aromatique et d'un fruité totalement exubérant. Son caractère dominant est sa saveur musquée, qui évoque le raisin que l'on croque frais. Ce goût le destine plus particulièrement à l'apéritif, mais il peut aussi faire des bouteilles de garde, surtout lorsqu'il a subi la pourriture noble.

Les meilleurs crus

- Dans le Haut-Rhin : *Schnekenberg* (Pfaffenheim) ; *Goldert* (Gueberschwihr) ; *Hatschbourg* (Voegtlinshoffen) ; *Mandelberg* (Mittelwihr) ; *Kirchberg* (Ribeauvillé).
- Comme le gewurztraminer, le muscat connaît peu de terroirs vraiment propices dans le Bas-Rhin.

Pinot blanc et auxerrois

Ces deux cépages, très proches l'un de l'autre, sont utilisés en association pour donner un vin que les Alsaciens baptisent *Klevner*. La mention la plus courante demeure toutefois *Pinot blanc*. Cépages précoces, le pinot blanc et l'auxerrois sont en nette progression, fournissant désormais 20 p. 100 de la production totale d'Alsace. De fait, ils donnent un vin facile et coulant, de plus en plus recherché pour ses agréables qualités.

Le *Pinot blanc*, d'un jaune assez soutenu, se distingue par une bonne souplesse, ce qui n'exclut pas la nervosité, par une rondeur harmonieuse et un fruité éclatant, que surmonte un délicat bouquet floral. Rapidement prêt à boire, il séduit principalement grâce à son côté glissant et son aptitude à accompagner, sans fausse note, les mets les plus variés.

A son aise dans la majorité du vignoble, il possède néanmoins quelques secteurs de prédilection, comme les localités de Wintzenheim, Orschwihr et Eguisheim (Haut-Rhin), ou celles de Mittelbergheim et Barr (Bas-Rhin).

Signalons enfin que le petit village de Heiligenstein, dans le Bas-Rhin, est réputé depuis le XVIIIe siècle pour son *Klevener*, un vin de belle finesse mais qui provient d'un cépage différent. Importé d'Italie par Ehret Wantz en 1742, ce plant originaire de Chiavenna constitue un dérivé du savagnin jurassien — qui n'est autre que l'ancien traminer alsacien.

Le sylvaner

D'origine autrichienne, ce cépage vigoureux et productif s'est remarquablement acclimaté au terroir alsacien. Malgré la concurrence du riesling et du pinot blanc, il occupe toujours une position dominante dans l'encépagement local. Il faut dire que son vin est de caractère avenant et d'approche facile. Clair et léger, le *Sylvaner* est doté d'une acidité qui lui donne de la vivacité, et même une petite tendance à perler, ainsi que d'un agréable fruité qui le rend très accessible en

Grappe de pinot blanc. Ce cépage, associé ou non à l'auxerrois, fournit des vins souples et fruités, faciles d'accès et d'usage.

bouche. Malheureusement, par manque de cote, les sélections et les vinifications ne flattent pas toujours au mieux ce caractère guilleret qui fait son charme principal.

Récolté principalement dans le Bas-Rhin, le Sylvaner y possède aussi ses meilleures situations. Son coteau le plus réputé est le *Zotzenberg*, sur la commune de Mittelbergheim, aux vins absolument remarquables. On en trouve également d'excellents à Andlau *(Kastelberg)*, à Barr *(Kirchberg)*, ainsi qu'à Orschwiller. N'oublions pas cependant le Haut-Rhin, où le sylvaner côtoie avec bonheur les cépages nobles sur des crus fameux : *Brand*, à Turkheim, ou *Zinnkoepflé*, à cheval sur Westhalten et Soultzmatt.

Le chasselas

Cépage en très forte diminution, menacé à terme de disparition, le chasselas recouvre aujourd'hui à peine 3 p. 100 des superficies plantées. Plant précoce, il donne un vin léger, clair et coulant, que les Alsaciens dénomment *Gutedel*. Sa fraîcheur et sa facilité en font le type même du vin de carafe.

Subissant durement la concurrence du pinot blanc et du sylvaner, le *Chasselas* se présente rarement sous son propre nom mais fait principalement l'appoint dans la composition des cuvées d'Edelzwicker (voir plus loin).

Le pinot noir

Venu de sa Bourgogne natale — les Alsaciens le baptisaient naguère *burgunder*—, ce plant fameux est implanté depuis longtemps dans la région. Il est à l'origine des seuls vins rouges d'Alsace. Poussé par une demande croissante, il représente aujourd'hui plus de 5 p. 100 de la production locale et ne cesse de progresser.

Le *Pinot noir* est principalement vinifié en rosé. Il donne un vin en général coloré, extrêmement fruité, vif en bouche, avec un bouquet marqué. Cependant, de plus en plus, on le vinifie également en rouge, parfois même « à la bourguignonne », avec élevage sous bois. La distinction entre rouge et rosé est d'ailleurs ténue, la différence ne résidant souvent que dans un temps de macération plus ou moins long. Vinifié en rouge, le Pinot noir est plus concentré et dégage de jolis arômes où l'on retrouve la griotte. Bien que son fruité soit son arme de séduction juvénile, il peut se bonifier en vieillissant quelques années.

Certains villages, et cela en remontant jusqu'au Moyen Age, se sont fait une spécialité des vins rouges. Il s'agit, dans le Bas-Rhin, de Marlenheim et surtout d'Ottrott — où l'on récolte l'*Ottrotter Roter* au pied du mont Sainte-Odile. Dans le Haut-Rhin, il faut bien sûr mentionner Rodern et Saint-Hippolyte, mais aussi les vins superbes que sont capables de fournir, malgré l'immense notoriété de leurs blancs, les communes de Riquewihr et de Turkheim.

Une vinification soignée

Excellents vinificateurs, tout comme ils sont des viticulteurs méticuleux, les Alsaciens s'emploient généralement à transformer soigneusement la belle matière première dont ils disposent, à savoir un raisin mûri lentement et sainement, mais doté surtout d'un merveilleux potentiel aromatique.

La vinification traditionnelle en Alsace ne diffère pas de la classique vinification en blanc, où la vendange est rapidement pressurée afin de séparer au plus tôt le moût des parties solides du fruit. Disons seulement qu'en Alsace l'attention se porte plus particulièrement sur certaines phases de la vinification : rapidité et précision du pressurage (utilisation importante des pressoirs pneumatiques), soin apporté aux opérations de clarification (utilisation fréquente de la centrifugation pour le débourbage, et du passage au froid pour provoquer les précipitations tartriques), contrôle rigoureux des fermentations. A noter que la fermentation malolactique n'est pas recherchée ici, l'acidité étant une composante primordiale de la qualité des vins d'Alsace. Même chez de petits producteurs, l'ensemble de ces opérations bénéficie souvent de l'aide d'un matériel très moderne et performant.

L'*Edelzwicker* désigne non pas un cépage, mais un assemblage de vins issus de plusieurs

Les Alsaciens affectionnent l'élevage en foudres de chêne. Cette majestueuse futaille remplit nombre de caves, et pas uniquement pour le coup d'œil...

cépages. La majorité des producteurs le composent, selon des proportions personnelles, avec les surplus de leurs différentes cuves. Certains Edelzwicker, à l'assemblage harmonieux et au type suivi, dénotent une « patte » et participent au renom des maisons qui les élaborent. Ces vins, désaltérants et agréablement parfumés, font de bonnes carafes à boire sans manières.

Enfin, depuis 1976, date à laquelle est née l'A.O.C. *Crémant d'Alsace*, les Alsaciens pratiquent officiellement la méthode champenoise. Ils le font avec goût et beaucoup de sûreté technique. Obtenu à partir du pinot blanc, du pinot gris, du pinot noir, du riesling et parfois même du chardonnay (mais principalement du premier), ce crémant est un produit de bonne facture, à la mousse fine, frais en bouche et d'un fruité qui révèle bien ses origines.

Vendanges tardives

Depuis une ou deux décennies, et en plus grand nombre depuis quelques années, certains viticulteurs d'Alsace se sont lancés dans la production de vins de « vendanges tardives ». Récoltés dans les meilleures situations du vignoble, ces vins symbolisent en quelque sorte la quintessence du savoir-faire local.

Ils sont issus de la récolte de raisins surmûris, ou même atteints de « pourriture noble ». La cueillette s'effectue largement après les vendanges normales et, si l'on recherche la botrytisation complète, par tries successives. Lentement fermentés, les vins ainsi obtenus sont particulièrement opulents, tout en conservant généralement un fond sec, et développent au superlatif toutes les qualités du cépage d'origine. Ils ne sont produits que dans les bonnes années, quand les conditions météorologiques s'y prêtent.

Le décret du 1er mars 1984 a édicté des conditions à remplir par ces vins d'exception. Ne

peuvent prétendre à la mention « vendanges tardives » que les vins de gewurztraminer, de riesling, de pinot gris et de muscat. Pour cela, ils doivent présenter une richesse minimale de 243 g de sucre par litre de moût pour le gewurztraminer et le tokay, de 220 g pour le riesling et le muscat. Pour avoir droit à la mention « sélection de grains nobles », ces proportions doivent respectivement s'élever à 279 g/l (gewurz, tokay) et à 256 g/l (riesling, muscat). Ces vins ne peuvent en aucun cas être chaptalisés. En outre, ils doivent avoir fait l'objet d'une déclaration préalable lors de la vendange, subir une analyse et une dégustation d'agrément particulières, enfin être commercialisés obligatoirement avec l'indication du millésime.

Encore plus stricte et exigeante qu'à Sauternes, cette réglementation est venue couronner la recherche, souvent passionnée, d'une qualité qui faisait injustement défaut à la réputation des vins d'Alsace.

Les grands crus

Les viticulteurs alsaciens, traditionnellement, inscrivaient sur l'étiquette des vins provenant de leurs meilleurs coteaux le nom du lieu-dit d'origine, cela afin de différencier — très légitimement — une production que l'appellation unique *Alsace* ne permettait en rien de nuancer. Cependant, cette mention, qui résultait de réputations locales bien enracinées, n'eut pendant longtemps aucune valeur légale. Aussi le législateur combla-t-il cette lacune en 1975, en créant officiellement l'appellation *Alsace grand cru*. Toutefois, seul le cru de *Schlossberg* (à cheval sur les communes de Kaysersberg et Kientzheim) jouissait de cette distinction méritée.

A l'issue de maintes consultations, le décret du 23 novembre 1983 a entériné la liste officielle des « grands crus » (voir en fin de chapitre).

Symphonie en jaune et vert pour vignes automnales. De par son climat particulier, le vignoble alsacien jouit d'arrière-saisons ensoleillées et prolongées, qui favorisent une maturation complète du raisin.

Ceux-ci, au nombre de vingt-cinq, recouvrent une superficie de 780 hectares. Le classement n'est toutefois pas limitatif et, depuis novembre 1985, vingt-deux autres lieux-dits sont en instance d'admission. Pour des raisons diverses (refus des syndicats viticoles, encépagement inadapté, contraintes de rendement...), certains crus, pourtant de grande notoriété, avaient été tenus écartés de la première classification. Grâce au concours des producteurs concernés, la législation devrait progressivement réparer ces regrettables « oublis »...

L'Alsace festive

Avec un héritage comme le sien, fondé sur des traditions villageoises solidement enracinées depuis l'époque médiévale, l'Alsace ne pouvait que perpétuer dignement la coutume des fêtes et manifestations à la gloire du vin, ce seigneur omniprésent des lieux.

La tradition vive, elle vous la fait découvrir d'abord grâce à sa « route du vin », incontestablement la plus enchanteresse des routes de ce genre en France. Depuis la localité de Gimbrett, à l'extrême nord, jusqu'à la vieille cité de Thann, au sud, la route du vin d'Alsace vous promène d'un bout à l'autre du vignoble en ne vous épargnant aucun de ses joyaux, du haut lieu jusqu'à son plus modeste site. C'est une centaine de bourgades vinicoles que vous pouvez visiter au gré de son tracé mouvant : villages-musées le plus souvent, blottis autour de leurs beffrois, sertis de remparts et de portes-tours, riches de belles maisons à colombages et à oriels, où les enseignes de vignerons sont autant d'invites à la dégustation.

La célébration et le commerce du vin sont étroitement associés à la faveur des fêtes et foires qui rythment régulièrement l'année alsacienne. La plus importante est la foire aux vins de Colmar, qui se tient à la mi-août dans la capitale du vignoble et dont le concours est très prisé. Août est d'ailleurs un mois fertile, puisqu'on y voit se dérouler des fêtes du vin à Turkheim, à Dambach-la-Ville, à Gueberschwihr, à Eguisheim et à Bennwihr. La fameuse foire aux vins

Cérémonie d'intronisation au sein de la Confrérie Saint-Étienne. Cette société vineuse, fondée en 1561, est la plus ancienne — et l'une des plus dynamiques — de France.

de Ribeauvillé, où le vin jaillissait naguère d'une fontaine, a lieu quant à elle vers la fin juillet. Si la foire d'Ammerschwihr, en avril, ouvre l'année bachique, la période des vendanges la conclut également avec des fêtes, notamment à Obernai, Barr, Hunawihr, Katzenthal, Marlenheim et Niedermorschwihr. A signaler encore la foire aux vins de Barr, à la mi-juillet.

L'Alsace possède une seule confrérie vineuse, mais de forte stature : la Confrérie Saint-Étienne. Jugez en effet de son ancienneté : 1561, date de ses premiers statuts, et encore son existence est-elle attestée dès le XIVe siècle ! Née à Ammerschwihr, placée sous l'invocation de son saint au XVIIIe siècle, la confrérie connut activité et prospérité jusqu'au milieu du siècle dernier, époque à laquelle elle sombra soudainement dans l'oubli. Il fallut attendre le lendemain de la Seconde Guerre mondiale pour assister à sa résurrection : la confrérie renaquit officiellement le 31 mai 1947. Des chapitres solennels se tiennent plusieurs fois par an, sous la présidence d'un grand conseil en habit écarlate, notamment dans le superbe cadre du château de Kientzheim, qui est devenu propriété et siège de la confrérie en 1972.

La Confrérie Saint-Étienne possède une magnifique œnothèque, réunissant tous les millésimes depuis 1945, auxquels se sont ajoutés les flacons anciens d'une collection privée dont les échantillons remontent jusqu'à 1834 ; l'autre grande œnothèque de la région est celle de l'I.N.R.A., à Colmar. La confrérie délivre également un « sigille » aux vins qu'elle prime chaque année, à l'issue de dégustations extrêmement sélectives : les vins « sigillés » équivalent aux vins « tastevinés » de Bourgogne.

A signaler une création récente, la Confrérie des Hospitaliers d'Andlau, dans le Bas-Rhin.

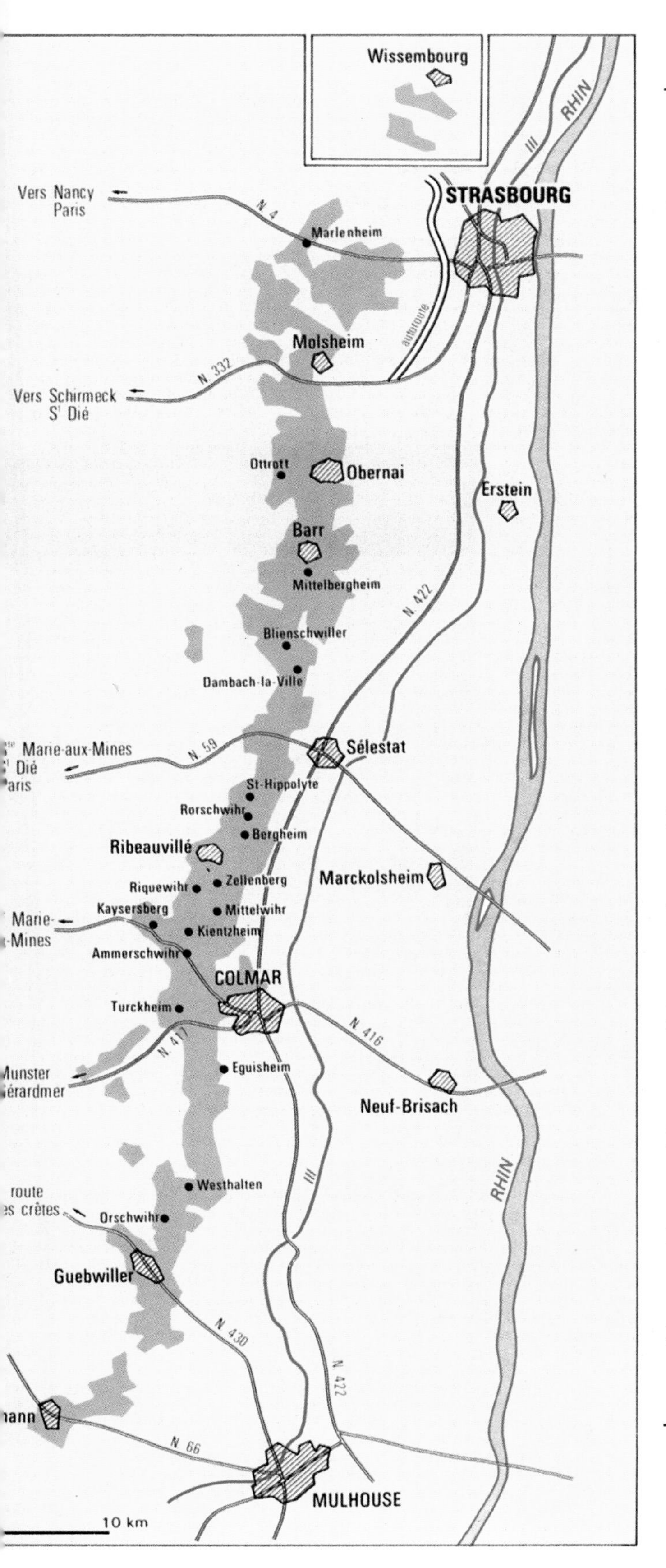

Les millésimes

Voici, depuis la mémorable année 1976 (qui égala 1971, l'autre grand millésime de la décennie), les principaux caractères des millésimes alsaciens.

1976 Année exceptionnelle. Vins denses, riches et complets, de belle garde pour les meilleurs.

1977 Année moyenne. Vins légers et secs.

1978 Bon millésime, avec des vins fruités et très typés, dont l'acidité garantit la conservation.

1979 Année abondante, de bonne tenue, avec des vins souples et ronds, se buvant facilement.

1980 Millésime chiche et de niveau passable, malgré quelques jolies exceptions. Vins peu consistants mais néanmoins aromatiques.

1981 Bonne année, favorisée par le climat. Vins très équilibrés, odorants et amplement fruités.

1982 Année pléthorique, avec des vins corrects dans l'ensemble mais d'évolution rapide.

1983 Millésime exceptionnel. Vins puissants, légèrement déficients en acidité mais de splendide constitution. Magnifiques « vendanges tardives ».

1984 Petite année, avec des vins minces, de faible degré, mais non totalement dépourvus d'attraits.

1985 Grande année. Vins pleins, corsés et d'un parfait équilibre. Type « Alsace » accentué.

1986 Année irrégulière. Vins plutôt réussis dans les variétés aromatiques et belles « vendanges tardives ».

Quelques bonnes adresses

Caves coopératives
- Cave vinicole d'Eguisheim - 68420 Eguisheim
- Cave vinicole d'Orschwiller-Kintzheim - 67600 Sélestat
- Cave vinicole de Turkheim - 68230 Turkheim
- Coopérative vinicole de Cleebourg - 67160 Cleebourg

Négociants
- Dopff « Au Moulin » - 68340 Riquewihr
- Hugel et Fils - 68340 Riquewihr
- Émile Boeckel - 67140 Mittelbergheim
- Josmeyer et Fils - Wintzenheim, 68000 Colmar

Propriétaires-récoltants
- Seppi Landmann et Rita Ostholt - 20, rue de la Vallée, 68570 Soultzmatt
- André et Rémy Gresser - 2, rue de l'École, Andlau, 67140 Barr
- Rolly-Gassmann - 2, rue de l'Église, Rorschwihr, 68590 Saint-Hippolyte
- Domaine Ostertag - 114, rue Finkwiller, 67680 Epfig
- Domaine Zind-Humbrecht - 34, rue du Maréchal-Joffre, Wintzenheim, 68000 Colmar
- Domaine Schlumberger - 100, rue Théodore-Deck, 68500 Guebwiller

Les vins lorrains

Ancienne terre d'Empire, la Lorraine fut, comme sa voisine, ballottée par les vicissitudes d'une histoire longtemps incertaine. En revanche, son vignoble, jadis prospère, n'a pas connu la postérité de celui d'Alsace. Largement propagée sous l'influence épiscopale — nous sommes ici au pays des « Trois Évêchés » —, malmenée par les guerres, handicapée par un climat rude, la vigne ne survécut pas au coup fatal du phylloxéra. Il fallut attendre l'après-guerre pour assister à une timide renaissance du vignoble, concrétisée par l'obtention du label V.D.Q.S. (1951) pour deux appellations locales, situées respectivement en Meurthe-et-Moselle et en Moselle.

Côtes de Toul

Ce petit vignoble d'une soixantaine d'hectares est situé aux portes de Toul, sur le territoire de neuf communes, dont Bruley, Lucey et Bulligny. Il est surtout connu pour son « vin gris », issu du gamay, un vin vif, frais et fruité, qui se boit jeune. Ce type de vinification, par pressurage direct sans macération, convient bien à la région, où la maturité des raisins n'est pas toujours complète. Le vignoble produit également quelques vins rouges de pinot et vins blancs d'auxerrois.

Vins de Moselle

Cette dénomination concerne les vins produits par quelques îlots viticoles qui s'échelonnent le long des vallées de la Moselle et de son petit affluent la Seille. On distingue trois secteurs : la région de Sierck-les-Bains au nord, près de la frontière, les environs de Metz, enfin la région de Vic-sur-Seille. L'encépagement est multiple (gamay, les trois pinots, auxerrois, sylvaner...) et fournit dans les trois couleurs des vins légers, fruités mais un peu mordants. On trouve surtout des blancs près de Sierck, tandis que Vic-sur-Seille s'est fait une spécialité des vins gris.

Les grands crus classés d'Alsace

BAS-RHIN

Kastelberg - Moenchberg - Wiebelsberg	ANDLAU
Kirchberg	BARR
Altenberg	BERGBIETEN
Moenchberg	EICHHOFFEN

HAUT-RHIN

Sonnenglanz	BEBLENHEIM
Altenberg - Kantzlerberg	BERGHEIM
Spiegel	BERGHOLTZ
Eichberg	EGUISHEIM
Goldert	GUEBERSCHWIHR
Kessler - Kitterlé - Saering - Spiegel	GUEBWILLER
Hatschbourg	HATTSTATT
Rosacker	HUNAWIHR
Schlossberg	KAYSERSBERG
Sommerberg	KATZENTHAL
Schlossberg	KIENTZHEIM
Sommerberg	NIEDERMORSCHWIHR
Geisberg - Kirschberg	RIBEAUVILLÉ
Gloeckelberg	RODERN
Gloeckelberg	SAINT-HIPPOLYTE
Rangen	THANN
Brand	TURKHEIM
Rangen	VIEUX-THANN
Hatschbourg	VOEGTLINSHOFFEN
Hengst	WINTZENHEIM
Ollwiller	WUENHEIM

Collerette apposée sur les bouteilles des vins « sigillés » par la Confrérie Saint-Étienne.

La Bourgogne

Le clocher carré de Pommard, le célèbre Clos de la Commaraine et, à perte de vue, des milliers de pieds de pinot : vision classique de la Bourgogne vineuse.

Étirée tout en longueur, mais de façon discontinue, depuis Joigny au nord jusqu'aux portes de Lyon, la Bourgogne vineuse, somptueuse marqueterie aux divisions subtiles, ne laisse pas d'impressionner par l'extrême variété de ses terroirs, par la diversité infinie de ses crus. Profondément marquée par l'Histoire, cette vieille province donne naissance à des vins brillants, dont le charme premier réside dans leur incomparable bouquet.

A cheval sur quatre départements, elle se subdivise en plusieurs zones vinicoles, entités possédant chacune leur caractère propre : Chablisien et Auxerrois au nord (Yonne), Côte dijonnaise, Côte de Nuits et Côte de Beaune au centre, formant le sanctuaire de la « grande Bourgogne » (Côte-d'Or), Côte chalonnaise au sud (Saône-et-Loire). Plus bas, le Mâconnais (Saône-et-Loire) établit la transition avec le Beaujolais (Rhône), vignoble artificiellement réuni à la Bourgogne mais dont la spécificité en fait un pays véritablement à part. Pour cette raison, ces deux derniers vignobles sont abordés au chapitre suivant.

Région de petite propriété, dominée en douceur par un négoce anciennement implanté et où les coopératives sont rares quoique actives, la Bourgogne viticole recouvre, pour les quatre départements concernés, une superficie d'environ 40 000 hectares, mais dont plus de la moitié est dévolue au seul Beaujolais. Sa production moyenne oscille autour de 950 000 hectolitres par an (sans le prolifique Beaujolais) : volume honorable, certes, mais assez modeste en comparaison d'autres régions françaises. Jointe à un excellent niveau de qualité et à une forte demande, cette relative rareté fait, hélas ! du Bourgogne un vin d'une cherté constante.

Se mirant au soleil, les tuiles vernissées de l'Hôtel-Dieu de Beaune offrent un saisissant reflet des splendeurs passées de la Bourgogne ducale.

Le vignoble des moines et des ducs

Peut-être introduite sporadiquement quelques siècles avant notre ère, la culture de la vigne gagne réellement la Bourgogne au tout début de l'époque gallo-romaine, dans le sillage des légions conquérantes. Dès le IIe siècle, cette implantation est définitive, grâce aux larges voies de circulation des vallées du Rhône et de la Saône. Un témoignage d'Eumène nous rend compte, en 312, de la prospérité du vignoble.

Après avoir subi les ravages des invasions barbares, le vignoble bourguignon reçoit une vigoureuse impulsion de la part des autorités épiscopales, qui encouragent de larges replantations. Le chapitre de la cathédrale d'Autun, notamment, joue un rôle de premier plan. Mais, prenant le relais des chanoines, ce sont surtout les moines qui, au lendemain de l'an mille, donnent à la viticulture locale son véritable

Au Clos de Vougeot. Derrière cette grille de fer forgé s'étendent les 50 hectares du grand cru bourguignon, ancienne possession cistercienne que se partagent aujourd'hui plus de 70 propriétaires.

essor. Après une première phase de croissance due à l'ordre de Cluny, principalement en Bourgogne méridionale, les cisterciens se lancent, à l'orée du XIIe siècle, dans un vaste mouvement de défrichement et de plantation qui étend massivement les surfaces cultivées. Cette extension est accentuée par l'afflux des donations qui submergent l'abbaye mère et ses quatre filles. L'une d'elles, l'abbaye de Pontigny, est à l'origine du vignoble de Chablis. Le Clos de Vougeot, avec son cellier et son immense cuverie, fut créé de toutes pièces par les religieux de Cîteaux, et la dernière donation, en 1336, lui donna son actuelle configuration.

Bonifié par les soins excellents de l'ordre de Saint-Bernard, le vin rouge de Beaune est considéré au XIIIe siècle comme le meilleur du royaume de France et se vend à des prix élevés. Il supplante alors les vins de basse Bourgogne, récoltés autour de Sens et d'Auxerre, pourtant favorisés dans leur écoulement par la voie fluviale de l'Yonne.

Après l'œuvre des moines, celle des ducs. Choyé par les premiers, le vignoble de Bourgogne contribue également à la prospérité des seconds, surtout à partir de la dynastie des Valois. Philippe le Bon ne se vantera-t-il pas d'être « seigneur des meilleurs vins de la Chrétienté » ? Possédant leurs propres clos dans les meilleurs villages de la Côte, convaincus des bienfaits de ces crus qui les aident à entretenir d'excellentes relations — diplomatiques et commerciales — avec la papauté d'Avignon, les ducs de Bourgogne se font les plus ardents défenseurs des vins de Beaune, de Dijon ou de Chalon.

La défense de la qualité est déjà à l'ordre du jour. En témoigne le célèbre édit de 1395, dans lequel Philippe le Hardi fustige le gamay, plant « mauvais et déloyal » accusé de produire des vins exécrables, et en ordonne l'arrachage sous peine d'amende. Le duc s'en prend également à la fâcheuse habitude du coupage, où l'on mêle le vin de gamay à celui du noble « noirien » (pinot), et vilipende les procédés d'amendement en usage, qui gâtent les vins et éloignent la clientèle du pays bourguignon. Ces recommandations feront reculer la culture du gamay, sans pour autant l'anéantir complètement, puisque celui-ci triomphera même, quelques siècles plus tard, en Beaujolais. En tout cas, le puissant duché tire largement profit de ses vins : ceux-ci lui assurent de solides débouchés, à commencer par le nord de la France et la Flandre, alors réunis à la couronne ducale. De cette époque fastueuse, où les « grands ducs d'Occident » règnent sur une bonne partie de l'Europe, datent de magnifiques réalisations, comme l'Hôtel-Dieu de Beaune, fondé, avec le domaine des Hospices, par le chancelier Rolin au milieu du XVe siècle (voir encadré).

Largement propagée par les princes à la Toison d'Or, la notoriété des vins de Bourgogne se maintient durablement au cours des siècles suivants. Ceux-ci honorent les tables royales, comme celle de Louis XIV, auquel son médecin Fagon prescrit avec zèle de ne s'adonner qu'aux vins de Nuits. Au XVIIIe siècle apparaissent, notamment à Beaune et à Nuits-Saint-Georges, les premières maisons de négoce, qui deviendront l'un des piliers du vignoble bourguignon et feront des vins fins de la Côte une denrée hautement exportable. A la Révolution, les grands domaines viticoles appartenant aux ordres religieux et à la noblesse sont confisqués et vendus comme biens nationaux : ainsi s'amorce le processus d'émiettement qui, à travers ventes et successions, aboutit au morcellement extrême du vignoble actuel.

Après les attaques répétées du mildiou, le phylloxéra, signalé dès 1878 à Meursault, s'abat sur le vignoble bourguignon et le détruit presque totalement. Sauvées par les porte-greffes américains, les vignes de la Côte-d'Or se relèveront progressivement, mais le grand vignoble de l'Yonne, à l'exception de Chablis et d'Irancy, reste définitivement dévasté à la fin du XIXe siècle.

L'identité par le cépage

La Bourgogne, plurielle et composite, possède pour trait d'union, pour dénominateur commun, deux cépages rois : le pinot noir pour les vins rouges, le chardonnay pour les vins blancs. Ces deux plants exclusifs, qui façonnent aussi bien le modeste vin d'appellation régionale que les plus grands crus, assurent au Bourgogne sa véritable identité, cette unicité qui le démarque franchement des autres vins. Pinot et chardonnay ont en effet trouvé ici leur terrain d'élection et y fournissent leur expression idéale.

Vigoureusement défendu par Philippe le Hardi, le vieux *pinot noir* se plaît sur les sols fortement argilo-calcaires de la région et s'adapte particulièrement bien au climat local : climat continental aux hivers rudes, aux étés chauds, avec de fortes variations de température et des précipitations relativement abondantes (en moyenne 750 mm de pluie par an). Avec ses petits grains sphériques donnant un jus incolore, il accouche de vins moyennement tanniques, à la robe vive et aux arômes très développés, dans la gamme des fruits rouges.

Comme le pinot, le *chardonnay* affectionne les terres pauvres de la Bourgogne et évolue remarquablement dans la zone septentrionale de culture de la vigne. Également originaire de la région, arrivant à maturité sensiblement à la même époque que son compère, il donne des vins d'une extrême finesse, dotés d'une bonne acidité et d'une réelle somptuosité aromatique.

En marge de ces deux seigneurs, on cultive encore en Bourgogne quelques plants secondaires : l'*aligoté,* plant semi-fin mais qui réussit à merveille sur certaines expositions, le *pinot blanc,* qui escorte parfois le chardonnay en Mâconnais, le *gamay,* qui — en dehors du Beaujolais — participe à la composition du passe-tout-grain, et enfin quelques cépages demeurant confidentiels, comme le *césar* de l'Auxerrois.

Le pinot noir. Cépage idéalement adapté au terroir, c'est lui qui forge la personnalité de tous les Bourgogne rouges, en leur donnant finesse et arômes.

Les vins de l'Yonne

Le vignoble de basse Bourgogne, nous l'avons vu, fut autrefois très prospère, puisqu'il couvrait encore, au milieu du siècle dernier, près de 40 000 hectares. Dès le Moyen Age, il fut avantagé par la proximité de l'Yonne : ses vins embarquaient à Cravant ou à Auxerre, pour s'en aller arroser Paris, la Normandie, le nord de la France et les Flandres. Gravement atteint par l'invasion phylloxérique, il fut décimé en grande partie ; ne subsistèrent que Chablis et quelques îlots viticoles de la région auxerroise.

Chablis

Ayant acquis sa renommée dès le XIIe siècle, grâce au zèle des moines de l'abbaye de Pontigny, le vignoble de Chablis s'étend, entre Auxerre et Tonnerre, de part et d'autre de la vallée du Serein. « Porte d'or » de la Bourgogne — première à s'ouvrir au voyageur descendant de la capitale —, il produit uniquement des vins blancs, issus exclusivement du chardonnay, qu'on nomme encore ici « beaunois ».

Lentement reconstituées après l'attaque du phylloxéra, les vignes chablisiennes ont longtemps souffert d'un redoutable fléau naturel, dû à leur situation : les gelées printanières, sévissant fréquemment jusqu'en mai. Pour s'en prémunir, de nombreux systèmes de protection ont été mis au point : « chaufferettes » au fuel, chauffage par infrarouges ou au gaz, le dernier en date — et le plus efficace — étant l'arrosage par hélice. Cependant, sous l'action conjuguée de plusieurs facteurs (densification des plantations, utilisation des désherbants, recul des cultures intercalaires...), le site est devenu moins gélif, et les producteurs locaux recourent de plus en plus rarement à ces procédés préventifs.

Délimité en 1938, grâce aux anciennes archives de Pontigny, le vignoble compte actuellement près de 2 200 hectares, répartis sur le territoire de vingt communes. Logé sur des pentes bien exposées, entre 150 et 300 m d'altitude, il recouvre des sols caillouteux et argilo-calcaires, ponctués de couches marneuses qui portent les meilleurs crus. Ces marnes fameuses appartiennent à un étage particulier du jurassique, le kimméridgien, truffé de fossiles d'huîtres (auxquelles, d'ailleurs, convient admirablement le Chablis).

La vinification du Chablis a évolué. Si certains vins, principalement dans les crus, vieillissent sous le bois, en pièces ou en « feuillettes » (petits fûts traditionnels de la région, d'une contenance de 132 litres), la majorité d'entre eux sont aujourd'hui élevés en cuves, ce qui privilégie le fruité et la fraîcheur. Car la fraîcheur est l'une des qualités premières du Chablis.

Habillé d'une robe pâle légèrement teintée de vert, ce vin est nerveux et vif, mais avec souplesse et sans agressivité. Il est surmonté d'un ineffable bouquet où se mêlent des arômes minéraux et végétaux ; certains auteurs anciens y relèvent, avec justesse, l'odeur du mousseron. Très agréable dans sa jeunesse, le bon Chablis exige néanmoins de vieillir quelques années en bouteilles pour livrer toute la finesse et la profondeur de son caractère. Les années fournissent ici des vins assez acides et quelque peu réservés au départ, mais qui évoluent merveilleusement avec l'âge. Malheureusement, les stocks étant limités et la demande pressante, les vieux flacons sont quasiment introuvables sur place ; aussi est-il prudent de laisser vieillir soi-même le Chablis acheté jeune.

Le Chablis se présente sous quatre appellations distinctes. Dans l'ordre ascendant :

• ***Petit Chablis.*** Cette appellation, très peu étendue (une centaine d'hectares), concerne des vins récoltés sur des terrains du portlandien, à la périphérie du vignoble. Frais et rapidement faits, ces vins sans prétention sont à consommer dans l'année qui suit leur naissance.

• ***Chablis.*** Avec quelque 1 300 hectares, c'est l'appellation la plus répandue du Chablisien. Elle

A Chablis, dans le sanctuaire des sept grands crus. Restreinte à une centaine d'hectares, cette zone produit des vins blancs secs de grand caractère, à l'élégance et au vieillissement remarquables.

s'étend aux vingt communes de l'aire de production, dont les principales, outre Chablis, sont Maligny, Lignorelles, La Chapelle-Vaupelteigne, Poinchy, Fontenay, Milly, Chichée, Fleys, Fyé et Courgis. Récoltés sur kimméridgien, ces vins, quand ils sont bien vinifiés, sont parfaitement représentatifs du terroir et s'épanouissent avec un charme certain.

• ***Chablis premier cru.*** Cette appellation s'applique aux vins provenant de climats répertoriés, lesquels recouvrent actuellement une superficie de près de 600 hectares. Les vins concernés peuvent adjoindre à leur dénomination communale l'expression « premier cru » ou le nom de leur climat d'origine. Les premiers crus sont les suivants : *Mont-de-Milieu, Montée de Tonnerre, Fourchaume* (rive droite du Serein), *Vaillons, Montmains, Mélinots, Côte de Léchet, Beauroy, Vaucoupin, Vosgros, Les Fourneaux* (rive gauche). A noter que 18 autres lieux-dits peuvent emprunter le nom de l'un des climats précités : ainsi *Vaupulent* peut-il être désigné sous le nom de *Fourchaume,* ou *La Forêt* sous celui de *Montmains.*

Les premiers crus se distinguent par leur finesse et leur aptitude à vieillir en beauté, en développant une chair soyeuse et des bouquets particulièrement élégants. Ceux de la rive droite sont les plus cotés, du fait de leur proximité avec les grands crus.

• ***Chablis grand cru.*** Cette appellation, beaucoup plus restrictive (elle totalise à peine 100 hectares), désigne des vins produits par les sept climats les plus réputés : *Vaudésir, Les Clos, Grenouilles, Valmur, Blanchots, Preuses, Bougros.* Récoltés sur les meilleures marnes kimméridgiennes (principalement sur la commune de Chablis), tous ces vins sont d'une très grande distinction et de longue conservation. *Les Clos* est probablement le plus complet d'entre eux, avec son inimitable saveur de noisette.

Les vins de l'Auxerrois

A quelques kilomètres au sud du chef-lieu de l'Yonne s'étend un modeste vignoble, qui eut pourtant une grande réputation au Moyen Age, époque à laquelle il dépendait en notable partie de la puissante abbaye de Saint-Germain d'Auxerre. Quatre communes vineuses en composent l'essentiel.

• ***Irancy.*** Le vin le plus renommé de la région est récolté autour d'un pittoresque village, blotti au fond d'un amphithéâtre de vignes, au-dessus de la rive droite de l'Yonne. L'Irancy rouge, qui eut pour buveurs royaux Charles V, Louis XI, Henri IV et même Louis XIV, est issu du pinot, que complète accessoirement un vieux cépage local, le césar, implanté naguère par le conquérant romain. Très typique mais peu producteur, ce dernier n'a cessé de régresser depuis la dernière guerre. Sur 180 hectares, produisant en moyenne 4 000 hectolitres par an, le vignoble recouvre, comme à Chablis, des terrains du kimméridgien.

La hiérarchie chablisienne distingue les « premiers crus » (comme ici Fourchaume) des « grands crus » (comme ici Les Clos). Lorsqu'ils sont bien vinifiés, les premiers approchent les seconds.

Dominant l'Yonne et situé sur la commune de Cravant, le coteau de Palotte produit un harmonieux vin rouge, qui fait depuis toujours l'orgueil des vignerons... d'Irancy.

Élevé de douze à dix-huit mois sous le bois, le *Bourgogne-Irancy* est un vin tannique et charpenté, au bouquet de violette et de framboise, un peu sévère dans sa jeunesse mais sachant s'arrondir élégamment avec l'âge, car il est de longue garde. Les vins les plus fins sont récoltés au lieu-dit *Palotte* (moins de 6 hectares), sur le finage de Cravant, et peuvent accoler ce nom à la dénomination Bourgogne. La commune produit également quelques rosés de teinte pâle, nerveux et fort expressifs du terroir.

• ***Saint-Bris-le-Vineux.*** Ce beau village, rassemblé autour d'une superbe église du XIIIe siècle enjolivée sous la Renaissance, est le centre d'un vignoble étendu, dont l'aire délimitée déborde sur les six communes avoisinantes. On y récolte, sur des terrains fortement calcaires, le *Sauvignon de Saint-Bris,* le seul V.D.Q.S. de Bourgogne (créé en 1974), un vin blanc très sec au goût prononcé de pierre à fusil. Saint-Bris produit également un volume appréciable de Bourgogne aligoté, ainsi que des Bourgogne rouges ou rosés, plutôt légers : ces vins portent traditionnellement sur leur étiquette la mention *Coteaux de Saint-Bris.*

A Bailly, hameau de la commune situé en bordure de l'Yonne, les producteurs locaux, rassemblés au sein d'une coopérative, élaborent dans d'immenses caves creusées à flanc de coteau un bon Crémant de Bourgogne, vinifié selon la méthode champenoise.

• ***Chitry.*** Mitoyen de Saint-Bris, le village de Chitry compte plus de 150 hectares de vigne, plantée sur des sols argilo-calcaires du kimméridgien. Il produit un excellent aligoté, frais et nerveux, de même que des vins de pinot, de chardonnay et de sacy (cépage local), traditionnellement étiquetés *Côtes de Chitry.*

• ***Coulanges-la-Vineuse.*** Flanquée d'un vignoble en demi-cirque, cette commune si bien nommée (un chroniqueur, en 1666, rapporte que son finage ne comptait aucune charrue et qu'on n'y « vivait que de la vigne ») fait face à Irancy, sur la rive gauche de l'Yonne. Exposés au sud et à l'est, ses coteaux aux sols kimméridgiens produisent des vins rubis, issus essentiellement du pinot. L'attachant rouge de Coulanges (dont la mention communale peut figurer sur l'étiquette) présente une réelle finesse, avec un goût nettement marqué par le terroir.

Autres vins de l'Yonne

Il faut d'abord évoquer, dans la ville même d'Auxerre, le *Clos de la Chaînette,* aujourd'hui situé dans l'enceinte de l'hôpital psychiatrique. Ce cru naguère réputé, qui appartint au Moyen Age aux évêques d'Auxerre et que chantait encore Alexandre Dumas au siècle dernier, fournit, sur quelque 3 hectares, un vivace rosé de pinot et un charmant blanc de chardonnay. Citons également, à la sortie de la ville, le modeste vignoble de *Vaux*, qui a été peu à peu restauré.

A une vingtaine de kilomètres au nord d'Auxerre, Joigny constitue la sentinelle avancée du vignoble bourguignon. Détruites par le phylloxéra, les vignes joviniennes n'ont été replantées qu'en leur lieu le plus renommé, la *Côte Saint-Jacques,* un coteau qui surplombe la ville et les eaux de l'Yonne. Sur 4 hectares actuellement en production, une poignée de vignerons obtient, à partir du pinot noir et du pinot beurot, un vin « gris » alerte et fruité.

A l'est de Chablis, aux portes de la petite ville de Tonnerre, a récemment été reconstitué le vignoble d'*Épineuil*, dont les vins étaient fort prisés au XVIIe siècle. Planté exclusivement en pinot, il approche maintenant une centaine d'hectares et fournit un aimable Bourgogne rouge.

Mentionnons pour terminer les quelques hectares de pinot et de chardonnay replantés sur les flancs de la colline de *Vézelay* et dont les vins ont désormais droit à l'A.O.C.

Vieux pied de césar. Ce rustique cépage bas-bourguignon, donnant des vins tanniques et robustes, n'est plus conservé qu'à Irancy.

La Côte dijonnaise

A la sortie sud de la capitale bourguignonne, subsistent, fortement amputés par l'extension de l'agglomération urbaine, les vestiges de ce qui fut naguère la prospère « Côte de Dijon ». La tradition vinicole se maintient quelque peu à Chenôve (principalement au lieu-dit *Clos-du-Roi*), devenu aujourd'hui faubourg dijonnais mais conservant une belle cuverie médiévale, de manière plus vivace à Couchey et surtout à Marsannay, seule commune à posséder une production significative et à bénéficier d'une A.O.C. spécifique.

Marsannay-la-Côte

Sous l'appellation *Bourgogne rosé - Marsannay,* ce village, en voie d'être dévoré à son tour par l'urbanisation galopante, produit toujours, sur quelques dizaines d'hectares, un original rosé de pinot, de teinte légèrement saumonée, vif et délicieusement fruité. La paternité en reviendrait à Joseph Clair, vigneron local, en 1919. On peut d'ailleurs toujours admirer, dans l'ancienne propriété de ce dernier, l'une des plus vieilles vignes du monde, une treille remontant au XVe siècle. L'essentiel de la production, qui inclut aussi celle de Couchey, est assurée par la bonne coopérative de Marsannay. Les deux communes, qui fournissent également des rouges typés, revendiquent depuis longtemps — mais en vain — leur rattachement à l'appellation *Côte de Nuits-Villages* : ce serait dommage pour leur particularisme... et celui de leurs vins.

La Côte de Nuits

Depuis Fixin au nord jusqu'aux carrières de Comblanchien et Corgoloin au sud, la prestigieuse Côte de Nuits déroule son étroite bande de vignes entre la N 74, en contrebas, et la lisière des bois qui couvrent les premiers sommets. Longue d'une vingtaine de kilomètres, elle n'excède jamais la largeur d'un kilomètre, pour se resserrer parfois jusqu'à 300 m seulement. Mais, en revanche, quelle densité de trésors au mètre carré !

Exposées en plein levant, les pentes de la Côte sont assez abruptes, s'étageant de 240 m à 320 m d'altitude. Elles sont régulièrement entaillées par de petites combes escarpées, sortes de défilés sauvages s'enfonçant dans les profondeurs de la « montagne » — telle la pittoresque combe de Lavaux. Les sols, caillouteux, sont à dominante calcaire. Appartenant pour l'essentiel à deux étages du jurassique (bajocien et bathonien), ils sont formés d'une variété de calcaire dite « à entroques », ainsi que de marnes à foulon et d'oolithe. Cependant, la complexité est ici de règle, et les multiples enchevêtrements géologiques ont à leur tour créé une multitude de micro-terroirs, à l'origine de ces fameux « climats » bourguignons. Une constante pourtant : les meilleurs crus se trouvent généralement situés au bas des pentes, là où la couche terreuse, mêlée aux débris érosifs, est la plus épaisse.

Domaine quasi exclusif du pinot noir (les blancs y sont rarissimes), la Côte de Nuits constitue le véritable sanctuaire des grands crus rouges, dont les seuls noms sont un appel au rêve pour tous les amateurs de vin. Voici, du nord au sud, les illustres villages qui produisent ces perles aussi rares que convoitées. Tous sont desservis par la petite D 122, dite « route des grands crus », ondoyant paresseusement entre les « murgers » (murets de pierre qui séparent les différents clos).

Fixin

Regroupé autour d'une petite église du XIVe siècle, dotée d'un beau toit polychrome à tuiles vernissées, ce village relativement méconnu produit des rouges puissants et robustes, bien colorés, aux arômes de cassis assez fortement appuyés. Lents à mûrir, ce sont en revanche des vins de garde qui gagnent à être attendus le temps nécessaire, au-delà de dix ans pour les bonnes années. Parmi les premiers crus, citons *La Perrière* et le *Clos du Chapitre,* les plus renommés.

Fixin conserve le souvenir du grenadier Noisot, fidèle compagnon de l'Empereur, qui fit édifier en 1846 par Rude le « Réveil de Napoléon », monumentale sculpture dominant le village, et se fit enterrer à ses côtés. Référence à cette imagerie impériale, le *Clos Napoléon,* quoique non classé en premier cru, fournit un vin d'excellente qualité.

Gevrey-Chambertin

Cette grosse bourgade doit son immense notoriété au fait d'abriter le « roi des vins », dont le nom put être accolé à celui de la commune grâce à une ordonnance royale de 1847. Il faut en fait parler « des » Chambertin, puisque neuf

grands crus ont le droit de porter — exclusivement ou partiellement — la prestigieuse dénomination.

• ***Chambertin.*** Le climat proprement dit de *Chambertin,* qui longe la D 122, annoncé par un aguichant panonceau, recouvre 13 hectares, partagés entre une bonne vingtaine de propriétaires. C'est dire la diversité possible des vins revendiquant l'illustre appellation... Dans l'idéal, le Chambertin, habillé de grenat sombre, est un vin complet, alliant vigueur et corpulence, générosité et finesse, dans un ensemble totalement harmonieux. Surmonté d'un bouquet où l'on peut déceler le réséda, la réglisse ou la violette, il est fait pour durer et se laisser désirer au moins une ou deux décennies. La réalité, hélas ! s'éloigne parfois de cet archétype...

Le Chambertin, qui escorta Napoléon Ier jusque dans sa campagne de Russie, fit l'objet d'une spéculation effrénée sous la Restauration, lorsque les précieuses bouteilles exécutèrent une retraite un peu tardive sous l'estampille « retour de Russie ».

• ***Chambertin-Clos de Bèze.*** Mitoyen du précédent, le *Clos de Bèze* couvre, autour d'une maisonnette isolée en plein cœur des vignes, une superficie de 15 hectares, divisés entre près de vingt propriétaires. Il donne un vin d'une harmonie extrême, avec ses nuances propres, que d'aucuns rangent au-dessus du Chambertin tout court. Il peut d'ailleurs emprunter légalement l'appellation de ce dernier.

Le clos fut à l'origine une donation du duc Amalgaire de Bourgogne aux bénédictins de l'abbaye de Bèze (630), lesquels le mirent magnifiquement en valeur jusqu'à son passage, au début du XIIIe siècle, dans les mains des chanoines de Langres.

Fixin, avec sa vieille église au toit polychrome, produit des rouges sombres et trapus, parmi les plus puissants de la Côte de Nuits.

• ***Latricières-Chambertin.*** Jouxte le climat de Chambertin et produit, sur 7 hectares, des vins prolongeant, avec plus de retenue et de légèreté, les caractères de leur célèbre voisin.

• ***Mazis-Chambertin*** et ***Ruchottes-Chambertin.*** Contigu au Clos de Bèze, *Mazis* (9 hectares) donne des vins concentrés, étoffés et très élégants. Situées juste au-dessus de Mazis, les *Ruchottes* (3 hectares) sont d'une finesse presque comparable.

• ***Mazoyères-Chambertin*** et ***Charmes-Chambertin.*** De l'autre côté de la D 122, face à Latricières, *Mazoyères,* malgré sa grande superficie (19 hectares), se vend surtout sous l'appellation de son voisin *Charmes* (12 hectares) qui, lui, regarde Chambertin. Les vins y sont généralement d'une excellente qualité, tantôt charmeurs et gracieux, tantôt bâtis en force.

Le climat de Latricières-Chambertin, dont les vins solides et bouquetés escortent dignement le seigneur du lieu.

En lisière du village de Gevrey-Chambertin.

• ***Griotte-Chambertin*** et ***Chapelle-Chambertin.*** Toujours séparés par la route, face au Clos de Bèze, ces deux petits climats attenants (2 hectares pour le premier, 5 hectares pour le second) fournissent des vins de tonalité assez légère.

Cette litanie de grands crus ne doit pas faire oublier l'existence d'un fort contingent de premiers crus, dont certains se hissent sans difficulté au niveau des seigneurs du lieu. Dans cette catégorie, citons particulièrement le remarquable *Clos Saint-Jacques,* tout comme *Les Varoilles* ou *Les Cazetiers.* A noter enfin que Gevrey, avec environ 400 hectares de vignes en production, est de loin la plus grosse appellation communale de la Côte de Nuits.

Morey-Saint-Denis

Moins notoire que ses voisines immédiates, la commune de Morey n'en produit pas moins des rouges particulièrement dignes d'intérêt. Ce sont des vins à la robe foncée, corsés, fermes et vineux, aux senteurs de fraise, de truffe et de violette, qui s'épanouissent lentement mais peuvent supporter des gardes prolongées, en se veloutant avec l'âge. Cinq grands crus dominent l'appellation : le subtil *Clos Saint-Denis* (6 hectares), les puissants et vigoureux *Clos de Roche* (16 hectares) et *Clos de Tart* (7 hectares, monopole d'un négociant mâconnais), le délicat *Bonnes-Mares,* partagé avec Chambolle-Musigny et dont Morey ne possède que 2 hectares, enfin le *Clos des Lambrays*, classé en 1981. A signaler, parmi la vingtaine de premiers crus, les quelques hectolitres de vin blanc produits par les *Monts-Luisants.*

Chambolle-Musigny

Les vins de Chambolle passent pour les plus tendres et les plus « féminins » de toute la Côte de Nuits. Le *Musigny,* « vin de soie et de dentelle » selon Gaston Roupnel, ne dément point cette réputation. Récolté sur 11 hectares, juste au-dessus du Clos de Vougeot, à l'emplacement de l'ancien « champ de Musigné » qui, au début du XIIe siècle, fit l'objet d'une donation à Cîteaux, il séduit d'emblée par la grâce de ses arômes floraux et par la délicatesse de ses angles. Plus vite accompli que ses pairs environnants, il n'en tient pas moins une bonne distance : une quinzaine d'années en bon millésime. Musigny produit, pour mémoire, une infime quantité de vin blanc. L'autre grand cru communal, à l'extrémité opposée du village, est *Bonnes-Mares,* dont Chambolle abrite la majeure partie (13 hectares). Parfumés, ronds et fondants sous leur robe rubis clair sont *Les Amoureuses* et *Les Charmes,* deux premiers crus dont les noms fleurent les douceurs locales.

Vougeot

Si les vins de Vougeot ne manquent pas de distinction, la gloire de ce modeste village repose avant tout sur le célébrissime *Clos de Vougeot.* Il faut dire que ce grand cru (voir encadré) occupe à lui seul les trois quarts du territoire communal, ne laissant qu'une quinzaine d'hectares aux autres vins de l'appellation.

Dans l'absolu, le *Clos de Vougeot* est un vin de haute volée, vigoureux et plein d'étoffe, où se retrouvent, selon Camille Rodier, « les parfums

Le Clos de la Roche, l'un des cinq grands crus de Morey-Saint-Denis (depuis la récente promotion du Clos des Lambrays). Ce climat de 16 hectares, le plus important de la commune, engendre des vins de classe, aux arômes profonds et à la généreuse constitution.

Le clos de Vougeot

Le cru majeur de Vougeot recouvre 50 hectares d'un seul tenant, entièrement cernés de murs en pierre. En son milieu trône un élégant château Renaissance qui conserve de belles parties romanes : le cellier et la cuverie, abritant quatre énormes pressoirs, ont été édifiés entre le XIIe et le XIIIe siècle. Comme maintes propriétés bourguignonnes, le domaine fut constitué par les moines cisterciens au tout début du XIIe siècle. Mais le clos bénéficia d'un tel afflux de donations que, dès la fin du XIIIe siècle, il possédait déjà ses dimensions actuelles.

De cette extraordinaire opulence témoigne le château, construit en 1551 et qui servait de résidence aux abbés de Cîteaux lors de leur passage à Vougeot. Confisqué à la Révolution, le domaine fut vendu comme bien national et connut divers changements de mains avant d'être loti à la fin du XIXe siècle entre plusieurs viticulteurs locaux. La propriété du Clos est aujourd'hui extrêmement morcelée, puisqu'il est partagé entre plus de 70 propriétaires-exploitants. Quant au château, il appartient depuis la dernière guerre à la confrérie des Chevaliers du Tastevin.

Noyé dans les vignes, le château du Clos de Vougeot fut achevé en 1551, sous l'abbatiat de Dom Loisier, mais il conserve de magnifiques parties romanes.

subtilement amalgamés de la réglisse et de la truffe, de la violette et de la menthe sauvage »... C'est en outre un breuvage de longue garde. Les parcelles hautes du clos donnent, en principe, des cuvées supérieures à celles des parties basses. Néanmoins, la multiplicité des propriétaires, qui engendre une grande diversité des modes de vinification, relativise cette règle, comme elle explique que l'on rencontre, sous le même nom prestigieux, des types de vins d'une qualité bien inégale.

A noter qu'une enclave du clos (2 hectares, monopole d'un négociant dijonnais) est plantée en chardonnay : elle est appelée *Clos Blanc* (ou *Vigne Blanche*) et classée premier cru.

Vosne-Romanée

Vosne doit son renom à l'étonnante concentration de grands crus qui enorgueillissent son territoire. Ils sont en effet sept à bousculer leurs ceps précieux, immédiatement au-dessus du village pour les cinq premiers.

- ***Romanée-Conti.*** Le plus célèbre d'entre eux, qui ne couvre même pas 2 hectares, fut acheté fort cher en 1760 par le prince de Conti, qui arracha la vente au grand dépit de la marquise de Pompadour. Jusqu'à la dernière guerre, il conserva ses vieux plants non greffés, mais l'agression tardive du phylloxéra obligea à sa reconstitution au lendemain des hostilités. Il produit un rouge fastueux, merveilleusement équilibré, dont la rareté (une cinquantaine d'hectolitres par an, partagés entre deux propriétaires) fait monter le prix des bouteilles à des hauteurs sidérales...

- ***Romanée.*** Située au-dessus de la précédente, la *Romanée* n'atteint pas, quant à elle, 1 hectare. Elle donne un vin superbe, dont la réputation, pourtant, n'égale pas celle de la Romanée-Conti.

• ***Romanée Saint-Vivant.*** La plus étendue des trois Romanée (9,5 hectares) est logée en dessous de la Romanée-Conti. Elle doit son nom au prieuré de Saint-Vivant, qui la reçut en donation d'Alix de Vergy, duchesse de Bourgogne, au XIIIe siècle. Ses vins sont plus diversifiés.

• ***Richebourg.*** Mitoyen des Romanée, ce cru de 8 hectares, grâce à une splendide exposition, produit des vins complets et vineux, bourrés de riches arômes, capables de longues gardes.

• ***La Tâche.*** Sur 6 hectares, *La Tâche* (qui doit sa dénomination à l'ancien mode de rémunération des ouvriers-vignerons du lieu) fournit un vin ample et corsé, qui s'arrondit en finesse après quelques années.

• ***Echézeaux*** et ***Grands-Echézeaux.*** Couvrant respectivement 30 et 9 hectares, ces deux grands crus, bien qu'ils appartiennent à la commune de Flagey-Echézeaux, sont rattachés légalement à l'appellation Vosne-Romanée. Situés dans le prolongement du Musigny, ils établissent une sorte de transition, par la délicatesse de leur chair et leur parfum d'aubépine, entre ce dernier et, par une vinosité plus accentuée, les crus de Vosne.

L'immense notoriété de ces vins ne doit pas occulter le grand caractère de certains premiers crus, comme *La Grande Rue* (climat « coincé » entre les Romanée et La Tâche), *Aux Malconsorts, Les Suchots* ou *Les Beaux-Monts.*

Nuits-Saint-Georges

La petite capitale de la Côte, blottie autour de sa tour de l'Horloge du XVIIe siècle, est le centre d'un important vignoble (environ 300 hectares), qui englobe d'ailleurs sous son appellation plusieurs parcelles de la commune de Prémeaux. Si Nuits-Saint-Georges ne revendique aucun grand cru, en revanche elle compte près de quarante premiers crus, en tête desquels viennent les réputés *Saint-Georges, Vaucrains* et *Cailles.* A noter également, sur Prémeaux, le *Clos de la Maréchale.* Les vins nuitons sont généreux et charnus, avec une certaine spirituosité, et vieillissent avec bonheur.

Nuits-Saint-Georges sous la neige. La petite capitale de la Côte de Nuits abrite une traditionnelle activité de négoce, mais s'honore également d'une kyrielle de premiers crus, comme ceux inscrits sur ces barriques.

La Côte de Beaune

Commençant à Ladoix, la Côte de Beaune s'étire sur 25 km de long, faisant même une légère incursion en Saône-et-Loire (zone des Maranges). Son exposition générale s'infléchit nettement vers le sud-est. Beaucoup plus vaste que la Côte de Nuits (3 000 hectares, soit environ le double de superficie), elle est aussi plus large (jusqu'à 2 000 m en certains endroits) et présente des pentes moins fortes, quoique le vignoble monte à une altitude supérieure (aux environs de 400 m). Elle est coupée de larges combes adjacentes, comme celles de Pernand ou de Meursault, où la vigne a conquis le flanc des coteaux. Les terrains, qui appartiennent principalement au bathonien et à l'oxfordien, sont parsemés de bancs marneux, très propices aux grands vins blancs, lesquels font autant que les rouges la renommée de la Côte de Beaune.

Ladoix-Serrigny

Le village le plus septentrional de la Côte, s'il a droit à sa propre appellation, ne l'utilise que partiellement. Plusieurs climats de ce terroir, surtout voué aux vins rouges (comme *La Maréchaude*), sont d'ailleurs rangés sous l'appellation *Aloxe-Corton* ; Ladoix possède même plusieurs parcelles de *Corton*. A souligner, cependant, le classement récent de six premiers crus, dont les *Mourottes* et *La Corvée*. Les vins de Ladoix sont généralement bien constitués et aptes au vieillissement.

Aloxe-Corton

Les vins de ce village, aussi bien rouges que blancs, jouissent d'une immense et très ancienne réputation. Le vignoble d'Aloxe, qui englobe plusieurs parcelles (et non des moindres) des communes voisines de Pernand-Vergelesses et Ladoix-Serrigny, escalade les pentes de la « montagne de Corton », une impressionnante colline coiffée d'un chapeau forestier, dans des orientations qui vont de l'est jusqu'au sud-ouest. La production communale est dominée par un trio fameux de grands crus.

- ***Corton.*** Rouge presque exclusivement, il est, dans cette couleur, le seigneur incontesté de la Côte de Beaune. C'est un vin puissant, fortement charpenté, violemment bouqueté, qui n'est pas sans présenter certaines analogies avec les grands crus corsés de la Côte de Nuits. Un peu dur dans ses débuts, il sait s'arrondir avec l'âge et peut devenir flamboyant. Ses délais de conservation sont à la mesure de son envergure : plusieurs décennies dans les meilleurs cas.

Recouvrant près de 90 hectares, le *Corton* est partagé entre divers climats dont le nom peut être adjoint sur l'étiquette, en caractères identiques au sien. Les plus renommés sont le *Clos du Roi*, aux vins généreux, les *Bressandes*, de belle finesse, et les *Renardes*.

- ***Corton-Charlemagne*** et ***Charlemagne.*** Ces deux grands crus, couvrant à eux deux une trentaine d'hectares, sont uniquement dévolus aux vins blancs. L'empereur carolingien aurait fait don à la collégiale de Saulieu, en 775, du clos qui porte depuis son nom. Le *Corton-Charlemagne* est un vin de grande classe, à la robe dorée, avec des réminiscences de cannelle. Puissant et séveux, il sait vieillir avec beaucoup de suavité. Depuis des années, les vins de *Charlemagne*, très proches, sont déclarés sous l'appellation *Corton-Charlemagne*.

Pernand-Vergelesses

Ce charmant village, rassemblé autour de sa petite église à l'éclatant toit bourguignon, occupe le fond d'un vallon, au pied de la « montagne de Corton » (son site est classé). Il produit des vins rouges plutôt étoffés, avec une bonne réserve aromatique, en tête desquels viennent les premiers crus *Ile-des-Vergelesses* et *Les Vergelesses*, et des vins blancs assez originaux, dont une partie du *Charlemagne*.

La Côte au-dessus de Nuits-Saint-Georges. Relativement étroite jusque-là, la bande de vignes s'élargit après Ladoix, s'ouvrant sur la vaste Côte de Beaune.

La « Montagne de Corton », où s'étagent des crus prestigieux, en rouge aussi bien qu'en blanc.

Savigny-lès-Beaune

Logé au creux de la petite vallée de la Fontaine-Froide, Savigny fait grimper hardiment ses ceps à l'assaut des deux versants du vallon, l'ensemble constituant un site particulièrement agréable. Les *Savigny* rouges sont des vins relativement précoces, tendres et très parfumés. Leur souplesse naturelle leur permet d'être prêts rapidement. Cette séduction facile se retrouve chez les rares vins blancs communaux — notamment dans les excellents premiers crus *Hauts-Jarrons* et *Aux Vergelesses*.

Beaune

La belle capitale de la Côte, entièrement ceinte de remparts et dont le splendide Hôtel-Dieu constitue l'attraction majeure (voir encadré), est le fief des principales maisons de négoce. Mais c'est aussi le pôle d'un très vaste vignoble (près de 400 hectares en production), la Côte ayant ici sa plus grande largeur.

Les vins de Beaune n'ont pas toujours accédé à la notoriété que mérite pourtant leur excellent niveau. Les rouges, qui en forment l'écrasante majorité, sont pleins, charnus et très francs. Leur bonne vinosité leur permet d'affronter des gardes prolongées. L'appellation dispose d'une très forte représentation de premiers crus (quarante au total), parmi lesquels se distinguent les climats suivants : *Les Grèves*, *Les Teurons*, *Les Bressandes*, *Les Fèves*, *Les Marconnets*, *Le Clos du Roi*, *Les Cent Vignes*. De la petite minorité de vins blancs se détache le très fin *Clos des Mouches*.

Aux portes de Beaune, *Chorey-lès-Beaune*, qui produit des rouges assez souples, dispose de sa propre appellation, mais ne l'utilise pas toujours, préférant replier ses vins.

Pommard

Avec son nom sonnant haut et fort, ce village au clocher carré produit, sur environ 300 hectares, des vins rouges dont la célébrité ne s'est jamais démentie (que de vins des deux Côtes furent naguère vendus sous ce nom accrocheur !). Rouge exclusivement, le *Pommard* est — selon son archétype — un vin ferme, robuste et mâcheux, avec de francs parfums et une formidable aptitude à vieillir. La diversité des climats et l'évolution des vinifications incitent à plus de nuances : les Pommard sont divers, comme en témoigne d'ailleurs le caractère opposé de ses deux têtes de file, le généreux et corsé *Rugiens* et le beaucoup plus délicat *Épenots*. A citer également l'excellent *Clos de la Commaraine*.

Volnay

Situé au-dessus de Pommard et de Meursault, cet autre village-phare de la Côte offre, sur une échelle moindre (deux centaines d'hectares), un vin rouge au type très différent. Souple et gracieux, tendre à souhait, doté d'un bouquet framboisé, le *Volnay* est, sous sa robe de couleur claire, un vin féminin et aérien, qui dévoile son charme dans un délai assez bref, quoiqu'il puisse ensuite le conserver longtemps. Les vins de Volnay ont une notoriété qui remonte au XIIe siècle. Jusqu'au XVIIIe siècle, ils étaient d'ailleurs issus partiellement de raisins blancs, afin de préserver leur teinte légère. L'un des crus communaux les plus réputés *(Santenots)* est, paradoxalement, récolté sur le territoire de Meursault. N'en oublions pas pour autant, sur Volnay même, les splendides climats de *En Caillerets*, *En Champans* et *Bousse-d'Or*.

Monthélie

Mitoyen du précédent, ce village assez méconnu, probablement en raison de la faible extension de son vignoble (moins de 100 hectares), produit des vins rouges souples et élégants, assez proches des Volnay, parmi lesquels se distingue un premier cru, *Les Champs-Fulliot*.

L'Hôtel-Dieu de Beaune

Charmante cité fortifiée, au sous-sol garni de caves aussi imposantes qu'opulentes, Beaune se concentre autour de son joyau, le célèbre Hôtel-Dieu, chef-d'œuvre de l'art bourguignon du XVe siècle, fondé par Nicolas Rolin, chancelier de Philippe le Bon, et son épouse, Guigone de Salins. Édifié entre 1443 et 1451 à l'intention des malades démunis, ce pieux établissement, surmonté de ses merveilleuses toitures polychromes, s'ordonne autour de la « chambre des povres », salle grandiose prolongée par une chapelle où trônait autrefois le polyptyque de Roger Van Der Weyden (depuis installé au musée). L'imposante toile à volets, œuvre maîtresse du primitivisme flamand, représente un saisissant *Jugement dernier*.

C'est non loin de ce cadre somptueux que se déroule chaque année, le troisième dimanche de novembre, la fameuse vente des Hospices, séance d'enchères instituée pour subvenir aux frais de la fondation et au cours de laquelle est écoulée la production du domaine de l'Hôtel-Dieu. Celui-ci, constitué durant cinq siècles par une série de donations et fort aujourd'hui d'une cinquantaine d'hectares, est réparti sur le territoire de Beaune et de la plupart des communes de la Côte de Beaune. Ses vins, qui sont le plus souvent acquis — en vue de l'élevage — par les négociants beaunois, obéissent aux mêmes règles d'appellation que les autres vins de la Côte-d'Or. Ils s'en distinguent seulement sur l'étiquette par la mention supplémentaire « Hospices de Beaune » et par l'indication du nom du donateur (par exemple, cuvées « Docteur Peste », « Nicolas Rolin », « Charlotte Dumay »...).

On doit aussi signaler, à Beaune, un très beau musée du vin, installé dans l'ancien Hôtel des ducs de Bourgogne, qui offre des pièces rares et splendides parmi ses riches collections de matériel et de documents vignerons. D'impressionnants pressoirs anciens, logés sous un cuvier du XIVe siècle, préludent à la visite du musée.

Meursault

Avec plus de 400 hectares classés, Meursault est vraiment la capitale des vins blancs de la Côte-d'Or, bien qu'on y trouve aussi quelques rouges. Il faut dire que le chardonnay fournit ici une expression achevée. Sous son or pâle teinté de vert, le *Meursault* est un vin d'une extrême élégance, souple et soyeux, qui donne, malgré son caractère sec, une impression de moelleux, due à son importante teneur en glycérol. Doté, selon Camille Rodier, d'un « arôme de grappe mûre et [d']une saveur de noisette », un peu vif dans ses premières années, il évolue en beauté et sait se fondre très harmonieusement.

La production communale est néanmoins diversifiée avec, dans le peloton de tête, un trio prestigieux de premiers crus : *Charmes*, *Perrières* et *Genevrières* (60 hectares à eux trois), qui donnent des vins particulièrement riches et complets.

Meursault possède également plusieurs climats (*La Pièce-sous-le-Bois*, *Sous-le-Dos-d'Ane*...) sur le hameau de Blagny, dont seuls les vins rouges, souvent réussis, ont droit à l'appellation *Blagny*.

Auxey-Duresses, Saint-Romain, Saint-Aubin

Sentinelle à l'entrée de la combe de Meursault, le joli petit village d'Auxey-Duresses offre une production de qualité, quoique assez peu connue, surtout en blanc. Issus de vignes à l'exposition méridionale, les vins rouges sont équilibrés et d'honnête constitution, tandis que les vins blancs (environ un quart de la récolte) rappellent — à très bon niveau — les Meursault voisins. Quelques premiers crus de valeur, comme *Les Duresses* ou le *Clos du Val*.

Plus loin dans la vallée, Saint-Romain établit une sorte de liaison avec la région des Hautes-Côtes. Ses vignes occupent des pentes escarpées, au pied d'une impressionnante falaise. L'altitude élevée du vignoble (parfois plus de 400 m), avec les retards de maturité qu'elle

Ci-dessus : la combe de Meursault dans la brume automnale, avec le village d'Auxey dans le fond.

A droite : Meursault et sa flèche élancée au-dessus d'une mer de vignes.

A gauche : enseigne de vigneron à Auxey-Duresses.

engendre, explique que le chardonnay réussisse mieux, ici, le pinot. De fait, les vins blancs sont nerveux, pleins de franchise, souvent superbes de fraîcheur et de finesse. Ce pittoresque village, s'il n'abrite aucun premier cru, possède en revanche un splendide point de vue sur la Côte.

Beaucoup plus en retrait, Saint-Aubin fournit des vins rouges et blancs (mais les seconds surclassent les premiers) plaisants et typés, qui se font assez rapidement. A signaler, des premiers crus aux noms évocateurs : *Sur-le-Sentier-du-Clou*, *Les-Murgers-des-Dents-de-Chien*...

Puligny-Montrachet

La commune doit sa formidable célébrité au fait d'abriter la fine fleur des grands crus blancs de Montrachet, là où le chardonnay atteint sans doute sa déclinaison la plus accomplie.

• ***Montrachet.*** Puligny possède la moitié des 8 hectares de l'illustre climat (le reste étant situé sur Chassagne-Montrachet), avec des vignes orientées au sud-est. Celui-ci est flanqué, juste au-dessus, du non moins fameux *Chevalier-Montrachet* (7 hectares, que Puligny possède en totalité) et, au-dessous, du *Bâtard-Montrachet* (12 hectares, partagé également avec Chassagne), au sein duquel on trouve encore l'enclave de *Bienvenues-Bâtard-Montrachet* (en totalité sur Puligny). Touchante simplicité bourgui-

gnonne... Le *Montrachet*, le *Chevalier* et le *Bâtard* sont des vins immenses, suaves, amples et magnifiquement structurés, avec des bouquets pénétrants où l'on retrouve le miel, l'amande et le citron. Leurs délais de garde sont bien sûr à l'échelle de leur brillante constitution : à ne pas déboucher avant 10 ans dans les grands millésimes. Le *Bienvenues*, quoique très fin, n'atteint pas à l'opulence des trois précédents.

Leur notoriété — le lyrique Alexandre Dumas ne dit-il pas du Montrachet que « c'est à genoux et la tête découverte qu'il faut le boire » — ne doit pas faire oublier les autres vins de la commune, à commencer par de magnifiques premiers crus : *Le Cailleret*, *Les Pucelles*, *Les Folatières* et *Clavoillon*, dans la parfaite lignée des grands crus qu'ils prolongent, ou encore, sur la Côte de Blagny (dont Puligny a également annexé plusieurs climats), *Les Chalumeaux* et *Hameau de Blagny*. A mentionner une très petite production de vins rouges, qui furent pourtant abondants jusqu'au XIXe siècle.

En haut : portail de pierre ouvrant sur le « grand Montrachet », cru d'or et de légende dont les bouteilles se font rares.
En bas : un cellier à Puligny.

Chassagne-Montrachet

Plus étendu que Puligny (environ 300 hectares contre 230), le vignoble de Chassagne partage avec son voisin la possession d'une partie des climats de *Montrachet* et de *Bâtard-Montrachet*, qui accèdent au même degré de richesse et de somptuosité. S'y ajoute, ici, le grand cru de *Criots-Bâtard-Montrachet* (1,5 hectare), aux vins également superbes. Un ton au-dessous, on découvre une série de premiers crus, dont le réputé *Morgeot*.

Chassagne offre aussi une importante production de vins rouges (environ la moitié de la récolte communale). Ceux-ci sont assez corsés mais fins, avec une délicatesse qui s'accentue avec l'âge (à citer, dans cette couleur, le *Clos Saint-Jean* et *Morgeot*).

Santenay

Dominant la vallée de la Dheune, ce village, célèbre également pour ses eaux thermales, est au centre d'un substantiel vignoble (près de 300 hectares), voué quasi uniquement aux vins rouges. Les *Santenay*, assez fermes dans leur jeunesse, gagnent à quelques années de bouteille pour s'épanouir avec charme et franchise. Ils vieillissent ensuite avec bonheur. L'appellation dispose de plusieurs premiers crus, dont les meilleurs avoisinent le territoire de Chassagne : *La Comme*, *Les Gravières*, le *Clos de Tavannes*.

Les trois Maranges

Elles sont trois communes, déjà en Saône-et-Loire, à terminer la Côte de Beaune : *Cheilly-les-Maranges*, *Dezize-les-Maranges* et *Sampigny-les-Maranges*. Elles donnent des vins rouges de bonne tenue et possèdent quelques premiers crus, dont en commun le climat *Les Maranges*. Cheilly fournit le plus gros volume, tandis que, depuis plusieurs années, aucune récolte n'est plus revendiquée sous l'appellation de Dezize. Néanmoins, toutes les trois écoulent la majorité de leur production sous l'appellation *Côte de Beaune-Villages*.

La Côte chalonnaise

Commençant à Chagny, la Côte chalonnaise prolonge la Côte de Beaune sur une trentaine de kilomètres, depuis la vallée de la Dheune au nord jusqu'à celle de la Grosne au sud. La nature des sols, les expositions, l'encépagement (hormis l'apparition du gamay dans la zone méridionale), les méthodes culturales et de vinification sont à peu près les mêmes que dans la Côte-d'Or vinicole. Mais ici le paysage change, avec un relief qui s'adoucit en molles ondulations descendant vers la plaine de la Saône. La vigne, qui n'est plus dominante, alterne avec d'autres cultures et définit un décor plus bucolique.

Le vignoble chalonnais, gravement dévasté par le phylloxéra, fut beaucoup plus lent à se reconstituer que ses voisins septentrionaux et ne renaquit véritablement qu'au lendemain de la dernière guerre. Il n'en possède pas moins quelques intéressantes appellations communales, qui défendent vaillamment le terroir.

Rully

Dominé par son beau château du XVe siècle, ce village compte surtout par ses vins de chardonnay. Le *Rully* blanc, sous une robe tirant légèrement sur le vert, est un vin nerveux, dégageant un fin bouquet floral et sachant prendre avec l'âge une suave élégance (jusqu'à 10 ans de conservation). Il possède de bons climats (*La Renarde*, *Saint-Jacques*...). Les vins rouges, dotés de bons arômes fruités, rappellent un peu le Mercurey voisin (dont les vignerons de Rully revendiquèrent en vain l'appellation). A côté de quelques aligotés et rosés de pinot d'une excellente tenue sont également élaborés des mousseux de méthode champenoise (une tradition qui remonte ici au début du XIXe siècle).

Mercurey

L'aire de l'appellation la plus vaste et la plus connue de la Côte chalonnaise couvre

600 hectares, sur les communes de Mercurey, Bourgneuf-Val-d'Or et Saint-Martin-sous-Montaigu. Les vignes, escaladant une ligne de coteaux formant un large cirque, sont constituées à 95 p. 100 de pinot noir. Le *Mercurey* rouge, assez léger, se distingue par une certaine souplesse, une franchise de bon aloi, un joli bouquet aux arômes de petits fruits rouges, l'ensemble évoluant avec bonheur mais sans espoir de très longue garde (à boire entre 3 et 8 ans). Citons, parmi les premiers crus, le *Clos du Roi* et le *Clos des Montaigus*. Le rarissime Mercurey blanc n'est pas sans finesse ni charme.

Givry

Cette pittoresque bourgade est le centre d'un vignoble dont plusieurs textes attestent, dès le XIVe siècle, la haute réputation. Ses vins — parmi bien d'autres — firent les délices de Henri IV, dont l'effigie orne encore nombre d'étiquettes. Comme à Rully, les producteurs de Givry demandèrent à bénéficier de l'appellation Mercurey, mais celle-ci leur fut refusée à l'issue d'un procès en 1923. Les vins rouges, un peu rudes dans leur jeunesse, s'apprivoisent ensuite et se font harmonieux, sans toutefois acquérir la sève et le bouquet des Mercurey. Les blancs, produits en toute petite minorité (environ 10 p. 100 de la récolte), font d'agréables bouteilles.

Montagny

Ce joli village donne son nom à un vin exclusivement blanc, récolté sur son finage mais aussi sur celui de Buxy, Jully-lès-Buxy, et Saint-Vallerin. Le chardonnay donne ici un vin d'or vert, net et rond, avec une plaisante note de

Le village de Mercurey, commune-phare de la Côte chalonnaise, dans son écrin de vignes aux allures de jardin.

Il se fait d'excellents Bourgogne génériques, fort agréables lorsqu'on les déguste dans leur grand verre régional.

noisette. Ce vin particulièrement coulant est fourni pour l'essentiel par la coopérative de Buxy, qui le vinifie avec soin.

Bouzeron

Tout près de Chagny, ce village a le droit, depuis 1979, d'accoler son nom à l'appellation *Bourgogne aligoté*, en raison de la grande qualité qu'y offrent les vins de ce cépage.

Les appellations régionales

La Bourgogne ne produit pas que les crus éminents que nous venons de passer en revue. A côté de ces vins de haute qualité, elle donne naissance à quantité de breuvages plus modestes mais qui, lorsqu'ils sont bien faits, dénotent parfaitement l'originalité du terroir bourguignon. Voyons en premier lieu les Bourgogne génériques.

L'appellation *Bourgogne* s'applique à des vins rouges, blancs et rosés récoltés sur l'ensemble de l'aire bourguignonne (Yonne, Côte-d'Or, Saône-et-Loire, Rhône). Il faut noter que les crus du Beaujolais et du Mâconnais ont droit, en cas de repli, à bénéficier de l'appellation générique. Les vins rouges doivent titrer au moins 10° et provenir exclusivement du pinot (exceptionnellement du césar, dans l'Yonne). Les vins blancs doivent atteindre un degré minimal de 10°5 et provenir du chardonnay (dans une moindre mesure, du pinot blanc). Les uns comme les autres doivent satisfaire à des normes de rendement maximal (en moyenne 55 hl/ha pour les rouges, 60 hl/ha pour les blancs).

Il va de soi qu'une appellation aussi large (elle concerne plus de 100 000 hectolitres par an) recouvre des vins de types fort divers. Dans l'idéal, ce sont des vins assez légers mais bien bouquetés, qui peuvent se bonifier quelques années en bouteilles. Leur origine et les soins apportés à leur vinification restent néanmoins les meilleurs garants de leur qualité. Il est préférable de les acheter dans les zones de crus, car souvent ils profitent des conditions favorables de leur environnement — voire de replis.

Les autres appellations génériques concernent également des vins récoltés sur la totalité du territoire bourguignon. Le *Bourgogne aligoté* (9°5 au maximum), tantôt nerveux, tantôt plus enveloppant, avec son fumet particulier, possède ses zones de prédilection dans l'Yonne (Chitry, Saint-Bris), en Côte-d'Or (Pernand-Vergelesses) et en Saône-et-Loire (Rully, Bouzeron). Exclusivement rouge, le *Bourgogne Passe-tout-grain* (9°5 minimum) est composé pour un tiers au moins de pinot, pour le reste de gamay. Bien fait, il a de la vivacité et un côté gouleyant. Rouge ou blanc, le *Bourgogne-Grand ordinaire* est moins répandu. Issu de tous les cépages autorisés, dans des proportions variables, c'est un vin rustique et de consommation rapide (9° au minimum pour les rouges). Enfin, le *Crémant de Bourgogne*, élaboré selon la méthode champenoise, est une spécialité assez localisée : coopérative de Bailly (Yonne), maisons de Beaune, producteurs et coopératives de Saône-et-Loire.

Venons-en maintenant aux appellations sous-régionales, et d'abord aux vins des *Hautes-Côtes*. A l'ouest des Côtes de Beaune et de Nuits, et parallèlement à celles-ci, se dresse la région des Hautes-Côtes. Elle recouvre un relief de failles, qui détermine une succession de falaises, de coteaux et de vallées où le vignoble occupe les expositions les plus favorables. Les terrains sont argilo-calcaires, avec une structure souvent similaire à celle des Côtes, mais l'altitude supérieure (300 à 450 m) entraîne une maturité plus tardive. Les plants mi-fins (aligoté et gamay) sont ici largement répandus : ils donnent des vins rustiques et sautillants. La dénomination de *Hautes-Côtes* ne s'applique en revanche qu'à des vins de pur pinot et, pour une infime minorité, de chardonnay. Ceux-ci, plus légers que leurs homologues du bas, sont fruités, bouquetés et pleins d'une franchise immédiate qui doit les faire consommer sans trop tarder. Cette simplicité n'exclut pas, chez certains, une réelle finesse.

Nolay et les villages de Baubigny, La Rochepot, Orches, Meloisey et Échevronne figurent parmi les principaux producteurs de *Bourgogne Hautes-Côtes de Beaune*. L'aire de production du *Bourgogne Hautes-Côtes de Nuits* est beaucoup plus restreinte. Elle regroupe notamment, au-dessus de Nuits-Saint-Georges, les communes de Marey-lès-Fussey, Arcenant, Meuilley, Villars-Fontaine et L'Étang-Vergy. Les vins y sont souvent d'excellente qualité, avec de bonnes tonalités aromatiques (cassis, framboise...).

L'appellation *Côte de Beaune-Villages* désigne des vins (uniquement rouges) pouvant provenir de toutes les communes classées de la Côte de Beaune, à l'exception toutefois de Beaune, Aloxe-Corton, Pommard et Volnay ; l'assemblage de diverses origines est toléré. Elle est souvent usitée comme appellation de substitution par les villages peu connus de la Côte. Ne pas confondre — ô subtilité bourguignonne ! — avec l'appellation *Côte de Beaune*, qui s'applique à des vins (rouges et blancs) récoltés sur le finage de Beaune et à sa périphérie, ou qui sert de mention complémentaire à des appellations communales insuffisamment connues (exemple : *Saint-Romain-Côte de Beaune*).

Les Hautes-Côtes de Beaune, à La Rochepot. Dans cette région d'altitude, où la vigne alterne avec les prairies, sont récoltés des vins fruités et rapidement charmeurs.

Quant à l'appellation *Côte de Nuits-Villages*, elle concerne seulement les vins des villages de la Côte de Nuits sans appellation communale propre : Corgoloin, Comblanchien, Prémeaux, Prissey et Brochon. Fixin peut également l'utiliser comme appellation de repli, mais non les autres communes classées de la Côte. Savourez les nuances... Ces vins sont généralement étoffés et bien équilibrés, ressemblant d'assez près à leurs frères de côte.

Les confréries vineuses

Terre joviale et accueillante, la Bourgogne ne pouvait que donner naissance à plusieurs sociétés bachiques, à commencer par la plus célèbre et la plus ancienne d'entre elles, la Confrérie des Chevaliers du Tastevin.

La Confrérie des Chevaliers du Tastevin

Créée en 1934 à l'initiative de Camille Rodier et de Georges Faiveley, afin de populariser les vins bourguignons, elle prit sa véritable impulsion au lendemain de la guerre avec l'acquisition du château du Clos de Vougeot, où sont tenus depuis lors ses chapitres. Plusieurs fois par an, ceux-ci rassemblent un public largement international sous les voûtes du splendide cellier cistercien. Présidées par un Grand Conseil en flamboyante tenue rouge et or, portant tastevins en pendentifs, les cérémonies sont immanquablement conclues par les fameuses « disnées », agapes solennelles et richement arrosées. Les chapitres les plus courus sont celui de la Saint-Vincent, celui des Trois Glorieuses et celui des Vendanges, au cours duquel l'un des vieux pressoirs du château est remis en activité.

La Confrérie décerne également un prix littéraire et, depuis 1950, patronne la manifestation du « tastevinage », un concours des vins régionaux qui permet aux producteurs primés d'apposer sur leurs bouteilles la célèbre étiquette parcheminée à liséré vert. Soucieux de l'image du Bourgogne à l'étranger, les Chevaliers ont essaimé de par le monde en de nombreuses « commanderies », filiales de la confrérie mère.

La Cousinerie de Bourgogne

Fondée en 1960 à Savigny-lès-Beaune, se donnant elle aussi pour mission la défense des vins bourguignons, elle tire son nom de la

Figurine bachique, juchée sur un tonneau et portant son tonnelet en bandoulière. Pichet en faïence de Nevers, 1836 (musée du Vin à Beaune).

devise : « Toujours gentilshommes sont cousins ». De fait, plusieurs « cousinages » annuels regroupent au caveau communal les membres de la confrérie, en habit de gentilhomme du XVIIIe siècle, et leurs hôtes, dont les élus, après intronisation, deviennent à leur tour « cousins de Bourgogne ».

La Confrérie de la Chanteflûte

Cette confrérie de Mercurey, à l'instar de son aînée du Clos de Vougeot, procède chaque année au « chanteflûtage » des vins du Chalonnais, un concours qui récompense les bouteilles sélectionnées d'une étiquette-sceau aux armes de la confrérie. La « chanteflûte » est le nom local de la pipette à vin.

Les Piliers chablisiens

Créé en 1952, cet ordre bachique évoque le surnom de « porte d'or » de la Bourgogne qu'on donne à Chablis. Ses chapitres — dont celui, célèbre, de la Saint-Cochon, en mai — s'accompagnent de plantureux banquets et honorent spécialement les vins de Chablis.

La Confrérie des Trois Ceps

Fondée en 1965, elle est vouée aux vins de l'Auxerrois par ses « trois ceps », lesquels symbolisent les trois principaux villages et cépages du vignoble : Irancy (pinot), Saint-Bris (sauvignon) et Chitry (aligoté). Des festivités réunissent ses membres, qui portent costume bleu et jaune, notamment à l'occasion de la Saint-Vincent et de la Fête du Sauvignon.

La Saint-Vincent tournante est l'une des fêtes majeures de Bourgogne. Chaque village vinicole transporte sa propre statue du patron des vignerons (ci-contre). Les Chevaliers du Tastevin, en grand costume d'apparat, ferment solennellement la procession (en haut).

Les fêtes du vin

Ce sont les *Trois Glorieuses* qui, sans nul doute, constituent le point d'orgue des fêtes qui rythment l'année vineuse en Bourgogne.

Ces trois journées consécutives, ordonnées autour du troisième dimanche de novembre, s'ouvrent sur un chapitre solennel des Chevaliers du Tastevin, s'achevant comme il se doit par un dîner de gala au Clos de Vougeot, le samedi soir. Le dimanche a lieu la *vente des vins des Hospices de Beaune*. Présentés le matin dans l'enceinte même de l'Hôtel-Dieu, les vins sont dispersés aux enchères durant l'après-midi, sous les halles voisines. Les cotes y atteignent généralement des niveaux élevés et fixent plus ou moins le cours des vins pour l'année à venir. La journée se conclut par un grand dîner aux chandelles dans un bastion de l'Hôtel-Dieu. Les Trois Glorieuses se terminent le lundi midi par la *Paulée de Meursault*, un immense banquet qui rassemble tout le monde de la viticulture bourguignonne, chaque participant apportant ses propres bouteilles. Ce déjeuner, qui rappelle les anciens repas de fin de vendanges, est assorti de la remise d'un prix littéraire, récompensé de cent bouteilles de Meursault.

En marge de la vente des Hospices, se tient à Beaune *l'Exposition générale des vins de Bourgogne*. Pendant deux jours, le visiteur peut y goûter une très vaste représentation de toutes les appellations bourguignonnes, mais aussi y « taster » le vin nouveau.

La Confrérie des Chevaliers du Tastevin préside également la *Saint-Vincent tournante*. Organisée le samedi qui suit la fête du patron des vignerons, cette cérémonie a lieu, chaque année, dans une commune viticole différente. Une procession des dignitaires de la confrérie prélude à diverses manifestations dans le village concerné, dont une messe solennelle. La journée se conclut par un chapitre extraordinaire au Clos de Vougeot.

Outre une foule de petites fêtes locales, la Bourgogne voit encore se dérouler plusieurs ventes-expositions consacrées aux vins régionaux. Signalons la foire aux vins de Chagny (août), l'exposition des vins de l'Yonne à Chablis (novembre), ainsi que la vente des Hospices de Nuits-Saint-Georges (avril).

Mentionnons également, parmi les festivités communales, le *Carrefour de Dionysos*, à Morey-Saint-Denis (avril) et la *Fête du Roi Chambertin*, à Gevrey (septembre).

La vente des Hospices de Beaune est assurément l'un des temps forts du calendrier bourguignon. La première eut lieu en 1859, afin de subvenir aux besoins de l'Hôtel-Dieu. C'est une vente à la chandelle des vins nouveaux du domaine des Hospices, se déroulant le troisième dimanche de novembre. Achetés en pièces, les vins — qui font l'objet de gros enrichissements — sont aujourd'hui mis en bouteilles avec la mention « Hospices de Beaune » et le nom de la cuvée (qui est celui du donateur originel).

Lire l'étiquette bourguignonne

Le vin de Bourgogne ne se livre pas facilement, du moins sous l'angle légal. L'étiquetage, en effet, obéit à des règles assez compliquées, et toute bouteille — de cru notamment — nécessite un décodage préalable pour être située précisément dans la subtile hiérarchie locale.

Voici quelques règles de base, qui vous permettront de traverser sans trop d'encombres le labyrinthe des appellations bourguignonnes.

• Les ***grands crus*** — 22 en Côte de Nuits et 8 en Côte de Beaune — bénéficient de leur appellation propre (par exemple, *Bonnes Mares, Richebourg* ou *La Tâche*). Il ne faut donc pas confondre — car c'est là l'erreur classique — un grand cru (qui désigne un « climat » de très haute renommée, ne couvrant généralement que quelques hectares) avec l'appellation communale correspondante (qui s'applique au terroir du village tout entier). Mesurer par conséquent la différence énorme qui existe, en principe, entre un *Corton* et un *Aloxe-Corton,* un *Romanée* et un *Vosne-Romanée,* un *Montrachet* et un *Puligny-Montrachet,* un *Chambertin* et un *Gevrey-Chambertin,* un *Musigny* et un *Chambolle-Musigny...*

• Les ***premiers crus*** — qui sont plusieurs centaines et font l'objet d'une classification en bonne et due forme — sont soumis à des règles de présentation très strictes. La loi leur impose d'être désignés de trois manières au choix :
— Leur nom est placé après celui du village, en caractères dont les dimensions ne doivent pas dépasser celles de l'appellation communale (exemple : *Chambolle-Musigny Les Amoureuses* ou *Santenay La Comme*) ;
— Leur nom, présenté comme ci-dessus, est suivi de la mention « premier cru », généralement en caractères de taille inférieure (exemple : *Beaune Les Marconnets premier cru* ou *Aloxe-Corton Les Fournières premier cru*) ;
— Leur nom est remplacé par l'expression « premier cru », sans obligation typographique (exemple : *Nuits-Saint-Georges premier cru* ou *Meursault premier cru*).
Dans les trois cas, bien sûr, la mention « appellation contrôlée » suivra la dénomination utilisée.

• Les ***simples crus*** — qui correspondent à des lieux-dits inscrits au cadastre et sont revendiqués lors de la déclaration de récolte — sont astreints eux aussi, pour apparaître sur l'étiquette, à une réglementation précise. Leur nom doit figurer derrière l'appellation communale, mais en caractères dont la taille ne peut dépasser la moitié de cette dernière. De plus, le nom du village doit être répété, encadré par la mention « appellation contrôlée ». Exemple : *Volnay Clos du Village — appellation Volnay contrôlée* ou *Pommard Les Noizons — appellation Pommard contrôlée.*

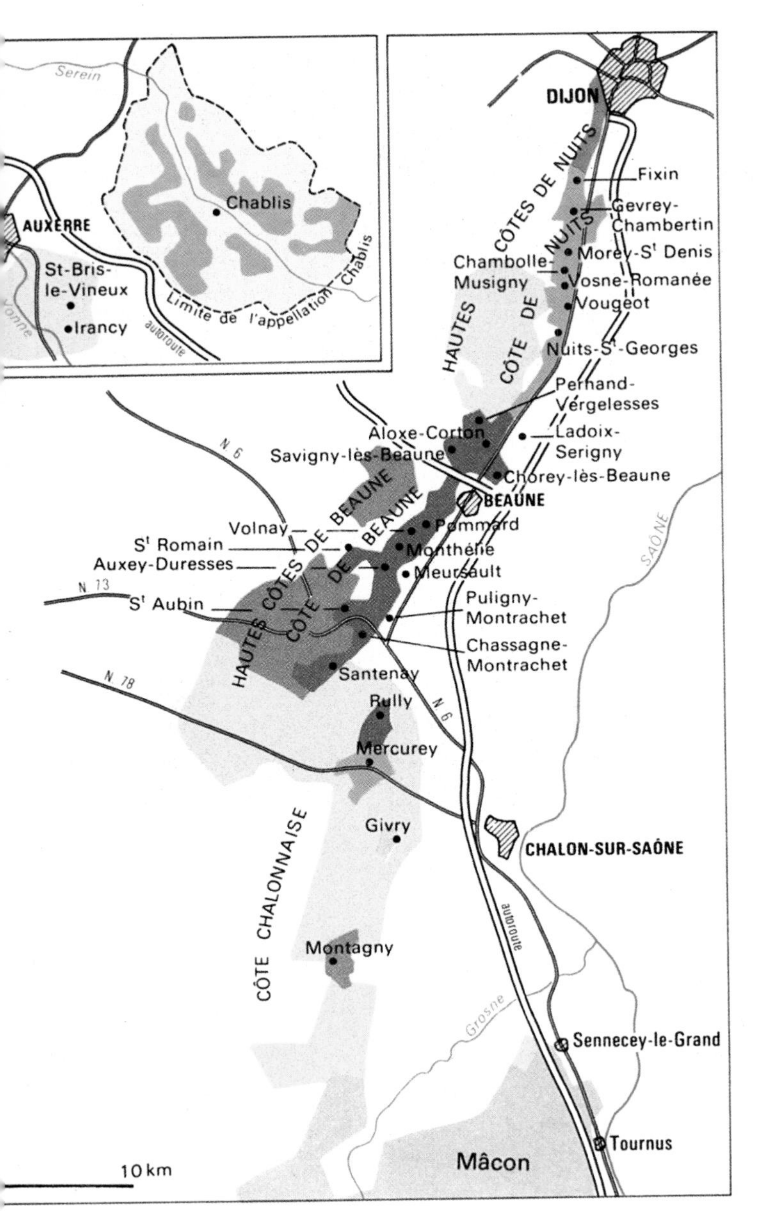

Les millésimes

Effectuons un rapide survol des millésimes depuis 1975. Signalons quand même, avant cette date, les grandes années que furent en Bourgogne 1947, 1949, 1955, 1959, 1961, 1966 et 1970.

1975 Récolte peu glorieuse, aussi bien en quantité qu'en qualité. Vins rouges maigres et sans consistance mais vins blancs supérieurs.

1976 Récolte précoce en raison d'une sécheresse exceptionnelle. Grande année. Rouges tanniques, robustement constitués, très lents à s'ouvrir. Blancs évolués, avec une bonne rondeur.

1977 Année médiocre. Vins plutôt minces et courts.

1978 Magnifique année, malgré une faible récolte. Vins rouges gras et complets, dotés d'arômes remarquables. Bonne acidité et haute tenue pour les blancs. Vins de garde en général.

1979 Bonne année d'abondance. Vins équilibrés, typés, avec des bouquets charmeurs.

1980 Année plutôt difficile. Vins d'acidité élevée mais sachant, pour certains, évoluer avec caractère.

1981 Récolte de faible rendement (gelées, grêle). Vins rouges harmonieux mais légers et peu colorés. Vins blancs de meilleur avenir.

1982 Récolte « du siècle » sur le plan quantitatif. Vins souples et faciles, d'évolution rapide.

1983 Très beau millésime. Vins rouges concentrés et charpentés, faits pour durer. Vins blancs vigoureux et complets. Longue garde en perspective.

1984 Petite récolte. Vins plutôt dilués mais dotés de bons arômes. Garde limitée.

1985 Grande année. Vins rouges colorés, charnus et aromatiques. Élégance et richesse de bouquet pour les vins blancs.

1986 Année inégale. Vins blancs d'excellente tenue, fermes et fruités. Rouges très divers, sur le mode mineur.

Quelques bonnes adresses

Chablis

- François Raveneau - 9, rue de Chichée, 89800 Chablis
- René Dauvissat - 8, rue Émile-Zola, 89800 Chablis
- Domaine Laroche - 12, rue Auxerroise, 89800 Chablis
- Cave coopérative « La Chablisienne » - 89800 Chablis

Irancy

- Robert et Jean-Pierre Colinot - 89620 Irancy
- Gabriel Delaloge - 89620 Irancy

Saint-Bris

- Philippe Defrance - 5, rue du Four, 89530 Saint-Bris-le-Vineux

Marsannay

- Domaine Clair-Daü - 5, rue du Vieux-Collège, 21160 Marsannay-la-Côte
- Cave coopérative des Grands Vins Rosés - 21160 Marsannay-la-Côte

Fixin

- Pierre Gélin - 62, route des Grands-Crus, 21710 Fixin
- Philippe Joliet - Domaine de La Perrière, 21710 Fixin

Gevrey-Chambertin

- Henri Rebourseau - 10, place du Monument, 21220 Gevrey-Chambertin
- Louis Trapet - route de Beaune, 21220 Gevrey-Chambertin
- Camus Père et Fils - 21, rue du Maréchal de Lattre-de-Tassigny, 21220 Gevrey-Chambertin
- Domaine Drouhin-Laroze - 20, rue du Gaizot, 21220 Gevrey-Chambertin

Morey-Saint-Denis

- Jean Taupenot-Merme - 21740 Morey-Saint-Denis
- Jean-Marie Ponsot - 21740 Morey-Saint-Denis

Dans les vignes de Puligny-Montrachet.

Chambolle-Musigny

- Domaine Roumier - 21770 Chambolle-Musigny
- Domaine du Comte de Vogüe - 21770 Chambolle-Musigny

Vosne-Romanée

- Jean Gros - 21670 Vosne-Romanée
- Domaine Henri Lamarche - 21670 Vosne-Romanée

Nuits-Saint-Georges

- Domaine de la Poulette - Corgoloin, 21700 Nuits-Saint-Georges
- Maison Joseph Faiveley - 21700 Nuits-Saint-Georges

Aloxe-Corton

- Domaine Antonin Guyon - Aloxe-Corton, 21420 Savigny-lès-Beaune

Pernand-Vergelesses

- Pierre Dubreuil-Fontaine - Pernand-Vergelesses, 21420 Savigny-lès-Beaune

Savigny-lès-Beaune

- Domaine Écard-Guyot - 21420 Savigny-lès-Beaune
- Simon Bize et Fils - 21420 Savigny-lès-Beaune

Chorey-lès-Beaune

- Domaine Tollot-Beaut et Fils - Chorey-lès-Beaune, 21200 Beaune

Beaune

- Denis Perret - 40, rue Carnot, 21200 Beaune. Boutique regroupant la production des cinq meilleurs négociants de Beaune (Jadot, Latour, Drouhin, Bouchard, Chanson). Choix quasi exhaustif de toutes les appellations bourguignonnes.

Pommard

- Jacques Parent - 21630 Pommard
- Domaine Billard-Gonnet - 21630 Pommard

Volnay

- Marquis d'Angerville - Volnay, 21190 Meursault
- Domaine de la Pousse d'Or - Volnay, 21190 Meursault

Meursault

- Jean-François Coche-Dury - 21190 Meursault
- Domaine des Comtes Lafon - Clos de la Barre, 21190 Meursault
- Ropiteau Frères - 21190 Meursault
- Bernard Michelot - 21190 Meursault

Auxey-Duresses

- Michel Prunier - Auxey-Duresses, 21190 Meursault

Monthélie

- Robert de Suremain - Château de Monthélie, 21190 Meursault

Saint-Romain

- René Thévenin-Monthélie et Fils - Saint-Romain, 21190 Meursault

Chassagne-Montrachet

- Ramonet-Prudhon et Fils - Chassagne-Montrachet, 21190 Meursault

Puligny-Montrachet

- Domaine Leflaive - Puligny-Montrachet, 21190 Meursault
- Étienne Sauzet - Puligny-Montrachet, 21190 Meursault

Santenay

- Domaine Prieur-Brunet - 21590 Santenay
- Jean Girardin - Château de la Charrière, 21590 Santenay

Rully

- Xavier Noël-Bouton - Domaine de la Folie, 71150 Chagny
- Armand Monassier - Domaine du Prieuré, Rully, 71150 Chagny

Mercurey

- Hugues de Suremain - 71560 Mercurey
- Michel Julliot - 71560 Mercurey
- Paul de Launay - 71560 Mercurey

Givry

- Gérard Mouton - 1, rue du Four, 71640 Givry
- Domaine Desvignes - rue de Jambles, Poncey, 71640 Givry

Montagny

- Cave des Vignerons de Buxy - 71390 Buxy

Bouzeron

- A. et P. de Villaine - Bouzeron, 71150 Chagny

Hautes-Côtes de Beaune et de Nuits

- Les Caves des Hautes-Côtes (coopérative) - route de Pommard, 21200 Beaune

Mâconnais et Beaujolais

Fin de vendanges au pied de la roche de Solutré. Cette falaise cyclopéenne domine de son impressionnante silhouette le vaste vignoble du Mâconnais, région attrayante et réservoir de vins alertes et nerveux.

Le Mâconnais

Le Mâconnais forme un superbe trait d'union entre la Bourgogne des Côtes et le particulariste Beaujolais. Passé Tournus, le paysage change soudainement et profondément de physionomie. Bourguignon, le Mâconnais ne l'est plus guère si l'on s'arrête au seul environnement : les murs se font ocrés, les toits se couvrent de tuiles romaines, le décor naturel et le climat se teintent de nuances déjà méridionales. Bourguignon, le Mâconnais le reste en revanche — et très dignement — grâce à la permanence du chardonnay, son cépage dominant.

Une vieille tradition viticole

Sur la rive droite de la Saône, le vignoble recouvre un relief de collines qui s'élève progressivement vers l'ouest et dont les pentes les plus ardues vont mourir au pied des impressionnantes roches de Solutré et de Vergisson. Il s'étend sur une trentaine de kilomètres de long, pour une dizaine de large, depuis la région de Sennecey-le-Grand au nord, jusqu'à la commune, déjà beaujolaise, de Saint-Amour-Bellevue au sud. Sa superficie totale est d'environ 5 000 hectares.

La culture de la vigne est ici ancienne, propagée surtout aux XIe et XIIe siècles sous l'influence de la puissante et proche abbaye de Cluny. L'empreinte clunisienne reste, d'ailleurs, profondément gravée dans la région, grâce aux ravissantes petites églises romanes qui peuplent la plupart des villages. La viticulture prédominait tout autant au temps de Lamartine : l'enfant de Milly cultivait lui-même plusieurs dizaines d'hectares de vignes en son domaine de Monceau, qui lui avait échu en 1833. Dans ce pays de petite propriété, les coopératives sont aujourd'hui reines et maîtrisent une large part de la production.

Les traditions vineuses de la région sont défendues par la *Confrérie des Vignerons de Saint-Vincent*, société fondée en 1950. Mâcon est également le siège, chaque année, en mai, de la célèbre *Foire nationale des Vins de France*.

Les appellations

La production mâconnaise se subdivise en six appellations, que couronne le Pouilly-Fuissé, son cru le plus prestigieux.

Mâcon

L'appellation régionale s'applique à des vins des trois couleurs récoltés sur l'ensemble de l'aire de production et dotés d'un degré alcoométrique minimal (10° pour les blancs, 9° pour les rouges et rosés). Les vins blancs sont issus du chardonnay mais parfois également du pinot blanc : ils peuvent d'ailleurs bénéficier, dans ce cas, de l'appellation *Pinot-Chardonnay-Mâcon*. Souples et coulants sous une robe assez soutenue, ce sont des vins directs, à apprécier dans leur jeunesse.

Provenant du gamay, comme les Beaujolais, les vins rouges annoncent déjà leurs voisins méridionaux : ils sont généralement très fruités, quoiqu'un peu plus sévères et corsés. Cette franchise de caractère se retrouve dans les rosés, moins répandus toutefois.

L'appellation *Mâcon Supérieur* peut être revendiquée par les vins titrant au moins 1 degré au-dessus de la norme minimale.

Mâcon-Villages

Cette appellation ne concerne que des vins blancs récoltés sur une aire de production plus restreinte, recouvrant néanmoins le territoire d'une quarantaine de communes classées. Parmi ces « villages », plusieurs jouissent d'une réputation certaine : c'est le cas de Lugny (avec son cru *Les Charmes*), Viré, Igé, Verzé ou encore Prissé. Leurs vins, venus du chardonnay, ont une réelle séduction quand ils sont bien élaborés. Finement nerveux, surmontés de délicieux bouquets, ils ont de l'éclat et de la vivacité. Quelques années de bouteille leur apportent une grâce supplémentaire.

Quelques vins rouges, sans avoir droit à la mention « Villages », ont cependant la possibilité d'accoler le nom de leur commune d'origine à

La vigne vient lécher l'enceinte du Château de Pierreclos, site lamartinien réputé (ci-dessus). Les vins reposeront ensuite dans la fraîcheur de caves voûtées, comme ce Pouilly-Fuissé (page ci-contre).

l'appellation *Mâcon* (exemple : *Mâcon Mancey*). Cette possibilité est d'ailleurs offerte également aux vins blancs, et utilisée par ceux des villages les plus connus.

Une vingtaine de coopératives, dont certaines travaillent remarquablement, se partagent l'essentiel de la production de ces fringants *Mâcon-Villages*, qu'on peut déguster dans d'accueillants caveaux.

Pouilly-Fuissé

Seigneur du Mâconnais, le *Pouilly-Fuissé* est produit sur quelque 550 hectares des villages de Solutré, Vergisson, Chaintré et Fuissé, auxquels s'adjoint le hameau de Pouilly (l'accouplement des deux derniers noms lui a valu son appellation). Dominées par les grandioses monuments naturels que sont les deux Roches, les vignes escaladent des pentes souvent raides, entre 250 et 450 m d'altitude. Les terrains, tour à tour argilo-calcaires, marneux et siliceux, appartiennent à plusieurs étages du jurassique (bathonien, bajocien, kimméridgien...) et sont principalement exposés à l'est et au sud-est.

Vêtu d'or pâle nuancé de vert, le *Pouilly-Fuissé*, qui provient exclusivement du chardonnay, est un authentique grand Bourgogne blanc. Sec et racé, il est souvent incisif en primeur mais sait, avec l'âge, se parer d'une rondeur soyeuse qui fait ressortir sa puissance de sève et sa richesse d'arôme, où se conjuguent l'amande, l'acacia et l'aubépine. Ce somptueux bouquet est rehaussé d'une fine saveur de pierre à fusil. Si certains Pouilly sont assez tendres et rapides à se faire, d'autres, en revanche, ont une vigueur et une charpente qui leur donnent des potentiels de garde de 15 à 20 ans.

Une forte demande sur le marché étranger — américain en particulier — fait hélas ! du Pouilly un vin devenu rare et cher.

Pouilly-Loché, Pouilly-Vinzelles

Ils sont deux villages, Loché et Vinzelles, à produire, entre Fuissé et la N 6, des vins de chardonnay se rapprochant, en caractère, de leur illustre voisin, sans atteindre tout à fait la même distinction. Plus souples et fruités en primeur, ils sont également plus rapidement accomplis. Le *Vinzelles* évolue peut-être avec plus de couleur et de moelleux que le *Loché* qui reste vif. Leur production, fournie pour l'essentiel par la coopérative de Vinzelles, est fort limitée : 2 500 hectolitres en moyenne pour le premier, 1 500 pour le second.

Saint-Véran

Dernière-née des A.O.C. mâconnaises (elle date de 1971), elle est dévolue en fait à l'élite des meilleurs villages du Mâconnais. L'aire d'appellation est divisée en deux secteurs, mitoyens chacun de la zone de production du Pouilly-Fuissé. L'un comprend les villages de Prissé et Davayé, l'autre englobe les communes de Chasselas, Leynes, Saint-Vérand (avec un « d » final, contrairement à l'orthographe de l'appellation) et Chânes. Occupant d'excellents terroirs argilo-calcaires du jurassique, engendré uniquement par le chardonnay, le *Saint-Véran* est un vin vert doré, délicat et rond en bouche malgré son fond sec, dégageant de jolis arômes floraux sur une caractéristique saveur de noisette. Il faut boire plutôt jeune ce vin qui réalise une très heureuse transition entre le racé Pouilly et les aimables Mâcon-Villages.

Quelques bonnes adresses

Mâcon

- Cave des vignerons d'Igé - 71960 Pierreclos
- Cave coopérative de Charnay-lès-Mâcon - 71000 Mâcon

Mâcon-Villages

- Cave coopérative de Viré - 71260 Lugny
- Groupement de producteurs de Lugny-Saint-Gengoux, 71260 Lugny
- Cave coopérative de Chaintré - Chaintré, 71570 La Chapelle-de-Guinchay

Pouilly-Fuissé

- Marcel Vincent et Fils - Château de Fuissé, 71960 Pierreclos
- Domaine André Forest - Vergisson - 71960 Pierreclos

Pouilly-Vinzelles

- Domaine Mathias - Chaintré, 71570 La Chapelle-de-Guinchay

Pouilly-Loché

- Cave coopérative de Vinzelles - 71145 Vinzelles

Saint-Véran

- Cave coopérative de Prissé - 71840 Prissé

Le Beaujolais

Allégrement plagié, abondamment copié, parfois jalousé, le Beaujolais demeure un phénomène unique dans le décor vinicole français. Il serait long et difficile d'expliquer la réussite de ce vin médiatique par excellence, notamment dans sa version primeur qui, chaque automne, va se déverser par torrents dans le monde entier. Il reste que ce succès n'a faibli à aucun moment depuis bientôt deux décennies.

Granites roses et pierres dorées

Léchant la partie méridionale du vignoble mâconnais, depuis Leynes et Saint-Amour au nord jusqu'au coude de la vallée de l'Azergues au sud, le Beaujolais viticole s'étend sur une cinquantaine de kilomètres de long, pour 10 à 20 km de large. Dominant la plaine de la Saône, il est bordé à l'est par la N 6, qui lui sert à la fois de garde-fou et de fil conducteur. La vigne, culture ultra-dominante, escalade une série de collines plus ou moins mamelonnées, s'élevant vers l'ouest jusqu'aux sommets du haut Beaujolais, qui culmine à 1 012 m au mont Saint-Rigaud. Elle-même monte jusqu'à plus de 500 m et, du moins dans sa zone la plus dense, n'épargne que certains fonds de vallées, trop gélives, et quelques crêtes boisées.

En fait, le Beaujolais se divise en deux zones bien distinctes, dont la petite vallée du Nizerand, à la hauteur de Villefranche, forme en gros la frontière.

Au nord, les sols sont principalement constitués de roches primaires, granites et schistes : c'est le Beaujolais cristallin, le secteur noble, celui des crus et des « villages ». Les pentes sont souvent fortes et l'habitat relativement austère. Au sud, les terrains sont faits de couches calcaires ou argilo-calcaires recouvrant le vieux socle hercynien : c'est le bas Beaujolais, qui enfante les vins de simple appellation régionale. Ici, la vigne partage avec les prairies et la polyculture des pentes adoucies, et le décor se fait plus bucolique. C'est le pays des « pierres dorées », qui doit son nom à un calcaire jaune du jurassique dont

sont faits les maisons villageoises et les murets des vignes. Grâce à lui, le paysage, sous le soleil, se pare de merveilleux reflets ocrés.

Un terroir à part entière

Protégé des vents humides par la barrière des monts du Beaujolais, l'ensemble de la région baigne dans un climat tempéré, moyennement pluvieux, traversé d'influences continentales et méditerranéennes, avec un ensoleillement tout à fait favorable. La Saône voisine joue en outre un rôle de régulateur thermique. L'été, les orages de grêle sont menaçants et peuvent dévaster gravement le vignoble : c'est pourquoi le vigneron beaujolais a toujours tenté de s'en préserver par toutes sortes de moyens, dont le canon à grêle ne fut pas le moins pittoresque. Les vignes sont généralement orientées à l'est et au sud-est.

Fort aujourd'hui de quelque 22 000 hectares en production, le Beaujolais ne s'apparente que

Niché au fond d'une cuvette inondée de vignes, sous les tours d'un vieux château, le village de Jarnioux, dans le Beaujolais méridional. C'est ici le pays des « pierres dorées », en référence à ce calcaire jaune-ocre, si sensible au soleil, dont sont construits tous les murs de la région.

très lâchement à la Bourgogne, au sein de laquelle on veut souvent l'englober, même si, par exemple, ses crus ont légalement droit, en cas de repli, à l'appellation *Bourgogne*. C'est un terroir à part entière, marqué profondément par son histoire et ses usages. N'acquit-il pas son identité dès le Xe siècle, sous la houlette des sires de Beaujeu, une petite dynastie qui, jusqu'au XIVe siècle, sut farouchement maintenir son indépendance ? Ne subsiste-t-il pas encore aujourd'hui, à côté de l'exploitation familiale directe, l'antique « vigneronnage », une forme locale de bail qui remonte au XVIe siècle et où frais, risques et récolte sont répartis précisément entre propriétaire et vigneron ?

Le gamay, cépage unique

Rouge à quasiment 100 p. 100 — les vins blancs n'y sont qu'anecdotiques —, le Beaujolais est issu d'un seul plant, le gamay noir à jus blanc, qui a trouvé ici son véritable pays d'élection, notamment sur les terres cristallines du nord de la région.

Qualifié d'« infâme » à l'époque de Philippe le Hardi et difficilement chassé de Bourgogne, il s'est en revanche toujours merveilleusement accommodé des granites locaux, qui lui donnent une finesse d'expression qu'on ne retrouve nulle part ailleurs. Cépage précoce et vigoureux, le gamay est également très productif. Il a réussi une heureuse association avec l'excellent Vialla, vieux porte-greffe encore largement répandu et même prédominant dans le nord de la région.

Dans le sud du Beaujolais, il est palissé et conduit en taille Guyot, tandis que, dans le nord

Le gamay noir à jus blanc. Il enfante à lui seul tous les Beaujolais, depuis le pointu vin de primeur jusqu'à l'auguste Moulin-à-Vent.

(zone des crus et des villages), il est taillé de manière courte, en gobelet, une taille basse à 3 ou 4 cornes.

La vinification beaujolaise

Particulariste, le Beaujolais l'est aussi par son mode de vinification, la macération semi-carbonique, une méthode ancestrale qui, s'ajoutant aux vertus propres du terroir et du cépage, donne aux vins leur profil si reconnaissable entre tous.

Au moment des vendanges, qui se déroulent généralement à partir de la mi-septembre, les grappes ne sont pas foulées mais déversées entières dans des cuves fermées, à l'abri de l'air. Ce procédé déclenche d'abord une phase liquide au fond de la cuve : le moût provenant des raisins écrasés sous le poids de la vendange subit une fermentation alcoolique classique, avec dégagement de gaz carbonique qui sature progressivement la cuve. Dans cette atmosphère anaérobie, un second phénomène affecte les grains non éclatés, partie solide qui constitue le plus gros volume de la cuvée : il s'agit d'une fermentation intracellulaire, au cours de laquelle les baies épuisent peu à peu leurs propres réserves. Ce processus entraîne une légère formation d'alcool, une forte dégradation de l'acide malique, une extraction poussée des substances odorantes.

La macération, selon l'état de la vendange et le type de vin souhaité, dure de 3 à 7 jours. La vendange est alors décuvée, passée au pressoir, puis les moûts terminent leur fermentation, en fûts le plus souvent.

Les vins ainsi obtenus ont évidemment un type particulier. Peu acides et faiblement tanniques, ils sont avant tout fondés sur la souplesse et exhalent des arômes primaires très spécifiques, floraux ou fruités. Ils se prêtent de la sorte à une consommation rapide. Naturellement, la méthode beaujolaise convient parfaitement aux vins de primeur : ceux-ci subissent prématurément des opérations de stabilisation et de clarification et séduisent alors facilement par ce côté précoce, coulant et bouqueté.

Beaujolais et Beaujolais-Villages

A eux seuls, ils constituent largement plus des deux tiers de la production beaujolaise. C'est dans leurs rangs que se recrute le légendaire Beaujolais nouveau.

Beaujolais

Il s'agit de l'appellation de base, recouvrant environ 45 p. 100 des vins régionaux, récoltés pour l'essentiel dans la partie méridionale du vignoble (arrondissement de Villefranche), sur des formations secondaires. Pour en bénéficier, le vin doit titrer au moins 9° avant enrichissement, et son rendement ne doit généralement pas excéder 55 hl/ha. Les normes qui ouvrent droit à l'appellation *Beaujolais supérieur* — très peu usitée — sont les mêmes, hormis un degré alcoolique minimal fixé à 10°.

Produit sur des sols assez lourds, ce Beaujolais, que l'on qualifiait jadis de « bâtard », accuse en fait des qualités très diverses. Longtemps handicapé par le retard des techniques de vinification, il semble aujourd'hui remonter la pente, notamment grâce aux efforts déployés par les coopératives (elles sont actuellement 18 sur l'ensemble du territoire beaujolais). Idéalement, c'est un vin rouge rubis nuancé de reflets violets, discret d'arôme mais frais et vif, et surtout débordant de fruité. Il sait allier, en principe, une franche rusticité à un caractère primesautier. Malheureusement, les vins génériques ne ressemblent pas tous à cet aimable modèle. Nombre d'entre eux sont encore inutilement remontés en alcool, lequel masque et déforme leur type originel. Néanmoins, lorsqu'ils sont bien faits, les Beaujolais méridionaux savent être fermes et étoffés, et évoluent plus lentement que leurs homologues des terres granitiques.

Vendanges à Juliénas. Sous un climat aux nuances déjà méridionales, chaque terroir apporte sa nuance particulière : celui de Juliénas, à dominante argileuse, donne des vins généreux et corpulents.

Beaujolais-Villages

Ce sont des vins plus distingués, en tout cas plus représentatifs de la tradition beaujolaise. Créée en 1950, cette appellation concerne les vins de 39 communes, toutes situées dans la partie septentrionale du vignoble. Leur aire recouvre des sols issus de la dégradation du massif hercynien, où se mêlent roches éruptives et métamorphiques (arène granitique, schiste, silice...), ainsi que des éléments minéraux (fer, manganèse...) qui typent le vin selon sa situation.

Les *Beaujolais-Villages* doivent avoir un rendement maximal de 50 hl/ha et titrer au moins 10° naturels. Ils peuvent tout autant accoler le nom de leur commune d'origine à l'appellation *Beaujolais*, mais seuls quelques villages suffisamment réputés utilisent cette possibilité légale.

Ces vins représentent un peu l'archétype de la production beaujolaise, dont ils forment près d'un tiers du volume. Ce sont généralement des vins de primeur, très fruités, nerveux, gouleyants à souhait, avec des arômes spécifiques de banane et de « bonbon anglais ». Leur nombre et la variété des situations engendrent bien sûr une grande diversité de caractères.

Certains villages produisent des vins fermes et assez corsés, qui tolèrent de vieillir quelques années en bouteilles ; c'est ainsi le cas de Beaujeu, de Jullié, de Quincié ou encore de Vauxrenard. D'autres vins, en revanche, fondent leurs vertus sur un fruité exubérant et un caractère particulièrement juvénile ; ce sont, par exemple, ceux de Blacé, Lancié, Montmelas, Saint-Étienne-des-Oullières ou Vaux-en-Beaujolais. D'autres communes encore conjuguent, de par leurs sols et leurs expositions, des vins souples mais aussi des vins plus charpentés, de bonne tenue en bouteilles ; c'est notamment le cas de La Chapelle-de-Guinchay, Lantignié ou Le Perréon.

Le village de Régnié-Durette mérite une mention spéciale. Produisant des vins étoffés et charnus (qui se présentent le plus souvent sous l'appellation *Beaujolais-Régnié*), il aspire depuis des années à devenir le dixième des crus. Il faut dire que la qualité de ses vins, jointe à leur réputation ancienne, incite à incliner dans ce sens. Sur cette commune, à la Grange-Charton, sont récoltés depuis le XVIIe siècle les vins vendus pour le compte des Hospices de Beaujeu.

Beaujolais primeur

Variante des deux appellations précédentes, le Beaujolais nouveau demeure le fer de lance du négoce, qui écoule sous la forme de « primeur » jusqu'à 50 p. 100 de la production annuelle de la région. En ce domaine, qui cristallise l'énorme réussite commerciale du Beaujolais, l'exportation joue aujourd'hui un rôle décisif : c'est par avions spécialement affrétés que ce petit vin de comptoir s'en va, chaque automne, arroser Los Angeles, Sydney ou Tokyo...

Depuis 1985, le jour fatidique du 15 novembre — qui était la date traditionnelle de déblocage des vins primeurs (alors que celle des vins normaux reste fixée au 15 décembre) — a cédé la place au troisième jeudi du mois, cela afin d'éviter les difficultés en distribution lorsque ce jour tombait un week-end. Qu'importe, le symbole reste toujours aussi vivace...

Guilleret et sautillant, pointu de nez et de goût, avec ses notes acidulées, le Beaujolais nouveau, s'il ne laisse pas de souvenirs impérissables, possède au moins le mérite d'illuminer pendant quelques jours l'entrée frileuse dans l'hiver.

Un bouquet de neuf crus

Neuf, ils sont neuf crus à figurer au sommet de la hiérarchie beaujolaise et à défendre, avec plus ou moins de bonheur, la meilleure tradition locale. Les voici, en commençant par le nord.

Saint-Amour

La commune de Saint-Amour-Bellevue (Saône-et-Loire) partage son territoire vinicole entre Mâconnais et Beaujolais, entre chardonnay et gamay. La zone dévolue au *Saint-Amour* couvre 275 hectares, occupant des terrains granitiques et argilo-siliceux. Peut-être à cause de son nom charmant — dérivé de saint Amateur,

Si le Beaujolais cultive soigneusement son image rubiconde, il n'en est pas moins soucieux de techniques modernes, comme le montre cette batterie de pressoirs horizontaux, à la coopérative de Juliénas.

un soldat romain converti au christianisme —, ce vin s'est taillé un joli succès. Aussi est-il souvent vinifié dans un style tendre et léger, pour une consommation rapide, alors que le terroir est propice à faire des vins charpentés et de garde. Sa robe vermeille et son parfum de pêche abricotée lui confèrent néanmoins une grâce facile.

Juliénas

Immortalisé par l'équipe du *Canard enchaîné*, qui en fit la découverte dans les années 30, c'est, de loin, le cru le plus anciennement connu du Beaujolais puisqu'on en retrouve la trace dès le Xe siècle. Recouvrant un sol assez argileux, il appartient à la commune de Juliénas et partie des communes de Jullié, Émeringes et Pruzilly. Sa superficie totale dépasse 560 hectares. Sous une robe bien soutenue, le *Juliénas* est un vin ferme et généreux, aux arômes de pivoine et de petits fruits rouges. Sa solidité naturelle lui permet de vieillir avec bonheur. Les vins de Jullié et d'Émeringes seraient les plus précoces.

Chénas

Ce vignoble — qui tire son nom d'une chênaie qu'il remplaça jadis — est probablement le moins connu des crus beaujolais. Il faut dire que sa superficie est réduite : 250 hectares au total, partagés entre la commune de Chénas (Rhône) et celle de La Chapelle-de-Guinchay (Saône-et-Loire). Récolté sur des sols essentiellement granitiques, parsemés de traces de manganèse, le *Chénas* est un vin de belle tenue. Vigoureux et mâchu sous sa robe sombre, exhalant un caractéristique parfum de pivoine, il sait déployer avec l'âge une rondeur chaleureuse, presque bourguignonne, qui l'apparente au Moulin-à-Vent, son voisin.

Moulin-à-Vent

Dominé par son célèbre petit moulin dépourvu d'ailes, ce cru couvre plus de 700 hectares, à cheval sur Chénas et Romanèche-Thorins, commune elle aussi située en Saône-et-Loire. Village de vieille tradition viticole, Romanèche est le pays natal de Benoît Raclet, sauveur du vignoble beaujolais dans les années 1830 : ce fut lui, en effet, qui mit au point la technique de l'échaudage permettant de venir à bout de la pyrale, ce « ver coquin » qui s'acharnait sur les vignes de gamay.

Le sol est, ici, constitué de granites désagrégés contenant une forte proportion de manganèse ; on le dénomme localement « gore ». Vêtu de rouge-violet, le *Moulin-à-Vent* est un vin racé, le plus « Bourgogne » de tous les Beaujolais. Corsé, robuste et plein, il est surmonté d'un beau bouquet floral (violette, iris, rose fanée...) et sait vieillir avec une suavité qui en fait le plus distingué des neuf crus.

Morgon

C'est, après Brouilly, le plus vaste des crus, s'étendant sur un millier d'hectares de la commune de Villié-Morgon. Les terrains sont ici particuliers, faits de schistes pyriteux désagrégés et contenant de l'oxyde de fer. Ces roches pourries sont appelées localement « morgons » et ont, bien sûr, donné leur nom au vin.

Très imprégné par son terroir, le *Morgon*, vêtu de grenat, est un vin riche et charnu, doté d'un caractéristique parfum de kirsch. Il possède une bonne aptitude au vieillissement (on dit alors qu'il « morgonne »), mais hélas ! les vinifications actuelles, par des cuvaisons trop courtes, ont tendance à diminuer son potentiel de garde. Morgon possède un lieu-dit renommé, *Le Py*, une colline coiffée d'un moulin et donnant des vins bien étoffés.

Dans les caves de l'ancien château du sire Mignot de Bussy, au milieu du gros village de Villié, a été installé en 1953 le premier d'une série de pittoresques caveaux qui émaillent la région beaujolaise (voir encadré).

Fleurie

Avec son joli nom printanier, Fleurie est un cru important de 800 hectares, recouvrant le territoire de la commune du même nom. Dominé par une petite chapelle qui accroche le regard de loin, le terroir fleuriaton est formé de granites à grands cristaux et, en altitude, d'arène granitique (sable issu de la désagrégation de la roche), qui confère beaucoup d'élégance au vin.

Charmeur, le *Fleurie* l'est incontestablement. Déployant de délicieux arômes floraux, où domine l'iris, c'est un vin abondamment fruité, avec un corps fin et délicat, qui s'exprime magnifiquement dans sa prime jeunesse. Cependant, étant donné l'extension du vignoble, la diversité des situations entraîne de fortes nuances : les vins de la zone orientale, par exemple, récoltés sur des sols plus argileux, donnent des vins assez fermes et de plus grande longévité.

Chiroubles

Ce cru réputé, mais de faible étendue (environ 350 hectares), est un vignoble d'altitude, puisqu'il loge aux alentours de 400 m sur les pentes d'un cirque granitique, au pied du fût d'Avenas. De ce sommet, où est implantée la fameuse *Terrasse de Chiroubles*, on découvre un magnifique panorama sur les collines beaujolaises. Chiroubles est le berceau de Victor Pulliat, célèbre ampélographe dont les expériences sur le greffage permirent de sauver le vignoble du phylloxéra. Une statue, érigée en 1898 sur la place du village, honore sa mémoire.

Léger en couleur, fleurant la violette, le *Chiroubles* est un vin tendre et gracieux, d'évolution précoce, sans doute le plus « primeur » des crus du Beaujolais.

Brouilly, Côte de Brouilly

Ce sont deux appellations jumelles, soudées entre elles par la « montagne » de Brouilly, une magnifique éminence de 300 m d'altitude où les ceps de vigne montent à l'assaut et que couronne une chapelle, Notre-Dame-des-Raisins, construite en 1856 pour éloigner du Beaujolais

le terrible oïdium. Brouilly est le cru le plus vaste du Beaujolais : plus de 1 100 hectares sur les communes de Charentay, Saint-Étienne-la-Varenne, Odenas, Saint-Lager, Cercié et Quincié. L'appellation Côte de Brouilly est beaucoup plus restreinte : elle ne concerne que 300 hectares sur le territoire des quatre dernières communes, celles qui occupent véritablement les pentes de la montagne. Le sol mélange, ici, des granites et des schistes durs, que l'on nomme « cornes vertes ».

Du fait de sa grande extension, le *Brouilly* est un vin pluriel, dont le type varie d'un endroit à un autre. Généralement vigoureux et discret, il recèle un excellent fruité, qui exulte dès sa prime jeunesse.

Les vins récoltés en *Côte de Brouilly* sont d'une race supérieure. Habillés de pourpre foncé, dotés d'un bouquet plus profond, où se mêlent la framboise et le raisin frais, ils sont corsés et séveux. En bonne année, ce sont des vins très complets, qui peuvent allégrement supporter jusqu'à dix ans de garde.

Coiffé de la petite chapelle de Notre-Dame-des-Raisins, la « montagne de Brouilly » a les flancs recouverts de ceps, qui fournissent des vins particulièrement racés.

Confréries et fêtes

Le Beaujolais est le siège de plusieurs confréries vineuses, dont la tradition gaillarde et chansonnière s'accorde bien avec l'esprit du terroir. La plus ancienne et la plus importante est l'*Ordre des Compagnons du Beaujolais*, fondé en 1949 et qui a essaimé depuis, en France comme à l'étranger, en de nombreuses filiales, les « devoirs ». Portant chapeau rond, tablier vert, petite veste noire et, bien sûr, tastevin en bandoulière, les Compagnons président chaque année plusieurs « tenues », principalement en leur château de Pizay, où se déroulent en fanfare intronisations et banquets.

Vaux-en-Beaujolais — ce village qui servit de modèle au fameux *Clochemerle* de Gabriel Chevallier — est depuis 1962 le siège de la *Confrérie du Gosier sec*, une confrérie colorée et prompte aux refrains bachiques, qui tient chapitre en son clochemerlesque caveau et fête une bruyante Saint-Vincent. Il faut encore citer les *Grapilleurs des Pierres dorées*, cette société au joli nom qui s'est donné pour tâche la défense du Beaujolais méridional, ou les *Amis de Brouilly*, une association qui organise chaque année, avant les vendanges, une joyeuse escalade de la montagne de Brouilly.

L'année beaujolaise est elle-même rythmée par de nombreuses manifestations à la gloire du seigneur du lieu. C'est d'abord, le dernier dimanche d'octobre, la célèbre *Fête Raclet*, à Romanèche-Thorins, qui est la première exposition de vins nouveaux après la dernière récolte. Les deux derniers mois de l'année sont particulièrement chargés sur le plan festif : expositions de vins de Fleurie, de Juliénas et de Brouilly (premier, deuxième et troisième dimanches de novembre), concours des vins du Beaujolais au Bois-d'Oingt (quatrième dimanche de novembre), *Concours des Deux Bouteilles* à Villefranche (premier dimanche de décembre), *Vente des Hospices de Beaujeu* (deuxième dimanche de décembre). La fête des vins de Juliénas est l'occasion de la remise du *prix Victor Peyret* (du nom du promoteur de l'appellation), récompensé de 100 bouteilles du cru. Signalons encore la *Fête des Crus*, qui se tient chaque printemps à Chiroubles et où l'on décerne au cru primé la *coupe Victor Pulliat*.

Les vins du Lyonnais

Sans véritablement appartenir au Beaujolais, le Lyonnais offre depuis longtemps des vins très proches en caractère de leurs cousins de terroir. Le gamay, leur cépage dominant, fut d'ailleurs implanté ici par l'armée romaine au IIIe siècle, avant de gagner le proche Beaujolais puis la Bourgogne.

Les *Coteaux du Lyonnais*, anciens V.D.Q.S. promus en A.O.C. depuis 1984, sont produits, de manière assez disséminée, à l'ouest de la capitale rhodanienne, sur les contreforts des monts du Lyonnais. Ils se concentrent principalement dans la région de L'Arbresle, au sud de la vallée de l'Azergues. Issus du gamay noir à jus blanc, auquel peuvent être adjoints jusqu'à 15 p. 100 de cépages blancs, les vins rouges sont clairs et légers, avec un aimable fruité qui permet une consommation rapide. Comme les Beaujolais, ils sont d'ailleurs vinifiés en macération carbonique. Moins répandus, les vins blancs proviennent du chardonnay, de l'aligoté et du melon de Bourgogne, et font de vives et franches bouteilles. La production totale excède à peine une dizaine de milliers d'hectolitres.

Haltes beaujolaises

Le visiteur de la région, désireux de découvrir les crus locaux ou tout simplement d'étancher sa soif de vin jeune et fruité, n'a vraiment que l'embarras du choix... Du nord au sud, le Beaujolais lui offre l'ombre hospitalière de ses multiples caveaux de dégustation, où la « tassée » est encore la meilleure introduction à tel ou tel village.

Ils sont ainsi plus d'une trentaine de caveaux, parfois installés dans les caves coopératives, jalonnant pour la plupart l'une des quatre « routes du vin » que vous propose le Beaujolais. Parmi eux, nombreux sont ceux dont le nom fleure joliment le terroir. Ne résistons pas au plaisir de citer les plus pittoresques, en partant du sud :

- le *Cellier du Babouin*, à Chazay-d'Azergues ;
- la *Terrasse des Beaujolais*, à Pommiers ;
- le *Caveau des Voûtes*, à Cogny ;
- la *Tassée du Chapitre*, à Salles ;
- le *Caveau de Clochemerle*, à Vaux-en-Beaujolais ;
- le *Cuvage des Brouilly*, à Saint-Lager ;
- le *Caveau des Deux Clochers*, à Régnié ;
- le *Temple de Bacchus*, à Beaujeu ;
- le *Cellier de la Vieille Église*, à Juliénas ;
- le *Caveau du Moulin-à-Vent*, à Romanèche-Thorins ;
- la *Cadole du Char à Bœufs*, à Chasselas ;
- le *Refuge des Pierres Dorées*, à Saint-Jean-des-Vignes.

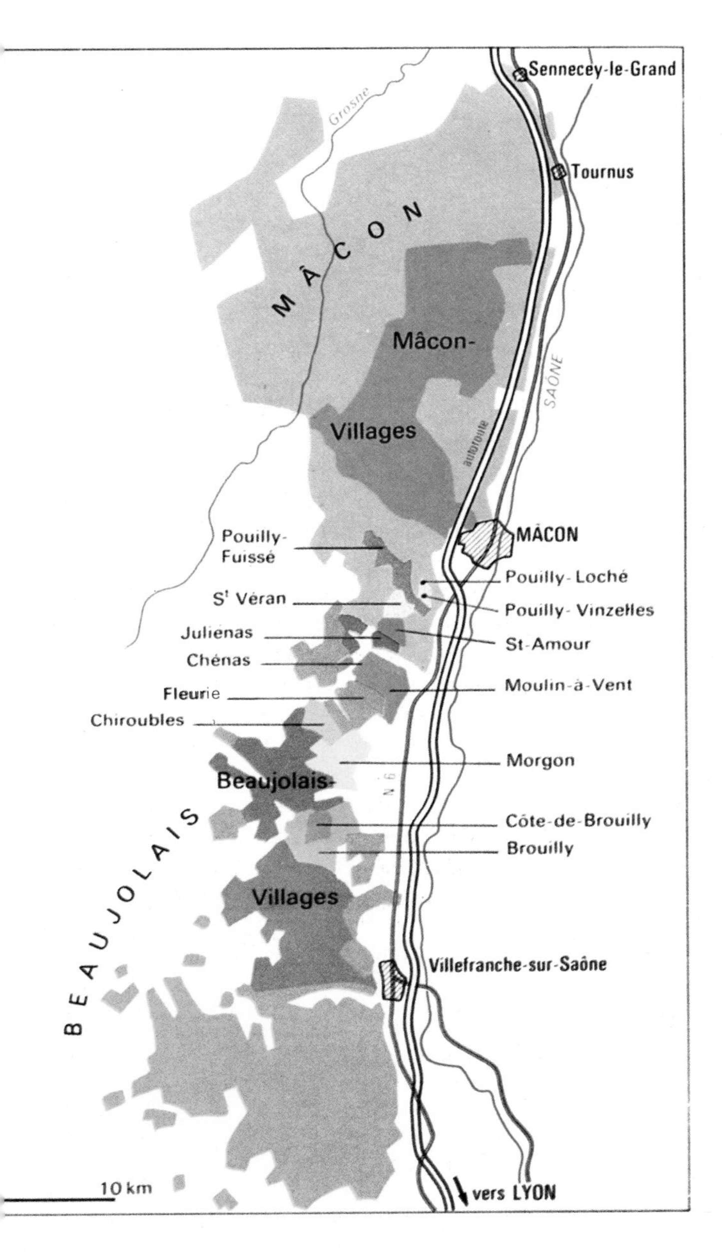

Quelques bonnes adresses

Beaujolais

- Cave coopérative de Saint-Laurent-d'Oingt - 69620 Le Bois-d'Oingt
- Vins Georges Dubœuf - 71720 Romanèche-Thorins

Beaujolais-Villages

- Jean-Claude Pivot - Domaine de la Sorbière, Quincié, 69430 Beaujeu
- Cave coopérative du Perréon - 69460 Saint-Étienne-des-Oullières
- Georges Lavarenne - Quincié, 69430 Beaujeu
- Pierre Desmules - Régnié-Durette, 69430 Beaujeu

Brouilly, Côte de Brouilly

- Mme Claude Geoffray - Château Thivin, Odenas, 69460 Saint-Étienne-des-Oullières

Chiroubles

- Jean Desvignes - Domaine Cheysson, 69115 Chiroubles

Fleurie

- Cave coopérative des Grands Vins - 69820 Fleurie

Morgon

- Pierre Piron - Domaine de la Chanaise, 69910 Villié-Morgon
- Domaine Savoye - 69910 Villié-Morgon

Juliénas

- René Gonon - 69840 Juliénas

Moulin-à-Vent

- Château des Gimarets - Romanèche-Thorins, 71570 La Chapelle-de-Guinchay
- Raymond Siffert - Romanèche-Thorins, 71570 La Chapelle-de-Guinchay
- Château des Jacques - Romanèche-Thorins, 71570 La Chapelle-de-Guinchay

Chénas

- Pierre Loron - Chénas, 69840 Juliénas

Saint-Amour

- André Poitevin - Saint-Amour-Bellevue, 71570 La Chapelle-de-Guinchay

Coteaux du Lyonnais

- Cave coopérative des Coteaux du Lyonnais - Sain-Bel, 69210 L'Arbresle

Le Bordelais

Dans les vignes de Château Latour. Une aristocratique demeure, des rosiers au bout des règes, une tour fétiche pour les amateurs du monde entier..., tout concourt ici à créer un lieu d'excellence du vignoble girondin.

Le vignoble bordelais, limité au département de la Gironde, est traversé par la Garonne et la Dordogne, dont la rencontre, au-delà du Bec d'Ambès, constitue le majestueux estuaire de la Gironde, d'une largeur maximale de dix kilomètres au niveau de l'embouchure. Ces deux axes, Gironde et Garonne d'une part, et Dordogne de l'autre, permettent de délimiter les grandes zones viticoles :

- sur la rive gauche de la Gironde, le Médoc ;
- sur la rive gauche de la Garonne, les Graves et le Sauternais ;
- sur la rive droite de la Dordogne, le Fronsadais, le Saint-Émilionnais et la région de Pomerol ;
- sur l'Entre-Deux-Mers géographique, triangle formé par la Garonne, la Dordogne et la limite du département, et qui recouvre de nombreuses appellations.

Un climat favorable à la vigne

Le Bordelais bénéficie d'un climat tempéré maritime, c'est-à-dire caractérisé par des hivers doux et pluvieux et par des étés chauds.

L'hiver, les températures se ressentent de l'influence océanique (moyenne mensuelle hivernale : 5 °C), qui rend les gelées rares. Certaines années, les dégâts provoqués par le gel ont néanmoins été considérables, comme lors des hivers 1956 et 1985, où des vignobles du Médoc et de Saint-Émilion furent détruits à 90 p. 100. En revanche, les gelées de printemps sont la hantise des Bordelais : du fait de la clémence du climat, la vigne possède en effet un débourrement précoce, qui la rend très sensible au moindre refroidissement. L'été, les températures restent relativement modérées, de par la proximité de l'océan qui en limite l'élévation et réduit les risques de sécheresse trop accentuée.

La pluviométrie est d'environ 850 à 900 mm par an à Bordeaux, avec un maximum l'hiver et un minimum l'été. En hiver et au printemps, les précipitations sont régulières et prennent la forme d'averses et de brouillards. Ces derniers, très fréquents, apparaissent tôt le matin près des étendues d'eau (rivières, estuaire de la Gironde, marais) pour disparaître ensuite au cours de la journée. En été et en automne, au contraire, les précipitations sont plus faibles et irrégulières, prenant la forme d'orages qui se développent à proximité de l'océan ; malheureusement, ceux-ci se transforment parfois en averses de grêle qui provoquent de graves dégâts. Les pluies abondantes du printemps permettent un bon départ de la croissance et la baisse des précipitations pendant l'été et l'automne favorise une bonne maturation. Ajoutons que la maturation optimale du raisin est favorisée par 2 000 heures d'ensoleillement annuel en moyenne.

Des plaines et des coteaux

Sur la rive gauche de la Gironde et de la Garonne s'étend la vaste plaine des Landes, qui s'élève légèrement au niveau des croupes graveleuses du Médoc et des collines du Sauternais. De l'autre côté de la Garonne, le relief est plus vallonné : l'Entre-Deux-Mers apparaît comme une suite de coteaux plus ou moins escarpés.

La rive droite de la Gironde et de la Dordogne offre un paysage très accidenté avec une alternance de coteaux et de plateaux, dont l'altitude ne s'élève guère à plus d'une centaine de mètres.

Des sols variés

La Gironde appartient au bassin sédimentaire aquitain. On peut y distinguer quatre grands types de sol :

- les graves, constitués de sables et de graviers plus ou moins gros, associés à des argiles et des limons : ce sont les meilleurs sols à vins rouges ;
- les sols argilo-calcaires : ils sont de bonne qualité mais offrent des vins parfois moins intéressants que les précédents ;
- les sols sableux : très perméables, ils sont favorables à une bonne qualité ;

Terre de graves. C'est ce sol particulier, fait de graviers, de galets, de sables et d'argiles, qui fonde la qualité des grands vins du Médoc ou des Graves.

• les sols d'alluvions récents, charriés lors des crues des fleuves : ce sont les *palus*, trop riches pour que l'on y produise des vins de qualité.

Un vignoble très ancien

Dès le Ier siècle, la vigne existait en Bordelais. Lors de l'occupation romaine, le vignoble prospéra autour de la ville de Bordeaux, sur la rive gauche de la Garonne (actuellement région des Graves) et sur les coteaux de la rive droite de la Dordogne, en s'étendant progressivement vers le Libournais. Au IVe siècle, le poète Ausone, qui possédait une vingtaine d'hectares de vignes, vantait déjà les mérites du vignoble aquitain. Mais le vin produit à cette époque était destiné à la consommation locale.

L'élément déterminant de la destinée du Bordelais fut l'annexion à la couronne d'Angleterre de la Gascogne, de la Guyenne et du Poitou, par le mariage en 1152 d'Aliénor d'Aquitaine avec Henry Plantagenêt, comte d'Anjou et roi d'Angleterre. Cette union ouvrit aux vins du Bordelais un marché considérable. Mais ceux-ci furent exportés assez tardivement, car ils subissaient la concurrence des vins d'Aunis, embarqués à La Rochelle vers l'Angleterre et les pays flamands. Il fallut attendre la reprise du port de La Rochelle par les Français au début du XIIIe siècle pour que Bordeaux puisse connaître sa véritable expansion, en vendant aux Anglais un vin peu coloré, dénommé *claret*.

Mais la production locale n'était pas assez importante, et les vins du Haut-Pays, qui regroupaient les vins de l'Entre-Deux-Mers, de Cahors, de Toulouse et de l'Agenais, commencèrent à leur tour à s'exporter. Face à cette concurrence, les négociants bordelais, qui appartenaient pour beaucoup à la Jurade, le conseil municipal de l'époque, obtinrent d'abord de Jean sans Terre l'exemption de la taxe d'exportation, la *coutume*, puis l'interdiction aux vins du Haut-Pays de transiter par le port de Bordeaux avant la fin de l'année (le fameux « privilège de Bordeaux »). A cette époque, les moyens de conservation n'existant pas, il fallait consommer les vins avant la fin de l'année pour éviter de les voir se transformer en vinaigre : aussi ce « privilège de Bordeaux », qui rendait les vins du Haut-Pays impropres à l'exportation, protégeait-il les intérêts des bourgeois bordelais.

La ville, par son commerce portuaire, connut à cette époque une grande expansion. Les négociants, qui avaient trouvé la prospérité grâce aux Anglais, s'allièrent sans difficulté à eux lors de la guerre de Cent Ans. Lorsque la Guyenne redevint française, après la défaite des troupes du comte de Shwerzbury à Castillon (1453), il y eut un arrêt brutal du trafic et la perte pour les marchands de Bordeaux des droits acquis sous la domination anglaise. Mais Louis XI y remédia assez rapidement en autorisant la reconstitution du parlement, en ouvrant à nouveau le port aux navires étrangers, en rétablissant les bourgeois dans leurs privilèges.

Ces armoiries du château de Lamarque, bâtisse féodale du XIe siècle superbement conservée, on les retrouve sur l'étiquette de son vin (Haut-Médoc).

Débuts de la colonisation du Médoc

A partir du XVIIe siècle, les riches marchands de Bordeaux commencèrent à se constituer de vastes propriétés sur les terres alors incultes du Médoc. La colonisation commença au nord de la ville pour se poursuivre, petit à petit, sur les sols de graves. Puis la noblesse de robe acheta ces propriétés en les regroupant, souvent par le jeu des alliances, pour former de vastes domaines. Ainsi le domaine de Mouton fut-il à l'actif des Brane, Lafite et Latour, celui des Ségur et Haut-Brion fut-il remembré par la famille Pontac... Cette colonisation était liée à la recherche de nouveaux investissements.

La prospérité bordelaise

Le XVIIIe siècle fut la « belle époque » du Bordelais. En effet, les vins du Médoc, de meilleure qualité et de meilleure conservation, enchantèrent les Anglais, qui les désignaient sous le nom de *new french claret*, par rapport au *claret*, ce vin grossier et faiblement teinté. L'amélioration du *claret* n'était pas due seulement à l'apparition d'un nouveau terroir, mais tenait aussi au développement de nouvelles techniques culturales et œnologiques (l'ouillage, le tirage et surtout le méchage, indispensable pour conserver le vin). Dès que le méchage fut adopté, les négociants gardèrent leurs vins en barriques pendant 7 à 10 ans. Ces vins étaient durs au départ mais, après un long vieillissement, révélaient toutes leurs potentialités. Dès 1773, l'Irlandais Mitchell installa la première fabrique de bouteilles à Bordeaux, mais la mise sous verre demeura exceptionnelle, les négociants préférant envoyer le vin par barriques.

Le commerce du vin était alors à son apogée, enrichissant magnifiquement la ville. De nombreux hôtels particuliers, le Grand Théâtre, la place de la Bourse sont les témoins de cette époque fastueuse.

La notion de cru se révéla peu à peu. En effet, les négociants, appelés *Chartrons* (du nom du quai d'expédition du port de Bordeaux où se trouvaient leurs chais), se mirent à vendre les vins sous leur nom d'origine alors que, traditionnellement, ils étaient vendus sans indication de provenance, car issus de l'assemblage de différents vins.

Cette période marqua le pas sous la Révolution et l'Empire, à cause de la rupture des relations commerciales avec la Grande-Bretagne, mais, heureusement, dès la Restauration, Bordeaux reprit son expansion.

Le célèbre classement de 1855

En 1855, une classification des vins rouges et des vins blancs de la Gironde fut établie après de multiples tractations. L'Exposition universelle de Paris, voulue par Napoléon III, prévoyait en effet une importante représentation des vins de la France entière.

Pour préparer cette immense foire aux vins, il avait été demandé aux préfets que les échantillons des vins produits dans chacun des départements soient remis à la commission impériale de l'Exposition universelle. Mais les Bordelais, qui en aucun cas ne souhaitaient que leurs vins soient dilués dans la foule des vins français et jugés comparativement à ceux des autres régions, décidèrent de les mettre hors concours et d'établir eux-mêmes une classification, cela afin d'éviter que « des propriétaires d'une même contrée cherchent à profiter de l'Exposition pour établir une lutte entre eux, dans le but de détruire une classification basée sur l'expérience de longues années ». Louable intention... Pour influencer la décision, la Chambre de commerce déclara qu'en cas de non-recevoir « mieux vaudrait qu'aucun de nos vins ne figurât à l'Exposition ».

En fait, lors de l'Exposition, deux types de vins furent présentés : ceux des appellations communales et les grands crus, dont le classement avait été opéré par les courtiers de Bordeaux, le

Prix courant de la maison Malvezin, négociant du quai des Chartrons, dans les années 1880.

18 avril 1855, d'après le prix moyen des crus établi sur un siècle. 61 grands crus furent classés en rouge (4 premiers grands crus, 15 deuxièmes grands crus, 14 troisièmes grands crus, 10 quatrièmes grands crus, 18 cinquièmes grands crus) dont tous, à l'exception de Haut-Brion, étaient des Médoc. De même, seuls les vins du Sauternais et de Barsac furent retenus dans la classification des vins blancs, divisée en trois classes.

Quinze ans après cette classification, qui provoqua beaucoup de remous, le phylloxéra décimait le vignoble bordelais. Cela nécessita une replantation systématique de vignes greffées sur porte-greffe résistant au parasite mais, malheureusement, entraîna aussi l'utilisation d'hybrides qui donnèrent des vins de piètre qualité.

Apparition de la réglementation

Au début du XXe siècle, les viticulteurs prirent conscience qu'une législation était nécessaire pour mieux contrôler la production. Dès 1884, le premier syndicat viticole avait été créé à Saint-Émilion. En 1911, l'appellation *Bordeaux* est définie : elle est réservée aux zones non forestières de la Gironde. Puis, à partir de 1919, 27 appellations seront revendiquées, dans les limites de la Gironde, par les différents syndicats viticoles.

Les viticulteurs réalisèrent cependant que la loi n'imposait aucune contrainte au niveau de l'encépagement, des méthodes culturales, de la vinification. Prévoyant le danger d'une dégradation de la qualité, ils demandèrent une législation plus contraignante. Aussi, le 30 juillet 1935, la loi impose-t-elle une aire délimitée et un certain encépagement pour l'obtention d'une appellation, laquelle sera accordée à Bordeaux le 14 novembre 1936. Les syndicats viticoles revendiqueront ensuite des appellations communales ou locales, afin que leurs vins soient personnalisés face à la multitude des vins régionaux.

Cette époque a été une révolution. Alors qu'auparavant le pouvoir était aux mains des négociants, au XXe siècle il glissa progressivement dans celles des syndicats viticoles. Avant la Seconde Guerre mondiale, producteurs et négociants se regroupèrent au sein d'un organisme, le C.I.V.B. (Conseil Interprofessionnel des Vins de Bordeaux), qui a pour mission l'amélioration de la qualité des vins mais surtout l'établissement d'une politique unitaire entre les deux parties.

100 000 hectares de vignes

Au contraire d'autres vins, comme l'Alsace ou le Bourgogne, les Bordeaux sont issus de l'assemblage de plusieurs cépages. Ainsi, la qualité des vins diffère non seulement selon le terroir et le climat, mais aussi de par les proportions des différents cépages utilisés dans les assemblages.

Les cépages rouges

Les vins rouges du Bordelais proviennent principalement des trois cépages suivants : cabernet-sauvignon, cabernet franc, merlot.

Le *cabernet-sauvignon* est le cépage-roi du Médoc, où il entre pour 50 à 90 p. 100 dans la composition des grands vins. Il donne un vin tannique, très coloré, corsé, doué d'une grande capacité de vieillissement et développant des arômes de framboise et de violette.

Le *cabernet franc*, qui est sensible à l'oïdium et au botrytis, donne un vin souple avec une très forte intensité aromatique à base de fruits (framboise, cassis).

Le *merlot* est le cépage qui prédomine à Pomerol (70 p. 100) et à Saint-Émilion. Il offre des vins moelleux, souples, colorés, riches en alcool, vieillissant rapidement avec une grande finesse aromatique. Mais son extrême sensibilité au *Botrytis cinerea* rend sa récolte aléatoire lors des années pluvieuses.

Il existe deux cépages accessoires : le *cot*, qui donne des vins tanniques et colorés, et le *petit verdot*, originaire du Médoc, qui offre des vins très colorés, à l'acidité élevée et aux tannins très fins. Alors que le cot se maintient encore dans le Bourgeais, le petit verdot devient rare, en raison de sa faible productivité.

Grappes de cabernet à maturité. Le cabernet-sauvignon domine largement dans les assemblages de vins médocains, le cabernet franc ne constituant qu'un appoint.

Les cépages blancs

Les vins blancs, qui représentent un tiers environ des vins produits dans le Bordelais, sont issus presque exclusivement de trois cépages : sémillon, sauvignon, muscadelle.

Le *sémillon*, à cause de sa sensibilité au botrytis, est le cépage de prédilection pour l'obtention des vins liquoreux. En effet, dans des conditions humides et chaudes, le *Botrytis cinerea* va se développer sur les pellicules de ses grains, lesquels vont se flétrir, prendre une couleur brune, puis diminuer de volume en concentrant leurs sucres. Les rendements seront réduits du fait de la diminution du volume des grains, passant de 10 à 30 hl/ha au lieu de 60 hl/ha. Les vins produits seront alors très riches en alcool et en sucres résiduels. Mais, lorsque l'automne est trop pluvieux, cette pourriture noble peut se transformer en pourriture grise, particulièrement néfaste à la qualité. Le sémillon peut aussi produire des vins blancs secs, lesquels manquent un peu d'arôme et d'acidité. Depuis quelques années, les difficultés commerciales des vins liquoreux entraînent une réduction de la surface cultivée en sémillon.

Le *sauvignon* est un cépage vigoureux, sensible à la coulure, à l'oïdium, au mildiou, mais aussi au botrytis, d'où l'élaboration possible de vins liquoreux. Néanmoins, ce cépage donne surtout des vins blancs secs, frais, très parfumés, aux arômes de pomme et au goût de pierre à fusil. Le sauvignon nécessite, au niveau de la taille, l'augmentation du nombre de bourgeons afin d'obtenir une bonne récolte.

Le *muscadelle* est peu sensible à la coulure, mais facilement affectée par l'oïdium et le *Botrytis cinerea*. Ce cépage entre dans la composition des vins liquoreux, mais aussi dans celle des vins blancs secs auxquels il apporte un léger parfum.

De très fortes densités de plantation

Les vignes du Bordelais sont palissées, c'est-à-dire que la végétation est soutenue par des fils de fer fixés entre des piquets. La densité

de plantation, quoique variable, est en général très élevée : 10 000 pieds par hectare pour les vignes basses des grands châteaux du Médoc, de Pomerol ou de Saint-Émilion, de 3 000 à 4 000 pieds par hectare pour les vignes larges et hautes que l'on rencontre surtout dans l'Entre-Deux-Mers, dans le Bourgeais, dans le Blayais. C'est traditionnellement la taille Guyot — simple, mixte ou double — qui est effectuée dans le Bordelais. Exceptionnellement, certaines parcelles de l'Entre-Deux-Mers, du Blayais et du Bourgeais sont taillées en cordon de Royat, comme en Charente.

Les vendanges

La date des vendanges est déterminée soit par les viticulteurs, soit par les œnologues. Alors que les raisins rouges sont vendangés à maturité, les cépages blancs sont récoltés quelques jours avant la maturité afin d'obtenir une intensité aromatique et une acidité maximales.

Jeunes plantations en lisière de l'enceinte fortifiée de Saint-Emilion, vieille cité médiévale qui est l'un des lieux les plus pittoresques du Bordelais.

Les vendanges, en Bordelais, sont de plus en plus souvent réalisées à l'aide de la machine, sa conduite étant facilitée par la relative platitude du terroir. Certains grands châteaux commencent à vendanger mécaniquement ; grâce aux progrès techniques réalisés, la récolte peut être en effet d'excellente qualité.

Lorsque la machine n'existait pas, la vie des villages était particulièrement animée en automne, de par la présence des troupes d'étudiants et de la main-d'œuvre étrangère, souvent d'origine ibérique.

Une vinification traditionnelle

Les vins rouges

Après la vendange, après avoir été totalement égrappé et foulé, le raisin est mis en cuve de vinification. La vinification est une fermentation avec macération. La durée de cuvaison est variable suivant le type de vin : de 8 jours pour les vins à boire jeunes jusqu'à 3 semaines à 1 mois pour les vins de longue garde.

La plupart des vins de Bordeaux sont caractérisés par une cuvaison longue, laquelle permet aux éléments de la pellicule (tannins, couleur) de bien se dissoudre et de donner des vins très colorés et fortement tanniques.

Bouteilles parées pour l'expédition, au château Moulin Rose (Haut-Médoc).

Les vins blancs secs

La vinification est réalisée de façon classique. La vendange, après avoir été égrappée ou non, est pressurée. Le jus recueilli est débourbé pendant 48 heures, durant lesquelles le départ en fermentation est inhibé par l'ajout d'anhydride sulfureux (SO_2) ou par le froid. Après séparation des lies, le jus fermente à une température idéale de 17 °C. Lorsque la fermentation est terminée,

Chai de vieillissement du Château Sociando-Mallet (Haut-Médoc). La barrique neuve a pris une place considérable dans nombre de châteaux bordelais, et modifié sensiblement le caractère des vins.

le vin est sulfité : il s'agit d'éviter le départ de la fermentation malolactique. En effet, cette dernière rendrait les vins plats, en diminuant leur acidité. Pour les vins blancs liquoreux, la différence réside dans un arrêt de la fermentation, qui permet de conserver une importante teneur en sucres résiduels (50 g/l). Cette opération, appelée le *mutage*, est réalisée par l'adjonction au vin de SO_2.

L'élevage en barriques : la marque des seigneurs

Les vins destinés à subir un long vieillissement sont élevés en barriques, dans lesquelles s'effectuent une libération des tannins du bois vers le vin et une oxydation lente. Les vins ainsi élevés sont bonifiés et peuvent devenir de grands vins de garde, à condition que les barriques soient vieilles au plus de 5 ans. Dans les grandes exploitations, les barriques sont renouvelées tous les 2 ou 3 ans. Ce type d'élevage est réservé aux vins rouges de longue garde et aux vins liquoreux. Certains vins blancs secs sont également élevés en barriques, ce qui en fait des vins de garde, mais cette pratique est marginale, sauf dans la région des Graves.

Dans les grands châteaux, les vins rouges et les vins liquoreux sont clarifiés uniquement par collage alors que, dans la plupart des exploitations, la clarification est effectuée par filtrage, associé ou non à un collage. Les vins blancs, eux, sont le plus souvent seulement filtrés.

La bouteille en usage est la bouteille bordelaise, dont la contenance est d'environ 75 cl. La mise en bouteilles a été introduite à Bordeaux au XVIIIe siècle et, jusqu'au début de notre siècle, elle était réalisée uniquement par les négociants. Il fallut attendre les premières décennies du XXe siècle pour assister à un essor de la mise en bouteilles par les négociants mais surtout à la propriété, du fait de la modification du goût des consommateurs, qui préfèrent le vin conditionné en bouteilles, garantie d'intégrité.

Bordeaux, berceau de l'œnologie moderne

Alors qu'autrefois trois millésimes sur dix étaient désastreux, l'œnologie moderne appliquée dans le Bordelais a permis depuis une dizaine d'années d'éviter les millésimes médiocres. La correction des défauts du moût, la maîtrise des températures, l'utilisation fine de la chaptalisation et du sulfitage assurent au vinificateur l'obtention de bons vins, même lors d'années réputées peu favorables. Les nouveaux procédés de filtrage et de collage facilitent la clarification du vin. Les progrès dans l'hygiène des chais et l'utilisation généralisée de cuves en inox évitent la contamination du vin par les levures ou les bactéries qui donnaient de mauvais goûts et de l'acidité volatile.

Toutes ces techniques nouvelles apportent au vin de Bordeaux une grande sécurité dans la qualité. Les viticulteurs sont aidés dans la recherche de cette qualité par les syndicats viticoles, le C.I.V.B. et les centres œnologiques.

Mais certains sont opposés à l'usage intensif de ces pratiques car, selon eux, on risque de produire des vins standardisés, sans personnalité. Autrefois, chaque maître de chai avait ses

Comment lire une étiquette

La lecture et l'interprétation d'une étiquette de bouteille de Bordeaux est facile. En général, plus la localisation est précise, plus le vin est renommé.

La hiérarchie s'établit ainsi. L'appellation générique *Bordeaux*, puis celle de *Bordeaux supérieur* correspondent à l'ensemble du vignoble bordelais. Les appellations régionales (Haut-Médoc, Médoc, Graves, Entre-Deux-Mers, Premières-Côtes de Bordeaux, Côtes de Blaye...) sont plus cotées. Enfin, les appellations communales (Pauillac, Saint-Estèphe, Moulis, Pomerol, Saint-Émilion, Fronsac, Sauternes, Barsac, Loupiac...) constituent en principe le *nec plus ultra*. Cependant, les Graves, qui ne disposent d'aucune appellation communale, n'en produisent pas moins quelques-uns des vins les plus prestigieux du Bordelais.

Une remarque : Saint-Émilion possède des satellites, c'est-à-dire des communes qui ont droit d'apposer leur nom à celui de Saint-Émilion, appellation la plus renommée (Montagne-Saint-Émilion, Saint-Georges-Saint-Émilion, Puisseguin-Saint-Émilion, Lussac-Saint-Émilion).

Vignes de printemps dans l'Entre-Deux-Mers. On remarque la longueur de la taille, destinée à une production généreuse.

Le merlot est le plant dominant du Libournais (Saint-Émilion, Pomerol, Fronsac). Cépage très fin, il est malheureusement sensible à la coulure.

propres techniques de vinification, alors qu'aujourd'hui elles se sont largement uniformisées. Le débat entre « classiques » et « modernes » n'est pas près d'être clos.

9 000 viticulteurs girondins

La surface totale du vignoble (100 000 hectares) est répartie entre 9 000 déclarants, dont la situation est très hétérogène. Il y a une énorme différence entre la grande exploitation de 100 hectares du Médoc et le petit viticulteur de l'Entre-Deux-Mers qui pratique la polyculture et apporte sa faible production à la coopérative. Ainsi, un tiers des viticulteurs du Bordelais, possédant moins de 1 hectare, couvrent seulement 2 p. 100 de la superficie totale du vignoble, alors que les 13 p. 100 de viticulteurs ayant plus de 12 hectares représentent à eux seuls la moitié du vignoble girondin.

En fait, la structure des exploitations diffère suivant les zones. Le Haut-Médoc possède de grandes exploitations, alors que le Médoc comporte des domaines de moindres tailles, où la vigne est souvent une activité annexe. Les Graves, le Sauternais et le Libournais ont des propriétés à la surface souvent réduite mais uniquement consacrée à la vigne. Le Bourgeais et le Blayais possèdent des exploitations petites ou moyennes, où le vin est vinifié soit par les caves coopératives, soit par le viticulteur lui-même. Dans l'Entre-Deux-Mers, le viticulteur est souvent adhérent d'une coopérative.

Il est à noter que les caves coopératives, pour la plupart créées après la crise vinicole de 1930, vinifient 30 p. 100 des vins du Bordelais.

Les chiffres de la production

La récolte équivaut en moyenne à 3 000 000 hectolitres pour les vins rouges (90 p. 100 d'A.O.C.) et à 1 700 000 hectolitres pour les vins blancs (57 p. 100 d' A.O.C.). Les quelque 5 millions d'hectolitres produits chaque année représentent environ 70 millions de bouteilles, dont 40 p. 100 sont mis en bouteilles à la propriété. Les stocks dans les chais sont très importants : 3 000 000 d'hectolitres dans les châteaux et 1 000 000 d'hectolitres chez les négociants.

La commercialisation est réalisée pour deux tiers par le négoce et, pour l'autre tiers, par les viticulteurs eux-mêmes ; 60 p. 100 des vins produits sont exportés. L'activité vinicole permet de dégager pour la région de Bordeaux un revenu annuel de 5 milliards de francs.

Les orientations du Bordelais

Trois grandes orientations coexistent. La première est l'augmentation régulière de la production des vins d'appellation. La deuxième est la concentration des exploitations afin d'en augmenter la rentabilité. La dernière, et la plus importante, consiste en une modification de la nature des vins produits. En effet, depuis de longues années, les vins moelleux et liquoreux, boudés par les consommateurs, subissaient une crise grave. En conséquence, nombre de viticulteurs se sont reconvertis dans la production des vins blancs secs.

Mais, comme les liquoreux auparavant, les blancs secs ont subi à leur tour un phénomène de mévente, provoqué par une évolution du goût des consommateurs, de plus en plus attirés par les vins rouges. Aussi certaines régions traditionnellement productrices de vins blancs (moelleux ou secs) se réorientent-elles vers la production de vins rouges, comme l'Entre-Deux-Mers où apparaissent, depuis quelques années, des rouges qui se vendent souvent mieux sous l'appellation *Bordeaux* ou *Bordeaux supérieur* que les blancs commercialisés sous l'appellation *Entre-Deux-Mers*.

Premiers grands crus classés de Saint-Émilion

(classement de 1958 révisé en 1985)

CLASSE A

Château Ausone	Château Cheval-Blanc

CLASSE B

Château Beauséjour-Duffau	Château La Gaffelière
Château Belair	Château Magdelaine
Château Canon	Château Pavie
Château Figeac Clos Fourtet	Château Trottevieille

Ce classement est soumis à révision décennale. *Château Beauséjour-Bécot*, auparavant classé « premier grand cru », a été rétrogradé, en 1985, en classe inférieure. Un autre classement, lui-même renouvelable tous les dix ans, définit en effet une seconde catégorie, beaucoup plus nombreuse : les « grands crus classés ».

Le Médoc

Le Médoc est certainement, de par la qualité de ses vins, la région la plus prestigieuse du Bordelais. Il s'étend le long de la Gironde, au nord de Bordeaux, depuis Blanquefort jusqu'à l'embouchure de la Gironde, sur 60 kilomètres de long et une dizaine de large ; il est séparé de l'océan, à l'ouest, par la vaste forêt landaise. Le nom même de Médoc provient du latin *medio aquae*, qui signifie « au milieu des eaux » : cette étymologie rend tout à fait compte de sa situation entre la Gironde et l'océan Atlantique. Ses 10 000 hectares se répartissent en huit zones d'appellation : deux appellations régionales, *Médoc* et *Haut-Médoc*, et six appellations communales incluses dans le Haut-Médoc (*Saint-Estèphe*, *Pauillac*, *Saint-Julien*, *Moulis*, *Listrac* et *Margaux*).

L'océan et la Gironde confèrent un caractère très océanique au climat médocain : l'hiver, les températures sont modérées et les gelées rares ; au printemps, l'importance des précipitations permet une bonne croissance de la vigne ; l'été, un bon ensoleillement, sans températures excessives, facilite la bonne maturation du raisin. La forêt de pins protège le Médoc des violents orages venus de l'océan, mais, l'hiver, le risque de gelée est accentué à ses lisières.

Le paysage est formé par une alternance de basses collines, d'une altitude guère supérieure à 40 mètres, et de vallons souvent marécageux, perpendiculaires à la Gironde, où coulent de petites rivières, appelées *jalles*, qui se jettent dans la Gironde. Dans le nord du Médoc, le relief est relativement plus plat. Le long de la Gironde, le paysage est entièrement voué à la vigne, tandis qu'à l'ouest le vignoble s'insère dans les bois de feuillus et de conifères.

Les collines ou croupes sont souvent recouvertes de *graves*, de nature siliceuse, c'est-à-dire d'un mélange d'argile, de calcaire et de cailloux de taille plus ou moins importante, déposés à la fin de l'ère tertiaire et au début de l'ère quaternaire par les glaciers qui recouvraient l'Aquitaine. Le sous-sol est formé d'alios, d'argile, de sable ou de calcaire.

C'est ce terroir de graves qui produit les meilleurs vins du Médoc. En effet, la faible valeur nutritive du sol, sa perméabilité, l'évacuation rapide de l'eau en excès vers les jalles situées au bas des croupes et la réflexion de la lumière sur les cailloux permettent d'obtenir une bonne maturité des raisins. Au contraire, les terrains argileux quaternaires des vallons et des abords du fleuve, appelés « palus », ne sont pas propices à la vigne ; ils sont souvent réservés à l'élevage.

Un vignoble relativement récent

Aussi surprenant que cela puisse paraître, le vignoble du Médoc est relativement récent. En effet, cette contrée, qui conserva pendant longtemps un aspect sauvage et désolé avec ses marais et ses terrains infertiles, ne vit apparaître la vigne, en îlots autour des abbayes, que tardivement, au XIIIe siècle. Aux XIVe et XVe siècles, la vigne s'étendit sur les coteaux de la Jalle de Blanquefort, autour de Macau, puis aux environs de Margaux. Mais c'est seulement à partir du XVIIe siècle que se créa véritablement le Médoc : les négociants et des riches notables bordelais, membres du Parlement, qui cherchaient de nouveaux terroirs pour développer la vigne, décidèrent d'implanter un vaste vignoble dans cette région, en partant de Blanquefort, aux portes de Bordeaux, pour ensuite coloniser, petit à petit, vers le nord, les croupes de graves.

Vers la moitié du XVIIIe siècle, le vignoble était définitivement établi. Les nouvelles méthodes de vinification et d'élevage en barriques permirent au Médoc d'élaborer un nouveau type de vin, plus fin, équilibré et se conservant bien. Au contraire des pratiques antérieures (coupage des vins), certains crus du Médoc commencèrent à se vendre sous leur propre nom et acquirent une grande réputation. La supériorité de ces terroirs fut consacrée en 1855, lorsque la classification officielle de l'Exposition universelle ne retint que les crus du Médoc, à l'exception de Haut-Brion, cru des Graves.

Parallèlement, de superbes châteaux et maisons bourgeoises étaient édifiés dans tout le Médoc, reflétant parfois la mégalomanie de leurs propriétaires, comme le château Margaux avec

Le vignoble du Château Lafite. Flanqué de ses élégants bâtiments, le domaine appartint à la grande famille des Ségur, avant d'échoir en 1868 au baron James de Rothschild.

sa façade blanche et ses colonnes rappelant le Grand Théâtre de Bordeaux. Parmi les belles demeures médocaines, citons les châteaux Cos d'Estournel, Lafite, Mouton, Pontet-Carnet, Latour, La Tour-Carnet, Léoville-Barton, Pichon-Longueville-Baron, d'une valeur esthétique qui contraste avec la modestie des maisons basses traditionnelles du Médoc.

En 1932, des courtiers établirent une classification de 250 crus « bourgeois » et 100 crus « bourgeois supérieurs ». Celle-ci fut révisée, dans un sens restrictif, en 1966, puis en 1978, avec une division en trois classes : *grand bourgeois exceptionnel*, *grand bourgeois* et *bourgeois* ; mais seule la dénomination *cru bourgeois* peut être indiquée sur l'étiquette, d'après la nouvelle réglementation européenne.

Le cabernet, roi du Médoc

Le cabernet-sauvignon représente, traditionnellement, la majeure partie de l'encépagement, aux environs de 60 à 75 p. 100. Il donne un vin coloré, avec des arômes très fins rappelant la framboise et la violette mais surtout des tannins qui donnent aux Médoc leur grande capacité de vieillissement. Le cabernet franc lui est associé en plus faible proportion et apporte un bouquet supplémentaire. La souplesse et le degré sont fournis par le merlot (environ 30 p. 100), qui atteint sa maturité 8 jours avant le cabernet. Le petit verdot, très acide, tannique et bouqueté, le malbec, également tannique et coloré, et la carménère sont des cépages qui disparaissent peu à peu au profit du couple cabernet-merlot. En fait, les proportions du cabernet par rapport au merlot détermineront les caractères du vin et sa capacité de vieillissement, qui seront choisis avec circonspection par le vinificateur.

Le vignoble médocain est caractérisé par des vignes très basses, vieilles (environ 30 ans en moyenne), avec une très forte densité à l'hectare

(5 000 à 10 000 pieds), nécessaires à la qualité. Certains châteaux, afin de posséder un vignoble très ancien, ne remplacent les pieds de la vigne, un par un, que lorsqu'ils meurent.

Les vendanges, dans le Médoc, commencent généralement dans la deuxième moitié de septembre, parfois début octobre. Mais la date des vendanges varie suivant les cépages (le merlot arrive à maturité avant le cabernet), le terroir (la récolte est plus tardive de 8 jours dans le nord du Médoc), la volonté du vinificateur. Les vendanges, pour l'ensemble du Médoc, s'étendent ainsi sur 3 semaines à 1 mois. La récolte se mécanise de plus en plus ; même certains crus classés ont adopté la machine à vendanger, sans qu'on ait remarqué une baisse de qualité.

Au chai, la vendange est entièrement éraflée, afin de séparer les grains des rafles qui risquent d'apporter des tannins grossiers et herbacés lors de la cuvaison. Les grains sont foulés (opération qui peut être effectuée avant l'éraflage) et mis en cuves de fermentation, lesquelles sont en bois (rares de nos jours), en ciment ou en inox. Le vin du Médoc est caractérisé par des cuvaisons très longues — de 15 jours à 1 mois —, afin que le maximum de tannins soient libérés dans le vin. Puis le jus de goutte est écoulé et le marc pressuré. Dans la majorité des chais, les cépages sont vinifiés en cuves séparées. Les vins de presse et de goutte des différents cépages sont assemblés ensuite, après dégustation.

L'élevage en barriques : une tradition médocaine

Un grand nombre de châteaux effectuent l'élevage de leur vin en barriques (225 litres), pendant une durée de 6 à 30 mois. Tous les 3 mois environ, des soutirages sont effectués afin de séparer le vin des lies. Pour faciliter la clarification, des blancs d'œufs frais ou en poudre, battus en neige, sont incorporés dans les fûts, qui seront soutirés au bout d'un mois. Depuis quelques années, de nombreux châteaux qui avaient délaissé l'élevage en barriques, du fait de son coût élevé, reviennent à ce procédé. La qualité du vieillissement dépendra de l'âge des barriques — 5 ans au maximum.

Des exploitations de plus de 100 hectares

Les grands crus classés représentent l'aristocratie du Médoc. Leurs prix de vente élevés, leurs surfaces importantes (20 à 130 hectares) en font de véritables entreprises souvent organisées en sociétés civiles. Ces 60 châteaux représentent 25 p. 100 de la production totale, mais surtout 40 p. 100 du chiffre d'affaires.

Les crus bourgeois représentent, eux aussi, une grosse part de la production, de l'ordre de 40 p. 100. Ainsi, 300 châteaux représentent à eux seuls 65 p. 100 de la production, alors qu'il existe 1 600 propriétés dans le Médoc.

En fait, face aux grosses et moyennes exploitations des crus classés et des crus bourgeois, une multitude de propriétés ont de faibles surfaces (0,5 à 5 hectares). Pour certains viticulteurs, la vigne n'est alors qu'une activité annexe. Une partie d'entre eux vinifient personnellement leurs vins (150 sont réunis en un « syndicat des crus

Château Beychevelle, l'un des fleurons de Saint-Julien (ci-dessus). Les grands crus du Bordelais sont livrés dans des caisses de bois estampillées (ci-contre).

artisans et paysans »), d'autres sont coopérateurs. Douze caves coopératives fournissent, à partir de 1 200 propriétés, 25 p. 100 de la production totale du Médoc, en donnant souvent au viticulteur la possibilité de vendre ses vins sous sa propre étiquette.

Les appellations

Les vins du Médoc sont les plus types « Bordeaux ». Très tanniques dans leur jeunesse, ils s'arrondissent au cours du vieillissement en révélant des arômes fins et subtils de framboise, cassis, violette, café ou bois de printemps, complétés par des notes vanillées provenant des barriques. Ce sont des vins de longue garde, mais leurs caractères diffèrent selon l'appellation.

Médoc

La zone d'appellation *Médoc*, qui s'étend de Saint-Seurin, au-dessus de Saint-Estèphe, jusqu'à Saint-Vivien, au nord, est relativement plate, avec des sous-sols fortement argileux et sableux qui donnent les vins les plus légers et les moins tanniques du Médoc. Mais certains crus bourgeois, tels que le *Château La Tour de By* ou le *Château Les Ormes-Sorbet*, sont au niveau des meilleurs Haut-Médoc. La vigne, qui est prédominante au niveau de Saint-Seurin-de-Cadourne, disparaît au fur et à mesure vers le nord au profit de prairies et de bois. En raison de la faible surface des exploitations, un grand nombre de vins sont vinifiés par les caves coopératives (Bégadan, Ordonnac, Queyrac, Preignac, Saint-Yzans), qui ont une production de bonne qualité.

Haut-Médoc

Cette appellation recouvre tout le secteur méridional du Médoc, de la Jalle de Blanquefort au sud jusqu'à Saint-Seurin-de-Cadourne au nord, à l'exception des appellations communa-

les. La vigne, qui alterne souvent avec des bois et des prairies, est répartie entre une multitude d'exploitations, souvent de faible superficie. Cette région fournit de très bons vins parfumés, tanniques à souhait, souvent de meilleure qualité que ceux du simple Médoc. Cinq grands crus classés appartiennent à cette appellation : *Château La Tour-Carnet*, *Château Camensac* et *Château Belgrave* à Saint-Laurent, *Château Cantemerle* à Macau et *Château La Lagune* à Ludon. Mais, face à ces cinq « grands », il existe une multitude d'exploitations de valeur. En remontant du sud vers le nord, on trouve successivement les châteaux *Dillon* (Blanquefort), *Citran* (Avensan), *Caronne-Saint-Gemme* et *Balac* (Saint-Laurent), *Hanteillan* (Cissac), *Le Bourdieu* (Vertheuil), *Liversan* (Saint-Laurent).

Saint-Estèphe : des vins corsés et tanniques

L'appellation *Saint-Estèphe*, la plus septentrionale du Haut-Médoc, est située le long de la Gironde ; elle est séparée de Pauillac par la Jalle du Breuil. Ses sols graveleux, les plus élevés du Médoc, sont aussi les plus argileux de tous les terroirs communaux. Ils donnent aux vins leur caractère corsé, tannique, parfumé et légèrement acide, mais ceux-ci, après vieillissement, révèlent une grande souplesse avec des arômes profonds. *Cos d'Estournel*, *Château Montrose*, *Château Lafon-Rochet*, *Château Calon-Ségur* et *Cos Labory* sont les grands crus classés de l'appellation. Mais nombre de crus bourgeois sont à découvrir, tels le *Château de Pez*, le *Château Les Ormes de Pez* ou le *Château Haut-Marbuzet*. 30 p. 100 de la production sont gérés par la cave coopérative de Saint-Estèphe, qui offre des vins d'un excellent rapport qualité/prix.

Encerclé de vignes, le village de Saint-Estèphe (page ci-contre) est une bourgade typique du Médoc, aux vins particulièrement attachants. Château Duhart-Milon-Rothschild (à droite) est un cru classé de Pauillac, jouxtant ses grands frères Mouton et Lafite.

Pauillac : la terre de Latour, Mouton et Lafite

L'appellation *Pauillac*, enclavée entre les appellations *Saint-Estèphe* et *Saint-Julien*, recèle 18 grands crus classés, dont trois des quatre premiers grands crus classés du Médoc. Lieux de grandes exploitations, ses croupes graveleuses sont entièrement occupées par la vigne. Les vins de Pauillac, en général charpentés et fortement tanniques, révèlent après un très long vieillissement (10 à 20 ans) un bouquet ample où domine parfois la violette. Mais il est difficile de généraliser car, par exemple, les trois premiers grands crus classés présentent des caractères divergents. Ainsi *Château Lafite*, séveux et aromatique, diffère sensiblement de *Château Latour*, complet et vigoureux. *Mouton-Rothschild*, qui depuis 1973 est devenu premier grand cru, alors qu'il était en 1855 premier des deuxièmes, est de son

côté très corsé avec une robe profonde, et demande 10 à 20 ans minimum de garde. *Château Pichon-Longueville-Baron*, *Château Pichon-Lalande*, *Château Duhart-Milon* sont des valeurs sûres. Parmi les meilleurs des cinquièmes crus classés figurent les châteaux *Lynch-Bages*, *Pontet-Canet*, *Haut-Batailley* et *Grand Puy-Lacoste*. Le *Château La Fleur Milon* et le *Château Pibran* méritent d'être connus, ainsi que le second vin de *Latour*, *Les Forts de Latour*.

Saint-Julien : entre Pauillac et Margaux

La commune de Saint-Julien-de-Beychevelle (Beychevelle signifie « baisse la voile » en gascon, car la coutume voulait que les bateaux qui passaient devant la demeure du duc d'Épernon, grand amiral de France, abaissent leurs voiles) est située le long de la Gironde, entre Pauillac et Margaux. Les sols graveleux, de faible profondeur, sont parfois associés à de l'argile. Les vins de Saint-Julien sont souvent considérés comme faisant l'intermédiaire entre les vins de Pauillac, robustes et corsés, et ceux de Margaux, moins puissants et plus fins. Parmi les 11 grands crus classés, il est nécessaire de citer *Château Ducru-Beaucaillou*, les trois *Léoville (Las Cases, Poyferré, Barton)*, très proches des Pauillac, *Château Branaire-Ducru* et le célèbre *Château Beychevelle*. Sans être classés, *Château Glana* et *Château Gloria* présentent un grand intérêt.

Margaux : des vins féminins

Margaux, qui est l'appellation communale la plus méridionale du Médoc, regroupe les communes de Margaux, Arsac, Soussans, Cantenac et Labarde. Cette zone recouvre un relief assez plat où les sols (agglomérat de graviers, de sables), les moins profonds du Médoc, offrent peu de nourriture à la vigne. Les vins sont donc délicats, moyennement corsés, avec des tannins très fins, et développent rapidement de merveilleux et subtils arômes, d'où leur réputation de vins « féminins ». Pour certains, il s'agit là des meilleurs vins rouges produits au monde. l'appellation possède un grand nombre de crus classés, dont le plus célèbre par sa qualité est *Château Margaux*. Presque à

Les chais fastueux de Château Mouton Rothschild. A travers le luxe de son cadre et le raffinement de son vin, Mouton est un peu la Byzance du Médoc.

Château Chasse-Spleen, au nom très baudelairien, l'un des meilleurs crus de l'appellation Moulis.

égalité, *Château Palmer* offre des vins prestigieux, voire, certaines années, supérieurs à son voisin. *Château Giscours*, *Château Brane-Cantenac*, *Château Boyd-Cantenac*, *Château Kirwan* et les deux *Rauzan* (*Gassies* et *Segla*) sont des valeurs sûres. Chez les bourgeois, *Château Bel-Air Marquis d'Aligre* et *Château Siran* sont de bons choix.

Listrac et Moulis : deux appellations trop méconnues

Listrac et Moulis sont deux appellations enclavées dans la zone du Haut-Médoc, sans longer la Gironde.

Moulis, avec ses sols graveleux ou argilo-calcaires, offre des vins remarquables, très colorés, bouquetés, possédant une grande finesse, mais qui sont malheureusement peu connus. Bien que cette appellation, comme celle de Listrac, ne possède pas de grand cru classé, certains châteaux mériteraient de l'être, comme *Château Moulin-à-Vent*, *Château Brillette* ou ceux provenant du hameau de Grand-Poujeaux, tels les magnifiques *Château Chasse-Spleen*, *Château Poujeaux*, *Château Franquet-Grand-Poujeaux*, *Château Gressier-Grand-Poujeaux*. Pour certains, Grand-Poujeaux mériterait sa propre appellation, du fait de sa grande typicité.

Listrac, appellation contiguë, avec ses sols graveleux à l'ouest, argileux à l'est, recèle de nombreux châteaux intéressants, tels *Château Lalande*, *Château Fourcas-Dupré*, *Château Fourcas-Hosten*, *Château Clarke*, *Château Fonréaud*, qui produisent des vins remarquables, complexes, fruités, très corsés et tanniques.

A titre de remarque, certains châteaux du Médoc produisent des vins blancs secs comme le *Pavillon blanc* du *Château Margaux*, le *Château La Dame blanche* du *Château du Taillan* ou le *Château Linas* du *Château Dillon*, mais ceux-ci n'ont droit qu'à l'appellation Bordeaux supérieur.

Les crus classés du Médoc

(classement de 1855 révisé en 1973)

PREMIERS GRANDS CRUS

Château Lafite-Rothschild	PAUILLAC
Château Margaux	MARGAUX
Château Latour	PAUILLAC
Château Mouton-Rothschild	PAUILLAC

DEUXIÈMES GRANDS CRUS

Château Rausan-Ségla	MARGAUX
Château Rauzan-Gassies	MARGAUX
Château Léoville-Las Cases	SAINT-JULIEN
Château Léoville-Poyferré	SAINT-JULIEN
Château Léoville-Barton	SAINT-JULIEN
Château Durfort-Vivens	MARGAUX
Château Gruaud-Larose	SAINT-JULIEN
Château Lascombes	MARGAUX
Château Brane-Cantenac	CANTENAC
Château Pichon-Longueville	PAUILLAC
Château Pichon-Longueville-Lalande	PAUILLAC
Château Ducru-Beaucaillou	SAINT-JULIEN
Château Cos d'Estournel	SAINT-ESTÈPHE
Château Montrose	SAINT-ESTÈPHE

TROISIÈMES GRANDS CRUS

Château Kirwan	CANTENAC
Château d'Issan	CANTENAC
Château Lagrange	SAINT-JULIEN
Château Langoa-Barton	SAINT-JUlIEN
Château Giscours	LABARDE
Château Malescot-Saint-Exupéry	MARGAUX
Château Boyd-Cantenac	CANTENAC
Château Palmer	CANTENAC
Château La Lagune	LUDON
Château Desmirail	MARGAUX
Château Cantenac-Brown	CANTENAC
Château Calon-Ségur	SAINT-ESTÈPHE
Château Ferrière	MARGAUX
Château Marquis d'Alesme-Becker	MARGAUX

QUATRIÈMES GRANDS CRUS

Château Saint-Pierre-Sevaistre	SAINT-JULIEN
Château Talbot	SAINT-JULIEN
Château Branaire-Ducru	SAINT-JULIEN
Château Duhart-Milon	PAUILLAC
Château Pouget	CANTENAC
Château La Tour Carnet	SAINT-LAURENT
Château Lafon-Rochet	SAINT-ESTÈPHE
Château Beychevelle	SAINT-JULIEN
Château Prieuré-Lichine	CANTENAC
Château Marquis de Terme	MARGAUX

CINQUIÈMES GRANDS CRUS

Château Pontet-Canet	PAUILLAC
Château Batailley	PAUILLAC
Château Haut-Batailley	PAUILLAC
Château Grand-Puy-Lacoste	PAUILLAC
Château Grand-Puy-Ducasse	PAUILLAC
Château Lynch-Bages	PAUILLAC
Château Lynch-Moussas	PAUILLAC
Château Dauzac	LABARDE
Château Mouton-Baron Philippe	PAUILLAC
Château du Tertre	ARSAC
Château Haut-Bages-Libéral	PAUILLAC
Château Pédesclaux	PAUILLAC
Château Belgrave	SAINT-LAURENT
Château Camensac	SAINT-LAURENT
Château Cos Labory	SAINT-ESTÈPHE
Château Clerc-Milon	PAUILLAC
Château Croizet-Bages	PAUILLAC
Château Cantemerle	MACAU

Les Graves

Le long de la rive gauche de la Garonne, de Bordeaux jusqu'à Langon, sur 60 km de long et 20 km de large, s'étendent les Graves, dans lesquelles sont enclavées les appellations Sauternes, Barsac et Cérons.

Le plus vieux vignoble bordelais

A l'époque gallo-romaine et au Moyen Age, cette région viticole connut une belle prospérité en raison de sa proximité de la ville de Bordeaux. Ses vins constituaient une grande partie du « claret » exporté en Angleterre. Mais, à partir du XVIIIe siècle, l'apparition et la concurrence des Médoc firent décliner le vignoble, la Révolution et les guerres napoléoniennes accentuant ce phénomène. Ainsi, en 1855, seul le Château Haut-Brion fut inclus dans le classement des vins rouges du Bordelais établi par les courtiers. L'oïdium toucha les Graves tardivement, en 1950. Il fallut attendre les années 60 pour qu'ils retrouvent leur renommée, par une politique suivie de qualité.

Un climat à risques

Les Graves bénéficient du climat classique du Bordelais, avec néanmoins deux particularités.

D'une part, la proximité de la Garonne provoque l'apparition de brouillards matinaux, ce qui favorise le développement de la pourriture noble en automne et permet la production de vins liquoreux ; mais cela nécessite aussi des traitements antibotrytis efficaces sur les vignes destinées à l'élaboration des vins rouges et vins blancs secs.

D'autre part, la présence de la forêt landaise, qui pénètre souvent dans le vignoble, provoque l'accumulation de masses d'air froid qui accroissent la fréquence et l'intensité des gelées.

Des sols graveleux

Les Graves, qui portent le nom de la nature même de leurs terrains (sols constitués de gra-

Ancienne propriété lazariste, le Château La Mission Haut-Brion possède un superbe chai à deux niveaux (ci-dessous). Non loin, sont récoltés les fameux Haut-Brion et Pape-Clément (page de droite).

viers, de sables et d'argiles), peuvent être séparées, au point de vue pédologique, en deux zones : au nord, une zone de graves pures, domaine des grands vins rouges et des vins blancs secs, et, au sud, une zone de graves argileuses donnant des rouges plus corsés et des blancs plus moelleux. Aux abords du Sauternais, les sols sont de nature argilo-calcaire et favorables aux vins liquoreux.

Les vins rouges sont élaborés à partir de trois cépages : cabernet-sauvignon, cabernet franc, merlot. Les vins blancs secs sont issus de l'assemblage sauvignon-sémillon-muscadelle ou produits uniquement à partir du sauvignon. Les vignes sont, en majorité, conduites en vignes basses, avec de fortes densités. La récolte est manuelle ou mécanisée.

Les vins rouges subissent une vinification classique ; mais les vins de qualité sont élevés de 1 à 2 ans en barriques. Dans un grand nombre de châteaux, les vins blancs sont vinifiés à basse température pour éviter la perte d'arôme. Certains vins blancs secs passent en barriques afin d'augmenter leur capacité de vieillissement.

Un vignoble en diminution

Le vignoble des Graves, très morcelé, avec de petites parcelles alternant avec la forêt landaise, diffère des grands espaces du Médoc entièrement couverts de vignes. Cette région très boisée offre de très beaux châteaux, tel celui de Labrède où vécut Montesquieu, homme de lettres mais aussi vigneron. Une faible partie du vignoble est incluse dans la banlieue bordelaise. Ainsi, les 70 hectares du vignoble de Haut-Brion s'étendent à Pessac, banlieue de Bordeaux, entourés d'immeubles et de bâtiments divers.

L'urbanisation galopante autour de Bordeaux, l'exploitation des gravières et la spéculation provoquent hélas ! un recul de la vigne, souvent facilité par le morcellement et la faible surface des propriétés.

Les vins rouges et blancs sont vendus sous l'appellation *Graves*. Cependant, les blancs qui ont un degré supérieur à 12° peuvent être commercialisés sous l'appellation *Graves supérieur*.

Les vins rouges

Les Graves sont généralement plus corsés et plus nerveux que les vins du Médoc. Ils déploient une grande richesse aromatique à base de fruits rouges (cassis, framboise), alliée aux senteurs de vanille provenant de l'élevage en barriques. Ces vins ont une importante capacité de vieillissement. Les meilleurs d'entre eux, produits principalement au nord de l'appellation, à proximité de Bordeaux, égalent en qualité les meilleurs Médoc.

Un classement des châteaux fut établi en 1959. Le vin le plus somptueux provient du *Château Haut-Brion*, à Pessac, seul cru non médocain classé en 1855. A Pessac, trois autres châteaux produisent de grands vins : *Château Pape-Clément*, dont le nom provient de son fondateur, premier pape d'Avignon, *Château La Mission-Haut-Brion* et *Château Latour-Haut-Brion*, issus tous les deux de la même exploitation, le second étant le moins tannique. A Léognan, les vins de *Château Carbonnieux* et du *Domaine de Chevalier* sont de grands classi-

Château Haut-Brion, premier cru des Graves. Créé au début du XVIe par Jean de Pontac, c'est le doyen des grands « châteaux » bordelais.

ques. *Château Haut-Bailly*, sur la même commune, fournit un vin très typé « Médoc », du fait de la prédominance du cabernet (75 p. 100). Connus surtout pour leurs vins blancs, *Château Olivier*, *Château Fieuzal* et *Château Malartic-Lagravière* ont une excellente production. Sur la commune de Martillac, *Château Smith-Haut-Lafitte* et *Château Latour-Martillac* élaborent des vins fort respectables.

Face à ces « grands », il existe des châteaux non classés de grande valeur, tels que *Château Larrivet-Haut-Brion*, *Château La Louvière* (Léognan) ou *Château La Garde* (Martillac).

Les vins produits par le *Domaine de la Blancherie* (Labrède), par le *Château Rahoul* (Portets), par le *Château du Marais* (Pujols) ou encore le *Domaine du Gaillat* sont de grande qualité et prouvent que la partie méridionale de l'appellation peut offrir de beaux vins rouges.

Les blancs secs et liquoreux

En général, les vins blancs sont secs au nord de l'appellation et deviennent plus moelleux et liquoreux au sud, aux abords du Sauternais.

Les blancs secs, d'une couleur jaune pâle, sont souvent légers, acides, riches en arômes. Les vins moelleux et liquoreux (ressemblant aux Sauternes) sont très aromatiques, riches en glycérol et possèdent une grande capacité de vieillissement.

Les vins blancs classés en 1959 ne regroupent que des vins blancs secs issus du nord de l'appellation. Plusieurs châteaux, renommés pour leurs vins rouges, produisent également d'excellents vins blancs : tel est le cas du *Château Haut-Brion*, du *Domaine de Chevalier* (avec ses 3 hectares de vignes blanches), du *Château Olivier*, du *Château Carbonnieux* ou du *Château Malartic-Lagravière*. A Martillac, les vins blancs secs de *Latour-Martillac*, vieillis en barriques, sont très agréables, légers, floraux. Sur la même commune, *Smith-Haut-Lafitte* produit un grand vin à base de sauvignon. A Villenave-d'Ornon, *Château Couhins* et *Château Bouscaut* offrent des vins riches en arômes. A Talence, le *Château Laville-Haut-Brion*, avec ses arômes complexes, est l'un des meilleurs Graves blancs. D'autres vins non classés méritent d'être connus, tels *Château Fieuzal* et *Château La Louvière* (Léognan).

Il existe aussi dans les Graves de bons vins liquoreux, par exemple ceux produits par le *Château d'Articaud* ou le *Château Haira*, mais qui disparaissent peu à peu au profit des vins, du fait de leur mévente.

Depuis quelques années se dessine un mouvement de redécouverte des grands vins des Graves par les consommateurs comme les négociants, ainsi que des traditionnels vins liquoreux.

Les crus classés des Graves

(classement de 1959)

PREMIER GRAND CRU (1855)

Château Haut-Brion	PESSAC

GRAVES ROUGES

Château La Mission Haut-Brion	TALENCE
Château Haut-Bailly	LÉOGNAN
Domaine de Chevalier	LÉOGNAN
Château Carbonnieux	LÉOGNAN
Château Malartic-Lagravière	LÉOGNAN
Château La Tour-Martillac	MARTILLAC
Château La Tour-Haut-Brion	TALENCE
Château Smith-Haut-Lafitte	MARTILLAC
Château Olivier	LÉOGNAN
Château Bouscaut	CADAUJAC
Château Fieuzal	LÉOGNAN
Château Pape Clément	PESSAC

GRAVES BLANCS

Château Carbonnieux	LÉOGNAN
Domaine de Chevalier	LÉOGNAN
Château Couhins	VILLENAVE-D'ORNON
Château Olivier	LÉOGNAN
Château Laville-Haut-Brion	LÉOGNAN
Château Bouscaut	CADAUJAC
Château La Tour Martillac	MARTILLAC
Château Malartic-Lagravière	LÉOGNAN

Le Sauternais

Cette région ultra-célèbre pour ses vins liquoreux s'étend sur la rive gauche de la Garonne. Elle possède un relief relativement accidenté, fait d'une alternance de collines et de vallées, les grands crus se situant généralement vers le haut des collines. La zone de Barsac est moins mouvementée.

Le secret du Sauternes

La faculté du Sauternais à produire les plus grands vins liquoreux est liée au climat exceptionnel dont bénéficie la région. En effet, le matin, en automne, le vignoble est envahi par des brouillards qui montent du Ciron et de la Garonne, humidifiant les grains de raisin. L'après-midi, les brouillards se dispersent au profit d'un bon ensoleillement. La répétition de ce phénomène, durant la fin de l'été et le début de l'automne, favorise l'apparition sur les grains d'un minuscule champignon de couleur grisâtre : le *Botrytis cinerea*.

La pellicule du raisin, attaquée par ce champignon, va se craqueler, libérant l'eau contenue dans la pulpe. Le grain de raisin se flétrit, prend une couleur rouge violacé, permettant une concentration des sucres et des autres éléments de la pulpe, matières pectiques et minérales : le raisin est dit alors « rôti ». Parallèlement, le *Botrytis* apporte au grain du glycérol et des pectines qui donneront gras et onctuosité au vin. De plus, l'ensoleillement va diminuer la teneur en acides, dégradés par les températures élevées.

Les vins obtenus à partir de ces grains rôtis sont très alcooliques (de 15 à 16°), très doux (environ 50 g de sucre résiduel), onctueux (glycérol), de faible acidité, et ils offrent de plus une grande richesse aromatique (miel, tilleul, amande, acacia...).

Mais l'attaque et le développement du *Botrytis cinerea* n'est jamais homogène. Alors que certains grains sont rôtis, d'autres sont encore intacts. Il est donc nécessaire d'effectuer des passages successifs — appelés « tries » — dans les vignes, pour récolter les raisins les plus concentrés. La précision de la sélection et le nombre de passages dépendront des châteaux. A part *Château Yquem*, qui effectue des tries grain par grain, les domaines récoltent par portions de grappes ou par grappes entières, le nombre de passages dépendant en fait de la disponibilité du personnel et bien sûr de la capacité financière des châteaux : les grands châteaux peuvent se permettre d'effectuer une dizaine de tries alors que les petits viticulteurs n'en font que deux ou trois, voire parfois une seule, en vendangeant le plus tard possible pour obtenir le maximum de « pourriture noble ». Certaines années, la vendange à Yquem se prolonge jusqu'en décembre.

Dans ce vin doré captant la lumière se résume toute l'extravagance du Sauternes, nectar voluptueux chargé de fragances envoûtantes.

Vendanges au Château Yquem. Des vendanges liturgiques, où l'on effectue parfois jusqu'à dix passages pour recueillir chaque grain à son stade optimal...

De très faibles rendements, une vinification particulière

Cette récolte donne de très faibles rendements, aux alentours de 20 hl/ha (voire jusqu'à 8 hl à Yquem), mais, certaines années, elle est presque totalement décimée. En effet, si l'automne est trop humide, la pourriture noble se transforme en pourriture grise, réduisant les rendements et la qualité de la récolte.

Le prix élevé des liquoreux s'explique par ces rendements faibles et ces récoltes aléatoires. Deux années sur trois environ, de mauvaises conditions climatiques donnent des récoltes réduites et de qualité médiocre.

Le vignoble est planté principalement en sémillon (75 p. 100), le cépage de prédilection des liquoreux en sauvignon (20 p. 100) et en muscadelle (5 p. 100). Le sauvignon est souvent récolté plus précocement que le sémillon, car il résiste moins bien à l'attaque du *Botrytis*. La muscadelle permet d'apporter au vin des arômes muscatés, qui se rapprochent de ceux du miel.

La vinification des liquoreux diffère de celle des vins blancs secs. Après un pressurage et un débourbage séparant les lies du jus clair, le moût est mis à fermenter. Le secret de vinification des vins liquoreux repose sur le *mutage*, une opération qui provoque l'arrêt de la fermentation des moûts alors qu'ils contiennent encore une grande quantité de sucres résiduels. Cet arrêt est réalisé par l'addition de SO_2 (25 g/hl environ), lorsque l'équilibre alcool (de 13 à 16°) et sucres (40 à 80 g) a atteint son optimum pour le producteur. Un grand nombre de Sauternes sont vieillis pendant 2 ans environ en barriques.

Il y a encore quelques années, le vin étant payé par les négociants au degré par tonneau, certains viticulteurs surchargeaient les rendements, chaptalisaient excessivement et prati-

Le vignoble du Château de Malle, second cru classé de Sauternes. On aperçoit au fond le château, construit en début du XVIIe siècle, un petit joyau pré-classique dont on remarque une tour coiffée d'un toit « à l'impériale ». Il fut édifié pour Jacques de Malle, président au parlement de Bordeaux.

quaient le mutage avec des doses irraisonnées de SO_2, rendant les vins lourds, indigestes, avec des goûts de mercaptan et d'œuf pourri. Ces mauvais Sauternes ont parfois donné aux vins liquoreux une triste réputation. Mais, depuis peu, les producteurs s'efforcent d'abaisser la dose d'anhydride sulfureux en pratiquant un débourbage à la bentonite et un traitement au froid pour faciliter le mutage, ce qui permet d'obtenir des vins plus agréables.

Un vin aux origines incertaines

L'origine du vin liquoreux, dans le Sauternais, n'est pas clairement définie. Il semble que les premiers vins moelleux sont apparus à partir du XVIIIe siècle, et les premiers liquoreux dans les années 1830-1840. L'instigateur de ces vins liquoreux serait un négociant bordelais d'origine allemande qui, s'inspirant des techniques de vendanges tardives appliquées en Allemagne, laissa volontairement la pourriture noble contaminer la vendange. A Yquem, la légende veut qu'en 1847 le régisseur ait vendangé très tard, attendant que son propriétaire fût rentré de Russie où il voyageait. Le vin issu de cette vendange tardive fut si extraordinaire que le frère du tsar le paya 15 à 20 fois plus cher que le prix habituel.

En tout cas, à partir des années 1850, la vendange par tries successives se généralisa, mettant sur le marché des vins liquoreux qui se vendaient cher et dont une bonne partie était exportée vers la Russie. Pour son bonheur, le vignoble supporta l'attaque de l'oïdium (1860), car le sémillon était résistant, et celle du phylloxéra dont l'agression tardive permit de replanter le vignoble en utilisant les remèdes déjà expérimentés ailleurs.

Sauternes et Barsac

Les communes de Sauternes, Bommes, Preignac et Fargues ont droit à l'appellation *Sauternes*. Les producteurs situés sur la commune de Barsac peuvent choisir soit l'appellation *Barsac*, soit celle de *Sauternes* ; c'est cette dernière qui est la plus souvent utilisée, car elle est la plus renommée.

Les grands Sauternes sont des vins couleur jaune d'or, d'une grande onctuosité, suaves, qui exhalent des arômes de tilleul, de chèvrefeuille, de cannelle, de miel, de cire d'abeille, d'amande...

Il leur faut vieillir pour prendre une couleur de plus en plus ambrée et développer des arômes de plus en plus complexes, rappelant le pain cuit et les fruits confits. Les différences entre Barsac et Sauternes sont très subtiles : les Barsac sont des vins généralement plus fruités, plus nerveux et plus légers que les Sauternes, mais il existe évidemment des exceptions.

Yquem, le plus grand

En 1855, un classement des vins blancs fut établi parallèlement à celui des grands crus rouges du Bordelais. En fait, seuls les crus du Sauternais et de Barsac furent retenus par les courtiers bordelais.

Château d'Yquem, le seigneur, fut seul classé premier grand cru. Ce château, qui appartient à la famille Lur-Saluces depuis 1785, produit le meilleur des vins liquoreux, car non seulement la récolte est effectuée grain par grain, la vinification et l'élevage sont réalisés en barriques, mais surtout le domaine dispose d'un terroir unique, une colline où l'exposition aux brouillards matinaux et à l'ensoleillement est optimale et au sommet de laquelle trône le château d'architecture médiévale. Les rendements très faibles, de l'ordre de 9 hl/ha, et la qualité de la vinification expliquent le prix élevé des bouteilles et leur faible nombre (70 000 par an).

En dehors d'Yquem, il existe d'autres grands liquoreux : *Suduiraut*, qui rivalise parfois au niveau de la qualité avec Yquem, *Rayne-Vigneau*, *La Tour Blanche*, qui a su retrouver son prestige de cru classé immédiatement après Yquem et qui abrite une école de viticulture et d'œnologie. *Château Rieussec*, *Château Guiraud* et *Château Filhot* révèlent des Sauternes de haute qualité ainsi que *Château Rabaud-Sigalas*, *Château Lafaurie-Peyraguey* et *Château de Malle*, qui sont au niveau de leur classement. A Barsac, *Château Climens* et *Château Coutet* sont à la hauteur des plus grands de Sauternes. Il est à noter que tous les grands crus classés valent de nos jours leur classement... ce qui n'était pas le cas il y a une vingtaine d'années, car certains d'entre eux étaient à l'abandon. Mais en dehors de ces crus classés, il existe des châteaux qui mériteraient de l'être, tels que *Château Berchereau* (Bommes), *Château de Fargues*, *Château Haut-Bergeron*, *Château Raymond Lafon*.

Le Sauternes, compagnon du foie gras

Le Sauternes est probablement le meilleur des vins pour accompagner le foie gras, mais aussi les gâteaux à pâte sèche, non sucrés ; car boire un Sauternes sur un entremets sucré est une hérésie... Mais, depuis quelques années, le *nec plus ultra* consiste à servir le Sauternes en apéritif. De plus, sa richesse élevée en alcool lui permet de se conserver un mois au frais sans altération de sa qualité.

Cérons

La zone d'appellation *Cérons*, située au sud du Sauternais, en bordure de Gironde, sur les communes de Cérons, Podensac et Illats, recouvre un plateau calcaire et argilo-calcaire peu vallonné.

Ses vins sont généralement blancs, liquoreux ou secs. Les liquoreux, très élégants, ont souvent moins de moelleux que ceux de Sauternes, mais sont plus nerveux et plus fruités. Les vins secs ressemblent à ceux des Graves, avec généralement un caractère plus corsé.

Les crus classés de Sauternes et Barsac

(classement de 1855)

PREMIER GRAND CRU

Château d'Yquem	SAUTERNES

PREMIERS CRUS

Château La Tour Blanche	BOMMES
Château Lafaurie-Peyraguey	BOMMES
Clos Haut-Peyraguey	BOMMES
Château Rayne-Vigneau	BOMMES
Château Suduiraut	PREIGNAC
Château Coutet	BARSAC
Château Climens	BARSAC
Château Guiraud	SAUTERNES
Château Rieussec	FARGUES
Château Rabaud-Sigalas	BOMMES
Château Rabaud-Promis	BOMMES

DEUXIÈMES CRUS

Château Myrat	BARSAC
Château Doisy-Dubroca	BARSAC
Château Doisy-Daëne	BARSAC
Château Doisy-Védrines	BARSAC
Château d'Arche	SAUTERNES
Château d'Arche-Lafaurie	SAUTERNES
Château Filhot	SAUTERNES
Château Broustet	BARSAC
Château Nairac	BARSAC
Château Caillou	BARSAC
Château Suau	BARSAC
Château de Malle	PREIGNAC
Château Romer	FARGUES
Château Lamothe	SAUTERNES

Le Libournais

Le Libournais, sur la rive droite de la Dordogne, regroupe les appellations de Saint-Émilion et ses satellites, de Pomerol et Lalande-de-Pomerol, de Fronsac et Canon-Fronsac, et produit exclusivement des vins rouges.

Sur le plan climatique, il est souvent épargné par les pluies violentes des orages d'été, mais le risque de gelées est plus important au bas des coteaux, le long de la Dordogne, que dans le reste de la Gironde.

Saint-Émilion : une prospérité ancienne

La vigne existait là dès l'époque gallo-romaine, et la tradition rapporte que le poète Ausone, installé au IVe siècle à Lucaniac (aujourd'hui Saint-Émilion), y possédait une villa entourée d'une vingtaine d'hectares de vignes. La culture de la vigne connut une nouvelle expansion au Moyen Age car le futur Saint-Émilion était situé sur la route de Saint-Jacques-de-Compostelle. Le saint, qui se rendait en pèlerinage sur ce chemin, installa son ermitage à Lucaniac, qui reçut ensuite son nom. Mais Saint-Émilion prit véritablement son essor lorsque, sous l'occupation anglaise, Jean sans Terre accorda des privilèges à la ville, notamment la constitution d'une jurade autonome, établissant la date des vendanges, contrôlant la production du vin et réglementant son commerce. Libourne devint alors un grand port fluvial. En 1289, le roi d'Angleterre fixa par lettre patente la délimitation de la juridiction de Saint-Émilion, qui reste de nos jours en vigueur. Au XVIIe siècle, le vignoble s'étendit en même temps que sa renommée. Les Hollandais et les Anglais étaient très friands de son vin, tout comme les rois de France : Louis XIII parlait d'un « vin exquis », Louis XIV d'un « nectar de dieu ». Au XVIIIe siècle, Saint-Émilion connut une crise grave de surproduction, à cause de l'augmentation des surfaces et des rendements qui entraîna une baisse des prix. Comme dans tout le Bordelais, la vigne, à la fin du XIXe siècle, fut détruite par le phylloxéra, puis entièrement replantée. En 1921, les six communes satellites (Lussac, Montagne, Saint-Georges, Puisseguin, Parsac, Sables) eurent le droit d'apposer leur nom à celui de Saint-Émilion.

L'entrée du Clos Fourtet, l'un des doyens des grands crus saint-émilionnais. Un domaine qui peut produire l'une des perles noires de l'appellation.

Pomerol : une prospérité tardive

La région de Pomerol connut une histoire différente du Saint-Émilionnais, malgré leur proximité géographique. Si le vignoble se développa durant le Moyen Age grâce aux Templiers, il resta malheureusement sous juridiction

Les crus de Saint-Émilion font l'objet d'une classification subtile, qui établit dans la réalité quatre niveaux hiérarchiques.

française, alors que Saint-Émilion tirait de grands bénéfices de l'occupation anglaise, par le commerce avec les îles Britanniques. Il faut attendre les XVIIe et XVIIIe siècles pour que Pomerol sorte de l'ombre de son homologue et acquière sa propre renommée, permettant aux viticulteurs de vendre enfin leurs vins sous le nom de Pomerol et non sous celui de la juridiction voisine.

Fronsac : le vin de Richelieu

Le Fronsadais, dès le Moyen Age, possédait aussi une viticulture forte. Mais cette région fut surtout mise à l'honneur à partir du XVIIIe siècle, lorsque son vin fut présenté à la cour de France par le duc de Fronsac, le fameux duc de Richelieu en personne.

Saint-Émilion

L'appellation *Saint-Émilion* regroupe les communes de Saint-Laurent-des-Combes, Saint-Christophe-des-Bardes, Saint-Hippolyte, Saint-Étienne-de-Lisse, Saint-Pey-d'Armens, Saint-Sulpice-de-Faleyrens et Vignonet.

Le terroir est constitué d'un plateau central (où se trouve la petite ville médiévale de Saint-Émilion) qui s'incline lentement vers le nord et l'ouest et forme au sud des « côtes » abruptes. A l'ouest, des sols sableux et siliceux sur un sous-sol graveleux, riche en éléments ferrugineux appelés « crasse de fer », constituent les « graves » de Saint-Émilion, tandis que les sols du plateau sont calcaires, mais deviennent de plus en plus argileux vers les communes de Saint-Christophe et de Saint-Étienne à l'est. Les côtes, formées d'éboulis, sont de nature argilo-calcaire et argilo-siliceuse. Enfin, les sols de plaine de la Dordogne sont constitués de sables et d'alluvions d'origine quaternaire.

Prédominance du merlot

Le vignoble, planté d'environ 60 p. 100 de merlot et de 40 p. 100 de cabernet, est extrêmement morcelé. La vinification est effectuée avec une macération souvent longue (2 à 3 semaines), et l'élevage est réalisé pendant 1 ou 2 ans en barriques pour les grands vins.

Grâce à leur richesse en alcool, en tannin et en glycérol, les vins de Saint-Émilion sont les plus généreux du Bordelais. Leur robe est d'un profond rubis. Bus jeunes, ils révèlent des arômes de fruits rouges (framboise, cassis, mûre, groseille, myrtille) avec une certaine astringence. Après quelques années de vieillissement (5 à 20 ans pour les meilleurs millésimes), la couleur se tuile et les arômes se complexifient en un bouquet très floral, avec des notes de fruits confits et de torréfaction (café, tabac).

Les vins de Saint-Émilion ont été classés en 1955 en « premiers grands crus classés » (12) et en « grands crus classés » (70). En 1985, cette classification fut révisée. Saint-Émilion est la seule appellation du Bordelais à s'astreindre à un classement renouvelable tous les 10 ans.

Une liaison étroite entre terroir et qualité

La qualité des vins va dépendre de leur lieu de production. Les vins issus des sols sableux proches de Pomerol seront moins corsés, auront des arômes plus fins et plus légers que les vins produits sur la Côte, plus charpentés, aux arômes plus puissants, tandis que ceux provenant de la plaine, au bas de la Côte, seront légers, souples, à boire jeunes mais de qualité plus moyenne.

Les vins de la zone gravelo-sableuse sont dignement représentés par le *Château Cheval Blanc*, contigu à Pomerol, qui offre l'un des plus beaux vins du Bordelais, au niveau des quatre « grands » du Médoc. *Château Belair* et *Château Figeac* sont de grande qualité, mais à un prix plus abordable.

Les vins de côtes, les plus typés de l'appellation, sont admirablement représentés par *Château Ausone* qui, sur une superficie de 7 hectares, produit un vin splendide. Les châteaux *Canon*, *Magdelaine*, *Pavie*, *La Gaffelière* et *Trottevieille* sont également des vins remarquables. Il est à noter que les caves de ces châteaux sont souvent creusées dans le plateau calcaire, fait quasi unique dans le Bordelais.

En raison de la multitude des châteaux (plus de mille), l'appellation permet à l'amateur la découverte de nombreux petits producteurs, peu connus mais produisant d'excellents vins.

Les satellites de Saint-Émilion

Les communes satellites de Saint-Émilion produisent de bons vins. Ainsi les *Saint-Georges-Saint-Émilion*, issus de coteaux et de plateaux argilo-calcaires, et les *Puisseguin-Saint-Émilion*, produits sur des coteaux argilo-calcaires caillou-

Creusées à même le roc, dans le coteau de Saint-Émilion, les caves de Château Ausone offrent des conditions idéales de température et d'humidité pour la conservation du vin en barriques.

teux, se rapprochent-ils de leur grand voisin par leur caractère corsé et tannique. Les meilleurs proviennent du *Château Saint-Georges*, du *Château Les Laurets* et du *Château Soleil*.

Montagne-Saint-Émilion dispose aussi de vins charpentés, tirés des sols calcaires des coteaux et des plateaux, mais aussi de vins souples et légers, obtenus dans les plaines argileuses. Parmi les meilleurs figurent ceux des châteaux *Corbin*, *Négret* et *Calon*. Le vignoble de Lussac, situé sur des côtes calcaires, donne des vins souples, à boire jeunes mais de bonne qualité, comme ceux du *Château de Bellevue* et du *Château Lyonnat*.

Pomerol

Située à l'ouest de Saint-Émilion, l'appellation *Pomerol* est constituée d'un vaste plateau de 700 hectares qui, en direction de l'est, descend en terrasses successives vers l'Isle. On passe progressivement de sols argilo-graveleux à des sols sableux, avec une teneur en oxyde de fer très importante.

Merlot et goût de truffe

L'encépagement ultra-majoritaire de merlot donne ses caractéristiques au Pomerol : une robe de couleur rubis, une importante teneur en alcool, un bouquet complexe où se développe ce goût de truffe apporté par un sous-sol riche en crasse de fer. Mais les vins sont moins capiteux et moins corsés que les Saint-Émilion et exigent moins de temps pour vieillir.

Les terrains argilo-graveleux limitrophes de Saint-Émilion, qui offrent des vins tanniques et corsés, sont les meilleurs terroirs de Pomerol. On y trouve *Château Pétrus*, le plus grand des Pomerol, mais aussi les châteaux *Vieux-Certan*, *Trotanoy*, *Gazin*, *La Conseillante*, *L'Évangile*. Sur les sols graveleux, les vins demandent un certain vieillissement, comme *Château Petit-Village*.

A la périphérie de la zone d'appellation, les sols plus légers offrent des vins souples, comme ceux produits par les châteaux *Nenin*, *La Pointe* et *Clos René*.

Lalande-de-Pomerol

Séparée de Pomerol par la rivière de la Barbanne, cette appellation (qui recouvre également l'ancienne appellation Néac, aujourd'hui abandonnée) dispose d'un encépagement largement majoritaire en merlot (85 p. 100).

Les vins provenant de la commune de Lalande sont plus légers, du fait de la nature sableuse des sols (sablo-graveleux à sablo-argileux), que ceux de la commune de Néac, charpentés et corsés, qui se rapprocheraient plutôt des Saint-Émilion, avec leurs sols argilo-graveleux, que des Pomerol, peut-être parce que la teneur ferrugineuse est faible. *Château de Bel-Air*, *Château Tournefeuille*, *Château de Teysson*, *Château Drouillaut* et *Château Belles Graves* sont des valeurs sûres.

Fronsac et Canon-Fronsac

Le Fronsadais est une région très accidentée, avec ses côtes et ses plateaux découpés par de profondes vallées. Les meilleurs vins, issus de la « côte » aux sols argilo-calcaires qui, en bordure de la Dordogne, prolonge celle de Saint-Émilion, ont droit à l'appellation *Canon-Fronsac*. Ce sont des vins robustes et tanniques, sous une robe d'un rouge-noir violacé. Ils demandent au moins 6 à 8 ans de garde pour développer leurs arômes boisés et épicés (châteaux *Coustolle*, *Canon*...). Le reste du Fronsadais produit des vins plus modestes, sous l'appellation *Fronsac*.

Depuis quelques années, le Fronsadais connaît un regain d'intérêt, surtout lorsqu'on compare le rapport qualité-prix de ses vins à celui des autres appellations du Libournais.

Rassemblé autour de son église, le village de Pomerol — qui n'est en fait qu'un hameau — commande un vignoble dont le seul nom fait s'allumer la prunelle de millions d'œnophiles.

Les vins des Côtes

Longtemps délaissés, ces vins font aujourd'hui l'objet d'une redécouverte amplement méritée.

Côtes de Bourg

Cette région, surnommée la Suisse girondine, s'étend sur la rive droite de la Dordogne et de la Gironde, entre Blaye et Saint-André-de-Cubzac. Elle est formée de coteaux abrupts, parallèles au fleuve et découpés par des vallons profonds.

Le vignoble, très ancien, connut naguère une grande renommée. Au XVIe siècle, l'abbé Baurein, célèbre chroniqueur, affirmait : « Les vins de Bourg étaient si estimés que les particuliers qui possédaient des vins du Bourgeais et dans le Médoc ne revendaient leurs vins de Bourg qu'à la condition qu'on leur achète en même temps ceux du Médoc. » Hélas ! le délaissement par les négociants des vins de Bourg au profit des Médoc entraîna leur déclin. Heureusement, vers 1960, une politique de qualité permit d'inverser la tendance et fait aujourd'hui des *Côtes de Bourg* des vins très recherchés.

Le Bourgeais produit principalement des vins rouges qui, issus des coteaux argilo-graveleux, sont très colorés et corsés, exhalent un bouquet aux arômes de fruits rouges et possèdent une bonne capacité de vieillissement.

Les vins blancs, secs et demi-secs, produits surtout à l'est de la zone, sur des sols argilo-siliceux ou sablonneux, proviennent du sauvignon, du sémillon et d'un peu de colombard. Ils sont habituellement frais et fruités.

Les exploitations sont généralement petites, mais certains châteaux, tels que *Château Bousquet*, *Château de Lidonne* ou *Château Barbe*, sont fort appréciés par les amateurs qui semblent, depuis quelques années, redécouvrir les qualités des Côtes de Bourg.

Les Côtes de Castillon, vignoble au charme campagnard, produisent des vins solides et typés, en lisière de Dordogne.

Côtes de Blaye

Cette appellation, située sur la rive droite de la Gironde, en face du Médoc, est limitrophe du Bourgeais à l'est. Le long de la Gironde, un vaste marais fait place, lorsque l'on pénètre à l'intérieur des terres, à des coteaux calcaires et à des plateaux sableux.

Les vins rouges, qui représentent 85 p. 100 des vins du Blayais, sont surtout produits autour de Blaye, sur des sols argilo-calcaires, tandis que les vins blancs proviennent de l'arrière-pays, aux sols sableux. Le Blayais doit sa réputation à ses vins blancs, secs ou demi-secs, rafraîchissants, fruités et vendus à des prix abordables sous l'appellation *Blaye* ou *Côtes de Blaye.*

Mais les vins rouges, quoique moins corsés que les Côtes de Bourg, sont eux aussi à découvrir car ils offrent un agréable fruité. Ils sont surtout vendus sous l'appellation *Premières Côtes de Blaye.*

Bordeaux-Côtes de Castillon

Les *Bordeaux-Côtes de Castillon* sont élaborés sur 7 communes de la rive droite de la Dordogne, entre l'appellation de Saint-Émilion et celle de Bergerac. Castillon-la-Bataille fut le lieu du célèbre combat qui mit fin à l'occupation anglaise. Les vins rouges, issus de terroirs argilo-calcaires, sont plus charpentés et plus capiteux que les Saint-Émilion et demandent souvent 6 à 8 années de vieillissement.

Bordeaux-Côtes de Francs

Située au nord des Côtes de Castillon, cette appellation produit en majorité des vins blancs moelleux à base de sémillon, de sauvignon et de muscadelle. Les vins blancs secs sont honnêtes, tandis que les vins rouges sont tanniques, voire rudes en première jeunesse. Une bonne partie est vinifiée par la cave coopérative de Francs.

Entre Garonne et Dordogne

La région comprise entre Garonne et Dordogne est riche de nombreuses appellations.

Entre-Deux-Mers

Le vignoble de l'Entre-Deux-Mers, le plus étendu du Bordelais avec une surface de 3 500 hectares, est établi sur des coteaux et des collines peu élevés, aux sols argilo-calcaires ou argilo-siliceux, dont les sommets sont recouverts de forêts de feuillus.

Bordelais secret : l'altière forteresse de Haut-Benauge (Entre-Deux-Mers), dont le nom peut s'accoler à l'appellation régionale.

La vinification est assurée en majorité par les caves coopératives, telle la cave de Rauzan, la plus importante du Bordelais avec une capacité de 240 000 hectolitres. Dans cette région, en effet, le mouvement coopératif a permis l'établissement d'un vignoble moderne et fortement mécanisé. Aussi, depuis les années 60, prédominent les vignes larges et hautes : c'est dans l'Entre-Deux-Mers qu'est apparue pour la première fois, en Gironde, la machine à vendanger.

Les vins blancs, qui étaient encore doux il y a quelques années, sont devenus secs. Mais, peu à peu, il se produit une reconversion de la production en rouge à cause d'une mévente des vins blancs, générale dans le Bordelais.

Les vins blancs, obtenus à partir du sauvignon, du sémillon et de la muscadelle, avec tout au plus 10 p. 100 de mauzac, de merlot blanc ou d'ugni blanc, ont droit à l'appellation *Entre-Deux-Mers*. Ils sont frais, nerveux, extrêmement secs et fruités, avec un arôme de pierre à fusil, plus ou moins accentué selon l'importance du sauvignon dans l'assemblage. Signalons que neuf communes de la région ont droit à l'appellation *Entre-Deux-Mers-Haut-Benauge*.

Les vins rouges, colorés et corsés, proviennent surtout du nord de la zone d'appellation : ils ont droit à l'appellation *Bordeaux ou Bordeaux supérieur.*

Premières Côtes de Bordeaux

Le vignoble s'étire sur la rive droite de la Garonne, sur une soixantaine de kilomètres de long, depuis les portes de Bordeaux jusqu'à Saint-Macaire. Les coteaux abrupts dominant la Garonne offrent un paysage contrastant fortement avec celui du Sauternais et des Graves, sur l'autre rive. Les vins de cette région, du fait de la proximité de Bordeaux, ne manquèrent jamais de débouché.

Il y a encore quelques années, le vignoble était principalement voué à la production de vins blancs moelleux, mais la production des vins rouges est aujourd'hui en nette augmentation.

Les vins moelleux sont de bonne qualité, sans atteindre le niveau des Loupiac ou des Sainte-Croix-du-Mont. L'appellation particulière *Premières Côtes de Bordeaux-Cadillac* offre des moelleux souples et riches en arômes. Néanmoins, les vins blancs secs, assez corsés et parfumés, représentent actuellement les deux tiers de la production : ils sont vendus sous l'appellation *Bordeaux.*

Les vins rouges, développés surtout dans le nord de l'appellation, sont très colorés, tanniques, bouquetés, avec une bonne capacité de vieillissement. Citons, parmi eux, les excellents vins du *Château Brethous*, du *Château Lamothe*, du *Château La Ligassonne*, du *Domaine de Chastelet*, du *Château Castagnon*. Notons que la cave coopérative de Quinsac vinifie un bon clairet, très fruité.

Sainte-Croix-du-Mont et Loupiac

Sainte-Croix-du-Mont et Loupiac sont deux communes en bordure de Garonne, enclavées dans l'appellation Premières Côtes de Bordeaux, à une quarantaine de kilomètres en aval de Bordeaux. Le matin, les brouillards qui montent du fleuve recouvrent leurs coteaux argilo-calcaires pour faire place l'après-midi à un soleil magnifique, ce qui permet le développement de la pourriture noble.

Grâce à des conditions optimales, les vins liquoreux de Loupiac et de Sainte-Croix-du-Mont sont les meilleurs de la rive droite. Ils ont une robe dorée, de l'onctuosité, un bouquet complexe. Les meilleurs d'entre eux, *Château Ricaud* à Loupiac, *Château Haut-Peyruchet*, *Château Loubens* et *Château La Rame* à Sainte-Croix-du-Mont, sont au niveau d'excellents Sauternes.

Côtes de Bordeaux-Saint-Macaire

Dans le prolongement des Premières Côtes de Bordeaux, les *Côtes de Bordeaux-Saint-Macaire*, dont le vignoble occupe des coteaux élevés aux sols graveleux et argileux, sont des vins blancs doux, demi-secs ou secs, ressemblant à leurs voisins mais avec moins de finesse. Les vins rouges sont étiquetés sous l'appellation *Bordeaux* ou *Bordeaux Supérieur.*

Le vignoble blanc de l'Entre-Deux-Mers, immense réservoir à vins aux mains des coopératives, opère une reconversion vers le rouge.

Sainte-Foy-Bordeaux

Ce vignoble aux limites de la Gironde, sur la rive gauche de la Dordogne, offre un paysage de plateaux ondulés, argilo-sablonneux et argilo-calcaires sur un sous-sol de graves, terroir privilégié de la vigne blanche. Les vins blancs sont agréables ; traditionnellement moelleux, ils deviennent progressivement secs, le sauvignon remplaçant le sémillon. Parallèlement, les vins rouges, à épanouissement rapide, progressent.

Graves de Vayres

Cette petite appellation, enclavée dans l'Entre-Deux-Mers le long de la Dordogne, face au Fronsadais, concerne deux communes, Vayres et Arveyres, qui tirent leur nom de leur sol, une roche aux graves peu homogènes car alliées à des quantités variables de sable et de calcaire. Les sols sableux, perméables, accueillent les vignes blanches, tandis que les sols plus argileux sont recouverts de vignes rouges.

La majorité de la production est constituée de vins blancs moelleux, assez suaves, et de vins blancs secs, très fins, dont les deux tiers sont exportés vers l'Allemagne. Les vins rouges, qui représentent 20 p. 100 de la production, sont souples, colorés, délicats et très fruités ; ils vieillissent rapidement. Les meilleurs, issus des sols de graves pures, peuvent tenir la comparaison avec des petits Pomerol ou Saint-Émilion.

L'appellation Bordeaux

Tous les vins issus du territoire bordelais ont droit à l'appellation *Bordeaux* s'ils titrent plus de 9°5 pour les rouges et 10° pour les blancs, et à celle de *Bordeaux supérieur* si leur degré alcoolique est supérieur à 10°5 pour les rouges et 11° pour les blancs.

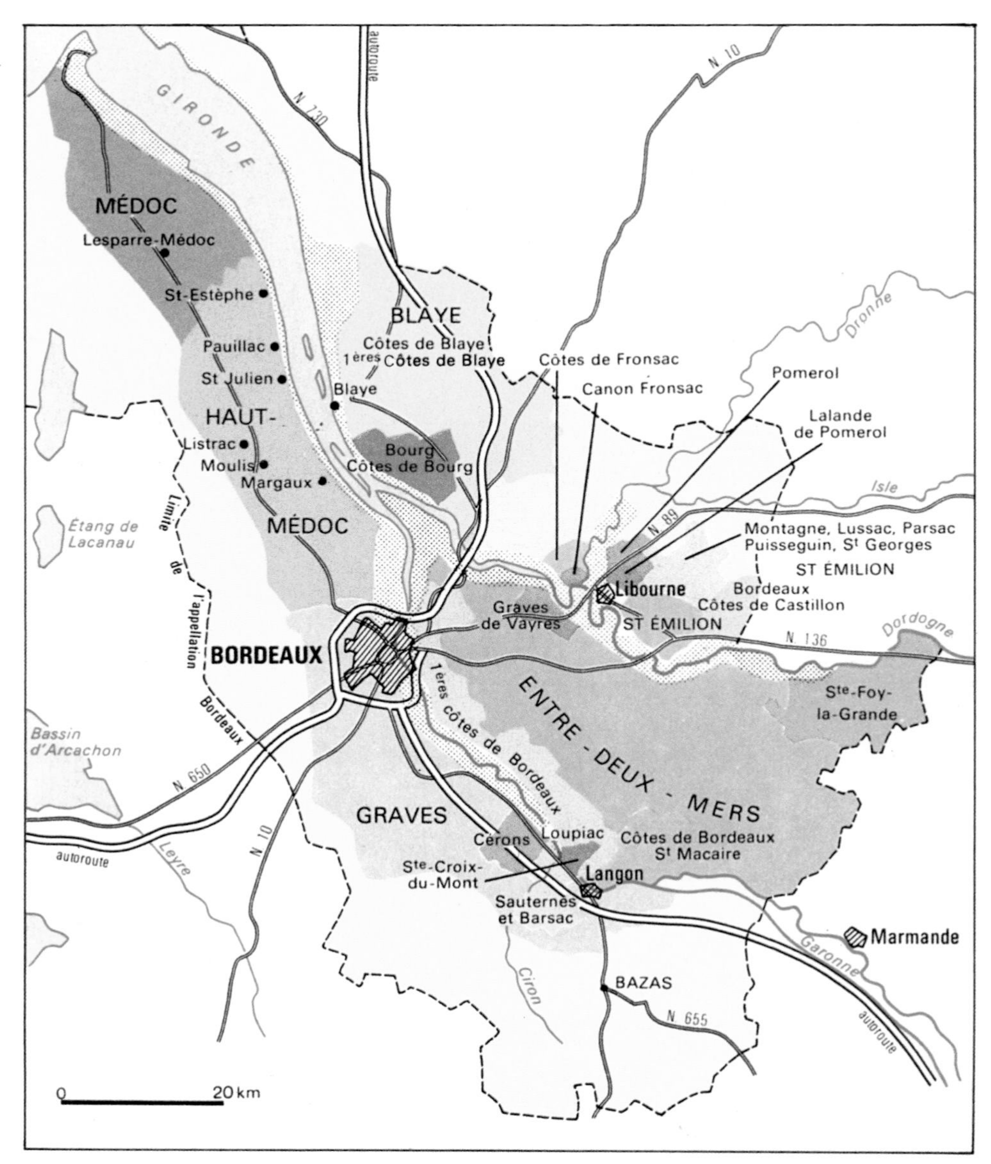

Ces vins proviennent soit de vignobles situés sur les palus, c'est-à-dire les terrains alluvionnaires de la Garonne, de la Dordogne et de la Gironde, soit de vignobles limitrophes ne bénéficiant pas d'appellation particulière, soit encore de vignobles où le vin produit ne correspond pas aux critères exigés par l'appellation. Ainsi, les vins rouges de l'Entre-Deux-Mers, qui ne peuvent recevoir l'appellation locale, réservée aux vins blancs, sont vendus sous l'appellation générique, comme pour les vins blancs du Médoc.

Alors que les vins de palus sont simples et sans grande qualité, les vins rouges provenant de l'Entre-Deux-Mers et les vins blancs du Médoc, des Premières Côtes de Bordeaux ou du Sauternais, au contraire, peuvent être excellents.

L'A.O.C. *Bordeaux clairet* correspond à un vin de primeur, issu d'une très courte macération, de faible coloration mais très fruité. Le *Bordeaux rosé*, très peu répandu, offre peu d'intérêt, car souvent il provient de vendanges de médiocre qualité.

Les millésimes

Voici un bref panorama des millésimes en Bordelais depuis 1970. Il convient néanmoins de rappeler les années exceptionnelles que furent avant cette date 1945, 1947 et 1949 — une trilogie mythique — et, plus près de nous, les très grandes années qu'ont constitué 1953, 1955, 1959, 1961, 1962, 1964 et 1966.

1970 Millésime exceptionnel, où quantité et grandissime qualité ont été au rendez-vous. Rouges corsés, pleins, amples et aptes au très long cours (à attendre encore au niveau des meilleurs vins). Liquoreux superbes, de longue garde.

1971 Très belle année. Vins rouges complets et généreux, dont la majorité sont à maturité. Des liquoreux gras et à point.

1972 Petite année aux résultats maigres. Des vins généralement minces et courts, ayant pourtant dégagé de jolis bouquets.

1973 Année de grande abondance. Vins souples, plutôt fins, mais sans corpulence, qui gagnent — pour la plupart — à avoir été déjà bus.

1974 Année assez ingrate dans l'ensemble, où Médoc et Graves ont le mieux tiré leur épingle du jeu, grâce aux cabernets. Rouges sévères et peu ouverts au dialogue. Liquoreux légers ou inexistants.

1975 Millésime ayant été prématurément vanté comme « du siècle » mais devenu moins convaincant à la longue. Des rouges généralement ultra-tanniques, assez agressifs, mais — sauf exception — dont on cherche en vain la finesse de fond. Des Sauternes en revanche admirables.

1976 Année de sécheresse, ayant engendré des vins assez singuliers, de deux types : ou précocement évolués, avec des caractères de surmaturité, ou encore refermés sur eux-mêmes ; les premiers — la majorité — sont à boire vite. Vins blancs manquant d'acidité.

1977 Année difficile (gelées, pluies, froid). Quelques jolies réussites — notamment dans les Graves — avec des vins fermes, droits et aromatiques.

1978 Grande année, hélas ! peu abondante. Rouges tout en finesse et en élégance, sur un excellent support acide, avec des arômes étonnamment subtils ; des Médoc particulièrement typés. Liquoreux de faible intérêt (pas de botrytis).

1979 Année de qualité et de productivité. Vins rouges colorés, équilibrés, de belle expression, demandant encore à évoluer. Des liquoreux de grand charme, avec de merveilleux Sauternes.

1980 Année difficile, où la maturité a fait défaut et la pourriture grise d'importants dégâts. Malgré quelques jolies réussites, les rouges sont plutôt dilués et manquent de consistance. Les liquoreux, moins touchés, font d'agréables bouteilles.

1981 Belle année, avec des vins bien construits, parfaitement équilibrés, de bonne garde. Arômes fins pour les rouges et élégance pour les blancs, secs ou liquoreux.

1982 Année splendide, marquée par la plus grosse récolte du siècle. Vins rouges d'évolution précoce et d'accès facile : chair et rondeur, fruité exubérant, ampleur aromatique. Semblent devoir durer. Souplesse et bonne constitution pour les vins blancs.

1983 Très grande année. Rouges tanniques, alcooliques et très concentrés : leur charpente et leur matière les vouent sans conteste à la longue distance. Des blancs de garde également en perspective.

1984 Millésime peu favorisé par le temps pluvieux, avec des rendements remarquablement bas (forte coulure du merlot, notamment). Selon la date des vendanges — avant ou après les pluies —, les vins accusent plus ou moins de caractère mais, malgré tout, ne resteront pas impérissables. Blancs, liquoreux et secs, généralement plus réussis que les rouges.

1985 Millésime exceptionnel, avec des raisins récoltés à maturité optimale. Rouges fortement colorés, étoffés, de superbe concentration : assurément des vins complets, à laisser vieillir longtemps. Blancs, secs ou botrytisés, de très haute tenue.

1986 Belle année, résultat d'un cycle végétatif équilibré. Rouges souvent denses et tanniques, sous leur robe profonde. Blancs secs expressifs ; liquoreux particulièrement volumineux.

Les confréries bordelaises

Réunies sous la houlette du Grand Conseil du Bordeaux, elles sont plusieurs confréries à défendre les traditions, les usages et les coutumes de chacun des terroirs girondins, à porter haut et loin les couleurs de leur ambassadeur liquide. Ne négligeant ni folklore ni propagande, certaines ont su assumer, de surcroît, une mission d'encouragement de la qualité.

Honneur à l'antériorité ! Commençons par la plus ancienne, la *Jurade de Saint-Émilion*, fondée en 1948 mais qui puise en fait ses origines dans la très lointaine histoire locale. En 1199, Jean sans Terre, qui régnait alors sur l'Aquitaine, confirmait par charte les libertés et privilèges communaux de Saint-Émilion et en confiait la charge aux « jurats ». La jurade administra ainsi la petite cité durant six siècles, jusqu'en 1790, contrôlant notamment la qualité du vin, son commerce et la loyauté des usages. C'est un peu dans cet esprit qu'elle se reconstitua au lendemain de la guerre, ressuscitant d'antiques coutumes comme la proclamation du ban des vendanges du haut de la « Tour du Roy ». Portant robe rouge et cape blanche, coiffés d'une toque rubis, les jurats tiennent leurs chapitres solennels dans l'église monolithique, creusée à même le roc, de Saint-Émilion.

La *Confrérie des Hospitaliers de Pomerol* tire, elle aussi, sa source de l'époque médiévale. Créée en 1968, elle perpétue le souvenir de l'ordre des Hospitaliers de Saint-Jean-de-Jérusalem, qui édifièrent ici un important hospice sur la route de Compostelle. En souvenir de l'ordre et du célèbre pèlerinage, les Hospitaliers d'aujourd'hui portent, sur leur robe rouge à revers noirs, une grande croix de Malte, ornée d'une coquille Saint-Jacques au croisement des branches.

Toujours en Libournais, les *Gentilshommes de Fronsac*, fondés en 1969, se réfèrent à la mémoire du duc de Richelieu, Louis Armand du Plessis, duc de Fronsac, maréchal de France et gouverneur de Guyenne, qui fut un ardent propagateur du vin de Bordeaux à la cour de Louis XV. Ils portent robe rouge à parements bleus et animent diverses fêtes, dont celle de la Gerbaude, qui célèbre la clôture des vendanges.

Sautons sur la rive gauche de la Garonne et découvrons la *Commanderie du Bontemps de Médoc et des Graves.* Cette confrérie évoque les deux commanderies que fondèrent, au XIIe puis au XIVe siècle, les Templiers, à Benon et à Arcins. Quant au « bontemps », il désigne le récipient de bois qu'utilisaient naguère les vignerons pour faire leur « colle » aux blancs d'œufs, afin de clarifier le vin. Créée en 1949, la Commanderie rassembla d'abord des propriétaires médocains puis, ultérieurement, les rejoignirent des producteurs des Graves. Vêtus d'une robe lie-de-vin, portant bonnet rond et tastevin en bandoulière, ses membres tiennent leurs différents chapitres (fête de la fleur, ban des vendanges...) dans le cadre renouvelé des nombreux et fastueux châteaux qui parsèment les deux régions.

A l'image de cette dernière, deux autres Commanderies se sont constituées à leur tour : la *Commanderie du Bontemps de Sauternes et Barsac* en 1959, dont les dignitaires arborent une éclatante robe dorée, puis la *Commanderie du Bontemps de Sainte-Croix-du-Mont* en 1963, vouée également à la défense des vins liquoreux.

La *Connétablie de Guyenne* fut fondée en 1952, faisant référence à l'ancienne juridiction du Moyen Âge sous les couronnes française et anglaise. Elle se donna pour mission initiale de favoriser la promotion des vins des Premières Côtes de Bordeaux et tient ses chapitres dans le superbe château des ducs d'Épernon, à Cadillac. Néanmoins, son action s'est étendue depuis aux vins de l'Entre-Deux-Mers et autres « côtes » (Côtes de Bourg, Côtes de Blaye). Dans la même région, on rencontre également les *Compagnons de Loupiac* qui, depuis 1971, défendent les traditions de ce petit vignoble des bords de Garonne.

La confrérie des *Compagnons du Bordeaux*, créée en 1966, assure plus particulièrement des actions à l'étranger, pour le compte de l'ensemble des vins girondins. Enfin sont venus récemment s'ajouter les *Vignerons de Montagne-Saint-Émilion*, les *Baillis de Lalande-de-Pomerol* et, en 1987, les *Échevins de Lussac-Saint-Émilion et Puisseguin-Saint-Émilion.*

La Champagne

Le vignoble champenois dans l'Aube. Sapinières et champs de colza, encadrant une côte très calcaire, rappellent que l'on se trouve dans la zone septentrionale de la culture de la vigne. D'où le rôle capital des bulles...

Imposante région vinicole, sous sa façade austère où le pittoresque aime à rester secret, la Champagne se dissimule au creux de ses profondes et gigantesques caves, cathédrales de craie dans lesquelles s'amasse l'un des plus précieux trésors liquides du monde : le Champagne. Ce vin légendaire, symbole inlassable de la fête depuis qu'il pétille, a su conquérir de ses bulles fines les cinq continents, en suscitant d'ailleurs maintes imitations, maladroites et décevantes. Car, avant tout, il reste inimitable... Ce prestigieux emblème de la tradition nationale tire ses incomparables qualités d'un terroir unique et privilégié, mais il est aussi le fruit d'un formidable savoir-faire qui n'appartient qu'aux Champenois eux-mêmes. Découvrons donc la Champagne, cette sorte de Texas français où le jus de la vigne aurait remplacé le pétrole.

Un vignoble très septentrional

Le vignoble champenois est inclus pour l'essentiel dans le département de la Marne. Il possède une généreuse extension dans l'Aube et déborde encore, mais beaucoup plus modestement, dans l'Aisne et la Seine-et-Marne. C'est un vaste vignoble : 25 000 hectares actuellement en production, pour une surface potentielle de près de 35 000 hectares.

On distingue 4 zones majeures. Au sud de la capitale champenoise, la *Montagne de Reims* est une longue bande de vignes, large de 5 à 10 km, qui enrobe un plateau couvert d'un massif forestier ; les orientations varient du nord (région de Rilly-la-Montagne) au sud (région de Bouzy). Commandée par Épernay, la *Vallée de la Marne* déroule son tapis de ceps entre Tours-sur-Marne, à l'est, et Dormans, à l'ouest ; c'est la rive droite qui est principalement plantée, avec des expositions méridionales. Également articulée par Épernay, mais perpendiculaire à la vallée de la Marne, la *Côte des Blancs*, entre Cuis et Vertus, est un majestueux ruban de vignes, étiré sous le rebord d'une falaise elle aussi coiffée de forêts ; l'orientation générale est ici plein est. Enfin, séparé par l'immense plaine de Champagne, le *Vignoble de l'Aube* est un ensemble surtout ramassé entre Bar-sur-Seine et Bar-sur-Aube. A ces quatre secteurs principaux, il faut ajouter quelques vignobles secondaires — comme la « Côte de Sézanne », le prolongement de la vallée de la Marne jusqu'à Château-Thierry ou encore la « Petite Montagne », sur la rive droite de la vallée de la Vesle.

Les vignes montant à l'assaut du moulin de Verzenay, dont la silhouette se découpe sur le flanc nord de la Montagne de Reims.

En Champagne, comme au nord de l'Alsace, nous sommes véritablement à la limite septentrionale de la culture de la vigne. Aussi la plante est-elle durement sollicitée mais, paradoxalement, elle donne souvent le meilleur d'elle-même. Les gels dévastateurs ne sont pas rarissimes dans cette région dont le climat établit une transition entre la rigueur continentale et les influences maritimes du Bassin parisien. Qu'on se souvienne des ravages de l'hiver 1984-85, encore aggravés par de redoutables gelées printanières : près de 2 500 hectares touchés ! Cette rudesse est fort heureusement atténuée par des éléments modérateurs : proximité d'une forêt abondante, qui entretient une humidité permanente et tempère les écarts thermiques, altitude relative du vignoble (entre 130 et 180 m), qui diminue l'effet des gelées de printemps, chaleur estivale modérée, qui favorise la finesse du vin.

Si le contexte climatique joue un rôle dans la qualité des vins, ceux-ci puisent aussi leur originalité dans un sous-sol qui fait la particularité et l'unité de la Champagne. Le vignoble repose en effet sur une très profonde assise crayeuse (craie du sénonien, crétacé supérieur) atteignant en certains endroits 200 m. Une mince couche de limon fertile la recouvre, sur une épaisseur variant de 20 à 50 cm. Ce sous-sol remarquable est doté de nombreuses vertus : outre que la craie concourt à la légèreté du vin et à sa subtilité aromatique, elle permet, par son excellente perméabilité, d'absorber parfaitement les eaux de ruissellement en conservant une humidité suffisante, d'emmagasiner la chaleur solaire en la restituant progressivement à la plante, de refléter exceptionnellement la luminosité et d'aider ainsi au mûrissement du raisin. La couche superficielle du sol, quant à elle, est abondamment enrichie d'engrais divers, dont les Champenois font grand cas, et notamment de ces « gadoues » qui sont des composts fabriqués à partir d'ordures ménagères.

Le sous-sol calcaire de Champagne a permis enfin de créer un extraordinaire réseau de caves et de galeries souterraines, installées dans d'anciennes crayères gallo-romaines ou creusées

Vue en coupe du sous-sol de Champagne : la masse de craie blanche, à la vocation vinicole remarquable, est recouverte d'une très faible épaisseur de limon.

directement à même la craie, sans besoin d'aucun étayage. Ces merveilleuses caves champenoises, où température et hygrométrie sont idéales et constantes, n'ont pas peu contribué à la destinée hors du commun du Champagne.

Des vins naguère tranquilles

Le Champagne que nous connaissons aujourd'hui, celui qui mousse, date d'à peine plus de deux siècles. Mais il eut pour ancêtres des vins tranquilles dont la carrière fut d'une singulière longévité, puisqu'elle remonte à la plus lointaine Antiquité. Lorsque César et ses légions atteignent la Champagne, les coteaux de la Marne sont depuis longtemps couverts de vignes. Il revient néanmoins à l'occupant romain de systématiser, là comme ailleurs, une culture probablement balbutiante et incertaine. Dès le IIIe siècle, sous le règne de l'empereur Probus, qui encourage les plantations, le vignoble champenois connaît un réel essor, qui se prolonge et s'amplifie sous l'influence des évêques de Reims, à partir du Ve siècle. Le plus célèbre d'entre eux, saint Rémi, dont on rapporte qu'il changea l'eau d'un tonneau en vin, mentionne amplement la vigne dans son testament.

En haut : le vignoble de la vallée de la Marne à Cumières, qui est l'un des bons premiers crus de ce secteur.
Ci-contre : localité champenoise au nom sans équivoque.

Blanc mais surtout rouge, le vin de Champagne est l'un des plus prisés du royaume durant tout le Moyen Age. Les foires de Champagne, toutes proches du vignoble, facilitent son écoulement, tandis que Reims, devenue ville des sacres, aide puissamment à sa promotion. Le « vin d'Ay » concurrence directement le « vin de Beaune », pourtant si réputé, et lui dispute la prééminence. Sa notoriété explose véritablement au XVIe siècle : tous les grands d'Europe — l'empereur Charles-Quint, les rois de France François Ier et Henri IV, le pape Léon X, le roi d'Angleterre Henri VIII... — se vantent de posséder en Champagne leurs vignes et leurs vendangeoirs personnels. Cette mode royale ne faiblit pas au siècle suivant, bien au contraire : le Champagne, probablement introduit par saint Évremond lors de son exil à Londres, fait fureur à la Cour anglaise et auprès de toute l'aristocratie britannique.

Ancienne machine à boucher les bouteilles de Champagne (collection particulière, Le Mesnil-sur-Oger).

Les ruelles du village de Hautvillers, autour de l'ancienne abbaye de Dom Pérignon, sont ornées de ces profanes et pittoresques enseignes de fer forgé.

Les Champenois redoublent alors d'efforts pour exporter et augmenter la qualité de leur vin. Vers la fin du XVIIe siècle, ils obtiennent, grâce à un pressurage soigné, un vin « gris », c'est-à-dire presque blanc, lequel d'ailleurs manifeste une nette disposition à l'effervescence, surtout à l'époque des premières chaleurs printanières.

Le génial cellérier de Hautvillers

Le caractère instable des vins de Champagne n'a pas échappé aux marchands anglais qui pratiquent, dès les années 1700, la mise en bouteilles avant la refermentation spontanée, non plus qu'aux moines de l'abbaye bénédictine de Hautvillers, et particulièrement à Dom Pérignon. Ce dernier, entré comme cellérier au monastère en 1668, en deviendra plus tard le procureur. Si Dom Pérignon n'est pas à proprement parler l'« inventeur » du Champagne, il en est néanmoins le génial initiateur, précurseur inspiré de ce que l'on appellera plus tard la « méthode champenoise ». Ayant en charge les vignes monastiques, il s'emploie à améliorer les méthodes culturales, à obtenir des vins clairs et à réguler leur prise de mousse naturelle. Mais surtout, excellent dégustateur, il est le premier à constituer des assemblages de raisins de diverses provenances, inventant par là même la notion de « cuvée ».

A la mort du moine caviste, en 1715, le Champagne est devenu définitivement blanc. Avec les progrès de la verrerie au XVIIIe siècle, la pression du vin est de mieux en mieux contrôlée — quoique la casse des bouteilles reste longtemps encore l'un des fléaux de la Champagne. En même temps naissent les premières maisons de négoce : Ruinart à Reims en 1729, Moët à Épernay en 1743, Heidsieck à Reims en 1785... L'engouement pour le Champagne n'en a pris que plus d'expansion.

Le XIXe siècle, ère de techniques, voit l'affinement et la mise au point définitive de la méthode champenoise, cependant qu'achève de se tramer le tissu d'un puissant négoce local. Notre siècle, au-delà de ses apports technologiques, n'a fait que confirmer l'éclatante mythologie de ce vin unique en son genre.

La trilogie des cépages

Le Champagne ne provient que de trois cépages, mais tous plants nobles et dont la lointaine antériorité garantit l'adaptation idéale au terroir. Ce sont un cépage blanc, le *chardonnay*, et deux cépages noirs, le *pinot noir* et le *pinot meunier*, mais qui donnent des jus blancs par absence de foulage et de macération.

Le *pinot noir* est le cépage-roi de la Montagne de Reims ; il domine également dans les vignobles de l'Aube. Ce plant bourguignon donne ici des vins corpulents et musclés, leur apportant puissance et aptitude au vieillissement. Le *pinot meunier* est le cépage le plus répandu en Champagne, occupant près de la moitié des surfaces plantées ; il est néanmoins surtout présent dans la Vallée de la Marne. Plant plutôt facile, il donne des vins souples et expressifs, d'évolution rapide. Les deux cépages noirs représentent à eux seuls 75 p. 100 de l'encépagement champenois.

Le *chardonnay* constitue le quart restant. Également originaire de Bourgogne, il est le plant dominant de la Côte des Blancs, où il procure aux vins délicatesse, légèreté, vivacité et souvent une exquise finesse ; ses qualités aromatiques sont remarquables. Les Champagne issus exclusivement du chardonnay, donc de seuls raisins blancs, sont dits « blancs de blancs ».

Comme le reste du vignoble français, les vignes champenoises ont été ravagées par le phylloxéra (qui sévit ici à partir de 1890) et ultérieurement replantées sur porte-greffes américains. Il subsiste néanmoins en Champagne de rarissimes vestiges : quelques vignes préphylloxériques, dites « vieilles vignes françaises » (à Ay et à Bouzy), cultivées « en foule » comme autrefois et bichonnées par une célèbre maison de négoce.

La méthode champenoise

Le Champagne est à nul autre pareil. C'est un vin de haute technologie, dont l'élaboration requiert une longue succession d'opérations délicates, rassemblées sous le vocable de « méthode champenoise », une méthode désormais adoptée par maintes autres régions. D'un bout à l'autre de la chaîne, minutie et rigueur sont indispensables à l'obtention d'un produit d'impeccable facture.

Le particularisme champenois commence — en principe — à la cueillette du raisin, avec l'*épluchage*, tri serré de la vendange pour éliminer les grains pourris ; cette pratique est cependant de moins en moins usitée. Au vendangeoir, chaque pressoir reçoit 4 tonnes de raisins, d'où l'on va tirer 2 665 litres de moût : la première pressée donne 2 050 litres de jus (la « cuvée »), et les suivantes fournissent respectivement 410 litres (« première taille ») et 205 litres (« deuxième taille »). Seuls les vins obtenus à partir de ces moûts peuvent devenir du Champagne, le reste étant exclu de l'appellation. La vinification est ensuite conduite de manière classique : sulfitage, débourbage, fermentation en cuve ou — rarement — sous bois (la pièce

Une séance d'assemblage. C'est le moment crucial où le vinificateur sélectionne par la dégustation les vins qu'il retiendra pour élaborer sa « cuvée ».

Bouteilles sur pointe chez Moët et Chandon, à Épernay. Ces masses impressionnantes sont l'une des visions les plus spectaculaires qu'offrent les caves champenoises.

champenoise contient 205 litres), soutirage, collage, filtrage.

Au printemps suivant commence la délicate opération de l'*assemblage*, réalisé à partir de dégustations, afin d'obtenir une *cuvée* conforme au goût du vinificateur. Moment capital, car il détermine le profil du futur Champagne, l'assemblage consiste à marier — selon des proportions qui reflètent le goût et la compétence du manipulant, et restent souvent son secret — des vins issus de différents cépages, de différents crus communaux, de différentes années (pour les non millésimés). C'est grâce à l'assemblage que le Champagne de marque acquiert son type défini et suivi, qui le distingue de ses homologues et le fait rechercher par certains consommateurs : ainsi plusieurs dizaines de vins composent-ils fréquemment un grand Champagne, lui donnant ce style harmonieux que nous apprécions tant.

Bouteilles sur pupitre. Chaque jour, elles sont remuées par un ouvrier spécialiste en vue du dégorgement.

Une fois la cuvée constituée, on ajoute au vin une petite quantité de sucre (environ 25 g/l) et de levain, puis on le met en bouteilles : c'est le *tirage*. Les levures agissant sur le sucre vont provoquer une seconde fermentation, qui s'effectue lentement (souvent durant plusieurs mois) et entraîne la prise de mousse. Les bouteilles reposent ensuite — couchées « sur latte » — pendant plusieurs années (un an au minimum), et le vin vieillit ainsi sur ses lies.

Le vieillissement étant achevé, on procède au *remuage*, opération qui consiste à entraîner vers le goulot de la bouteille le dépôt de levures adhérant à ses flancs. Pour ce faire, les bouteilles sont disposées sur des pupitres en bois, leur goulot étant enfoncé dans une encoche qui permet de les incliner progressivement. Chaque jour, pendant plusieurs mois, un ouvrier spécialisé (le « remueur ») imprime une petite secousse à la bouteille, ainsi qu'une légère rotation qui la redresse peu à peu jusqu'à une position quasi verticale ; un remueur exercé peut manipuler jusqu'à 30 000 bouteilles par jour. Le remuage mécanique est cependant de plus en plus adopté par les producteurs. Les bouteilles sont ensuite mises en masse — « sur pointe » —, dans l'attente du dégorgement.

Le *dégorgement* a pour but d'éliminer le dépôt rassemblé dans le goulot : on plonge le col de la bouteille dans une solution réfrigérante, puis on fait sauter le bouchon et on expulse le dépôt congelé. Vient ensuite le *dosage* : on compense le léger vide créé dans la bouteille par l'adjonction d'une « liqueur d'expédition » (mélange de vin vieux et de sucre de canne). La proportion de sucre dans cette liqueur détermine le type souhaité de Champagne : celui-ci va du « doux » au « brut » en passant par le « demi-sec » ou le « dry ». Ces dernières années, une nette tendance se manifeste à ne plus doser le Champagne, c'est-à-dire à combler la perte due au dégorgement avec seulement du vin de la même cuvée : le Champagne porte alors sur l'étiquette les mentions « ultra-brut », « brut de brut », « brut 100 p. 100 » ou « brut zéro ».

Après le dosage viennent enfin le *bouchage* (la pression naturelle du vin est contenue par la fixation d'un muselet de fer sur le bouchon), le *poignettage* (mélange du vin et de la liqueur) et l'*habillage* de la bouteille. Le Champagne est dès lors prêt à la consommation et ne gagne plus à vieillir. Il peut toutefois être conservé quelques années dans une bonne cave.

Le remuage mécanique (ici à Cramant) a remplacé la technique manuelle chez nombre de récoltants-manipulants.

Le Champagne rosé, moins répandu mais dont la vogue va grandissant, peut être obtenu de deux façons : soit par addition pure et simple d'une petite quantité de vin rouge aux vins blancs lors de l'assemblage (une méthode vraiment exceptionnelle, que la législation n'autorise qu'en Champagne), soit par la méthode de la « saignée », c'est-à-dire par soutirage après une courte macération.

Quant aux Champagne millésimés, ils sont élaborés dans les années de qualité, et encore à la faveur de récoltes abondantes. Pour avoir droit au millésime, le Champagne ne doit être assemblé qu'avec des vins de la même année et doit vieillir au moins 3 ans. Le volume des vins millésimés ne peut excéder, légalement, 80 p. 100 du total de la récolte.

Les crus de Champagne

Réalité souvent méconnue, le Champagne dispose d'une échelle de crus qui hiérarchise la production viticole selon l'origine communale. Rappelons que l'aire d'appellation regroupe environ 250 villages, aux expositions et sols bien évidemment divers. Compte tenu de la structure professionnelle de la région (voir plus loin), la classification des crus champenois est cependant tout à fait originale : elle s'applique à la matière première, c'est-à-dire au raisin fourni par les vignerons au négoce.

L'échelle officielle classe les vendanges de chaque village selon un pourcentage dégressif, de 100 à 80 p. 100, par rapport à un prix de référence, revu chaque année, qui est le prix de vente du kilo de raisin fixé par l'interprofession. Les raisins des communes cotées 100 p. 100, donc réputées les meilleures, sont ainsi vendus au prix maximal, ceux des communes cotées 99 p. 100 le sont à 99 p. 100 de ce prix, et ainsi de suite. Raisins noirs et raisins blancs provenant d'un même village ne sont pas forcément classés au même pourcentage.

Les communes cotées 100 p. 100 ont droit à la mention « grand cru ». Elles sont au nombre de 17 : Ambonnay, Avize, Ay, Beaumont-sur-Vesle, Bouzy, Chouilly (blancs), Cramant, Louvois, Mailly-Champagne, Le Mesnil-sur-Oger, Oger, Oiry, Puisieulx, Sillery, Tours-sur-Marne (noirs), Verzenay et Verzy. Celles dont la production est classée de 99 à 90 p. 100 peuvent revendiquer la mention « premier cru ». Parmi celles-ci (une quarantaine), certaines offrent une qualité généralement excellente, comme Chigny-les-Roses, Cumières, Hautvillers, Mareuil-sur-Ay, Rilly-la-Montagne ou Vertus. La plupart des vignobles périphériques et tous les villages de l'Aube sont cotés au pourcentage-plancher (80 p. 100).

Le poids du négoce

Le mode d'élaboration très particulier du Champagne explique la place prépondérante occupée par le négoce régional. Des moyens importants sont en effet indispensables à un approvisionnement diversifié en raisins, dont on a vu qu'il était le secret d'un Champagne équilibré, à la constitution de stocks suffisants, qui permettent de répondre aux aléas de la production et du marché, enfin aux investissements que réclame la technique particulièrement lourde de la champagnisation. Seules des mai-

Contenance des bouteilles

Le Champagne est le vin de France qui s'offre sous la plus grande variété de bouteilles possible. La bouteille classique et le magnum sont les deux contenants les plus usités, et d'ailleurs ceux où le Champagne est au mieux de sa qualité. Les très grands flacons ne sont que des présentations d'apparat, utilisées pour des occasions exceptionnelles. A noter qu'ils ne sont pas « manipulés » directement, mais obtenus par transvasement de bouteilles après vinification.

Voici la famille des bouteilles champenoises :

- Quart .... 20 cl
- Demi-bouteille .... 37,5 cl
- Bouteille .... 75 cl
- Magnum .... 2 bouteilles
- Jéroboam .... 4 bouteilles
- Réhoboam .... 6 bouteilles
- Mathusalem .... 8 bouteilles
- Salmanazar .... 12 bouteilles
- Balthazar .... 16 bouteilles
- Nabuchodonosor .... 20 bouteilles

La maison Ayala, à Ay. C'est une maison tout à fait représentative du négoce né au siècle dernier, avec la grande vogue du Champagne.

sons de taille convenable peuvent faire face à l'ensemble de ces impératifs.

Hormis leur doyenne, la maison Gosset, née à Ay en 1584, les grandes maisons familiales de Champagne sont apparues dans le courant du XVIIIe siècle mais se sont créées pour la plupart au XIXe siècle, époque à laquelle elles ont acquis une notoriété internationale qui ne s'est plus démentie depuis lors. Bien qu'ayant parfois changé de mains, mais toutes riches d'une expérience largement séculaire, elles conservent jalousement leur tradition personnelle, souvent concrétisée par un style de Champagne qui n'appartient qu'à elles seules. Certaines possèdent leurs propres vignobles, mais en majorité elles se font livrer le raisin par les 15 000 vignerons que compte la Champagne, et dont plus de la moitié cultivent moins de 1 hectare. Négociants et récoltants — qui, malgré des intérêts souvent contradictoires, sont néanmoins solidaires d'un même produit — sont regroupés au sein du C.I.V.C. (Comité interprofessionnel du vin de Champagne). Créé en 1941, cet organisme fixe notamment le prix annuel du kilo de vendange, ce prix de référence capital que reflète en même temps la conjoncture des ventes de Champagne. D'une manière plus générale, il harmonise les relations entre négoce et propriété et encadre techniquement la production.

Une troisième catégorie de producteurs s'est considérablement développée : celle des récoltants-manipulants, c'est-à-dire des propriétaires qui vendangent et champagnisent eux-mêmes leur propre récolte. Ils sont aujourd'hui environ 4 000, exploitants particuliers ou regroupés en coopératives, et font une concurrence non négligeable au négoce sur le marché français. La superficie de leurs propriétés étant souvent réduite, ils ont un approvisionnement forcément limité et élaborent des Champagne « monocrus ». Si vous achetez chez un récoltant-manipulant, orientez donc plutôt votre choix vers des villages bien cotés dans l'échelle des crus...

Grâce à l'action traditionnelle du négoce, le Champagne est un produit fortement exporté. Les grandes maisons se taillent en effet la part du lion sur le marché extérieur (le total des expéditions avoisinant les 200 millions de bouteilles par an). Un débouché colossal soutenu par une solide demande et qui ne peut être

Mariage végétal : pampres de vigne et feuille métallique (Hautvillers).

inquiété que par une forte baisse des stocks-tampons, ces réserves de vins nécessaires pour pallier la faiblesse de certaines récoltes (la dernière « série noire » remonte à 1978-1980-1981) et supporter le délai d'élaboration du Champagne (en moyenne 2 à 3 ans).

Servir le Champagne

Pour que ce Champagne aux bulles fines et légères vous procure le plus vif plaisir, il est important d'observer quelques règles de service, simples mais indispensables.

Tout d'abord, ne gardez pas trop longtemps (quelques années tout au plus) votre Champagne en cave. Cela est inutile, puisque le Champagne est prêt à boire dès sa mise en vente, le vieillissement étant effectué avant livraison. Cela vous évite également de vous retrouver face à un vin oxydé, dans une bouteille dont le bouchon a pris la forme caractéristique de la « cheville ». Cette précaution concerne surtout les cuvées courantes, les grandes cuvées millésimées tolérant, elles, une conservation plus longue. Les bouteilles de Champagne doivent rester couchées, comme les autres vins.

Le Champagne doit être servi à fraîche température, entre 6 et 8 °C, mais non glacé. La

meilleure manière de le refroidir est d'utiliser un seau à glace, ce qui l'amène doucement à la température convenable et permet ensuite de le maintenir frais. On peut aussi le placer dans le compartiment bas du réfrigérateur, mais juste le temps nécessaire à son refroidissement. Quant à l'utilisation du freezer ou du congélateur, pour accélérer l'opération, elle est totalement à proscrire, car elle « casse » irrémédiablement le vin.

Source fréquente d'inquiétude, le débouchage de la bouteille est relativement aisé si l'on y met quelque soin. Après avoir libéré le muselet du bouchon, inclinez légèrement la bouteille et, plutôt que d'extraire à la force du poignet un bouchon parfois récalcitrant, aidez-vous de celui-ci comme pivot en le maintenant fermement et tournez la bouteille. Ralentissez l'opération en fin de course et laissez se libérer doucement le gaz, afin d'éviter l'explosion redoutée. Les verres seront remplis en deux

Le terroir de Verzenay, l'une des communes de la Montagne de Reims classées à 100 % dans l'échelle des crus.

temps : un fond juste après le débouchage, puis ensuite aux deux tiers du verre. Vous oublierez la coupe, dont la forme large se prête mal à la perception aromatique et laisse s'évaporer trop vite la mousse du Champagne. Vous lui préférerez la « flûte » ou un verre tulipe de ligne particulièrement élancée.

Si son centre de gravité s'est judicieusement déplacé du dessert à l'apéritif, n'oubliez pas que le Champagne peut s'harmoniser à certains plats, voire accompagner heureusement tout un repas. Dans ce dernier cas, vous avez le loisir de jouer sur toute la gamme des Champagnes, en mariant subtilement des vins légers ou vineux, dosés ou non dosés, jeunes ou plus vieux, blancs ou rosés...

Lire l'étiquette champenoise

L'étiquette du Champagne est d'un extrême dépouillement, quitte à paraître parfois sibylline. D'abord, le mot *Champagne* fait à lui seul office d'appellation — cas unique en matière d'A.O.C. Sont également inscrites les autres mentions obligatoires : marque et adresse (du manipulant, de l'embouteilleur ou du diffuseur), souvent réduites à leur plus simple expression, volume net et mention « produce of France » (obligation pour l'exportation). Suivent éventuellement des indications de dosage, de cru et de millésime. Vous saurez enfin à quelle catégorie appartient le producteur de votre Champagne en repérant, dans un recoin de l'étiquette, deux minuscules initiales accompagnées d'un numéro. Il s'agit là encore d'une mention obligatoire, dont voici la traduction :

- **N.M. :** *négociant-manipulant* (marque principale appartenant à un négociant qui achète ses vendanges — partiellement ou en totalité — à des récoltants) ;
- **R.M. :** *récoltant-manipulant* (marque appartenant à un propriétaire qui vendange, champagnise et commercialise lui-même ses propres vins) ;
- **C.M. :** *coopérative de manipulation* (marque appartenant à une coopérative de récoltants, qui élabore elle-même son Champagne) ;
- **M.A. :** *marque d'acheteur* (marque secondaire appartenant à un négociant-manipulant ou à un négociant qui commercialise un Champagne produit par un tiers).

Les chiffres qui suivent ces deux lettres indiquent le numéro d'immatriculation au C.I.V.C.

Il existe plusieurs routes du Champagne, toutes fléchées par cet unique panonceau.

Vins tranquilles de Champagne

A côté de ses vins effervescents, la Champagne produit quelques vins tranquilles : vins rouges et blancs de l'A.O.C. *Coteaux Champenois*, vins rosés de l'A.O.C. *Rosé des Riceys*.

Les Coteaux Champenois

Récoltés sur l'ensemble de l'aire champenoise, ces vins (qu'on dénommait jusqu'en 1974 « Vins nature de Champagne ») proviennent assez fréquemment des excédents de récolte. C'est surtout le cas des vins blancs, qui sont essentiellement des « blancs de blancs », c'est-à-dire issus du seul chardonnay. Une vinification classique donne des vins généralement vifs et nerveux, assez mordants, dont l'extrême fraîcheur constitue la qualité primordiale et les voue à une honnête compagnie avec les coquillages et les charcuteries rustiques ; il faut bien sûr les boire jeunes.

Page ci-contre : le vignoble des Riceys, dans l'Aube, qui produit des vins effervescents et un original rosé tranquille.

Une tradition bien ancrée, quoique limitée en volume, s'attache en revanche aux vins rouges. Ceux-ci naissent du pinot noir, lequel engendre des vins de robe claire, souples et bouquetés, « pinotant » bien et rappelant souvent, dans un registre plus retenu, leurs voisins de Bourgogne. Quelques millésimes d'exception donnent néanmoins des vins beaucoup plus concentrés, tanniques et de belle garde, avec de superbes arômes framboisés. Plusieurs villages se sont fait une spécialité de ces rouges inattendus. Bouzy est le plus célèbre d'entre eux, avec des vins racés et étoffés, faits pour durer. Bien qu'elle soit moins connue, il ne faut cependant pas oublier l'excellente production de quelques autres communes : Ambonnay et Vertus, aux rouges séveux et aromatiques, mais aussi Mareuil-sur-Ay, Cumières, Tours-sur-Marne et Sillery.

Le Rosé des Riceys

Issu d'une production assez confidentielle, ce beau rosé est récolté sur la commune des Riceys (Aube), au sud de Bar-sur-Seine, où l'on élabore également des vins champagnisés. Encadrant la petite vallée de la Laignes, le vignoble est exclusivement constitué de pinot noir, qu'on vinifie en macération. Après saignée, on obtient un vin d'un rose profond qu'on élève soit en cuves, soit en pièces. Le Rosé des Riceys possède un goût fortement typé, où le pinot exhalte violemment sa race. Les vins élevés sous le bois sont en outre voués à une garde de plusieurs années, caractère à souligner pour des rosés.

Quelques bonnes adresses

CHAMPAGNE

Négociants

- Bollinger - 16, rue Jules-Lobet, 51160 Ay
- Deutz - 16, rue Jeanson, 51160 Ay
- Krug - 5, rue Coquebert, 51100 Reims
- Moët et Chandon - 20, avenue de Champagne, 51200 Épernay
- Perrier-Jouët - 28, avenue de Champagne, 51200 Épernay
- Pommery et Greno - 5, place du Général-Gouraud, 51100 Reims
- Pol Roger - 1, rue Henri-Lelarge, 51200 Épernay
- Louis Roederer - 21, bd Lundy, 51100 Reims

Coopératives

- Association coopérative de viticulteurs de premiers crus de la Marne - 1-5, rue de la Brèche, 51160 Ay
- Société de producteurs Mailly-Champagne - 51500 Mailly-Champagne

Récoltants-manipulants

- Wanner-Bouge - 177, rue du 8-Mai-1945, Cramant, 51200 Épernay
- Philippe Gonet et Fils - 6, route de Vertus, 51190 Le Mesnil-sur-Oger

COTEAUX CHAMPENOIS

- Laurent-Perrier (blanc de blancs) - avenue de Champagne, 51150 Tours-sur-Marne
- Barancourt (Bouzy rouge) - place André-Tritant, Bouzy, 51150 Tours-sur-Marne

ROSÉ DES RICEYS

- Morel Père et Fils - 1, Grande-Rue-de-l'École, 10340 Les Riceys

Les cuvées spéciales

Elles se sont singulièrement multipliées depuis dix ans, et, désormais, chaque saison voit éclore la dernière-née... Pour les grandes maisons, ces cuvées de prestige, élaborées à partir des meilleurs crus, sont la quintessence de la marque, le Champagne-fleuron où s'expriment au plus haut niveau leur goût et leur savoir-faire. Enfermées dans de beaux flacons, à la forme souvent exclusive, et habillées avec raffinement, elles rivalisent entre elles d'élégance... et de prix.

Chaque maison ayant sa patte, il est possible de classer cet éventail de dispendieuses bouteilles selon le caractère dominant de la cuvée sélectionnée. Retenons trois styles principaux.

- Les grandes cuvées classiques, engendrées dans la pure tradition champenoise. Grâce à de savants assemblages, elles réalisent un heureux mariage des raisins noirs et des raisins blancs d'origines des plus diverses. Dans cette catégorie — la plus fournie —, on peut ranger :

Dom Pérignon (Moët et Chandon), la doyenne des cuvées de prestige, née en 1936, équilibre parfait du pinot noir et du chardonnay, dans sa belle réplique de bouteille à l'ancienne ;

Grande Cuvée et ***Vintage*** millésimé (Krug), deux synthèses idéales d'un assemblage des trois cépages champenois, vinifiés en petits fûts de chêne ;

Grand Siècle (Laurent-Perrier), harmonieux assemblage de raisins noirs et blancs, dans une superbe bouteille ventrue à long col ;

Grand Millésime (Gosset), égalité de pinot et de chardonnay, dans une bouteille à la façon du XVIIIe siècle ;

Diamant Bleu (Heidsieck Monopole), partage égal du noir et du blanc, dans un original flacon rainuré ;

Cuvée René Lalou (Mumm), pratiquant la parité exacte entre pinot noir et chardonnay, dans une magnifique bouteille côtelée aux flancs bombés ;

La Grande Dame (Veuve Clicquot), fine cuvée élaborée en hommage à Madame Ponsardin, fondatrice de la maison, et logée dans un flacon au profil inédit ;

Cristal (Louis Roederer), assemblage de haute volée issu des propres vignes de la maison, enfermé dans une bouteille translucide : référence aux flacons de cristal dans lesquels Roederer livrait son champagne au tsar Alexandre II ;

Cuvée Louise Pommery (Pommery et Greno), mariage en blanc et noir, également dédié à une célèbre veuve de Champagne.

• Les cuvées où domine le pinot noir et où l'on recherche la puissance et la vinosité. Faiblement dosés en général, ces Champagne corsés et musclés sont souvent des vins de repas. On peut classer parmi eux :

Cuvée William Deutz (Deutz), où le pinot, majoritaire à 70 p. 100, imprime sa virilité, dans une élégante bouteille au col effilé ;

Bollinger R. D. (Bollinger), les deux initiales signifiant « récemment dégorgé », un vin mâle et distingué constitué presque aux trois quarts de pinot noir ;

Commodore (De Castellane), une cuvée présentée dans un original flacon aux flancs renflés, un Champagne fait pour la table (75 p. 100 de pinot).

• Les cuvées où règne sans partage le chardonnay *(blanc de blancs)*, ou encore celles où il s'impose très majoritairement. Ici, l'on recherche la finesse de style, la légèreté, l'élégance d'ensemble. Citons, parmi les blancs de blancs :

Dom Ruinart (Ruinart), une cuvée millésimée de grande expression, dans une bouteille à la forme très pure ;

S (Salon), une cuvée également millésimée, faite de chardonnay de la seule Côte de Blancs, au caractère affirmé ;

Comtes de Champagne (Taittinger), cuvée d'équilibre et de classe logée dans une bouteille à l'ancienne ;

Parmi les Champagne à majorité de chardonnay, mentionnons :

Belle Époque (Perrier-Jouët), dans son admirable bouteille à décor floral, dû à Gallé, et dont le contenu est remarquable de finesse ;

Florens Louis (Piper-Heidsieck), cuvée dédiée au lointain fondateur de la maison et puisant son style dans une proportion de 60 à 70 p. 100 de raisins blancs ;

Prince de Bourbon-Parme (Abel Lepitre), un Champagne de bonne tenue (60 p. 100 de chardonnay).

Les Côtes du Rhône

Piquée de cyprès, l'allée du domaine ondule entre des rangs de vigne rougis par l'automne. Une vue bucolique que livre, parmi bien d'autres, l'antique vignoble sud-rhodanien.

La découverte du deuxième vignoble de France est forcément un voyage au long cours. Le Rhône, fleuve rassembleur, affirme d'abord l'unité et la continuité du vignoble septentrional, puis assure le lien de Vienne à Avignon. Trait d'union entre le Nord et le Sud grâce au commerce du vin et à la circulation des hommes, le Rhône est cependant, d'une rive à l'autre, ligne de partage des mentalités : Provence contre Languedoc. Pourtant, ce qui unit est plus fort que ce qui sépare : c'est de la volonté des hommes qu'est née une seule et unique appellation pour regrouper tant de vignobles. Aucune autre ne recouvre une telle variété de sols, de climats, de cépages... et, pour le dégustateur, ne représente de telles émotions, basées aussi bien sur la finesse et la retenue des vins que sur leur chaleur et leur générosité.

Vignoble en croissance, étonnamment moderne dans certaines de ses structures de production, tout à fait traditionnel en d'autres domaines, il illustre une idée très actuelle : l'unité dans la diversité. Du Châteauneuf au Tavel, de l'Hermitage à la Côte-Rôtie, en passant par la ribambelle des villages, les Côtes du Rhône sont un vrai feu d'artifice...

Un peu d'Histoire

Dionysos et Bacchus dans les Côtes du Rhône

Depuis quand la vigne est-elle présente dans la vallée du Rhône ? Les archéologues nous assurent que les Romains non seulement la cultivaient, mais faisaient aussi commerce du vin. Avant eux, les Grecs qui fondèrent Marseille au VIe siècle av. J.-C. avaient déjà remonté la vallée. Y cultivèrent-ils la vigne ? On peut l'imaginer puisqu'ils en possédaient la technique. Certains auteurs voient dans le nom d'Ampuis — le bourg le plus septentrional des Côtes du Rhône — une déformation du mot grec *ampelos*, qui signifie vigne : ainsi, le vignoble de Côte-Rôtie aurait été fondé par les Grecs... Mais seuls la conquête, l'établissement de la « paix romaine » et l'installation de vétérans (les anciens légionnaires) comme propriétaires fonciers et cultivateurs ont laissé des traces certaines de la viticulture au nord comme au sud de la région. Le culte de Bacchus nous a légué quelques belles statues, le commerce du vin sur le Rhône, des amphores et des monnaies. Enfin, la découverte et la fouille récente d'une immense ferme gallo-romaine, en partie consacrée à la viticulture, à Donzère, montre bien son importance à l'époque : fouloirs à pied, *dolia* enterrées (immenses jarres de stockage), la capacité de l'ensemble était celle d'une exploitation viticole actuelle.

Puis est venu le temps des invasions barbares, et l'on n'a plus rien su, ni du pays ni du vin, pendant des siècles.

Étiquette ancienne (collection personnelle). Avant la législation des A.O.C. (1935), ces aimables vignettes avaient un rôle d'information réduit.

Vin de messe et vin papal

L'histoire du vin et celle de l'Église seront liées durant plusieurs siècles : des premiers moines qui ont retroussé leur habit de bure pour prendre la binette sur la colline de Tain aux papes d'Avignon qui surent si bien profiter de leur clos de vignes à Châteauneuf.

Quelles que soient les légendes qui relatent la renaissance du vignoble, il est certain que l'Église était alors un très gros propriétaire foncier. Sa production dépassa vite les besoins liturgiques et déboucha de nouveau sur le commerce des vins dans la vallée du Rhône. Le vignoble septentrional connut alors un bel essor et déjà la célébrité. Le vignoble méridional, important dans le Gard, resta modeste en Vaucluse. Il n'occupait alors que les coteaux bien exposés et les terrasses, à l'exclusion des terres basses réservées à la culture du blé. Vignoble morcelé, il était alors bien moins étendu qu'aujourd'hui. Certains crus sont connus et renommés depuis cette époque : Beaumes-de-Venise, où le pape possédait une muscadière (un clos où l'on faisait pousser le muscat), Vacqueyras, Châteauneuf, vignoble de haute réputation dont le vin voyageait déjà fort loin.

Naissance de « la » Côte du Rhône

Avec la notoriété croissante des vins du Gard au XVIIIe siècle et les profits tirés de leur commerce vinrent les premiers abus, les premières fraudes et donc les essais de réglementation. Ainsi, un décret royal (1737) précisait : « Pour obvier aux abus qui peuvent se commettre en faisant passer les vins de mauvais crus pour ceux de bons crus, tant de Roquemaure et que des lieux et paroisses voisins et contigus de Tavel, Lirac, Saint-Laurent-des-Arbres, Saint-Geniès-de-Comolas, Chusclan, Codolet et autres qui sont d'une qualité supérieure, seront marqués sur des fonds étant pleins et non autrement, d'une marque à feu qui contiendra les trois lettres CDR signifiant Côte du Rhône, avec le millième de l'année que ladite marque sera apposée et qui sera changée chaque année... »

Page ci-contre : l'extraordinaire paysage en gradins qu'offre le vignoble de la Côte-Rôtie.

Ainsi, naissaient tout à la fois : la Côte du Rhône (dans un sens bien étroit, au départ), les notions de protection de la qualité et d'identification du millésime. Il allait falloir deux siècles pour affiner ces idées premières jusqu'à la naissance de l'appellation d'origine contrôlée. Les Gardois avaient à cette époque une sacrée longueur d'avance, ajoutant à l'ordonnance royale un règlement à l'usage des tonneliers qui instituait une seule et unique mesure pour les barriques.

Le passage au pluriel

Aujourd'hui, les Côtes du Rhône s'énoncent au pluriel et ont allégrement franchi les limites du Gard, puisque l'Ardèche, la Drôme, la Loire, le

Ci-contre : dans les Côtes du Rhône septentrionales, la raideur des pentes exclut généralement tout travail mécanique.

Rhône et le Vaucluse font partie de l'appellation, qui comprend 163 communes proches du fleuve et produisant traditionnellement du vin.

La définition de l'appellation d'origine contrôlée date ici de 1937 ; c'est l'une des plus anciennes, principalement grâce aux efforts du baron Leroy. Les terroirs sont définis au sein de chaque commune, les rendements sont limités de 32 à 50 hl/ha, l'encépagement réglementé. Les principaux cépages autorisés sont les suivants : bourboulenc, cinsault, clairette, grenache, marsanne, mourvèdre, picardan, picpoul, roussanne, syrah, terret noir, viognier et carignan, avec pour ce dernier un maximum autorisé de 30 p. 100. Quant aux dix cépages secondaires autorisés, ils n'existent plus qu'à l'état de traces dans le vignoble : une évolution récente et sans doute regrettable.

Grappes de grenache. Il reste le cépage-roi des Côtes du Rhône méridionales, malgré son évidente fragilité.

Les principaux cépages

Le *grenache* est le cépage de fond des Côtes du Rhône méridionales. Caractérisé par un degré d'alcool assez élevé, une faible acidité, il donne des vins onctueux mais fragiles, vieillissant assez vite et ayant tendance alors à se dessécher. Ses caractères positifs, arômes de petits fruits, rondeur, ne s'expriment pleinement que soutenus par d'autres cépages. Dommage qu'il devienne un cépage « dictateur »...

La *syrah*, cépage unique des vins rouges septentrionaux, donne des vins qui vieillissent bien et dont les premiers arômes de violette évoluent avec l'âge vers la truffe et la réglisse. Dans le Sud, ce cépage joue un tout autre rôle. Grâce à son intensité aromatique et à la lenteur de son évolution, il sert d'appui au grenache.

Le *cinsault* intéresse particulièrement les vins de primeur et les rosés. Il y corrige l'excès d'alcool du grenache et leur apporte des arômes très fins.

Le *mourvèdre*, cépage de très grande valeur, sévère et tannique quand il est jeune, s'arrondit avec l'âge pour offrir des senteurs de sous-bois, de résine, de fleur d'acacia... Résistant très bien à l'oxydation, c'est un bon complément du grenache.

Le *viognier* donne des vins blancs aux parfums nettement floraux, comme la violette et l'acacia. L'utilisation de ce cépage est limitée à Condrieu et Château-Grillet.

La *roussanne*, cépage très aromatique et fin, avec un joli nez de chèvrefeuille et de narcisse, est plus employée au nord qu'au sud, bien qu'on la trouve un peu à Châteauneuf.

La *marsanne* fut mariée de tout temps à la roussanne dans les Côtes du Rhône septentrionales, qu'elle ne quitte pas.

Clairette et *bourboulenc* sont à la base des vins blancs méridionaux, qu'il faut boire jeunes pour en apprécier les parfums floraux et la fraîcheur, car ils s'oxydent vite.

Les règles de mariage sont infiniment complexes : un vin rouge verra la domination du grenache qui signe l'allure d'ensemble des Côtes du Rhône ; un vin de garde nécessitera l'apport de syrah ou de mourvèdre, conjugués à d'autres cépages aromatiques ; des « primeurs » exigeront, à côté du grenache, l'apport du carignan et du cinsault...

Les Côtes du Rhône septentrionales

Rigueur et sobriété pour un très grand bonheur d'expression... voilà la recette nordiste ! Rigueur du travail sur des terrasses haut-perchées, sobriété des origines avec un cépage unique porté sous ce climat à son maximum d'expression, tout s'oppose ici à l'exubérance et à la diversité du vignoble méridional, où la chaleur de l'expression nuit parfois à la finesse.

A Vienne, le vignoble septentrional amorce sa descente des bords du Rhône, dont il ne s'éloignera jamais, jusqu'à Valence. Rive droite, il naît à Ampuis, dans le département du Rhône, puis traverse celui de la Loire et s'arrête en Ardèche. Les vignes de Côte-Rôtie, Condrieu, Château-Grillet, Saint-Joseph, Cornas et Saint-Péray se succèdent presque sans interruption. Ce sont des vignobles de terrasses, accrochés à des coteaux de forte pente et bien exposés au soleil, au gré des détours du fleuve. Le sol est granitique aussi bien sur les terrasses de la rive droite que sur la colline de l'Hermitage, rive gauche. Seule exception, Crozes-Hermitage est situé sur un terrain argilo-sableux, très caillouteux, qui forme un plateau.

Une palette de crus

Petit, par la superficie et les volumes produits, le vignoble septentrional jouit en revanche d'une belle réputation. Il n'est constitué que d'appellations locales ayant toutes accédé à la notoriété et bénéficiant d'une ancienneté que seuls Châteauneuf et Tavel peuvent revendiquer dans la zone méridionale.

Comme en d'autres régions viticoles plus nordiques, nous sommes ici, le plus souvent, en pays de cépage unique : viognier pour les vins blancs, syrah pour les vins rouges, avec cependant, pour le Saint-Péray et les Hermitage blancs, un assemblage de marsanne et de roussanne.

Côte-Rôtie

Des coteaux très abrupts, orientés sud-sud-est, des terrasses qu'on ne peut souvent que cultiver à la main, la taille longue du plant qu'il faut attacher à un échalas, tout cela donne au vignoble un cachet particulier. Généralement produite à partir de l'assemblage de la Côte Brune et de la Côte Blonde (deux terroirs différenciés par la couleur de leur sol), la *Côte-Rôtie* provient de la syrah à laquelle on ajoute un peu de viognier. Ce sont des vins très riches en couleur — grenat —, au bouquet complexe, floral et épicé. Pour s'épanouir pleinement, ils demandent à vieillir.

L'escarpement des coteaux nord-rhodaniens a contraint les vignerons à ériger d'étroites terrasses, ne portant parfois qu'un unique rang de vignes.

Traditionnellement, pour ces vins rouges, on ne foule pas ou peu le raisin. La cuvaison est longue et peut aller jusqu'à 15 jours. Les vins passent ensuite 2 ans dans le bois, en général des pièces anciennes qui ne marquent pas trop le vin. La mise en bouteilles intervient donc au bout de 3 ans.

Condrieu

Les terrasses se poursuivent, comprenant deux, parfois une seule rangée de vigne — cépage viognier — pour un très grand vin blanc. Rare il y a encore quelques années, ce vin exquis a retrouvé des,amateurs, et le vignoble, un temps menacé, a repris vie C'est un vin à boire jeune, au bouquet très délicat d'amande, de violette et d'abricot. Sa fraîcheur est bien compensée par son moelleux et une longueur extraordinaire en bouche.

Château-Grillet

Une seule propriété, enclavée dans le vignoble de Condrieu, produit ce grand vin blanc, presque entré dans la légende tant sa production est confidentielle. C'est la plus petite A.O.C. française, après la Romanée.

Saint-Joseph

Autrefois connus sous le nom de « vins de Mauves », ce sont surtout des rouges de syrah, auxquels s'ajoute une petite quantité de vins blancs de roussanne et de marsanne. Ici, on a quitté les terrasses étroites pour des gradins plus vastes, et la vigne a déserté les hauteurs.

Fins et élégants, soyeux même, les vins rouges gagneraient à être connus. Ils n'ont pas besoin de vieillir pour exprimer leur bouquet essentiellement floral : on les qualifie souvent de féminins et charmeurs.

Cornas

Si le Saint-Joseph rouge est d'essence féminine, le *Cornas*, lui, est un vin rouge charpenté et viril, avec une robe foncée, provenant de la syrah uniquement. Il faut savoir l'attendre, car, trop robuste dans sa jeunesse, il demande à vieillir.

Le célèbre Château-Grillet, régnant sur ses deux hectares de côte granitique.

Saint-Péray

Contigus au terroir de Cornas, face à Valence, les vignobles complantés de marsanne et de roussanne produisent un vin blanc sec, nerveux et fin, sentant la noisette et la violette. La majeure partie est aujourd'hui traitée par la méthode champenoise et donne un très bon mousseux.

Hermitage

Nous avons sauté sur la rive gauche du Rhône. Des terrasses escarpées, orientées au sud-ouest, sont plantées de syrah ou de marsanne et de roussanne. On y produit 75 p. 100 des vins rouges, qui jouissent d'une réputation très ancienne : robe rubis, nez de violette et d'iris,

Un vignoble presque confidentiel

Avec 3 p. 100 du volume des Côtes du Rhône, soit à peine plus de 60 000 hectolitres annuels, le vignoble septentrional est bien réduit. Mais — empruntons pour une fois à nos amis anglo-saxons une de leurs jolies expressions — « small is beautiful » ! Car il est plus facile de surveiller jalousement quelques centaines d'hectolitres que quelques dizaines de milliers.

Ainsi, à Château-Grillet, on se penche amoureusement sur 144 hectolitres (d'après les déclarations de récolte de 1984), à Condrieu sur 622, à Cornas sur 1 700, à Saint-Péray sur 2 000, à Côte-Rôtie sur 3 500, à l'Hermitage sur 4 000. Ce n'est qu'à Crozes-Hermitage qu'on change d'échelle pour vinifier, avec tout autant de passion, 38 000 hectolitres.

Vendanges de syrah, à Cornas. On peut observer des galets du Rhône, cimentés dans le mur.

bonne charpente, belle longueur en bouche et grande longévité en font de véritables seigneurs, qui doivent attendre une dizaine d'années pour s'épanouir.

Les blancs sont d'autant plus fins que la part de roussanne est élevée. Ce sont des vins qui vieillissent fort bien. On produisait autrefois des vins de paille à l'Hermitage. Le millésime 85 a renoué avec cette tradition, à la Cave coopérative. Une production très, très confidentielle...

Crozes-Hermitage

C'est la seule appellation qui ne soit pas entièrement portée par des sols granitiques. Elle produit des vins intéressants, en rouge et en blanc, avec une production importante (jusqu'à 30 000 hectolitres par an, soit dix fois la production de l'Hermitage). Il y a de belles réussites en blanc, en particulier dans la zone de Mercurol, version « mineure » de l'Hermitage. Ces vins sont à boire jeunes, à la différence des rouges.

Cela explique pourquoi, dans les bons millésimes, certains crus sont introuvables. Il faut savoir être rapide et acheter à bon escient.

Mariez-les !

A l'apéritif, si vous voulez rester classiques, servez un Saint-Péray mousseux. Vous pouvez aussi, entre connaisseurs, déguster un Condrieu. Si vous êtes vraiment des « pistonnés », pourquoi pas un Château-Grillet ? C'est à ce moment-là que vous apprécierez le mieux ces deux merveilles véritables.

Cependant, le registre du Condrieu est exceptionnel : il se marie très bien avec les poissons d'eau douce, les écrevisses, les quenelles... mais il apprécie tout autant le foie gras ou la poularde à la crème.

Les rouges de la Côte-Rôtie et de l'Hermitage sont de grands vins, à boire avec le gibier, les truffes, les très bonnes pièces de viande. Cornas aime les viandes rouges autant que les plats de ménage : un pot-au-feu, par exemple, ou tout autre plat solide par une froide journée. Il sera l'un des rares à ne pas craindre l'arrivée des fromages fermentés. Le Saint-Joseph, quant à lui, appréciera la compagnie des volailles et des viandes délicates.

L'Hermitage blanc, un vin de grande allure qui sait honorer les poissons en sauce.

Les vins blancs de l'Hermitage et de Crozes sont parfaits pour les poissons et les crustacés, mais apprécient quelques fromages locaux dont la rigotte et les chèvres secs. Le Saint-Joseph blanc, lui, est très porté sur les poissons d'eau douce.

Mais, au-delà de toutes ces alliances, il y a un pays avec ses vins et sa cuisine. L'ensemble forme un tout, dont il vaut mieux ne pas trop s'éloigner. Nous sommes ici au pays du beurre, de la crème et de l'échalote, pas encore dans celui de l'ail et de l'huile d'olive. Seules les Côtes du Rhône méridionales peuvent flirter heureusement avec la cuisine provençale.

Les Côtes du Rhône méridionales

Après une absence de près de 70 kilomètres, les Côtes du Rhône vont renaître sur les deux rives du Rhône après le défilé de Donzère. Le vignoble va alors s'élargir en s'éloignant progressivement du fleuve.

Rive droite, après une toute petite enclave ardéchoise, le vignoble reprend plus d'ampleur pour rejoindre au sud le Gard et s'étendre à la grande terrasse caillouteuse qui porte les deux crus célèbres de Tavel et de Lirac.

Rive gauche, le vignoble, bordé au nord par la rivière Lez, va buter sur les contreforts de la montagne de la Lance, puis du massif des Baronnies, et s'étend dans le Nyonsais. Il s'est alors éloigné de la vallée du Rhône d'une trentaine de kilomètres. Ainsi, deux affluents, l'Eygues à Nyons et, plus au sud, l'Ouvèze, participent à la définition du vignoble autant que le fleuve et sont à l'origine, avec le relief, de nombreux microclimats : celui du Nyonsais est particulièrement connu pour sa douceur, son absence de mistral et ses oliviers séculaires... Les variations climatiques sont plus ou moins prononcées par rapport aux deux constantes de la région : le mistral et la sécheresse estivale, qui définissent un climat méditerranéen déjà fait d'extrêmes.

Vers le sud, le vignoble s'étend jusqu'au pied des Dentelles de Montmirail, avant de se rapprocher du Rhône à la hauteur d'Orange et de se terminer avec le vignoble de Châteauneuf-du-Pape.

En général, les sols sont calcaires, mais avec bien des variantes : depuis les célèbres sols à galets roulés de Châteauneuf jusqu'au sol léger des « safres » de Valréas, on trouve sur des terrasses d'époques différentes galets, cailloux, graviers, grès, sables. Les sols d'alluvions récents,

Rousset-les-Vignes, l'une des cinq communes de la Drôme ayant droit à l'appellation Côtes du Rhône-Villages.

Rentrée de la vendange à la coopérative de Tavel. On remarquera les raisins blancs, qui rentrent partiellement dans ce grand rosé.

limoneux et humides, des basses plaines (Rhône, Ouvèze) sont exclus de l'appellation.

Les variations géologiques et microclimatiques créent une véritable mosaïque de terroirs, qui rendent bien aléatoire la recherche de caractères communs, d'autant plus que l'assemblage des cépages complique encore la règle du jeu. Dans cette diversité, et depuis toujours, certains terroirs se sont définis par une expression propre : les vins doux naturels à Beaumes-de-Venise, les vins de garde à Châteauneuf, les vins de primeur à Tulette, les rosés à Tavel... Cela quand l'homme a su apporter au sol et au climat le meilleur assemblage des cépages et la technique de vinification la plus à même d'exprimer une personnalité originale.

Il ne faut pas chercher dans le vignoble méridional le type d'unité qu'on peut trouver au nord. Les mille et un plaisirs de la découverte n'en sont que plus grands. Le dégustateur doit cependant savoir qu'il va trouver là des vins de plus de 12, 13 et 14° parfois. Pourquoi ? Parce que la nature est généreuse et que cet alcool est le support nécessaire d'arômes puissants. Imaginez-vous le thym et les senteurs fortes de la garrigue sans soleil ? De même, on ne peut imaginer un Châteauneuf sans l'alcool nécessaire pour soutenir et exalter un nez puissant et sauvage.

Balade en trois couleurs

4 communes ardéchoises, 17 drômoises, 45 gardoises et 47 vauclusiennes appartiennent aux Côtes du Rhônes méridionales. On y produit 1 650 000 hectolitres par an, soit 80 p. 100 de la production de l'appellation ; c'est le secteur qui a connu récemment la plus forte croissance.

Question cruciale pour l'amateur : comment s'y reconnaître dans une région aussi vaste, au sein d'une production aussi importante ? Le plus simple est d'aller goûter les vins sur place. Ensuite, le nom d'un propriétaire ou d'une cave coopérative, la référence d'un domaine particulier ou d'une cuvée sélectionnée constitueront de précieux points de repères. Pour celui qui prendra le temps de flâner dans les vignobles et d'aller à la rencontre des vignerons, voici quelques notions de base.

Les Côtes du Rhône sont d'abord des vins rouges, très secondairement des rosés et rarement des vins blancs. Jusqu'à présent, à l'exception du vignoble gardois, leur terre de prédilection, la région était peu réputée pour ces derniers. Pourtant c'est là que s'amorcent les transformations les plus prometteuses : une attention toute particulière portée à leur vinification donne aujourd'hui des blancs plus frais, au bouquet agréable, qu'il faut boire jeunes.

Les vins rouges ont des caractères très variables et peuvent très bien réussir en primeur, tout comme dans un style plus généreux. Cependant, parce qu'ils ont été longtemps des vins de coupage des Bourgogne trop acides et manquant d'alcool, ou encore des « vins de comptoir », les Côtes du Rhône ont gardé l'image peu flatteuse de vins d'abord et avant tout alcooliques. Un équilibre se bâtit à partir de ce que donne la nature : en Bourgogne l'acidité, en Bordelais le tannin, en Côtes du Rhône l'alcool... La nature est généreuse dans le Sud, tant mieux ! Quant à l'image du vin de comptoir, à l'époque des bistrots à vin, elle ne peut que devenir positive.

Autre idée reçue tout aussi erronée : les vins de coopératives sont moins bons que ceux des vignerons... Une part importante des Côtes du Rhône méridionales sont vinifiées par des coopératives qui font excellemment leur travail.

Si vous cherchez des vins de primeur, rendez-vous dans le triangle Suze—Tulette—Sainte-Cécile, à la frontière Drôme-Vaucluse. Si vous voulez des vins de garde, visitez les vignobles qui s'étendent au pied des Dentelles de Montmirail. Si vous les voulez plus légers et souples, rejoignez les coteaux de l'Eygues où l'on a une jolie transition entre la rudesse du Vaucluse et la douceur du Nyonsais.

Enfin, pour les rosés, il y a bien sûr de belles réussites en dehors de Tavel et Lirac. A vous d'être assez fin limier pour les découvrir et éviter ceux où l'alcool domine et où le complexe aromatique est pauvre.

Dans ces Côtes du Rhône régionales qui n'ont droit ni à l'appellation *Villages* ni à une appellation locale, les bonnes surprises sont souvent réelles et, si la typicité reste normalement réservée aux Côtes du Rhône-Villages, entre deux vignes séparées par un chemin ou une vendange vinifiée par le même vigneron, les ressemblances sont parfois grandes.

Enfin, si vous voulez tout savoir sur le millésime en cours, un concours a lieu chaque année, au mois d'avril à Tulette, un gros bourg viticole du sud de la Drôme. Y assister est une occasion unique de découvrir « les vins et leurs artisans ».

Les Villages

Dans certaines communes, une délimitation parcellaire reconnaît et consacre la qualité et l'originalité de certains terroirs, imposant de plus des normes d'encépagement plus contraignantes et un rendement faible (cépages autorisés : grenache jusqu'à un maximum de 65 p. 100, syrah, mourvèdre et cinsault dans une proportion minimale de 25 p. 100, autres cépages autorisés jusqu'à 10 p. 100 — rendement : 35 hl/ha — degré minimum : 12°5). L'amateur y trouve son compte en approchant au plus près le terroir d'origine grâce à la mention du nom de la commune.

En revanche, l'appellation *Villages* ne fait pas référence au lieu de production. Elle est née beaucoup plus tardivement, et son but avoué était la production d'une quantité de vins de « villages » suffisante pour intéresser le négoce. Bien sûr, les terroirs choisis sont de qualité, en général des coteaux très bien exposés. On reste pourtant un peu frustré d'en savoir si peu sur le lieu de naissance... Dommage, car boire, c'est aussi un voyage, voyage à travers le temps, quand on se remémore l'année bue, voyage aussi dans l'espace, quand on pense au pays où le vin est né et a été élevé.

Les 17 communes ayant droit pour une partie de leur territoire à l'appellation *Côtes du Rhône-Villages* avec mention du nom sont les suivantes : Rochegude, Saint-Maurice, Vinsobres, Rousset-les-Vignes et Saint-Pantaléon dans la Drôme, Laudun, Chusclan et Saint-Gervais dans le Gard, Cairanne, Rasteau, Roaix, Séguret, Vacqueyras, Valréas, Visan, Sablet et Beaumes-de-Venise dans le Vaucluse. Une bonne partie d'entre elles figurent parmi les plus anciens vignobles de coteaux de la région.

Au pied des Dentelles de Montmirail, *Vacqueyras* puis *Cairanne* offrent des vins puissants et généreux, à la robe très sombre. Il leur faut 3 ou 4 ans pour s'arrondir, perdre un peu de leur rugosité et acquérir un bouquet de framboise, de violette et d'épices. *Rasteau*, *Séguret* se rapprochent de ce type, alors que *Sablet* (porté par des terrains plus légers) donne des vins plus tendres.

Le magnifique vignoble de la vallée de l'Eygues, avec les deux villages de *Saint-Maurice* et de *Vinsobres*, présente le type parfait des Côtes du Rhône puissants mais équilibrés.

L'antique Côte du Rhône gardoise a trois bons villages : *Chusclan*, *Laudun* et *Saint-Gervais*. On y trouve les meilleurs vins blancs, et les vins rouges sont légers et soyeux.

Il faut retenir que les villages sont produits en petite quantité puisque à peine 5 p. 100 des Côtes du Rhône entrent dans cette catégorie.

Les appellations locales

Tavel et Lirac : deux grands crus gardois

Tavel, dont l'appellation remonte à 1936, c'est déjà le Languedoc avec sa garrigue de chênes verts. Pourtant, Tavel a le cœur provençal, et c'est le premier paradoxe de ce rosé qui suscite beaucoup de passion. Il est vrai qu'il sort de l'ordinaire : 60 p. 100 de grenache et 15 p. 100 minimum de cinsault, un faible rendement avec 42 hl/ha ; c'est un rosé de saignée qui doit faire 11° minimum, mais atteint couramment 12 à 13°.

La cueillette a été dure, mais quelle récompense que ces grappes gorgées de sucre !

La vigne occupe trois terroirs distincts et fortement contrastés : un plateau d'argile et de sable avec de gros galets roulés, où le raisin mûrit plus précocement ; quelques terrains calcaires de plaine, nouvellement conquis avec la renaissance du cru ; des terrains argileux enfin, où l'on doit concasser la « lauze » pour pouvoir planter. C'est l'assemblage de ces trois terroirs qui donne en fait le meilleur Tavel.

Nerveux, fruité, épicé et floral tout à la fois, le Tavel est un vin puissant, ce qui surprend souvent pour un rosé. C'est un rosé adulte, pas du tout le rosé de l'été facile à boire et vite oublié.

On peut le choisir pour accompagner tout un repas, sans lui faire jouer un rôle de compromis. Il sera parfait à l'apéritif, avec le poisson, les volailles et toutes les sauces à la crème. Il se boit frais, à la température d'environ 10 °C, et jeune ! Pourtant, certains sont partisans du vieillissement : mais alors il s'oxyde, perd sa brillance, sa fraîcheur et son parfum.

Lirac (A.O.C. depuis 1947), c'est vraiment le cœur de l'ancienne Côte du Rhône gardoise avec des communes déjà célèbres au XVIIIe siècle : Roquemaure, Saint-Laurent, Saint-Geniès...

Alluvions anciennes, les terrains sont sableux avec des galets, ou calcaires avec des graviers, ce qui favorise la finesse et la légèreté au détriment de la couleur et de l'excès de corps. C'est la seule appellation locale qui produise en trois couleurs. Mitoyen de Tavel, ses rosés en sont proches : fruités mais plus légers. Les vins blancs sont secs, nerveux et parfumés. Les vins rouges sont légers, subtils et très élégants, sans jamais être capiteux ; ils sont — au sein des Côtes du Rhône — l'opposé des vins de Châteauneuf.

Gigondas

Chaleureux, majestueux et sauvage, le *Gigondas* (devenu A.O.C. en 1971) est un vin que l'on n'oublie pas facilement.

Surplombant l'Ouvèze, la vigne s'étage de 140 à 400 m d'altitude pour former des vignobles superbes, les plus abrupts et les plus proches des Dentelles de Montmirail. Les mollasses sableuses donnent des sols légers et chauds qui confèrent au vin sa finesse, alors que les terres rouges et les alluvions anciennes à cailloux roulés lui donnent ampleur et chaleur. La plupart des producteurs équilibrent les trois provenances pour constituer leur vin.

Les vins sont rouges, en petite proportion rosés. Cépages retenus : grenache, syrah, cinsault et mourvèdre. Les rendements sont limités à 35 hl/ha, et le degré minimum fixé à 12°5.

Un bel équilibre et un type homogène sont la réussite de l'appellation. Le Gigondas est un vin de garde, puissant, bien charpenté, au bouquet violent de baies et de truffes, qui prend parfois des nuances de poivre et d'épices. Il se marie parfaitement au gibier, surtout à poil, accompagne agréablement les ragoûts, les daubes, ne craint pas les fromages forts, convient à merveille à la cuisine provençale et ses sauces au vin.

Châteauneuf-du-Pape : le vin des rois et le roi des vins

Si le plus célèbre des vins du Rhône atteint parfois au mythe, c'est vrai qu'il vit dans une tout autre dimension, avec une renommée mondiale et une grosse production (jusqu'à 100 000 hectolitres).

Dans la plus pure tradition, il y a treize cépages ; dans la réalité, 70 à 80 p. 100 de grenache et 4 ou 5 cépages complémentaires, selon les propriétaires. La réglementation qui a fait du Châteauneuf la première appellation d'origine contrôlée en 1936 et un exemple à suivre est très stricte : 35 hl/ha, tri de la vendange pour ne garder que les plus beaux et les plus sains des raisins, degré minimum de 12°5.

La zone d'appellation dépasse la commune de Châteauneuf pour s'étendre à Bédarrides, Courthezon, Sorgues et Orange. Elle couvre un grand plateau où la vigne pousse dans une mer de cailloux : de gros galets roulés sur des sols d'argiles rouges, issus de la décomposition de calcaires. Ainsi, la terre est bien drainée et les galets restituent la chaleur aux ceps durant la nuit. L'ensoleillement est très important sur ce plateau battu par le mistral, où 3 200 hectares sont plantés en vignes.

Les fameux galets roulés de Châteauneuf-du-Pape, véritables pièges solaires déposés sur l'ancien lit du Rhône.

Les Côtes du Ventoux. Leurs vins rappellent les Côtes du Rhône, avec un caractère tempéré par l'altitude.

Le *Châteauneuf-du-Pape* blanc représente 2 p. 100 de la production. Les vinifications récentes, à basse température, en font un vin très aromatique, qu'il faut boire dès sa deuxième année, car il ne vieillit pas.

Le Châteauneuf rouge, tout à fait traditionnel, résultait de très longues cuvaisons et d'un élevage prolongé sous le bois. Aujourd'hui, la tendance est à raccourcir la cuvaison. Ces vins, tout en ayant une bonne aptitude au vieillissement, sont agréables plus tôt. Cépages et quartiers sont vinifiés séparément et assemblés par le vigneron après dégustation, pour trouver le meilleur équilibre possible. Le vin est ensuite élevé en foudres durant 1 ou 2 ans, avant d'être mis en bouteilles. La garde moyenne est de 5 à 10 ans, mais peut aller beaucoup plus loin, cela dépend des domaines et des millésimes. Cependant, certains Châteauneuf, mis sur le marché 1 an à 18 mois après les vendanges, ne doivent pas vieillir. Ce sont des vins très séduisants, mais différents du type classique.

Les vins doux naturels

C'est une très ancienne tradition de *Beaumes-de-Venise*, puisque ce type de vin était déjà apprécié à la cour des papes, en Avignon. Il avait presque disparu quand la cave coopérative relança sa production en 1956. Sur un sol de molasse sableuse, dans un paysage en terrasses, mûrit le muscat à petits grains blancs. Ce dernier atteint facilement 14° avant mutage — addition d'alcool pur en cours de fermentation, ce qui le « monte » à 21°. C'est un remarquable vin d'apéritif au bouquet fleuri. Il se boit frais, mais non glacé, et accompagne très bien le melon.

Rasteau produit aussi un vin doux naturel (A.O.C., comme Beaumes, depuis 1944), à base de grenache. C'est certainement le vin le moins connu de la région, avec une consommation purement locale. Agréable, on peut cependant lui reprocher de manquer un peu de finesse.

Les appellations voisines

Les *Coteaux du Tricastin* sont une petite A.O.C. en partie enclavée dans les Côtes du Rhône. Avec une production de 80 000 hectolitres, ce vignoble a du mal à affirmer son indépendance. On y produit principalement des rouges, avec un encépagement semblable à celui des Côtes du Rhône. Certains terroirs sont splendides, avec des plateaux très caillouteux. La vigne est par endroits encore jeune, mais, grâce à de bonnes vinifications, on commence à obtenir des résultats intéressants. Les vins, au nez de petits fruits rouges, sont souvent bien équilibrés.

Nombre de « vins de pays » sont produits dans la vallée du Rhône, et c'est parmi eux qu'il faut chercher votre vin quotidien. Les *vins de pays de l'Ardèche* ont fait de très gros efforts sur les « vins de cépages » ; les *vins de pays du Vaucluse, du Comté de Grignan, des Baronnies* peuvent être aussi d'aimables compagnons.

Il ne faut à aucun prix oublier l'un des rares mousseux A.O.C. : la *Clairette de Die*. Traditionnellement, elle est produite douce, mais désormais la clairette brute, plus au goût du jour, est un excellent apéritif ou vin de dessert. Sa production dépasse les 5 millions de bouteilles. Toujours dans le Diois, à signaler l'A.O.C. *Châtillon-en-Diois*, qui recouvre de nerveux vins de gamay et d'aligoté.

Rive droite, à cheval sur les départements de l'Ardèche et du Gard, les *Côtes du Vivarais* (V.D.Q.S.) sont surtout des vins rouges, souples et charnus, issus des classiques cépages rhodaniens. Certains peuvent décliner le nom de leur commune d'origine : Orgnac, Saint-Montant, Saint-Remèze.

Tout à fait au sud des Côtes du Rhône, rive gauche, le vignoble des *Côtes du Ventoux*, bien à l'abri du mistral, mais rafraîchi par le « géant de Provence » (le mont Ventoux), est typiquement un vignoble de coteaux : 51 communes bénéficient de l'appellation. L'encépagement est identique à celui des Côtes du Rhône ; le degré minimum est de 11° et le rendement maximum autorisé est de 50 hl/ha. 250 000 hectolitres de Côtes du Ventoux sont vinifiés chaque année, principalement en rouge, un peu en rosé. Ce ne sont pas des vins de garde, mais des vins légers et agréables. Certains rosés sont même d'une grande finesse. Un vignoble que l'on a grand plaisir à découvrir, dans des paysages merveilleux, où la vigne pousse entre les cerisiers et les oliviers.

Enfants du soleil assurément, mais aussi excellents compagnons de table que les vins rouges et blancs de Saint-Joseph !

Côtes du Rhône, mode d'emploi

C'est au cœur du vignoble que l'on connaît le vin. Évidence ou banalité ? Pas vraiment, si l'on approfondit cette idée.

Comment connaître les terroirs sans avoir admiré les paysages qui leur correspondent ? Comment reconnaître les cépages sans avoir écouté les commentaires du vigneron sur les vignes que vous venez de côtoyer ? Comment découvrir l'âme du vin sans se pencher sur celle de la civilisation qui l'a fait naître ? Il faut donc partir en Côtes du Rhône pour un voyage agréable et édifiant, avec les quelques points de repères que voici.

Les petits chemins des grands crus et des bons vins

Sept routes du vin ont été fléchées à travers le vignoble, du nord au sud. Elles incitent à flâner à travers les vignes, permettent de n'oublier ni les monuments à visiter ni les caveaux où déguster : c'est encore la meilleure manière de découvrir un vignoble, ses vignerons et son histoire.

La route de Vienne à Valence propose un circuit dans les vignobles en terrasses des Côtes du Rhône septentrionales. La route du Rhône aux Dentelles de Montmirail permet de faire connaissance, dans les Côtes du Rhône méridionales, avec Beaumes-de-Venise et Gigondas, puis toute une série de Côtes du Rhône-Villages : un paysage magnifique, des villages provençaux typiques font de cette route une découverte aussi plaisante pour le nez que pour l'œil. De l'autre côté du fleuve, la route qui parcourt l'antique Côte du Rhône permet de déguster à Tavel et à Lirac, d'admirer le pont du Gard, sans oublier de goûter les meilleurs blancs des Côtes du Rhône gardoises.

Ces itinéraires, signalés chacun par une couleur différente et soigneusement balisés grâce à des panneaux dus au célèbre peintre Mathieu, sont, tous les sept, décrits dans un petit livret que vous pouvez vous procurer auprès du Comité interprofessionnel des Vins des Côtes du Rhône, à Avignon.

Mais il ne faut pas manquer non plus deux musées du vin, l'un à Rasteau, l'autre à Châteauneuf-du-Pape : le remarquable musée du Père Anselme, qui présente les vieux outils vignerons. De même, les caves de vieillissement du Cellier des Dauphins (la plus importante des unions de vignerons des Côtes du Rhône) méritent une visite, que ce soit à l'abbaye cistercienne de Bouchet ou dans les caves cathédrales de Saint-Restitut, d'anciennes carrières d'extraction de pierre récemment aménagées.

Quand le vin fait la fête !

Si le vin est pour vous synonyme de réjouissances, voici les meilleurs rendez-vous.

- L'été est brûlant dans les Côtes du Rhône, avec une série de fêtes des vins dans presque tous les villages. Si vous aimez la foule et le vin fraternel et joyeux, elles sont faites pour vous ! Dans la région, leur programme est largement porté à la connaissance du public. A Châteauneuf-du-Pape, par exemple, la fête de la véraison a lieu le premier week-end du mois d'août : c'est l'occasion de déguster la plupart des Châteauneuf et même de participer à un concours ouvert à tous.
- Si vous aimez le vin plus austère et plus recueilli des dégustations, c'est hors la saison estivale qu'il vous faudra fréquenter la région des Côtes du Rhône. Vous aurez alors l'occasion de découvrir ces rituels particuliers que sont les concours régionaux.

En novembre, celui des primeurs, à Vaison-la-Romaine, devance d'une semaine la mise officielle sur le marché du « vin nouveau ». Il s'accompagne du concours des vins blancs de l'année. C'est aussi une fête où la dégustation est ouverte au public.

En janvier, la foire aux vins d'Orange est la plus importante de la région, et, à l'issue de son concours, les acheteurs étrangers font les « yeux doux » aux vins locaux.

En mars et en avril, deux concours drômois sont fort intéressants. Le premier a lieu à Vinsobres, haut lieu des villages de la vallée de l'Eygues : on y juge le millésime de l'année et les précédents dans les Côtes du Rhône-Villages. Début avril, le concours de Tulette ne concerne que les Côtes du Rhône régionales de l'année. A la Saint-Marc, le 25 avril, a lieu le concours des Châteauneuf de l'année.

Assister à ces concours, c'est l'occasion d'entendre le vocabulaire très particulier de la dégustation, c'est le plaisir d'être parmi les premiers à savoir où sont les bonnes cuvées. Pour l'amateur, c'est un sérieux coup de pouce dans sa recherche des bonnes bouteilles.

Autres fêtes, autres célébrations avec les confréries bacchiques : onze « sociétés » de vignerons ont retrouvé vie après des siècles de sommeil. Elles chantent les louanges du vin et proposent aux amateurs la reconnaissance de sa

qualité, à travers une intronisation solennelle. Elles honorent la gastronomie en mettant en pratique l'alliance des mets et des vins dans les fastueux soupers qui suivent la tenue de leurs chapitres.

Les plus belles cérémonies ont lieu dans des endroits prestigieux et historiques : à Châteauneuf, dans la salle basse du château pour l'*Échansonnerie des Papes*, ou dans la cour d'honneur du château de Suze-la-Rousse pour la *Commanderie des Costes du Rhône*. Regroupant tous les villages des Côtes du Rhône, très active depuis sa création en 1971, la Commanderie représente l'ensemble de la région dans la France entière, mais aussi — très souvent — à l'étranger. Ses chapitres, qui regroupent les commandeurs en robe rouge et manteau blanc autour des intronisés, sont d'une belle tenue.

Deux renaissances récentes, parmi les confréries, ont été particulièrement réussies : l'une très provençale, l'autre très médiévale. Les costumes, l'ordonnance des cérémonies, le rituel respecté de la dégustation et du commentaire en font deux moments exceptionnels qui méritent le déplacement.

Vignes à Tain-l'Hermitage. La raideur des pentes est responsable de cette conduite particulière de la plante sur de longs échalas.

Jaune et rouge aux couleurs de la Provence, les *Compagnons de Vacqueyras et du Troubadour Raimbaut* célèbrent également la poésie et le vin. Les *Chevaliers du gouste Séguret et compagnons de Saint-Vincent* font procession dans les ruelles de leur village, torches en main, vêtus de longues robes violines et couverts de manteaux lie-de-vin. Dans leurs chapitres, tenus aux pieds de leur saint patron, on parle fort bien du vin, et leur maître des ripailles ne vous laisse jamais repartir triste.

Il y en a bien d'autres à découvrir au gré de vos voyages : les *Compagnons de la Saint-Vincent* à Visan, la *Compagnie de Beaumes-de-Venise*, la *Commanderie de Tavel*, la *Compagnie des*

Côtes du Rhône gardoises, et puis, au nord : la *Confrérie de Crozes-Hermitage*, le *Grand Ordre de saint Romain*, les *Chevaliers de la syrah*.

Boire avec les yeux, le nez et la bouche

Tout le monde ne sait pas déguster. Et, verre en main, il est parfois difficile d'analyser ses sensations, de trouver les mots justes pour parler du vin. Pourtant, cela s'apprend, et l'*Université du Vin*, abritée par le château féodal de Suze-la-Rousse, mérite le détour. L'amateur de vin peut y faire bien des découvertes passionnantes, y côtoyer les vignerons et les techniciens des caves coopératives qui apportent leurs échantillons au laboratoire d'analyse, les jurys qui, en salle de dégustation, déterminent les vins qui ont droit à l'appellation, les dégustateurs en formation, les futurs sommeliers...

Haut lieu des vins de France, l'Université s'adresse aux professionnels comme aux amateurs, et sa réflexion porte sur l'ensemble de la civilisation du vin dans ses multiples expressions : économique, juridique, artistique... Puisqu'on y enseigne, entre autres disciplines, l'art de la dégustation, de nombreux stages sont ouverts au public : initiation, perfectionnement, découverte des vins de France et, bien sûr, des Côtes du Rhône. Ils peuvent être la meilleure des introductions possible aux rencontres avec les vignerons de la région.

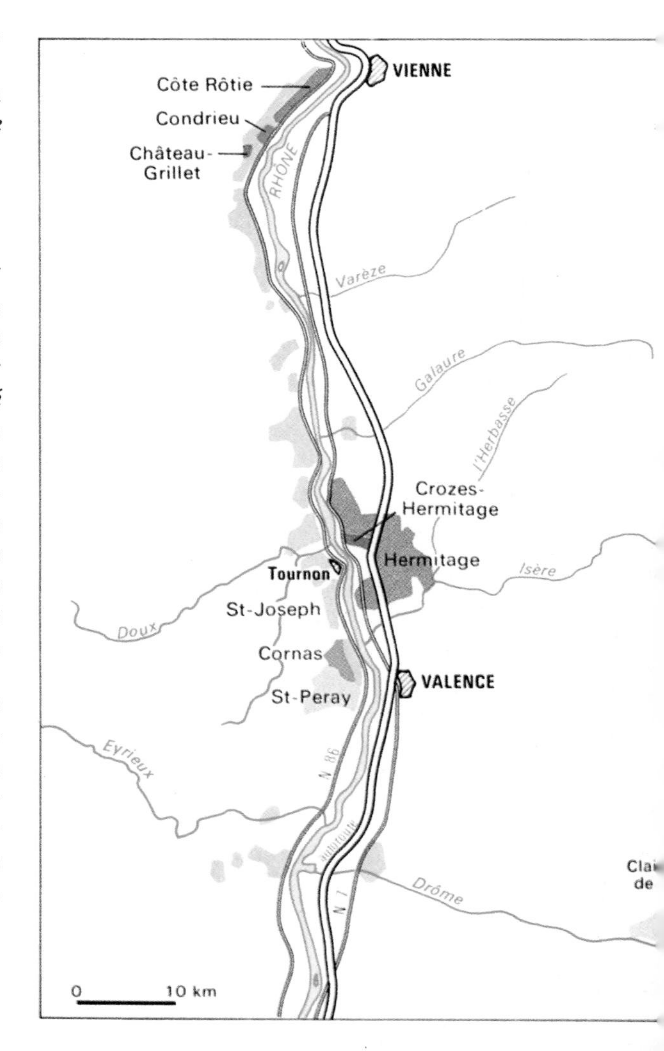

Millésimes : quelques repères

Dans les Côtes du Rhône méridionales, 1978, 1980 et 1981, mais aussi 1983 et 1984 sont des millésimes intéressants. 1978 fut même une année exceptionnelle, dont les derniers témoins sont aujourd'hui les Châteauneuf-du-Pape. 1980 fut une année tardive, de récolte abondante, avec des vins équilibrés, évoluant bien. Pour la plupart des vins, quatre à cinq ans de garde, même dans les bonnes années, sont un maximum, et nombre de crus sont à boire jeunes. 1985 est sans doute de la même classe que 1978 : celle des vins de garde. Un très bon millésime pour commencer une cave. 1986 est une année beaucoup plus légère.

Dans les Côtes du Rhône septentrionales, 1978 fut une année de petite récolte, de faible rendement et de bonne maturité, donnant des vins de garde très structurés. 1983 apparaît un peu du même style : ses vins sont de longue conservation. 1985 apparaît comme un millésime splendide, de grande longévité.

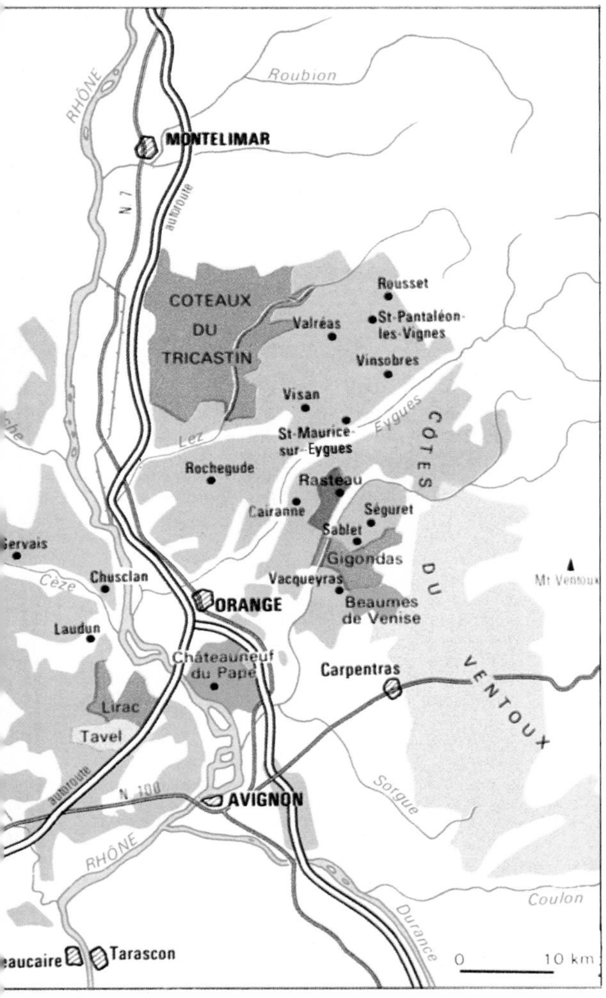

Carnet d'adresses

- Pour les vins de primeur, aucune hésitation : *Coste Rousse* à Tulette, dans la Drôme.

- Pour les Côtes du Rhône régionales : Jean-Claude Bouche à Camaret (Vaucluse), avec son *Domaine du Vieux Chêne*. Pour faire connaître les vignerons indépendants, le Groupement des caves particulières de la vallée du Rhône édite un petit répertoire d'adresses, *Les Artisans du vin*. On peut le demander à ce groupement (rue Saint-Jean Prolongée, 84100 Orange).

- La Cave coopérative la plus importante est celle de Suze-la-Rousse, dans la Drôme, mais la plus petite, celle de Rochegude, mérite également une visite, ainsi que le *Caveau Chantecôtes*, à Sainte-Cécile, dans le Vaucluse.

- Pour les Côtes du Rhône-Villages, en blanc : la Cave coopérative de Laudun (Gard). En rouge : *La Vinsobraise*, dans la vallée de l'Eygues, et la Cave coopérative de Vacqueyras (Vaucluse).

- A Châteauneuf-du-Pape, le *Domaine de Montredon* pour les vins blancs et, dans la tradition classique, le *Domaine de Beaurenard* de Paul Coulon ou le G.A.E.C. Sabon. Il faut savoir que seuls les propriétaires-récoltants ont le droit d'utiliser la bouteille écussonnée avec la tiare papale.

- Pour les appellations septentrionales : Guigal à Ampuis pour la Côte-Rôtie et le Condrieu, Chave ou bien Jean-Louis Grippat pour le Saint-Joseph et l'Hermitage, Auguste Clape pour le Cornas.

- Pour les coteaux du Tricastin : *Domaine de Grangeneuve* à Roussas (Drôme). En Côtes du Ventoux, les caves de Bedoin, de Villes-sur-Auzon (pour les rosés) et de Mormoiron sont les trois meilleures.

Les Côtes du Rhône, des vins qui peuvent aussi vieillir...

Les vins du Centre

Émergeant de la brume du petit matin, ces vignes sancerroises vont se réchauffer lentement. Leur terroir convient à merveille au sauvignon, dont le Nivernais et le Berry sont sans doute le berceau originel.

Sous cette banderole un peu lâche — le « Centre » recouvrant, en l'occurrence, les abords de la vallée supérieure de la Loire, depuis les monts d'Auvergne jusqu'à la Sologne — se regroupent des vins pluriels, méconnus parfois, issus toujours de très vieux vignobles, dotés souvent d'un fort accent de terroir.

Effeuillons un à un les pampres de cette jolie guirlande vineuse, dont certains restent à découvrir pour nombre d'amateurs.

Les vins du Massif central et des Limagnes

Au pied des puys et des volcans subsistent, aujourd'hui amoindris, des vignobles qui eurent naguère grande extension et, pour certains, noble réputation. Ils s'ordonnent en deux secteurs, l'un le long de l'Allier (Côtes d'Auvergne, Saint-Pourçain), l'autre escortant le cours de la Loire (Côtes du Forez, Côte roannaise). Tous leurs vins sont classés V.D.Q.S.

Côtes d'Auvergne

C'est le plus « montagnard » de ces quatre vignobles. Il s'étend principalement au sud et au sud-est de Clermont-Ferrand, jusqu'aux environs d'Issoire, et se prolonge légèrement au nord de la capitale auvergnate. La vigne s'accroche à des coteaux souvent raides, dont les sols sont généralement d'origine volcanique (basaltes mêlés à des calcaires).

Vignerons à Chamalières, ancienne commune viticole d'Auvergne. Lithographie du milieu du XIXe siècle (bibliothèque des Arts décoratifs).

Le vignoble, qui remonte à l'époque gallo-romaine, connut un court « âge d'or » à la fin du siècle dernier, où sa production atteignit jusqu'au million d'hectolitres, mais les atteintes successives du phylloxéra et du mildiou en vinrent rapidement à bout. Avec sa récente reconstitution s'est jouée la carte d'une amélioration de la qualité.

Venus du gamay, avec parfois un appoint infime de pinot noir, les *Côtes d'Auvergne* sont rouges et rosés ; la production de blancs, quoique autorisée par la loi, reste quasi nulle. Joliment colorés, les rouges sont vifs et directs, parfois même un peu mordants, et leur saveur révèle fréquemment un petit goût de fumée qui rappelle leur sous-sol d'origine ; ils sont rapidement prêts à boire. Les rosés, de couleur pâle, sont assez alcooleux et bien marqués par le terroir. La production est répartie entre une cinquantaine de communes, dont celle de Veyre-Monton, qui possède la cave coopérative locale.

La région s'honore de quelques crus célèbres : *Chanturgue*, récolté au-dessus de Clermont-Ferrand, un vin quasi mythique au délicat arôme de violette ; *Corent*, surtout fameux pour son gris, nerveux et fruité ; *Châteaugay*, rouge typé et de bonne tenue.

Saint-Pourçain

Le vin de Saint-Pourçain jouit d'une très ancienne notoriété puisqu'il fut l'hôte des tables royales au Moyen Age, accompagnant notamment le sacre de Charles V à Reims. Son prestige a quelque peu pâli depuis, mais il reste un vin sympathique et sans manières.

Recouvrant environ 500 hectares au sud de Moulins, le vignoble s'étage sur les coteaux qui longent l'Allier et deux de ses petits affluents, la Bouble et la Sioule. Les cépages y sont variés : tressalier, sauvignon, chardonnay et saint-pierre doré en blanc, gamay avec pourcentage obligé de pinot noir en rouge. Les vins blancs et rosés (ceux-ci vinifiés en gris) sont coulants et agréables dès leur prime jeunesse ; les vins rouges manquent légèrement de caractère mais se boivent facilement. La majeure partie de la récolte est traitée par la coopérative de Saint-Pourçain.

Côtes du Forez

Au nord-ouest de Saint-Étienne, entre Lyonnais et Velay, ce petit vignoble, éloigné d'une dizaine de kilomètres de la rive gauche de la Loire, occupe une frange de coteaux au pied des monts du Forez. Il s'apparente à maints égards au proche Beaujolais : mêmes expositions, mêmes sols granitiques, même cépage — le gamay noir à jus blanc. Les rouges, auxquels s'ajoutent quelques rosés, offrent d'ailleurs un air de famille, sans être toutefois aussi typés. Ce sont des vins nerveux et fruités, rustiques dans leur ensemble, à boire en primeur. La coopérative de Trelins vinifie l'essentiel de la récolte.

Côte Roannaise

En aval du vignoble forézien, aux alentours de Roanne, une vingtaine de communes — dont Ambierle et Renaison — produisent des vins rouges, plus rarement rosés, issus également du gamay. Surtout vinifiés en macération carbonique, les vins de la Côte Roannaise sont bien colorés et souvent assez alcooliques, sur un fond à dominante fruitée. On peut aimer le charme bourru de ces vins paysans, parfois remarquablement réussis par leurs petits producteurs.

Les vins du Nivernais

Un grand bond en avant, en suivant le cours de la Loire, nous amène au seuil du vignoble nivernais, dont les deux perles se regardent d'une rive à l'autre du fleuve.

Pouilly-Fumé et Pouilly-sur-Loire

Sur la rive droite, Pouilly-sur-Loire est le centre d'un vignoble blanc dont la prospérité remonte au Moyen Age, notamment grâce à la grande abbaye voisine de la Charité. Fort de quelque 500 hectares, celui-ci recouvre d'aimables collines en bordure de rivière, prenant racine dans des sols marneux (kimméridgien) et argilo-sablonneux. Saint-Andelain, Tracy-sur-Loire et Pouilly même (avec son hameau des Loges) sont les principales communes productrices.

Sur cet excellent terroir, malheureusement très sensible aux gelées printanières, cohabitent deux cépages, eux-mêmes à l'origine de deux appellations : le sauvignon et le chasselas, le second étant en nette minorité.

Le sauvignon croît ici dans ce qui est probablement son propre berceau. On le dénomme localement « blanc fumé » : est-ce à cause de son goût caractéristique ou de cette pellicule grise qui recouvre les grappes mûres et rappelle la fumée ? Il donne en tout cas naissance au noble et fameux *Pouilly-Fumé*, un vin très original. D'une couleur claire rehaussée de quelques reflets d'émeraude, le Pouilly est droit au goût (rappel de la pierre à fusil), plutôt corsé, mais sait conserver cette grâce naturelle qui s'exprime idéalement dans son bouquet musqué. Précocement mis en bouteilles, il peut se boire jeune, mais un vieillissement de quelques années lui donne délicatesse et rondeur, tout en chargeant ses arômes de subtiles nuances épicées. Malheureusement, ce beau caractère n'est pas toujours suffisamment exalté par les producteurs.

Quant au chasselas, il donne un vin facile mais plaisant, le *Pouilly-sur-Loire*, type même du blanc de carafe. Tôt embouteillé, de teinte pâle, c'est un vin coulant, léger, sans nervosité, mais

Les coteaux de Pouilly-sur-Loire, où prospère le « blanc fumé » qui a fait la gloire de l'appellation.

sachant offrir une agréable note de noisette quand il est bien vinifié.

Sancerre

Si Pouilly est dans la Nièvre, Sancerre, sur la rive gauche opposée, appartient entièrement au Cher. Le vignoble sancerrois, lui aussi, connut la prospérité dès l'époque médiévale, sous l'influence bienfaisante des moines de Saint-Satur, auxquels se joignirent les comtes de Sancerre. Le phylloxéra lui porta un coup durable et les replantations ne se firent que progressivement — en opérant d'ailleurs une conversion du rouge au blanc — pour s'accélérer depuis dix ans, avec la mode foudroyante de ce vin.

Dominé par la pittoresque petite cité de Sancerre, qui coiffe le sommet d'une grosse butte rocheuse, le vignoble recouvre près de 1 500 hectares d'un pays de collines aux belles ondulations. Les terrains se répartissent principalement en deux types : à flanc et en sommet de côte, des marnes kimméridgiennes (comme à Pouilly et à Chablis), qu'on baptise localement les « terres blanches » ; en bas de pente, des sols de calcaires secs, qu'on appelle les « caillotes ». L'aire d'appellation concerne le territoire de 13 communes, dont les plus importantes sont Bué, Crézancy, Ménétréol-sous-Sancerre, Sury-en-Vaux, Saint-Satur, Verdigny et, bien sûr, Sancerre même, avec ses deux hameaux d'Amigny et de Chavignol — dont les crottins sont aussi célèbres que les vins !

Ici, comme à Pouilly, on est dans le domaine d'élection du sauvignon. Même si rouges et rosés progressent, les blancs représentent encore les trois quarts de la production. Bien vinifié, le *Sancerre* blanc peut être un excellent vin de primeur. Corsé s'il vient des terres marneuses, plus tendre s'il est récolté dans les « caillotes », équilibré le plus souvent par l'assemblage de deux provenances, il affiche dès le printemps qui suit la vendange un caractère alerte et une

vivacité qui font l'essentiel de son charme. Teinté d'or pâle, il est alors vigoureux, avec un fruité éclatant et des arômes de jeunesse à nuances végétales, et coule très facilement. Les vins des « terres blanches », notamment ceux de Chavignol ou de Bué, tolèrent quelques années de garde, en affinant leurs qualités.

Quelques lieux-dits bénéficient d'une réputation ancienne et justifiée. Parmi ceux-ci, citons le *Clos du Chêne Marchand* et le *Clos de la Poussie* sur Bué, le *Clos du Roy* (à Champtin) sur Crézancy, la *Grande Côte d'Amigny* sur Sancerre, *La Perrière* et la *Côte de Verdigny* sur la commune du même nom.

Poussé par une forte demande, le pinot noir refleurit actuellement sur les coteaux sancerrois, résurgence du temps où le vignoble était surtout connu pour ses vins rouges. Subissant une cuvaison courte, le Sancerre rouge est un produit léger, agréablement bouqueté, mais qui manque trop souvent de corpulence et de vrai caractère. Plus typés sont en revanche les vins rosés, également issus du pinot. Dotés d'une belle couleur rose saumon, ils sont abondamment fruités et nerveux avec justesse : ils font d'excellentes bouteilles de primeur.

Coteaux du Giennois

Pouvant se dénommer également *Côtes de Gien*, ces V.D.Q.S. sont récoltés sur une aire d'appellation assez distendue, qui court, sur la rive droite de la Loire, de Cosne (Nièvre) jusqu'à Gien (Loiret) et englobe, sur la rive gauche, la région de Beaulieu. Totalement tombé en désuétude, le vignoble renaît lentement, surtout autour de Cours et de Saint-Père, avec une production oscillant autour de 5 000 hectolitres par an. Les vins rouges, principalement issus du gamay, en moindre proportion du pinot, sont fruités et sans complexité, tout comme les rosés, simples et désaltérants. Venus du sauvignon, avec parfois un petit appoint de chenin, les vins blancs affichent le même style direct et rustique.

Le Sancerrois est un pays de verdoyantes collines, où la vigne alterne avec les prés, les bosquets et les petites cultures.

Les vins du Berry

A l'ouest de Sancerre débute un vignoble dispersé, de très ancienne tradition, dont Bourges est le centre de gravité. Pendant longtemps, sa vocation fut d'ailleurs d'approvisionner la belle et riche capitale berrichonne.

Menetou-Salon

Jouxtant immédiatement le Sancerrois, le vignoble de Menetou prolonge son voisin jusqu'aux portes de Bourges. Il en est en quelque sorte la réplique. Ici, comme à Sancerre, domine le sauvignon. Recouvrant les pentes de petites collines calcaires, ce cépage fournit d'excellents vins blancs, frais, vifs et parfumés, dont les qualités se manifestent précocement. Comme à Sancerre encore, le pinot noir fournit des rouges légers, à boire rapidement, et quelques rosés. Menetou-Salon, Morogues, Soulangis et Parassy sont les principales communes productrices de ce vignoble où Jacques Cœur, au XVᵉ siècle, fut un cossu propriétaire.

Quincy

A l'ouest de Bourges et au sud de Vierzon, le petit vignoble de Quincy (une centaine d'hectares à peine) flanque la rive gauche du Cher, sur une terrasse gravelo-sablonneuse recouvrant un sous-sol calcaire. Le sauvignon réussit ici parfaitement, donnant des blancs secs et incisifs, au goût de pierre à fusil, qui s'expriment dès leur prime jeunesse mais ne dédaignent point d'être gardés plusieurs années en cave. La production, limitée aux communes de Quincy et de Brinay, souffre malheureusement du nombre trop restreint de producteurs.

Reuilly

Contigu de Quincy, le vignoble de Reuilly, à cheval sur deux départements (Indre et Cher), est encore plus déshérité que son voisin, faute de vignerons et de notoriété suffisante. Ses vins ne sont pourtant pas sans intérêt... La vigne occupe les deux rives de l'Arnon, un minuscule affluent du Cher, sur des terrains tour à tour marneux et sablonneux. Venus plutôt des marnes, les vins blancs de sauvignon sont vifs et fruités, plus soyeux que les Quincy, avec une bonne réserve de garde. Les rouges et les rosés proviennent de deux pinots, le noir et le gris, qui fournissent des vins de teinte légère et bien typés de leur terroir. En marge de Reuilly, Lazenay et Preuilly sont parmi les rares villages à faire naître ces gentils vins, dont il faut souhaiter la résurrection.

Châteaumeillant

A l'extrême sud du Cher, débordant également sur le département de l'Indre, Châteaumeillant est le dernier vignoble à illustrer la tradition vinicole du Berry. Une dizaine de communes — dont Champillet, Saint-Maur, Urciers, Reigny et Vesdun — forment la zone d'appellation (V.D.Q.S.), qui ne recouvre que 100 hectares environ. Sur des terrains gréseux, le gamay est le cépage principal, que complète un faible pourcentage de pinot. Il donne des rouges légers et alertes, et surtout le fameux « gris » de Châteaumeillant, un vin rose pâle, nerveux et très plaisant à boire. La grande majorité de ces aimables vins est vinifiée par la coopérative de Châteaumeillant.

Quincy, une petite appellation où le sauvignon peut donner sa pleine mesure et produire même des vins de garde (ci-dessous). Page ci-contre : le vignoble de Reuilly, aux vins tendres et fruités.

Confréries vineuses

A Pouilly-sur-Loire se trouvent les *Baillis de Pouilly*, vieille confrérie fondée en 1949 et dévouée à la célébration des blancs fumés qui ont fait la notoriété du vignoble. Quant au Sancerrois, sur l'autre rive de la Loire, il n'abrite pas moins de quatre sociétés bachiques : la *Compagnie des Sorciers et Birettes* (née en 1951 à Bué), la *Compagnie des Vignerons d'honneur* (créée en 1956 à Crézancy), la *Confrérie des Chevaliers du Cep* (fondée en 1960 à Verdigny), les *Chevaliers de Sancerre* (constituée en 1964, à Sancerre même). Toutes quatre, de par leurs manifestations régulières, animent le vignoble d'un bout à l'autre de l'année.

Quelques bonnes adresses

Côtes d'Auvergne

- Cave des Coteaux - 63960 Veyre-Monton

Saint-Pourçain

- Union des Vignerons de Saint-Pourçain - 03500 Saint-Pourçain-sur-Sioule

Côtes du Forez

- Les Vignerons Foréziens - Trelins, 42130 Boën

Côte Roannaise

- Maurice Lutz - Domaine du Pavillon - 42820 Ambierle

Pouilly-Fumé

- Château de Tracy - 58150 Pouilly-sur-Loire
- Paul Figeat - Les Loges, 58150 Pouilly-sur-Loire

Sancerre

- Lucien Crochet - Bué, 18300 Sancerre
- Cherrier Père et Fils - Amigny, 18300 Sancerre

Menetou-Salon

- Henry Pellé - Morogues, 18220 Les-Aix-d'Anguillon

Quincy

- Pierre et Jean Mardon - 18120 Lury-sur-Arnon

Reuilly

- Claude Lafond - Bois Saint-Denis, 36260 Reuilly

Les vins de la Loire

La Vallée Coquette à Vouvray. Les pieds chenus de pineau, les secrètes maisons troglodytes, la pente douce des coteaux, tout cela respire le climat paisible du vignoble tourangeau.

La Touraine

Jardin de la France ! Souvent ainsi nommée, la Touraine est une de ces régions où l'Histoire a bien voulu s'arrêter à plusieurs reprises.

Province des rois, à une époque où Paris, bien que capitale de la France, n'était pas pour autant un havre de paix et de stabilité.

Terre natale ou d'asile pour de nombreux artistes et savants : Ronsard, Rabelais, Balzac, Descartes, Alexandre Dumas, Vigny ou Léonard de Vinci... qui finit ses jours au château d'Amboise.

De nos jours, la Touraine garde cette qualité d'être une région où le « bien-vivre », dans son sens le plus large, signifie encore quelque chose d'authentique. Par la douceur de son climat, par sa luminosité incomparable — au crépuscule, particulièrement en fin d'été —, par une certaine lenteur des mouvements et des gestes, elle demeure une terre de séduction.

Aux portes de la Touraine

Vin de l'Orléanais

Orléans fut naguère célèbre pour son vignoble, qui, jusqu'à la fin du siècle dernier, pouvait se féliciter d'élaborer des vins appréciés à Paris comme à l'étranger. De nos jours, il ne compte plus qu'une centaine d'hectares exploités et ne doit sa petite réputation qu'à son fameux « gris meunier ».

Vinifié comme un blanc à partir du pinot meunier (le même que pour le Champagne), ce vin rosé — ou rouge léger — possède un bouquet discret et il est assez désaltérant. Il s'apprécie sur place, dans sa prime jeunesse, accompagnant parfaitement les entrées froides.

Les vins rouges, issus du pinot noir et, en faible proportion, du cabernet, sont légers et nets. Les petites années donnent des vins trop acides et quelque peu agressifs. Quant aux blancs, issus de l'auvernat (chardonnay), ils

Récolté dans le Blésois, l'excellent Cheverny provient souvent du cépage romorantin, que François Ier fit introduire dans la région.

peuvent être bus pour eux-mêmes, l'été de préférence.

Tous ces vins bénéficient du label V.D.Q.S., accordé en 1951.

Cheverny

A environ 15 km au sud-est de Blois, le vignoble de Cheverny englobe 23 communes du Loir-et-Cher, dont le centre viticole est la coopérative de Mont-près-Chambord. Il produit des vins blancs, rosés, rouges et mousseux ayant droit au label V.D.Q.S.

L'originalité des vins blancs réside dans l'emploi d'un cépage particulier, le romorantin, qui leur confère un bouquet et un gras très caractéristiques. Certains vins blancs sont néanmoins issus du chenin et du sauvignon.

Les vins rouges sont moins racés et moins complets, mais ils présentent des notes de petits fruits rouges qui leur apportent un charme très « féminin ».

A boire dans l'année et bien frais.

Valençay

Les vins de Valençay sont produits sur 13 communes de l'Indre et une seule du

Le chenin, encore appelé « pineau de la Loire » en Touraine, est le dénominateur commun de tous les grands vins blancs du Val de Loire.

Loir-et-Cher : Selles-sur-Cher. Ils sont rouges, rosés ou blancs.

Les cépages autorisés sont fort nombreux, bien que les assemblages effectués n'apportent pas une très grande richesse de sève à ces vins, qui s'apprécient pourtant pour leur fraîcheur et un bouquet relevé.

Les vins blancs ont un air de famille avec les Cheverny, dû à un apport de romorantin.

Le label V.D.Q.S. fut décerné en 1970 au vignoble de Valençay, un classement logique pour des vins qui sont au mieux dans leur jeunesse.

Cépages rouges : cabernet, cot, gamay, pineau d'Aunis, pinot, groslot, cabernet-sauvignon.

Cépages blancs : arbois, chardonnay, romorantin, sauvignon.

Coteaux du Loir

Le vignoble des Coteaux du Loir (A.O.C. depuis 1948) se trouve à environ 35 km au nord de la belle ville de Tours. Le Loir prend, ici, un chemin parallèle au grand fleuve, avant de le rejoindre aux environs d'Angers. Bien que se situant dans une région charnière, entre Anjou et Touraine, le vignoble se rattache plutôt à la seconde, tant les caractéristiques communes sont nombreuses avec les vins tourangeaux et autres Montlouis et Vouvray.

A l'image de leurs illustres voisins, les vins blancs, issus du chenin ou pineau de la Loire, sont les mieux réussis.

Profitant — comme à Vouvray — de ce que le chenin a tendance à mousser, les vignerons produisent des vins pétillants, qui ont la particularité de très bien vieillir. Ceux-ci sont toutefois plus rustiques que les Vouvray.

Pour élaborer les vins rouges, le pineau d'Aunis, appelé aussi chenin noir, donne généralement de meilleurs résultats que le gamay et le cabernet. Ce cépage trouve dans le sol, où abonde le tuffeau, le terrain idéal au maintien de sa supériorité. Bien vinifiés, les vins rouges sont de garde et accompagnent honorablement gibiers ou viandes rouges.

Un rapport qualité-prix tout à fait sage, qui devrait intéresser l'amateur.

Jasnières

L'histoire du vin de Jasnières (A.O.C. depuis 1937) n'est pas récente. Ce vignoble, encastré dans l'aire des Coteaux du Loir, était déjà reconnu et fêté à l'époque du roi Henri IV, qui insistait pour que ce précieux liquide lui fût servi en maintes occasions. Ne produisant que du blanc, les vignerons d'aujourd'hui perpétuent la tradition, même si ce vin n'honore plus la table de nos présidents.

Comme pour le Vouvray, le chenin est le cépage unique du *Jasnières*, mais, les années froides et pluvieuses, son taux d'acidité élevé nuit à la qualité. Toutefois, un grand Jasnières d'année chaude présente des qualités gustatives très particulières. Des arômes pêche-abricot se fondent dans un vin racé et fin qui, soutenu par une acidité charmante et maligne, rafraîchit la bouche, mais aussi tout le corps. C'est un vin qu'on peut qualifier de « tonique » et qui, flattant le buveur, réveille le penseur.

D'une longévité surprenante (15 ans et plus), voilà un vin qui se remarque par son originalité. Se faisant sec ou moelleux selon les années, il accompagne à merveille les champignons et les poissons de rivière. Deux communes ont droit à l'appellation : Lhomme et Ruillé-sur-Loir.

Coteaux du Vendômois

Ce vignoble (classé V.D.Q.S. en 1968) s'étend sur 35 communes du département du Loir-et-Cher. Les plus réputées sont celles de Lavardin, de Montoire et de Savigny-sur-Braye.

La réussite des Coteaux du Vendômois concerne avant tout les rosés, élaborés à partir d'un excellent cépage : le pineau d'Aunis, utilisé seul ou complété de gamay noir. Cet assemblage donne des vins tout en arômes, où dominent le poivre et la framboise.

Les vins blancs sont issus principalement de chenin et à 20 p. 100 de chardonnay. Ils rappellent leurs voisins des Coteaux du Loir, d'une manière moins prononcée.

Quant aux vins rouges, la législation qui les concerne a permis aux viticulteurs des assemblages plus nombreux, mais peut-être aux dépens de la qualité. Généralement, les proportions sont d'au moins 30 p. 100 de pineau d'Aunis, complété par le pinot noir, le gamay et le cabernet franc.

En Touraine

Touraine

L'appellation *Touraine* concerne des vins des trois couleurs. Le vignoble s'étend le long de la Loire, à partir de Blois, et se termine au confluent de la Vienne, à proximité de Saumur.

Les villages de l'aire de production tourangelle aiment à s'annoncer par cette sympathique pancarte.

Vinifié et conservé dans la sombre fraîcheur des caves creusées dans le tuffeau (ci-contre), le Vouvray peut ensuite défier le temps (ci-dessus).

Pour mieux comprendre, rappelons qu'il existe des *Touraine* suivis du nom de la commune d'origine, au nombre de trois : Touraine-Mesland, Touraine-Amboise et Touraine-Azay-le-Rideau. Ceux-ci ont eu droit à leur appellation d'origine en 1939, la même année que le Touraine A.O.C.

Le vignoble produisant le Touraine générique recouvre 169 communes (Indre-et-Loire, Loir-et-Cher), qui sont soumises aux mêmes obligations.

• ***Les vins rouges.*** Les vins rouges doivent être issus des cépages cabernet franc (breton), gamay, pinot gris, pinot meunier et cot. En général, ils sont bien parfumés, quelquefois boisés ou fumés. Ils sont rarement veloutés et leur manque de corps ainsi que leur acidité peuvent leur être néfastes.

• ***Les vins blancs.*** Le sauvignon et le chenin sont les deux cépages de base pour l'élaboration des vins blancs, avec un apport maximal de 20 p. 100 de chardonnay.

Ceux-là sont souvent considérés comme étant les vins les plus intéressants de l'appellation régionale, à juste titre d'ailleurs.

Un équilibre alcool-acidité est souvent réussi. Quant à leurs senteurs, rappelant quelquefois les forêts tourangelles, elles s'expriment pleinement en bouche. Votre mémoire mettra très peu de temps à retrouver l'amande, les fleurs printanières et la paille séchée.

• ***Les vins rosés.*** Ils sont classiques, légers, fruités, mais c'est surtout leur fraîcheur (due à l'acidité malique) qui les caractérise le plus.

• ***Les vins mousseux et pétillants.*** L'appellation présente également au consommateur des vins mousseux et pétillants (le « pétillant » présente une pression inférieure de moitié à celle du « mousseux », qui doit dépasser 3 atmosphères). Vinifiés selon la méthode champenoise et astreints à un vieillissement d'au moins neuf mois, ces vins font d'agréables bouteilles, parfois bien typées du terroir.

Touraine-Mesland

L'aire de production du Touraine-Mesland s'étend sur 6 communes : Mesland, Monteaux, Onzain, Chouzy, Chambon et Molineuf, situées entre Amboise et Blois. Celles-ci donnent des vins de bonne facture, qu'ils soient rouges, rosés ou blancs.

Les rouges, issus principalement du gamay, sont des vins de primeur, légers et d'une construction assez souple, rappelant ceux du Beaujolais. Leur prix reste très raisonnable, inférieur à celui du Beaujolais nouveau, alors que la qualité n'est pas forcément moins bonne.

La palme de la qualité va sans conteste aux rosés secs, à la robe claire et nette, au fruité et à la fraîcheur très agréables.

La production des vins blancs est devenue très minime. Dommage pour ceux qui apprécient la race de ce vin original...

Touraine-Amboise

Outre Amboise même, 7 autres communes produisent le *Touraine-Amboise.* Ce sont : Chargé, Cangey, Limeray, Mosnes, Nazelles, Pocé-sur-Cisse et Saint-Ouen-les-Vignes.

Les vins blancs sont issus principalement du chenin et donnent des bouteilles de bonne qualité, qui rappellent les vins secs de Vouvray.

Les deux meilleures communes, Nazelles et Pocé-sur-Cisse, touchent d'ailleurs l'aire d'appellation de Vouvray. Tout à fait équilibrés, ces blancs sont aussi particulièrement intéressants pour leur rapport qualité-prix.

D'une manière générale, les vins rouges enthousiasment moins l'œnophile. Une vinification de plus en plus courte donne des vins de primeur un peu trop souples, ne correspondant plus vraiment aux caractéristiques propres à la région.

Certains vignerons, employant le cabernet franc dans un pourcentage supérieur à la moyenne, réalisent toutefois de belles bouteilles. Celles-ci livrent un vin tannique et plein en bouche, qui peut développer, à la garde, des arômes étonnants, non seulement de petits fruits rouges, mais aussi de fougères et de champignons. Les vins rosés, à base de gamay, de cabernet et de cot, sont souvent bien enveloppés.

Touraine-Azay-le-Rideau

Azay-le-Rideau, bien connu pour son château, l'un des plus beaux joyaux de la Loire, n'est que l'une des communes ayant le droit à cette dénomination.

Son vin blanc est depuis longtemps réputé. Il provient du chenin, planté sur un sol calcaire. Ses bouteilles, assez rares, figurent parmi les meilleures réussites des blancs secs de Touraine. Le terroir de Saché est l'un des plus réputés de l'appellation.

Les vins rosés, appuyés par 60 p. 100 minimum de groslot, ont moins de typicité que les blancs. Et les rouges ? Ils sont tout simplement inexistants.

Vouvray

Le vignoble de Vouvray remonte au Moyen Age. Au VIIIe siècle, les moines de l'abbaye de Saint-Martin exploitent déjà ces terres où la vigne trouve, dans un microclimat propice et un sol de tuffeau, son milieu de prédilection.

A l'heure actuelle, 8 communes produisent du *Vouvray*, classé en A.O.C. depuis 1936. Ce sont : Rochecorbon, Vernou, Sainte-Radegonde, Noisay, Chançay, Reugny, une partie de Parçay-Meslay et, bien entendu, Vouvray.

A la différence de l'aire d'appellation régionale, le vignoble ne produit ici que des vins blancs issus exclusivement du chenin. Cela n'empêche pas une grande diversité des vins, lesquels peuvent être secs, demi-secs, moelleux, pétillants ou mousseux.

Évoquons, en premier lieu, les Vouvray mousseux et surtout pétillants qui, finement équilibrés en liqueur, développent une mousse légère, délicatement parfumée, et laissent en bouche une impression de fruité particulièrement délectable. Ils prouvent, si c'est encore la peine, que le Champagne n'est pas le seul vin effervescent de haute qualité.

Il existe, cependant, des différences certaines entre Champagne et Vouvray. Ce dernier se bonifie avec l'âge et permet une garde supérieure à celle du Champagne. Généralement, il est plus rond et vineux en bouche. Ainsi, les 1945 et 1947 tiennent très bien encore.

Si les mousseux et pétillants peuvent vieillir avec bonheur, ils ne sont pas les seuls. En effet, certaines années particulièrement chaudes donnent naissance à des Vouvray moelleux, produits avec autant de soin que les grands Sauternes (plusieurs tries sont nécessaires) et pouvant défier le demi-siècle, voire plus... Ces flacons sont aussi rares qu'admirables et figurent parmi l'élite des grands vins français.

Le Vouvray sec présente les mêmes particularités que ses frères pétillant et moelleux. Il peut, lui aussi, défier les années, moins pourtant que les précédents, bien que sa garde reste supérieure à la majorité des autres vins blancs secs. Il faut donc savoir l'attendre pour qu'il atteigne son plus haut niveau et dévoile ses secrets : une bouche très fruitée et relevée par une légère acidité naturelle, un caractère tout à fait spirituel.

Montlouis

En amont du village de Vouvray se situe, sur la rive gauche de la Loire, le vignoble de Montlouis. Une région qui, par le passé, vendait son vin sous l'appellation Vouvray.

Jusqu'en 1937, un conflit opposa les deux cités. Malgré leur proximité, le Vouvray, récolté sur la rive opposée du fleuve, possède ses propres qualités organoleptiques, différentes de celles du *Montlouis*. Ce n'est qu'en 1938 que l'I.N.A.O. accorda une appellation spécifique à Montlouis, laquelle, enfin, différenciait les deux vins.

La production est ici nettement inférieure à celle de Vouvray. En revanche, les techniques d'élaboration du vin — qu'il soit sec, moelleux ou pétillant — ne varient pas d'une commune à l'autre.

Il faut donc, « verre en main », déguster le Montlouis, pour découvrir un vin magnifique qui, s'il rappelle le Vouvray, s'en distingue par une légèreté et une finesse toutes particulières.

S'il est un peu moins racé et séveux que son illustre voisin, son naturel permettra à l'amateur de goûter le vin de Montlouis pour lui-même.

Bourgueil et Saint-Nicolas-de-Bourgueil

Avec le *Bourgueil*, nous faisons la rencontre de l'un des trois grands vins rouges de la Loire.

A 30 km en aval de Tours sur la rive droite s'étend ce vignoble long de 20 km, allant de Saint-Patrice à Saint-Nicolas-de-Bourgueil. Ici, la typicité du terrain a deux visages : ou bien il est fait de graviers et d'alluvions à proximité de la Loire, ou bien c'est un terrain de « côte », où le cep de vigne pénètre une terre argilo-calcaire jusqu'au sous-sol de tuffeau (ou tuf).

Ces deux variantes géographiques sont à l'origine de deux variétés de vins rouges. Les premiers se font généralement plus tôt et peuvent, pour certains, être proposés en primeur, dès l'hiver. Les autres, plus durs, demandent une garde plus longue, en général 2 à 3 ans. Le cépage employé est, pour les deux types de vin, le cabernet franc, qu'on appelle « breton » sur place.

Le Bourgueil de « côte » est souvent mêlé à celui de graviers, certains vignerons estimant qu'ils s'accouplent parfaitement en s'apportant mutuellement leurs qualités. Ce procédé ne doit pas faire oublier la très haute qualité des vins de « côte » qui, en performance gustative, se situent

Vendanges à Bourgueil. C'est ici le domaine d'élection du cabernet franc, ce beau cépage que les Tourangeaux baptisent « breton ».

dans l'ombre des Médoc. A cépage noble, vin noble, pourrions-nous dire ici. Le Bourgueil renferme nombre d'arômes de petits fruits rouges, avec une note de boisé qui l'anoblit et donne cycliquement des flacons exceptionnels, comme les 1947 et 1959 ; ces derniers se dégustent encore parfaitement, soutenus par une acidité toujours présente. La récolte de 1976 promet le même feu d'artifice.

Quant à savoir si le Bourgueil développe plus un nez de framboise que de cassis, il serait difficile de répondre catégoriquement, étant donné la diversité des parcelles.

En tout cas, grâce à un rapport qualité-prix des plus sages, l'achat de quelques caisses de ce vin apparaîtra, avec le temps, comme étant un coup de cœur parfaitement justifié.

Chinon

De toutes les appellations de la Loire, *Chinon* — qui date de 1937 — est la plus connue et la plus citée. A cela plusieurs raisons, dont la première pourrait être d'ordre littéraire, avec notre fantasque et génial François Rabelais, qui sut si bien nous parler de sa Touraine et du vin chinonais.

En fait, le vignoble produit un vin qui rappelle dans ses grandes lignes son frère et voisin le Bourgueil.

Les vignes, alignées des deux côtés de la Vienne, remontent jusqu'à la Loire, dont elles occupent la rive gauche, et se répandent dans un ordre plus dispersé sur les communes des alentours de Chinon. La vigne occupe deux types de terrain. L'un, près des fleuves, est constitué par des alluvions et, surtout, des terrasses de graviers. L'autre est fait d'une couche argilo-calcaire qui recouvre un socle de tuffeau.

Étant donné que la structure géologique est la même qu'à Bourgueil, il n'est pas étonnant de retrouver le cabernet franc. Si les deux appellations ont un air de famille, les Chinon se distinguent des Bourgueil par une légèreté plus apparente, par une différence indiscutable au nez (avec un arôme rappelant la violette), par une robe moins foncée. En général, ils arrivent plus vite à maturité que les Bourgueil.

Cependant, certains vignerons de la « côte », dans des années exceptionnelles comme 1959 ou 1976, produisent des cuvées très tanniques, où l'équilibre alcool-tannin-acidité est tel que trente bonnes années de vieillissement en cave de tuffeau ne seront pas de trop pour l'affinement de grandes bouteilles, parfaitement admirables. Les meilleures communes sont : Ligré, Chinon, Cravant-les-Coteaux, Beaumont-en-Véron, Savigny-en-Véron.

Le Clos de l'Écho, l'un des crus les plus prestigieux de Chinon.

L'Anjou

L'Anjou viticole couvre la majeure partie du département du Maine-et-Loire ; il inclut traditionnellement le Saumurois.

Cette douce région a de tout temps attiré les hommes, jusqu'à exciter de fréquentes convoitises au cours de l'Histoire. Il est facile de comprendre l'engouement pour cette terre où les présents de la nature abondent. Bercé par la Loire et ses affluents, l'Anjou possède un véritable microclimat qui engendre des arrière-saisons souvent très belles. Les viticulteurs ont toujours su profiter de ce phénomène, et c'est une des raisons pour lesquelles ils vous proposent une jolie série de vins liquoreux.

En Anjou

Saumur

L'histoire des vins de Saumur est édifiante. Par le passé, leur réputation dépassait largement la région et même nos frontières, si l'on se souvient que les Hollandais et les Belges commandaient les meilleures cuvées de Saumur... Malheureusement, le vignoble fut très durement touché par le phylloxéra et replanté avec beaucoup d'incertitude. L'A.O.C. fut obtenue en 1957. Actuellement, les vignerons proposent des vins dont la qualité s'améliore au fur et à mesure des années. Ceux-ci nous promettent de belles surprises pour la fin du siècle.

Au total, 38 communes produisent les vins de Saumur, à partir du chenin pour les pétillants et les blancs secs, à partir du cabernet franc, du cabernet-sauvignon et du pineau d'Aunis pour les rouges.

Le vignoble s'étend sur deux axes : les rivières de la Dive et du Thouet, au sud de Saumur, et la rive gauche de la Loire. Ici, la terre rappelle la Touraine plutôt que l'Anjou. Le tuffeau est partout présent et demeure l'arme première pour la construction de caves de vieillissement. C'est dans ce type de caves que les vins subissant la double fermentation (méthode champenoise) trouveront le site idéal pour leur élaboration.

Bouteilles sur pointe à Saumur. La disposition des vins locaux à l'effervescence fut, au début du XIXe siècle, à l'origine d'une florissante industrie de la champagnisation.

Même dans leur corps, les vins de *Saumur* possèdent ce fameux goût de tuffeau, typique également des Chinon et des Bourgueil.

Les vins blancs sont secs ou demi-secs ; à plus de 10 g de sucre par litre, ils n'auraient plus droit à l'appellation. Leur caractéristique est, avant tout, de conjuguer une vigueur nette avec une finesse et une légèreté tout en arômes. Comme beaucoup de vins blancs de Touraine issus du chenin, les *Saumur* possèdent une longévité respectable, de dix ans au minimum.

La production des Saumur mousseux et pétillants est très importante ; elle est même la première en France. Pourtant, l'abondance ne nuit pas à la qualité. Ce sont en effet des vins qui se distinguent par une netteté en bouche très séduisante, que des arômes complexes tapissent, en douceur, sans l'irriter ou la secouer.

Coteaux de Saumur

Cette appellation du Saumurois (décernée en 1962) concerne exclusivement les vins blancs doux et moelleux. Ceux-ci sont produits dans 13 communes, dont les plus connues sont : Parnay, Brézé, Dampierre, Saint-Cyr-en-Bourg et Souzay. Le chenin constitue l'unique cépage d'élaboration des cuvées (teneur minimale en sucre de 10 g/l).

Des vins de grande qualité dans l'ensemble (surtout les années sans pluie pendant les vendanges), aux arômes très floraux, suaves et avec une certaine vigueur qui leur donne toute la distinction possible. Un *Coteaux de Saumur* se trouvera être au mieux de sa forme dans sa dixième année. Température de dégustation : 8 °C.

Saumur-Champigny

Nous rencontrons ici le dernier des trois grands vins rouges de la Loire. Un sous-sol de tuffeau, des couches argilo-calcaires et le même cépage qu'à Chinon et à Bourgueil nous permettent de retrouver toutes les caractéristiques des grands vins rouges de Touraine.

Le *Saumur-Champigny*, appelé fréquemment « Champigny », mérite non seulement du respect, mais aussi de l'admiration : voilà véritablement un joyau du Val de Loire.

Il faut savoir attendre ce vin qui, bien que moins tannique que les Bordeaux, mettra au moins dix ans pour s'ouvrir et s'affirmer. Alors il se présentera paré d'une magnifique robe grenat clair ou rubis, nous gratifiant d'un nez assez fou pour enchaîner la violette puis la framboise, enfin le cassis ou la prune sauvage. Sa saveur est franche et sans ambiguïté.

Très bien équilibré en alcool et acidité, tannique quand il le faut, il est aussi caractérisé par sa souplesse et tapisse la bouche avec une justesse étonnante : un véritable trésor d'émotions.

D'une certaine façon, il représente la charnière entre les grands rouges de Touraine et les vins d'Anjou. L'appellation connaît, d'ailleurs, un succès de plus en plus grand ; succès dû en partie à l'effort de la Cave coopérative de Saint-Cyr-en-Bourg, qui mène une politique de qualité en ce qui concerne les Saumur-Champigny.

Cabernet de Saumur

Provenant des meilleurs terrains du vignoble saumurois, ce vin rosé est obtenu à partir du cabernet franc. La méthode de vinification est semblable à celle des vins blancs : la vendange est pressée directement sans foulage. Ce procédé donne des vins à la robe peu colorée.

La production de *Cabernet de Saumur* est relativement récente. Elle remonte au début du siècle. L'appellation d'origine contrôlée lui fut accordée en 1964. Depuis lors, ce vin connaît un succès mérité. Peu marqué par le type cabernet (à cause d'une cuvaison courte), il est sec, frais, léger, d'une couleur juste plus prononcée qu'un vin blanc. A signaler que le fruité et la fraîcheur du Cabernet de Saumur s'accommodent mal du vieillissement.

Anjou

L'appellation régionale (accordée en 1957) produit aux environs de 200 000 hectolitres d'un vin qui peut être rouge, blanc, pétillant ou mousseux. La qualité générale progresse lentement. Néanmoins, il est difficile de porter un jugement d'ensemble sur ces vins qui, selon le terrain, l'exposition ou la compétence du vigneron, diffèrent d'une commune à l'autre.

Les cépages cultivés sont, pour les blancs : le chenin, le sauvignon et le chardonnay ; pour les rouges : le cabernet franc et le pineau d'Aunis.

La qualité, bien qu'inégale, peut réjouir l'amateur qui dégustera des vins provenant d'une bonne commune (dont le nom est parfois mentionné sur l'étiquette).

Dans l'humidité d'une cave de Turquant, le vin nouveau est tiré du fût.

Le vignoble de La Pommeraye. Cette excellente commune de la rive gauche de la Loire produit des vins rouges mais surtout de très harmonieux Anjou blancs.

Rosé d'Anjou

Voici encore une appellation récente, datant également de 1957.

Ces rosés proviennent de plusieurs cépages : groslot en grande partie, cot et gamay. Ils sont vinifiés de la même manière que les blancs ; des raisins non foulés et pressurés rapidement. Leur couleur se dessine au début d'une fermentation plus ou moins courte qu'on stoppera par mutage, pour donner des vins demi-secs ou doux. Pour avoir droit à l'appellation, les vins ne doivent pas dépasser 3 g de sucre résiduel par litre.

D'un usage limité, le *Rosé d'Anjou* demande à être bu rapidement et très frais. Un petit conseil : le présenter sur une terrine de lièvre. Délicieux.

Rosé et Crémant de Loire

Produit dans tout le Saumurois et l'Anjou, le *Rosé de Loire* est, en sec, le frère du rosé d'Anjou. Récente — elle fut concédée en 1974 —, l'appellation ne compte pas de vins remarquables. Elle a encore du mal à se hisser au niveau des bons rosés de France.

A signaler également la production du *Crémant de Loire*, un honorable vin effervescent, issu des terroirs angevins et tourangeaux.

Gamay d'Anjou

Comme leurs confrères du Beaujolais, les vignerons angevins produisent un vin de primeur à base de gamay.

Produit sur l'aire régionale, récolté sur des sols calcaires, ce vin *(Anjou Gamay)* présente certaines différences avec le Beaujolais. Généralement plus sec, il est aussi plus léger (si c'est encore possible). Il semble que ce vin, en progrès constant, trouve aujourd'hui une clientèle non négligeable. De là à effacer l'image de marque des Beaujolais primeurs...

Cabernet d'Anjou

La différence entre *Cabernet d'Anjou* et Rosé d'Anjou doit être tout de suite soulignée. Si le second est d'une qualité générale assez faible, le Cabernet d'Anjou présente un intérêt gustatif indiscutable.

Ces vins sont doux et doivent avoir au minimum 10 g de sucre résiduel par litre. Les années chaudes sont donc très importantes, car une année froide et pluvieuse priverait le raisin de ce sucre naturel indispensable. Ici, la vendange est foulée, alors que le Cabernet de Saumur est pressé directement.

La finesse de ces vins, reconnue de tous, est basée sur le fruité. Ne pas les attendre. A servir frais, à une température d'environ 9 °C, pour les apprécier à leur juste valeur.

Coteaux de la Loire

Longeant le cours de la Loire, le vignoble comporte 8 communes sur la rive droite : Saint-Barthélemy-d'Anjou, Brain-sur-l'Authion, Bouchemaine, Savennières, La Possonnière, Saint-Georges, Champtocé et Ingrandes ; 3 sur la rive gauche : Montjean, La Pommeraye et Chalonnes.

Similaire à celle du Layon — sol schisteux avec des couches de grès et de silice —, la structure physique de la région convient particulièrement au chenin. Très peu étendues dans les terres, les vignes disposent d'une exposition souvent idéale et profitent de la fameuse « douceur angevine ». Les vins blancs, secs ou demi-secs selon les années, sont plus fins et plus nerveux que les vins du Layon. On retrouve ce fruité typique, provenant du chenin, avec des arômes délicats et savoureux.

Si Savennières est, de toutes les communes, la plus connue pour sa « Coulée de Serrant » et « La Roche-aux-Moines », Ingrandes, Montjean et La Pommeraye situées à la frontière de l'Anjou et du Pays nantais, concentrent la majeure partie de la production.

A noter que les *Anjou-Coteaux de la Loire* reçurent leurs lettres de noblesse en devenant une A.O.C. en 1946, un peu plus tôt que la plupart des appellations des vins d'Anjou.

Coteaux du Layon

Le vignoble s'étire le long du Layon jusqu'à la Loire. Sa capitale est Martigné-Briand, une commune importante, qui couvre plus de 800 hectares.

On distingue deux régions. En remontant le cours de la rivière, de Martigné jusqu'à Mueil, c'est d'abord le Haut-Layon : en fait, une quinzaine de communes, qui fournissent de plus en plus de vins rouges et rosés en marge de leur production de blancs. Puis, de Martigné-Briand à la Loire (commune de Chalonnes), s'étendent les vignobles du Bas-Layon.

La meilleure réputation va, sans conteste, à la seconde région. 7 communes ont l'honneur de pouvoir ajouter leur nom à l'appellation *Coteaux du Layon*, et deux d'entre elles se flattent de posséder des « grands crus ». En descendant le cours du Layon, de Martigné-Briand à Chalonnes, ce sont : Thouarcé (avec son Bonnezeaux), Faye (600 hectares), Beaulieu (500 hectares), Saint-Aubin-de-Luigné (500 hectares) et Rochefort-sur-Loire (450 hectares, avec son Quarts-de-Chaume), toutes situées sur la rive droite. Sur la rive gauche : Rablay (300 hectares) et Saint-Lambert-du-Latay (650 hectares).

Ces communes ont chacune des caractéristiques propres. Sous-sol carbonifère à Saint-Aubin-de-Luigné, donnant des vins gras et virils. Vins plus délicats sur la commune de Beaulieu. Concentration et richesse des vins à Faye. Vins plus légers à Rablay.

Ces vignobles aussi produisent des vins rosés : cabernet d'Anjou et rosé d'Anjou, dans une proportion moyenne d'un quart par rapport aux vins d'appellation *Coteaux du Layon*, car celle-ci ne désigne que des vins blancs secs, demi-secs, doux, liquoreux, obtenus à partir du chenin, leur cépage commun.

Les plus belles réussites sont dans les vins liquoreux, élaborés de la même façon que les Sauternes. Que la chaleur soit au rendez-vous,

Au cœur des Coteaux du Layon, dans le cru de Bonnezeaux, où naissent de splendides vins moelleux. Au loin, le petit moulin de Thouarcé.

provoquant une arrière-saison magnifique, et les vins des Coteaux du Layon se hissent au niveau des grands liquoreux français, avec des arômes d'acacia et de miel.

Bonnezeaux

Bonnezeaux est l'un des deux « grands crus » des Coteaux du Layon. Étendu sur une centaine d'hectares dépendant de la commune de Thouarcé (rive droite), il engendre un vin de haute lignée, qui mérite indiscutablement l'appellation particulière qu'il acquit en 1951. Celle-ci ne concerne que des vins blancs liquoreux, parfois moelleux.

Le vignoble, planté en chenin, grimpe sur des coteaux schisteux et s'étire sur 3 km de long, pour 500 m de large.

Si le Bonnezeaux est liquoreux, c'est que les coteaux de Thouarcé se prêtent étonnamment bien à l'apparition de la fameuse pourriture noble. La vendange, ramassée par tries, est pressée puis mutée à l'anhydride sulfureux.

Le Bonnezeaux doit titrer au minimum 13°, dont 12° d'alcool : difficulté secondaire quand on sait que des bouteilles de 1947 et 1955 montent jusqu'à 18° (degré d'alcool + degré potentiel dû au sucre résiduel).

Ce grand liquoreux possède un bouquet très riche en arômes floraux et dégage en bouche une touche de miel ici accentuée par des notes de noyau d'abricot.

Il faut savoir l'attendre au moins cinq ans dans les petites années, et dix ans au minimum dans les années exceptionnelles, comme 1976. Le rendement faible (25 hl/ha) garantit la qualité.

Quarts-de-Chaume

De tous les vins blancs liquoreux de la Loire, le *Quarts-de-Chaume* est probablement le meilleur. Il est produit sur la commune de Rochefort-sur-Loire, sur des terrains idéalement exposés. Ses vignes, situées dans une cuvette, sont chauffées par le soleil pendant la journée et conservent naturellement cette chaleur pendant la nuit.

Ici, la qualité est tout simplement étonnante. Bénéficiant des plus grands soins et d'une vinification excellente, le Quarts-de-Chaume se différencie du Sauternes par des arômes types de la région et par une moindre teneur en sucre résiduel. Différence de taille, qui apporte au Quarts-de-Chaume une nervosité dont certains Sauternes sont quelquefois dépourvus.

Ce vin a vraiment du caractère. Il n'existe pratiquement pas de mauvaises bouteilles. A l'image d'un Yquem, il vaut mieux boire un Quarts-de-Chaume pour lui-même. A ne proposer qu'aux grands amateurs de vins liquoreux.

Coteaux du Layon-Chaume

Cette appellation d'origine contrôlée, accordée en 1950, désigne des vins produits sur 150 hectares de la commune de Rochefort-sur-Loire. Les *Chaume* sont soumis à un rendement faible : 25 hl/ha, au lieu de 30 hl/ha pour les appellations « villageoises ».

Liquoreux, ce sont des vins complets et très fruités en bouche. Leur caractère principal serait, néanmoins, d'allier une bonne acidité à un bain d'arômes où l'abricot et le tilleul ne semblent s'accoupler que pour le meilleur.

Coteaux de l'Aubance

Situés sur les deux rives de l'Aubance, les coteaux du même nom produisent des vins blancs demi-secs ou moelleux, élaborés à partir du chenin. Ceux-ci possèdent de nombreuses qualités : légers et subtils, toujours nets, ils ne sont ni trop mous ni trop acides. Ce sont des vins typés et de caractère.

Les communes les plus réputées sont : Vauchrétien, Soulaines, Murs-Érigné... A signaler qu'une partie de l'aire d'appellation produit parallèlement des rosés d'Anjou, issus du cabernet et du groslot.

Savennières

Ayant reçu l'A.O.C. en 1952, *Savennières* demeure la seule appellation communale des Coteaux de la Loire. Située sur la rive droite, la commune abrite deux crus célèbres : la Coulée de Serrant et La Roche-aux-Moines.

Les Savennières, souvent secs, rappellent, à un degré de qualité supérieur, les vins des Coteaux de la Loire ; comme eux, ils proviennent du chenin.

Ici, les millésimes sont très importants. Dans les années trop pluvieuses et sans soleil, les vins, qui sont en général riches et séveux, n'arrivent pas toujours à s'ouvrir et présentent une bouche trop acide et une dureté regrettable.

Grande et inoubliable Coulée de Serrant, joyau de Savennières.

En revanche, dans les belles années, les Savennières procurent aux amateurs avertis nombre de satisfactions : arômes de tilleul, note de coing, équilibre alcool-acidité parfait... Leur longévité leur permet alors d'acquérir une souplesse bienvenue.

Savennières-Coulée de Serrant

Ce grand cru est, sans possible polémique, celui qui produit les meilleures bouteilles de Savennières.

La *Coulée de Serrant* produisait dans le passé des blancs liquoreux, mais aujourd'hui, sur ses 7 hectares, elle propose aux heureux clients des vins uniquement secs.

Contigu à La Roche-aux-Moines, le clos de la famille Joly fut créé par les moines de Saint-

Nicolas-d'Angers, au XIIe siècle. Parfaitement exposé, il donne un vin qui rassemble toutes les qualités des blancs de la Loire.

Très riche, corsé, avec une sève qui tapisse le palais à la perfection, long en bouche, il est habillé d'un beau jaune d'or et révèle un équilibre étonnant. Sa dégustation parvient à des sommets rarement atteints.

Il faut cependant être patient, car ce vin hors classe ne se soumettra aux plus fins palais qu'après une garde d'au moins cinq ans et sera au mieux dans sa dixième année.

Conseillons-le comme accompagnement des poissons nobles de la Loire : brochets, anguilles..., que la charpente de ce vin superbe supportera sans aucune peine.

Savennières-La Roche-aux-Moines

Petit frère de la Coulée de Serrant — dans l'esprit et, géographiquement, à un coteau d'écart —, ce cru bénéficie des mêmes cadeaux de la nature. Ici, cependant, il n'est pas question de monopole : dix propriétaires s'emploient à vinifier ce très beau blanc sec de chenin pur. Beaucoup plus étendu, le vignoble compte 30 hectares de vignes d'un âge respectable.

A la dégustation, le vin révèle les mêmes qualités que sa prestigieuse voisine, mais peut-être avec moins de concentration et une analyse plus facile. Néanmoins, les grandes années, les producteurs élaborent des cuvées tout à fait remarquables.

En marge de l'Anjou

Vins du Thouarsais

Les 16 communes productrices des *Vins du Thouarsais* sont situées au sud du Saumurois, surtout aux alentours de Thouars (Deux-Sèvres). Leurs vins sont blancs, rosés et rouges. Tous ont droit au label V.D.Q.S. depuis 1966.

Les vins blancs rappellent, dans un caractère moins puissant, les Anjou blancs et donnent, en années chaudes, des cuvées très réussies. On retrouve, dans les bouteilles de « demi-doux », les arômes typiques des blancs angevins, comme l'amande et le tilleul.

Les vins rouges, eux, évoquent plutôt les Saumur. Le cépage cabernet franc étant le même que celui du Saumur-Champigny, cela confère quelquefois des airs de famille. Néanmoins, ils sont plus légers, avec un degré d'alcool plus faible (9°). Ils sont aussi moins riches en tannins.

A boire frais et à ne pas attendre, sauf quelques rares bouteilles de blanc doux.

Vins du Haut-Poitou

Le vignoble du Poitou fut, jusqu'au XVIe siècle, l'un des plus gros producteurs de vins français. Ses vins étaient alors achetés par l'Angleterre et les pays d'Europe du Nord.

Aujourd'hui, la production est considérablement réduite, bien que 45 communes du département de la Vienne et 2 communes (Doux et Thénezay) des Deux-Sèvres aient relancé la tradition, principalement sous l'impulsion de la dynamique coopérative de Neuville-du-Poitou.

Les *vins du Haut-Poitou* ont reçu le label V.D.Q.S. en 1970. Les vins blancs, frais et simples, sont réussis surtout grâce au sauvignon et au chardonnay et, en moindre proportion, au pinot blanc et au chenin. Les vins rouges et rosés sont issus d'une grande variété de cépages : pinot noir, gamay, merlot, cot, cabernet-sauvignon, cabernet franc et groslot. Ils sont légers et fruités.

Dégustation d'un vieux Chaume à Saint-Aubin-de-Luigné.

Le Pays nantais

Ce pays évoque immanquablement, pour les Français, le Muscadet. En effet, il est rare de rencontrer une région autant attachée à l'image de marque de son vin. Celui-ci est devenu, depuis le XVIIIe siècle, un ambassadeur de charme auprès des étrangers et des touristes de passage. 12 000 hectares lui sont désormais acquis au détriment des cultures céréalières naguère abondantes. Le vignoble s'étend le long de la vallée de la Loire ainsi qu'au sud du département de la Loire-Atlantique, en décrivant un large arc de cercle sous le fleuve, et bénéficie d'un climat doux et tempéré, en raison de la proximité de l'océan.

Coteaux d'Ancenis

A la limite du Maine-et-Loire et de la région nantaise, le voyageur traverse la belle région des Coteaux d'Ancenis.

Les vins de ce pays, V.D.Q.S. depuis 1954, sont rouges, rosés et blancs. Les étiquettes portent obligatoirement le nom du cépage d'origine (exemple : *Coteaux d'Ancenis-Gamay*).

Issus pour l'essentiel du gamay, les vins rouges, bien que fruités, ne suscitent pas d'intérêt majeur. Bien vinifiés, ils sont à boire frais.

Issus du chenin, les vins blancs sont proches des vins d'Anjou, mais moins séveux. Il faut, pour les apprécier, les boire dans leur jeunesse. Ils titrent 10° au minimum, et leur rendement ne peut être supérieur à 40 hl/ha.

Cépages : pour les rouges et les rosés, gamay et cabernet ; pour les blancs, chenin et pinot gris, dit ici « malvoisie ».

Muscadet

Ce vin porte le nom de son cépage qui, dénommé ailleurs « melon de Bourgogne » (d'où il est originaire), doit ici son nom à son nez « musqué », qui inspira les viticulteurs.

Une vinification particulière assure la caractéristique du Muscadet. En effet, le cépage manque naturellement d'acidité, élément indispensable à un vin blanc. Pour remédier à ce défaut, les vendanges commencent très tôt, pour que le raisin, à peine arrivé à maturité, garde un taux d'acidité suffisant.

Cette méthode originale favorise un équilibre entre l'alcool et l'acidité du vin, les deux éléments de base des blancs secs. Les cuvées sont mises en bouteilles précocement, sans aérer le vin, pour accentuer encore cette sensation de fraîcheur, spécifique des Muscadet.

Ces vins fragiles sont protégés de l'oxydation grâce à leur lie. Ils sont généralement mis en bouteilles « sur lie », un procédé permettant de conserver une faible teneur de gaz carbonique, lequel fait légèrement perler le vin.

Le Muscadet se décline sous trois appellations différentes.

Le muscadet, ou « melon de Bourgogne », fut implanté dans le Pays nantais au XVIIIe siècle, à la suite des terribles ravages de l'hiver 1709. Acclimatation idéalement réussie.

La commune de Saint-Fiacre, dans le canton de Vertou. C'est l'un des terroirs les plus réputés de l'appellation Muscadet de Sèvre-et-Maine.

• ***Muscadet des Coteaux de la Loire.*** Situé sur les deux rives de la Loire, autour de la ville d'Ancenis, ce vignoble est assez restreint : c'est lui qui, parmi les trois A.O.C., fournit la plus faible partie de la production : environ 15 000 hectolitres par an.

Ce Muscadet se différencie des autres par une plus forte constitution. Il est généralement plus alcoolisé d'un degré, sa robe est plus colorée et son taux d'acidité plus élevé.

Pour certains, si le Muscadet de Sèvre-et-Maine reste le meilleur dans les premiers mois, il doit laisser place, au début de l'hiver suivant, au *Muscadet des Coteaux de la Loire*.

Les coteaux de Saint-Géréon (rive droite) et de Liré (rive gauche) sont les plus réputés de l'appellation.

• ***Muscadet de Sèvre-et-Maine.*** Le vignoble du *Muscadet de Sèvre-et-Maine*, le plus vaste des trois, s'étend au sud-est de Nantes, en direction de Clisson.

Cinq cantons se partagent la production : Vallet, Vertou, Clisson, Le Loroux-Bottereau, Aigrefeuille. Les deux premiers, notamment avec la fameuse commune de Saint-Fiacre, sont les plus plébiscités, tant par les professionnels que par le grand public.

Les vins, plus légers que ceux des Coteaux de la Loire, sont surtout réputés pour leur fruité, leur souplesse et leur nez plus musqué. Le degré minimum d'alcool exigé est de 10°, mais il ne doit pas dépasser 12° (ce maximum constitue une originalité de réglementation).

Considéré comme l'archétype du Muscadet, le Sèvre-et-Maine, vin moderne et plaisant, a réussi sa conquête du public français et étranger. Belle récompense pour les viticulteurs du Pays nantais, qui ont su innover avec bonheur dans cette science difficile qu'est l'œnologie.

• ***Muscadet.*** L'appellation *Muscadet* concerne des vins simples et moins racés que ceux des deux précédentes appellations.

Souvent servi dans les cafés, ce Muscadet doit néanmoins obéir aux mêmes conditions d'élaboration que ses deux grands frères : même rendement à l'hectare (40 hl/ha), mêmes degrés d'alcool minimum et maximum.

Le Muscadet flatte parfaitement la cuisine nantaise, les excellents crustacés bretons, les huîtres et les coquillages.

Gros-Plant du Pays nantais

Le gros-plant, encore appelé « folle blanche », est un cépage qui possède une bonne acidité, mais son vin souffre de ne posséder ni la légèreté ni la finesse des Muscadet.

La zone de production de ce V.D.Q.S. recouvre en gros celle du Muscadet. Simple et direct, ce vin s'apprécie surtout dans sa jeunesse, à une température de 8 °C.

Un honnête rapport qualité-prix permet encore à un grand nombre de Français de savourer ce sympathique vin blanc.

Fiefs vendéens

Récents V.D.Q.S., ayant accédé au label en 1984, les vins des *Fiefs vendéens* sont produits dans la zone littorale du département (blancs de Brem) et, plus à l'intérieur, aux environs de La Roche-sur-Yon et de Fontenay-le-Comte (rouges de Mareuil, rouges et blancs de Pissotte). Chenin et gamay sont principalement à l'origine de vins frais et vifs, mais sans prétention.

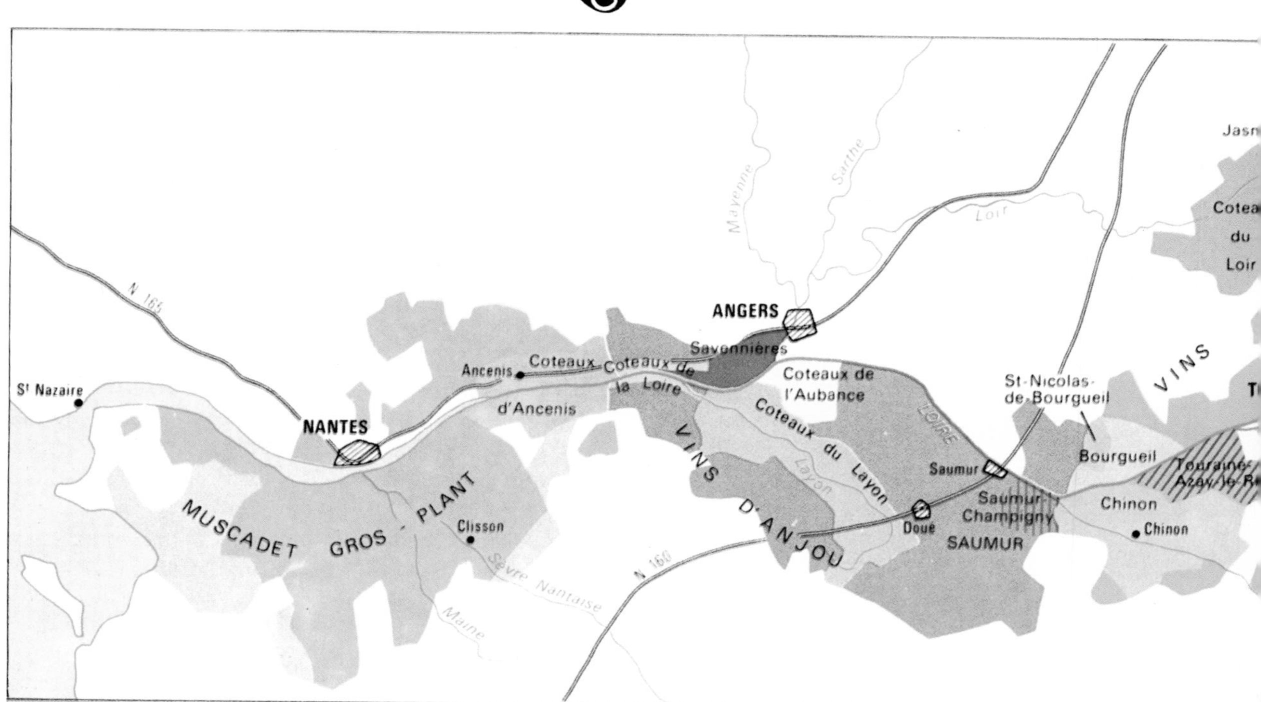

Confréries ligériennes

Le Val de Loire, fort de sa tradition rabelaisienne et de son richissime patrimoine, est sans doute le lieu privilégié des confréries vineuses, qui perpétuent ou ressuscitent les gaillardes coutumes de l'ancienne France à la gloire du seigneur des lieux. Elles abondent ici, plus qu'en aucune autre région viticole, avec leurs noms pittoresques et savoureux.

La plus ancienne est tourangelle et remonte à l'avant-guerre. La *Confrérie des Chevaliers de la Chantepleure* fut fondée à Vouvray en 1937, trois ans après la doyenne de toutes les sociétés bachiques, la bourguignonne confrérie des Chevaliers du Tastevin, laquelle parraina d'ailleurs son baptême. La « chantepleure » désigne la cannelle qui sert à tirer le vin du fût : ce nom métaphorique évoque le son du vin, qui chante puis pleure lorsqu'on tourne le robinet de bois. Célébrant les vertus incontestées du Vouvray, la confrérie tient ses chapitres solennels, agrémentés de banquets copieusement arrosés, dans la cave de « la Bonne Dame », une belle cave vouvrillonne creusée dans le tuf.

Mais la Touraine compte nombre d'autres confréries. Simplement en franchissant la Loire, sur la rive d'en face, on rencontre la *Coterie des Closiers de Montlouis*, une société créée en 1969 pour défendre le vin local, proche cousin du Vouvray ; le terme de « closier » désigne, dans la région, l'ouvrier-vigneron qui loue ses services dans les propriétés. Deux « cavées » réunissent annuellement ses membres, accompagnées d'intronisations et de festivités gourmandes.

Les Touraine de dénomination communale possèdent aussi leurs propres confréries : *Commanderie des Grands Vins d'Amboise* pour les Touraine-Amboise (fondée en 1967, elle organise — comme en Bourgogne — une Saint-Vincent tournante dans les communes de l'appellation), *Confrérie des Compagnons de Grandgousier* pour le Touraine-Mesland (cette confrérie à l'enseigne rabelaisienne, qui siège à Onzain, remonte à 1958).

Les deux appellations maîtresses en rouge se devaient d'être dignement représentées. Elle n'y dérogent point. Bourgueil et Saint-Nicolas-de-Bourgueil disposent de deux confréries : la *Commanderie de la Dive Bouteille*, créée en 1977, et la plus ancienne, la *Confrérie des Fripe-Douzils*. Celle-ci naquit en effet en 1952 et siège à Ingrandes-de-Touraine. Le « douzil » — dans le langage local — est une cheville qu'on enfonce dans la perce du tonneau ; il est porté en sautoir, sur leur robe noir et rouge, par les membres de la confrérie. Quant au Chinon, il est joyeusement célébré par la *Chaîne des Entonneurs Rabelaisiens*, née en 1961 : mémoire oblige pour l'enfant du pays, qui sut si joliment chanter en son temps le vin de « ce bon pays de Véron ». Un chapitre annuel, agrémenté de spectacles et d'agapes, la réunit dans la « Cave Paincte » de Chinon.

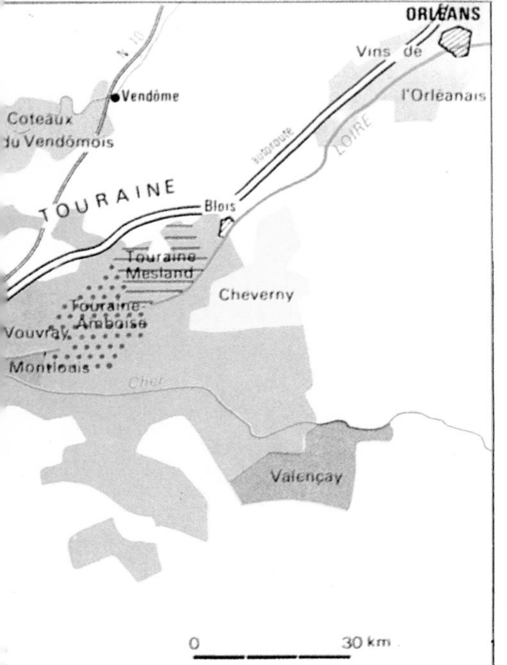

La tradition tourangelle est encore illustrée par les *Chevaliers des Cuers du Baril*, fondée en 1950 à Loches, et dont les dignitaires, en manteau rouge et or, tiennent séance dans le « Vieux Logis » du château.

L'Anjou n'est pas en reste. La représentation du Saumurois revient à deux confréries : la *Commanderie du Taste-Saumur*, à Saumur même, et la *Confrérie des Hume-Piot du Loudunais*, à Loudun ; toutes les deux ont été créées en 1967. Les *Chevaliers du Sacavin*, siégeant à Angers, se sont donné pour mission la défense et l'illustration de l'ensemble des vins angevins. Leur fondation est ancienne, puisqu'elle date de 1904, mais ils connurent une éclipse et ne réapparurent qu'après la dernière guerre, en 1947. Vêtus d'une robe lie-de-vin à parements d'or, ils patronnent diverses manifestations, dont certaines se déroulent dans les caves anciennes de l'hôpital Saint-Jean, à Angers.

Les vins du Layon sont célébrés par la *Confrérie des Fins Gousiers d'Anjou* (fondée en 1953 à Martignié-Briand), tandis que leurs voisins de coteaux sont vantés par les *Compagnons de l'Aubance*.

Plus en aval, on rencontre encore l'*Ordre des Chevaliers Bretvins*, créé à Nantes en 1948 et attaché à la défense du Muscadet et des vins du Pays nantais. Il tient notamment réunion dans le château des ducs de Bretagne.

Les vins du Sud-Ouest

Dans les vignes d'un domaine cahorsin. Une jolie bastide, des ceps noueux et bien enracinés, des arbres fruitiers bientôt en fleurs : le charme rustique des vignobles du « Haut-Pays » transparaît dans cet agréable décor printanier.

Les vignobles du Sud-Ouest appartiennent à cette vaste portion du Bassin aquitain qui s'étend du sud du département de la Gironde aux confins de Toulouse, du Périgord aux Pyrénées et de l'Atlantique aux premiers contreforts du Massif central. Si l'on compte les deux communes du Cantal qui sont rattachées au vignoble de l'Aveyron, cet ensemble viticole correspond à 11 départements, c'est-à-dire, outre les deux déjà cités : la Dordogne, le Lot-et-Garonne, le Lot, le Tarn-et-Garonne, la Haute-Garonne, le nord des Hautes-Pyrénées, les Pyrénées-Atlantiques, le Gers et les Landes.

La vigne, présente à peu près partout, produit des raisins de table, des vins de base pour l'Armagnac, des vins ordinaires, des vins de pays et aussi les V.D.Q.S. et les A.O.C. dont il sera question dans ce chapitre.

Le baptême du futur Henri IV au vin de Jurançon, par son grand-père Henri d'Albret. Illustration de Job (collection particulière).

Pour ces deux dernières catégories, on peut distinguer deux grands ensembles viticoles : le premier englobe des terroirs que la Garonne et ses affluents permettent de situer, le second correspond aux vignobles du piémont pyrénéen, pays des gaves et de l'Adour.

Le climat aquitain est océanique, tempéré, tiède et assez humide. Les gelées printanières, la sécheresse et les orages de grêle de l'été peuvent se révéler redoutables. L'automne est souvent superbement lumineux et doux : s'il succède à un été pluvieux, il peut « rattraper le cru ».

Des vicissitudes historiques communes

Les vignobles aquitains sont une création gallo-romaine. Ils se sont développés à proximité d'importants points de passage, gués sur les rivières ou cols pyrénéens. Les monastères qui ont maintenu la viticulture pendant la période des invasions barbares la développent à partir du XIe siècle, notamment parce que les vins produits sont consommés sur place par les pèlerins qui se rendent à Saint-Jacques-de-Compostelle.

A l'époque de l'Aquitaine anglaise, les jurats bordelais obtinrent du roi d'Angleterre, en 1271, le privilège de vendre les vins du « Bas-Pays », c'est-à-dire ceux de la sénéchaussée de Bordeaux, avant ceux du « Haut-Pays », autrement dit tous ceux situés en amont de Saint-Macaire. En ce temps-là, où la conservation des vins était fort difficile et les vertus du soufre inconnues, les vins du Haut-Pays ne pouvaient descendre à Bordeaux, centre d'exportation vers l'Angleterre, avant la Saint-Martin. Bref, ils étaient condamnés soit à attendre le printemps pour être envoyés à Bristol ou à Londres, soit à devenir des produits de coupage qui, grâce à leur degré supérieur, permettaient l'amélioration des Bordeaux ! Et, malgré la conquête française, en 1453, le « grand privilège », rétabli très vite par Louis XI, ne fut aboli qu'en 1776 par l'édit de Turgot. La situation fut toujours différente en Béarn et au Pays Basque : les vins locaux, transportés sur l'Adour et les gaves, étaient exportés par Bayonne.

Au XIXe siècle, les vignobles du Sud-Ouest ont connu un bel essor, qui sera brutalement interrompu par le phylloxéra, à partir de 1873. Ce fléau, qui s'ajoutait à ceux de l'oïdium et du mildiou, anéantit la plupart des vignes aquitaines. Un dernier coup leur fut porté en 1911 : la limitation de l'A.O.C. Bordeaux à la seule Gironde les priva de leur rôle de vins « médecins ».

Il faut attendre les années 50 pour qu'on puisse parler de résurrection véritable. Grâce aux efforts de quelques viticulteurs tenaces et des coopératives, grâce aux progrès des techniques culturales et œnologiques, ces vignobles, si longtemps minorés ou méprisés, s'imposent aujourd'hui dans toute leur originalité. Plusieurs, d'abord classés V.D.Q.S. dans les années 50, ont obtenu l'A.O.C. dans les années 70. Justice leur était enfin rendue !

Le vignoble de la Dordogne

A 90 km de Bordeaux, le vignoble de la Dordogne s'étend de part et d'autre de ce fleuve. La superficie en A.O.C. est d'environ 11 000 hectares, sur lesquels sont produits 210 000 hectolitres de vins blancs et 150 000 hectolitres de vins rouges.

Création gallo-romaine, le vignoble fut ruiné lors des invasions barbares, puis reconstitué à partir des monastères pour connaître une belle prospérité au Moyen Age. Cela malgré les efforts des jurats bordelais pour leur interdire la descente avant la Saint-Martin et même la Noël. Heureusement, la Dordogne se jette dans la Gironde en aval de Bordeaux ! La lutte des consuls de Bergerac pour la défense de leur « Vinée » fut particulièrement difficile entre le XIIIe et le XVIe siècle. Mais, après 1500, les vins blancs liquoreux de la région s'ouvrirent le nouveau débouché hollandais. C'est d'ailleurs pour répondre au goût de ces nouveaux clients que les vignerons de Monbazillac attendirent la fameuse « pourriture noble » pour vendanger leurs raisins.

Après la révocation de l'édit de Nantes, nombre de huguenots quittèrent la région mais, installés dans les pays protestants, ils importèrent les vins de leur patrie d'origine. Après l'euphorie du XIXe siècle, ce fut la crise phylloxérique. Le vignoble fut reconstitué avant 1914, et les vins de Bergerac obtinrent l'A.O.C. en 1936.

Dans ce pays au climat très bordelais, l'encépagement est de type girondin : cabernet-sauvignon, cabernet franc et merlot en rouge, sémillon, muscadelle et sauvignon en blanc.

Le vignoble de la Dordogne est essentiellement familial : la superficie viticole moyenne est de 5 hectares. Dix caves coopératives, regroupées au sein de l'UNIDOR, traitent 40 p. 100 de la récolte d'A.O.C. du département. La mutation s'est faite, en partie sous l'impulsion de l'UNIDOR, dans deux directions : plantations importantes de sauvignon et remise à l'honneur des rouges qui représenteront bientôt 50 p. 100 de la production totale.

Les 13 appellations

La variété des sols explique celle des A.O.C. Ils peuvent être graveleux, sableux argilo-calcaires, calcaires...

- L'A.O.C. *Bergerac* correspond à la production de 93 communes. Ce sont des vins rouges, rosés ou blancs. Les premiers, pour lesquels le rendement maximum est de 55 hl/ha et le titre alcoométrique de 10°, sont vinifiés de façon classique. Ils sont assez charpentés et fruités, mais il vaut mieux les boire jeunes : leur vieillissement peut rarement excéder trois ans. Les rosés *(Bergerac rosé)* sont tantôt agréables, tantôt fort communs. Les vins blancs secs (sous l'appellation *Bergerac sec*) sont obtenus à partir des cépages bordelais cités plus haut mais, sous réserve d'un pourcentage équivalent de sauvignon, ils peuvent contenir 25 p. cent d'ugni blanc. Aromatiques et vifs, ils gagnent à être connus, convenant bien aux fruits de mer et même aux fromages de chèvre.

- Les *Côtes de Bergerac* rouges exigent 11° et un plus faible rendement que les Bergerac. Ils sont plus corsés que ces derniers et supportent quelques années de bouteille. Les meilleurs sont produits sur les communes de Montpeyroux, Saint-Laurent, Saussignac et Sigoulès.

Monbazillac cultive depuis longtemps la tradition des vins liquoreux, que les Huguenots émigrés en Hollande après 1685 se plurent à entretenir dans leur exil.

• Les *Côtes de Bergerac* blancs ont un titre alcoométrique compris entre 10°5 et 14°5. Ils ont des qualités comparables à celles des Bergerac blancs.

• Les *Côtes de Bergerac moelleux* ont le même titre alcoométrique que les précédents mais une teneur en sucre au moins égale à 18 g/l. Le sémillon y prédomine. Leur bouquet est délicat, leur rondeur indéniable.

• A l'ouest de Monbazillac, le vignoble des *Côtes de Saussignac* englobe les communes de Saussignac, Razac-de-Saussignac, Gageac-et-Rouillac, Monestier. Ces vins blancs, moelleux, ont un titre alcoométrique allant de 12°5 à 15°. Ils sont gras et ronds et se situent entre les Côtes de Bergerac moelleux et les Monbazillac.

• L'A.O.C. *Rosette* correspond à des blancs moelleux produits par 5 communes au nord de Bergerac. D'une jolie couleur jaune pâle, bouquetés et fruités, ces vins semblent en voie de disparition.

• Le vignoble de Montravel est accolé au vignoble girondin de Castillon. Nous sommes ici au pays de Montaigne, dont le château est situé sur le territoire de l'A.O.C. *Côtes de Montravel*. Ce vignoble, qui produit 30 000 hectolitres, a droit à trois appellations :
— L'A.O.C. *Montravel* est un vin sec élaboré à partir des mêmes cépages et dans les mêmes conditions que le Bergerac sec. Il est vif, fruité et très aromatique.
— Pour les A.O.C. *Haut-Montravel* et *Côtes de Montravel*, seuls sont autorisés le sémillon, le sauvignon et la muscadelle. Les vins obtenus sont des moelleux, très fruités et bouquetés, avec des goûts de terroir, qui vieillissent longtemps.

• Le meilleur vin rouge de la Dordogne est produit sur environ 200 hectares au nord-est de Bergerac. 4 communes de ce secteur ont droit à l'A.O.C. *Pécharmant* : Bergerac, Creysse, Lembras et Saint-Sauveur. Le Pécharmant (« colline charmante » ou « colline d'Armand » ?) est récolté sur des pentes exposées au sud, dont le lessivage a provoqué la formation d'une couche d'argile et de fer, le « tran », qui confère à ce vin un typique goût de terroir. Le rendement est limité à 40 hl/ha et le titre alcoométrique doit être de 11°. Les cépages sont les quatre déjà cités : merlot, cabernets (sauvignon et franc), cot.

Le Pécharmant est un vin de garde, bien charpenté, à la belle couleur rubis. Le *Château de Tiregand*, domaine le plus important avec 30 hectares, produit un excellent Pécharmant (50 p. 100 de merlot, 40 p. 100 de cabernet sauvignon, 10 p. 100 de cot) corsé, typé, long en bouche. Dans un style différent, à partir d'une vendange non éraflée, il faut conseiller le vin du *Domaine du Grand Jaure*, très petite propriété où l'on entend maintenir la tradition d'un vin tannique, donc un peu dur au départ, mais riche de potentialités, charnu et très long en bouche.

• L'A.O.C. *Monbazillac* désigne un des plus anciens vins liquoreux du monde. Son vignoble appartient à 5 communes : Monbazillac, Pomport, Saint-Laurent-des-Vignes, Colombier et Rouffignac-de-Sigoulès. Sur 2 500 hectares de terres argilo-calcaires exposées au nord sont cultivés le sémillon, le sauvignon et la muscadelle. Ce terroir bénéficie d'un microclimat comparable à celui du Sauternais, propice à la fameuse « pourriture noble ». En effet, il est situé entre la Dordogne et son petit affluent la Gardonnette, qui le borne au sud et à l'ouest. En automne, des brouillards montent des deux rivières, favorisant le développement d'un champignon, le *Botrytis cinerea*. Grâce à la dissipation des brouillards en fin de matinée et à l'action du soleil de l'après-midi, le botrytis ne s'attaque qu'à le pellicule. Rendue perméable, elle permet une évaporation de l'eau sous l'action de la chaleur et, donc, une concentration du moût et de ses sucres.

Les vendanges se font par « tries » successives, de façon à recueillir les grappes au fur et à mesure de leur « rôtissage ». Cette surmaturation réduit la vendange de 50 à 70 p. 100, mais le vin obtenu sera royal. Actuellement, la production annuelle est de 50 000 à 60 000 hectolitres.

Dans les années d'après-guerre, le Monbazillac connut une assez longue désaffection, due à la préférence des consommateurs pour les blancs secs mais aussi à un laisser-aller qui faisait de lui un vin de... betteraves et de soufre. Heureusement, depuis les années 60, les viticulteurs ont réagi et, actuellement, la qualité est à nouveau très satisfaisante.

Le Monbazillac doit titrer 12°. En fait, il dépasse largement ce minimum. Il peut vieillir très longtemps. Quand il atteint sa plénitude, il se distingue par sa robe vieil or, ses arômes de fleurs et de miel, son goût de « rôti », sa puissance et sa longueur en bouche. Deux Monbazillac semblent aujourd'hui très représentatifs de la qualité retrouvée : le *Château Ladesvignes*, aromatique, fruité et gras, et le *Château Treuil-de-Nailhac*, dont les arômes et le « rôti » sont des plus distringués.

Les Côtes de Duras

Ce vignoble du Lot-et-Garonne est enclavé entre la Gironde et la Dordogne. Son terroir est le prolongement du plateau girondin de l'Entre-deux-Mers. Limité par le Dropt au sud, il est découpé par la Dourdèze et ses affluents. Les sols sont en général argilo-calcaires. L'A.O.C. fut obtenue en 1937.

Comme le climat, l'encépagement est surtout bordelais : cabernet-sauvignon, cabernet franc, merlot mais aussi malbec pour les rouges, sémillon, muscadelle, sauvignon pour les blancs. Toutefois, pour ces derniers, sont aussi cultivés le mauzac, cépage de Gaillac, l'ondenc, un cépage que l'on trouve aussi dans le Blayais, peu productif mais donnant un vin agréable, le pineau de la Loire et l'ugni blanc.

Les vins blancs moelleux, à base de sémillon et de muscadelle, sont aromatiques et fruités. Les vins secs sont à base de sauvignon seul : d'une teinte jaune pâle avec des reflets verts, ils sont agréablement bouquetés et fruités. Celui du *Domaine de Durand* est l'un des plus réussis.

La tonnelerie de la coopérative de Buzet fabrique l'ensemble des barriques dont la cave dispose pour l'élevage de ses vins.

Pour les rouges, la méthode traditionnelle donne des vins attrayants, qui peuvent vieillir quelques années si les cabernets y prédominent. Plusieurs propriétaires ainsi que la cave coopérative produisent maintenant des vins de macération carbonique, surtout à partir du merlot. Les résultats sont assez convaincants : souplesse, arômes et goûts de fruits rouges caractérisent par exemple le *Château La Grave-Béchade.*

Le Côtes du Marmandais

Connus depuis fort longtemps, les vins du Marmandais furent exportés jusqu'au XVIIe siècle vers l'Europe du Nord, l'Angleterre et la Hollande. Ils furent éliminés du vignoble girondin par le découpage en départements et, plus tard, ruinés par le phylloxéra. Grâce à l'action de viticulteurs dynamiques, adhérents des coopératives de Cocumont et de Beaupuy, le label V.D.Q.S. a été obtenu en 1975.

L'aire de production est située de part et d'autre de la Garonne, entre Duras et Marmande sur la rive droite, Marmande et Grignols sur la rive gauche. Elle est limitrophe des vignobles des Côtes de Duras et de la Gironde.

Les coteaux de la rive droite ont le même sol argilo-calcaire que l'Entre-deux-Mers qui leur est contigu. Ceux de la rive gauche sont le prolongement de ceux de la région des Graves en Gironde : sur un sous-sol d'alios sont déposés des graviers, des quartz et des sables.

Sur ces sols très favorables sont cultivés, pour les vins rouges, les classiques cépages bordelais, mais aussi la syrah et le malbec, ainsi que deux cépages locaux, l'abouriou et le fer servadou. Les cépages blancs sont le sémillon, l'ugni blanc et le sauvignon, dont la proportion augmente régulièrement. Le rendement est limité à 50 hl/ha et la production annuelle de V.D.Q.S. est d'environ 20 000 hectolitres sur 450 hectares. 95 p. 100 de la production sont assurés par les coopératives déjà citées, avec des vins très satisfaisants.

Les Côtes de Buzet

Sur la rive gauche de la Garonne, entre Agen et Casteljaloux, 27 communes ont droit à l'A.O.C. *Côtes de Buzet.* Le vignoble, parallèle au fleuve mais éloigné de lui de 4 à 5 km, forme une sorte de croissant étiré sur 40 km du nord au sud-est. La largeur maximale, de Brach à Nérac, atteint 11 km.

De fondation gallo-romaine, le vignoble s'est développé au Moyen Age autour des abbayes de Fonclaire, Buzet et Saint-Vincent. Les pèlerins en route pour Saint-Jacques-de-Compostelle l'apprécièrent sur place, et les Anglais l'importèrent dès le XIIIe siècle. Malheureusement, de 1241 à 1776, le « grand privilège » de Bordeaux freina les exportations vers l'Europe du Nord et permit aux marchands bordelais de l'utiliser comme vin de « coupement ». De la Révolution à la crise du phylloxéra, les Buzet s'exportèrent facilement en Hollande, en Prusse et même à La Nouvelle-Orléans. Après la destruction du vignoble par le terrible insecte, on replanta en hybrides et en othello. Le triste breuvage obtenu perdit ses débouchés en 1911, lorsque l'appellation Bordeaux fut réservée aux vins girondins. Il a donc fallu beaucoup de persévérance et un brin de folie aux viticulteurs qui entreprirent de faire renaître le vignoble. En 1953, ils obtinrent le label V.D.Q.S. pour 8 communes. En 1955 fut créée la Cave coopérative qui, aujourd'hui, vinifie la quasi-totalité de l'A.O.C. D'emblée, cette cave choisit la qualité, le contrôle rigoureux de la matière première et, suprême hardiesse à l'époque, le vieillissement en fûts de chêne merrain. Les récompenses vinrent : en 1967, le label V.D.Q.S. était étendu aux 27 communes du terroir et, en 1973, les Côtes de Buzet devinrent A.O.C.

Le terroir se présente comme un ensemble de collines, de buttes et de terrasses. Les sols sont de trois sortes : sols maigres de galets et de sable, boulbènes argilo-siliceuses, sols molassiques argilo-calcaires.

L'encépagement, de type girondin, est assez strictement adapté aux sols. Ainsi le cabernet-sauvignon donne-t-il le meilleur de lui-même sur les sols pauvres de galets et de sables, le cabernet franc siège sur les boulbènes et le merlot sur les sols molassiques, plus lourds. Ces trois cépages représentent 98 p. 100 des plantations : 20 p. 100 de cabernet sauvignon, 28 p. 100 de cabernet franc, 50 p. 100 de merlot. Les 2 p. 100 restants sont réservés à trois cépages blancs : sauvignon, sémillon et muscadelle.

Le rendement est limité à 40 hl/ha pour les rouges et à 45 hl/ha pour les blancs. Le titre alcoométrique minimum est de 10° pour les premiers, de 10 à 13° pour les seconds.

La vinification concilie la tradition et les derniers progrès œnologiques. Ainsi, à la Cave coopérative, des cuvaisons de 12 à 16 jours et un vieillissement en barriques de chêne fabriquées sur place permettent de produire des rouges de bonne tenue : corsés, fruités et légèrement vanillés, ce sont d'excellents vins de garde, notamment ceux de la « Cuvée Napoléon ».

Le vignoble de Cahors

Le vignoble de Cahors s'étend de part et d'autre du Lot, entre le Lot-et-Garonne et le village de Saint-Géry, à une vingtaine de kilomètres à l'est de Cahors. Au nord, l'A.O.C. englobe les communes riveraines de la rivière et 4 communes plus septentrionales. 2 200 hectares sont actuellement en production.

Probablement créé à l'époque gallo-romaine, le vignoble fut frappé, en 96 après J.-C., par les mesures d'arrachage imposées par Domitien pour protéger les vins italiens. Ces mesures furent-elles appliquées ? En tout cas, en 276, l'empereur Probus autorisa la replantation. Ce qui profita à la région puisque son vin est célèbre dès le haut Moyen Age et, ensuite, comme « vin

Jardin de vignes dans un méandre du Lot. La majeure partie des vins de Cahors est récoltée sur ces terrasses alluviales.

de pèlerin ». Cahors faisant partie du Haut-Pays, ses vins sont brimés à partir du XIIIe siècle par les Jurats bordelais et leur exportation rendue difficile jusqu'en 1776. Après la Révolution et l'Empire, ce fut l'âge d'or, d'autant plus que, le vignoble ayant été très peu touché par l'oïdium, il profita de la hausse des cours. Exporté dans toute l'Europe, le *Cahors* devint même le vin de messe de l'Église orthodoxe russe. Hélas ! le phylloxéra détruisit les vignes et le greffage fut un semi-échec. Mildiou, black-rot, concurrence des vins méridionaux et des vins d'Algérie... Au lieu des 175 000 barriques de 1816, on n'en produisait plus que 650 en 1958 ! Et pourtant, la renaissance eut lieu, notamment sous l'impulsion de la Cave coopérative de Parnac, créée en 1947. Elle expérimenta de nouveaux porte-greffes qui s'adaptèrent excellemment aux sols quercynois ; elle réussit à substituer aux cépages auxerrois disparates et de faible valeur culturale des plants issus de greffons de bons auxerrois du Blayais. Des cépages améliorateurs comme le merlot et le tannat furent introduits, la sélection clonale de l'auxerrois se développa. Cette politique s'est révélée payante : en 1951, le Cahors devint V.D.Q.S. et, en 1971, il obtint l'A.O.C.

La zone du vignoble correspond à deux types de sols : sur les causses, les calcaires marneux sont décomposés en pierrailles qui réverbèrent les rayons ; dans la vallée du Lot, les terrasses alluviales sont composées de galets quartzeux, de cailloutis calcaires.

Le climat, de type océanique, est légèrement continental. Le Quercy, à mi-chemin de l'Atlantique et de la Méditerranée, est préservé des excès d'humidité océane et des pluies méditerranéennes d'automne, mais le vent d'autan peut apporter la sécheresse. De plus, un microclimat caractérise la vallée et ses méandres : la chaleur accumulée les préserve des masses d'air froid nées sur le causse. Ainsi, les raisins de la vallée sont mûrs huit jours avant ceux du plateau. En revanche, ce dernier est moins humide que la vallée.

Né principalement de l'auxerrois, le vin quercynois possède des crus de tradition, charpentés et parfumés.

Le cépage rouge essentiel est l'auxerrois, nom quercynois du malbec. Il doit représenter 70 p. 100 de l'encépagement. Trois cépages complémentaires se partagent le reste. Ce sont le merlot, le tannat, cépage pyrénéen, la dame noire, c'est-à-dire le jurançon rouge : ce dernier, sensible à la pourriture, occupe surtout la partie caussenarde du vignoble. Les essais de syrah ayant été décevants, celle-ci est aujourd'hui abandonnée. Le rendement légal est de 45 hl/ha, et le vin doit titrer 10°5.

Le Cahors est d'un beau rouge foncé. Le malbec et le tannat lui donnent les tannins qui en font un vin de garde. Bien charpenté et long en bouche, il est harmonieux et très typé. Jeune, il développe de très fins arômes de petits fruits et un délicieux fruité. Outre les produits estimables de la Coopérative de Parnac, qui traite 45 p. 100 de la production, il faut signaler, à Prayssac, les vins du *Clos de Gamot*, équilibrés et subils, à Floressas ceux du *Château de Chambert* et, sur le causse, à Cieurac, ceux du *Château de Haute-Serre*, truffés, boisés et vanillés, très équilibrés. Tous ces vins ont vieilli en barriques de chêne.

Le vignoble de l'Aveyron

Dans la région du haut bassin du Lot, le vignoble de l'Aveyron a été fondé par les moines de l'abbaye de Conques, vers le IXe siècle. Plus tard, ses vins furent appréciés par les pèlerins qui arrivaient de l'Aubrac. Les bourgeois de Rodez et les Auvergnats qui venaient les chercher avec leurs chariots à bœufs firent leur réputation. Ruiné par le phylloxéra, le vignoble s'est en partie reconstitué. Il correspond à trois terroirs distincts et à trois V.D.Q.S.

- Sur 11 communes autour de Marcillac, entre Rodez et Decazeville, le V.D.Q.S. *Marcillac* est produit sur les « rougets », sols calcaires ou argilo-calcaires. La vigne pousse sur des pentes aménagées en banquettes, à une altitude moyenne de 350 m. Elle y bénéficie d'un climat relativement continental, avec des étés chauds et secs et un très bon ensoleillement (2 155 heures par an).

Le cépage essentiel est le fer servadou, importé d'Aquitaine depuis deux siècles : 80 p. 100 de l'encépagement. Les cépages d'appoint autorisés sont le cabernet-sauvignon, le cabernet franc, le merlot, le cot, mais aussi le gamay et le jurançon.

Le vignoble comptait 30 000 hectares avant le phylloxéra. Aujourd'hui, 1 000 hectares produisent environ 5 000 hectolitres, avec un rendement de 45 hl/ha. La Coopérative de Valady en vinifie la moitié. Les vins sont soit des rosés légers (10°), soit des rouges tanniques, fruités et bien charpentés qui peuvent être gardés quelques années. Vieillis entre six mois et deux ans, les rouges de P. Lacombe sont parmi les plus typés.

- Le vignoble d'*Estaing*, à 5 ou 6 km à l'est du précédent, s'étend sur 3 communes de part et d'autre du Lot. La vigne pousse sur des banquettes étroites, calcaires ou schisteuses, entre 300 et 450 m d'altitude. Les vins produits sont rouges, rosés ou blancs. Pour les rouges, le cépage essentiel est le fer servadou, à près de 95 p. 100 ; mais 11 autres cépages peuvent lui être adjoints. Ces vins rouges, qui titrent 9°, sont de bonne constitution et, lorsque le gamay y est en bonne proportion, ils ont des arômes frais de petits fruits. Les rosés ont des arômes agréables. Quant aux blancs, issus du chenin, du mauzac et du rousselou et titrant 10°, ils sont secs, frais et légers.

- Le troisième V.D.Q.S. est le *Vin d'Entraygues et du Fel*, du nom de deux communes du terroir. Situé au nord du vignoble d'Estaing, il lui est contigu. Il déborde sur le département du Cantal (communes de Vieillevie et de Cassaniouze). Actuellement, une trentaine d'hectares seulement sont en production, sur des banquettes aménagées dans le schiste et le granit. Le fer servadou, cépage dominant, y donne des rouges et des rosés à 9°, fins, fruités et gouleyants.

Les Côtes du Frontonnais

Le vignoble des Côtes du Frontonnais commence à 20 km au nord de Toulouse, à Bouloc.

Liage de la vigne, au-dessus de l'abbaye de Conques. Étape importante sur le chemin de Compostelle, cette dernière fut à l'origine du vignoble aveyronnais.

De Bouloc à sa limite septentrionale, il faut compter une vingtaine de kilomètres ; sa largeur n'excède pas 10 km. Situé entre Garonne et Tarn, il s'étend sur deux départements : la Haute-Garonne et le Tarn-et-Garonne.

Une charte le confirme, la vigne était cultivée à l'époque mérovingienne dans les clairières de la forêt d'Agre. Au XIIe siècle, la surface du terroir est celle de l'A.O.C. actuelle. Il appartient à l'Ordre de Saint-Jean de Jérusalem, dont les chevaliers protègent les pèlerins contre les musulmans. Il semble que, dès cette époque, ce « vin de pèlerin » ait été exporté dans plusieurs pays d'Europe. Mais, vin du Haut-Pays, il subira le protectionnisme des marchands bordelais jusqu'en 1776 ! Fort prisé du pape Calixte II au XIIe siècle, puis plus tard, au XVIIe siècle, de Richelieu, Louis XIII et... Montmorency, il connaît son apogée aux XVIIIe et XIXe siècles : les bourgeois de Toulouse et de Montauban s'y intéressant, il devient le vin toulousain et il est exporté dans toute l'Europe. Le coup d'arrêt du phylloxéra est brutal. Fronton crut pouvoir s'orienter vers la production de vins courants, mais la concurrence languedocienne entraîna le marasme : il fallut arracher la moitié des vignes et lutter contre la baisse de la qualité. Les syndicats viticoles et les coopératives de Fronton et de Villaudric jouèrent un rôle déterminant dans le redressement et le choix d'une politique de qualité. Le label V.D.Q.S. fut obtenu en 1951, l'A.O.C. en 1975.

L'aire d'appellation occupe trois anciennes terrasses quaternaires du Tarn, situées entre cette rivière et la Garonne. On y distingue trois types de sols à vocation viticole : des boulbènes, sableuses ou caillouteuses, des « rougets », riches en fer, et des graves.

Le climat est aquitain, avec des traits climatiques continentaux : les étés sont chauds et orageux, la pluviométrie est de 700 mm, l'en-

Les vins du Frontonnais, comme nombre de leurs congénères régionaux, épousent à merveille les spécialités de confits du Sud-Ouest.

soleillement important. Le vent d'autan peut apporter la sécheresse.

La négrette est le cépage local caractéristique de l'appellation. De faible acidité, elle donne d'excellents arômes, surtout sur des sols riches en fer. Elle doit constituer entre 50 et 70 p. 100 de l'encépagement. Les cépages complémentaires sont les cabernets et le fer servadou (maximum de 25 p. 100), le cot et la merille (maximum de 15 p. 100), la syrah, le gamay, le cinsault et le mauzac (maximum de 15 p. 100). Le rendement est de 45 hl/ha, la production actuelle d'environ 55 000 hectolitres par an, sur 1 200 hectares.

Parmi les bonnes adresses, il faut retenir celle de la *Cave coopérative de Fronton* qui, sur 1 400 000 bouteilles produites annuellement, en vend un million en France et 400 000 à l'étranger, aussi bien en Grande-Bretagne qu'aux États-Unis et au Japon. Ses vins rouges jeunes, d'un beau rubis, ont des arômes de petits fruits et de pruneau. Les vins vieux acquièrent un bouquet subtil. Les rosés, frais et légers, sont agréablement gouleyants.

Dans un style différent, il faut également conseiller le *Château Bellevue-La Forêt*. Ici, à partir de rien, mais sur les graves de la haute terrasse du Frontonnais, 105 hectares de vignes ont été plantés depuis 1974. Sur les conseils d'Émile Peynaud, les propriétaires pratiquent une cuvaison très longue, à la température de

25 °C : il s'agit d'extraire le maximum d'arômes et de goûts de fruits. Le vin obtenu (50 p. 100 de négrette, 25 p. 100 de cabernet-sauvignon et de cabernet franc, 25 p. 100 de syrah et de gamay) possède une belle couleur rouge cerise, des arômes de cassis et de fruits de la passion, une grande souplesse, du corps, la pointe d'amertume nécessaire et une grande longueur en bouche. Voilà bien une réussite et un exemple pour toute la région.

Le Lavilledieu

Entre Montech et Castelsarrasin, à 10 km à l'ouest de Montauban, entre la Garonne et le Tarn et juste avant leur rencontre, 13 communes produisent le V.D.Q.S. *Lavilledieu* ; Lavilledieu-du-Temple a donné son nom à l'appellation. Le vignoble est contigu à celui des Côtes du Frontonnais, dont il a connu les vicissitudes.

L'encépagement allie la négrette, les deux

Grandiose amphithéâtre de vignes, dans la région de Gaillac. Un vignoble composite, dont les vins déclinent toutes les couleurs et tous les modes de vinification possibles.

cabernets, le tannat, le gamay et la syrah. Sur 120 hectares classés en V.D.Q.S., seulement 750 hectolitres sont actuellement produits, et uniquement par la Cave coopérative de Lavilledieu-du-Temple. Il est sans doute dommage que la part de la négrette ne soit que de 10 p. 100 dans les rouges et les rosés : les premiers, qui titrent 10°5, sont ronds et assez bouquetés, les seconds agréablement fruités.

Le vignoble de Gaillac

A 40 km au nord-est de Toulouse, le vignoble de Gaillac, dont cette vieille cité occupe à peu près le centre, est limité au nord par la forêt de la Grésigne, à l'est par le Ségala et les monts de Lacaune, au sud par la montagne Noire. Il s'étend sur les deux rives du Tarn, un peu en aval d'Albi. A 5 km à l'est de cette ville, le petit territoire de Cunac lui est rattaché.

Après celui de la Narbonnaise, ce vignoble est le plus ancien du Sud-Ouest : il fut planté au Ier siècle ap. J.-C. Ses produits s'exportèrent très tôt, dans les amphores fabriquées à Montans, aux environs de Gaillac. Au Xe siècle, ses propriétaires, les chanoines d'Albi, le font notablement progresser, et, au siècle suivant, ses vins sont vendus jusqu'en Angleterre. En 1221, le comte de Toulouse Raymond VII, pour maintenir la qualité, signe un décret réglementant la culture de la vigne et la vinification. Mais Gaillac appartient au Haut-Pays : il subira donc le « Grand Privilège » de Bordeaux jusqu'au XVIIIe siècle.

Au XIXe siècle, le Gaillac s'impose, mais on produit surtout des rouges. Après le phylloxéra, la reconstitution se fait dans de bonnes conditions et la production de vins blancs devient prépondérante. En 1938, l'A.O.C. est obtenue, mais seulement pour les blancs de l'arrondissement de Gaillac. En 1970, rouges et blancs de 73 communes en bénéficient à leur tour.

Le climat est océanique, avec des pluies d'hiver et de printemps ainsi que des gelées printanières, mais les influences montagnarde et méditerranéenne sont indéniables. Sur la rive gauche du Tarn, quatre terrasses fluviales ont un sol graveleux et sableux, propice aux cépages rouges. Sur la rive droite, les terrains sont fort variés, depuis les molasses de la « coste » jusqu'aux sols granitiques des coteaux.

L'encépagement du Gaillacois surprend par sa variété et l'abondance des cépages locaux. Pour les vins blancs, le mauzac domine. Il donne des vins de qualité, aromatiques et de bon degré, surtout s'il est cueilli à surmaturité, mais les vins doux ainsi produits manquent d'acidité et risquent de s'oxyder ; il faut donc surveiller de près la vinification. Un vieux cépage local, le *len de l'elh* (« loin de l'œil ») complète avec bonheur le mauzac : ses vins sont alcoolisés, frais, aromatiques. Il doit entrer pour 15 p. 100 au moins dans la composition des vins. Le sémillon, la muscadelle et l'ondenc sont les cépages d'appoint.

Pour les rouges, les cépages principaux doivent être utilisés à 60 p. 100. Ce sont le duras, un cépage local typique qui donne un vin aromatique et corsé apte à vieillir, le braucol, nom local du fer servadou, la négrette, la syrah et le gamay. 40 p. 100 sont réservés à des cépages complémentaires : les deux cabernets, le merlot, le jurançon rouge, le portugais bleu, le mauzac.

Pour les rosés, les proportions sont les suivantes : duras, braucol, négrette, syrah, gamay pour un minimum de 20 p. 100 ; jurançon rouge pour un maximum de 50 p. 100 ; cépages rouges complémentaires pour un maximum de 30 p. 100. Cette impressionnante série de cépages et les grandes possibilités d'assemblage permettent d'élaborer des produits fort différents, souvent bien « signés », surtout en rouges et rosés, ce qui pose d'ailleurs le problème de la spécificité de l'A.O.C.

Sur environ 18 000 hectares d'A.O.C., le Gaillacois produit environ 60 000 hectolitres par an. Les rendements sont de 45 hl/ha pour le *Gaillac* générique et de 40 hl/ha pour les *Premières Côtes.*

Les vins blancs moelleux ou doux, surtout dans les Premières Côtes, sont issus de mauzac surmûri : onctueux, fruités, aromatiques, ils sont très représentatifs du terroir. Le moelleux du *Domaine des Tres Cantous* est l'un des mieux réussis.

Parmi les vins blancs secs, les perlés sont souvent les plus typés. La « perle » correspond aux bulles produites par la fermentation malolactique qui, traditionnellement, s'effectuait dans la bouteille. La Cave de vinification de Labastide-de-Lévis fournit un très bon Gaillac perlé, à partir des deux cépages autochtones : mauzac (85 p. 100) et len de l'el (15 p. 100).

Les Gaillac secs du *Mas Pignon* sont aromatiques, ceux du *Domaine de Labarthe* frais et fruités, le Sauvignon du *Domaine Roucou-Cantemerle* vif et parfumé. Le « vin de voile » de ce dernier domaine est un vin vieux blanc, sec mais fruité, vinifié comme un vin jaune du Jura : surprenant et excellent !

Aujourd'hui, les Gaillac mousseux sont souvent élaborés selon la méthode champenoise, plus facile à maîtriser que la méthode gaillacoise traditionnelle. Celle-ci consiste à mettre en bouteilles un vin jeune dont la fermentation, ralentie par soutirage, n'est pas terminée. Au printemps, grâce à la fermentation du sucre résiduel, le vin « prend sa mousse ». Alliant les anciens usages et une technologie moderne, la Cave de Labastide-de-Lévis, déjà citée, a repris la méthode gaillacoise pour élaborer un mousseux aromatique très typé.

Les Gaillac rosés, obtenus par saignée partielle du gamay et de la syrah, sont frais et aromatiques.

Nombre de vins rouges sont aujourd'hui élaborés par macération carbonique. Cette méthode beaujolaise est contestable ici, même si le gamay exclusivement utilisé révèle un agréable fruité. Les Gaillac rouges les plus réussis sont obtenus par la méthode traditionnelle, à partir des cépages de base comme le duras et le braucol. Ils vieillissent bien et peuvent être typés.

Parmi les rouges représentatifs, on peut retenir ceux du *Château Larroze*, ceux du *Mas Pignou*, vieillis un à deux ans partiellement en fûts de chêne, ceux du *Château de Tauziès*, souples et légers. Au *Domaine des Tres Cantous*, déjà cité pour les blancs, Robert Plageoles élabore deux vins de cépages en semi-macération : un Gamay qui rappelle les meilleurs Beaujolais et un Duras généreux, aux saveurs de petits fruits.

L'Irouléguy

Ce vignoble basque s'étend au nord de Saint-Jean-Pied-de-Port. Sur 9 communes des Pyrénées-Atlantiques qui ont droit à l'A.O.C., Irouléguy, Saint-Étienne-de-Baïgorry et Anhaux sont les plus productives.

Vin des pèlerins de Saint-Jacques-de-Compostelle, l'*Irouléguy* avait succombé au phylloxéra. Grâce aux efforts du syndicat viticole et de la Cave coopérative, le vignoble fut en partie reconstitué et l'A.O.C. obtenue en 1979. Sur des sols variés, 2 000 hectolitres sont actuellement produits par la Coopérative. Issus de tannat et de cabernet (50 p. 100), l'Irouléguy rouge est corsé et fruité. Les rosés sont secs et friands.

Le Jurançon

Entre le gave d'Oloron au sud et celui de Pau au nord, au sud-ouest de la capitale du Béarn, Jurançon est un petit vignoble de 580 hectares qui couvre 28 communes.

D'origine gallo-romaine, il se développe autour des abbayes aux Xe et XIe siècles. « Vin de pèlerin », il est surtout consommé sur place au Moyen Age. Mais c'est au XVIe siècle qu'il acquiert sa grande renommée, avec la Maison de Navarre. En 1553, lors du baptême du futur Henri IV, son grand-père lui frotte les lèvres avec une gousse d'ail et les mouille d'un peu de Jurançon ; la famille royale conservera cette tradition. Quant au Parlement de Navarre, il veille sur le vignoble et l'authenticité de ses vins, des blancs mais aussi des rouges. Ceux-ci sont transportés vers Bayonne dans des charrettes tirées par des mules ou sur des sortes de radeaux utilisés dans les parties navigables des gaves et de l'Adour. De Bayonne, ils sont exportés vers l'Angleterre et la Hollande. Au siècle dernier, l'Amérique et la Belgique sont les plus gros clients, jusqu'au désastre phylloxérique. Partiellement replanté avec des cépages autochtones, le Jurançon s'affirme à nouveau. En 1950 est créée la dynamique Coopérative de Gan, et, en 1970, l'A.O.C. est obtenue.

Le climat est ici océanique, avec une forte pluviométrie (1 155 mm). Heureusement, il ne pleut guère en automne, au moment de la maturation et de la surmaturation. L'influence du « vent d'Espagne » est bénéfique, et l'ensoleillement, avec 1 936 heures par an, est suffisant.

La vigne pousse, entre 250 et 360 m d'altitude, sur des coteaux et des collines d'origine morainique. Elle occupe les sols les plus pentus, là où les autres cultures sont impossibles. Ceux-ci sont argilo-calcaires ou argilo-siliceux, avec une forte proportion de galets. Depuis six ans, les plantations en terrasses se généralisent.

L'A.O.C. *Jurançon* correspond uniquement à des vins blancs. Les cépages sont autochtones. Le petit manseng a de tout petits grains, très aromatiques. Les pellicules, résistantes, permettent d'attendre le passerillage pour le vendanger. Son rendement est modeste, autour de 35 hl/ha. Le courbu est sensible à la pourriture grise, ce qui explique sa relative rareté, mais il reprend peu à peu une place méritée par la souplesse et la rondeur du vin produit. Outre ces trois cépages principaux, deux autres, limités à 15 p. 100 pour l'A.O.C., sont encore utilisés : le camaralet et le lauzet, cépages à vins secs au goût épicé.

Pour pallier les inconvénients des gelées, la vigne est cultivée en « hautains », sur échalas de

Sur fond de sommets pyrénéens, ces vignes de Jurançon achèvent leur cycle saisonnier, juste après les dernières « tries ».

châtaignier de 1,90 m à 2,30 m : ainsi, les raisins sont éloignés du sol refroidi.

La production d'A.O.C. est de 20 000 hectolitres environ, les rendements étant fixés à 50 hl/ha pour les blancs moelleux et à 65 hl/ha pour les blancs secs.

Le Jurançon traditionnel était un vin blanc moelleux obtenu à partir de raisins passerillés. Les grappes de petit manseng étaient vendangées très tard, jusqu'au début de décembre, après les premières gelées, afin d'obtenir, par évaporation de l'eau, une extrême concentration du moût, qui pouvait titrer de 16 à 20°. Comme dans le Sauternais et à Monbazillac, on vendangeait par « tries » successives. Aujourd'hui, quelques viticulteurs maintiennent cette tradition.

Les Jurançon moelleux, qui doivent titrer au moins 12°5, sont des vins d'une belle couleur d'or vif, ronds et suaves, développant des arômes de miel, d'acacia et d'épices ; ils sont aptes à vieillir. Celui de la *Coopérative de Gan-Jurançon*, obtenu à partir de 90 p. 100, de petit manseng surmaturé, est typique de l'appellation. Celui du *Clos Cancaillaü*, vieilli trois ans en foudres de chêne puis en bouteilles, est superbe.

Les Jurançon secs, surtout issus du gros manseng, ont une couleur dorée, avec des reflets verts. Nerveux et frais, ils ont des arômes floraux très marqués. Ceux de la Coopérative de Gan sont parmi les plus représentatifs. Il faut conseiller également ceux du *Clos Mirabel*, du *Domaine Vincent Labasse* et du *Clos de la Vierge*.

Les vins du Béarn

L'A.O.C. Béarn

Trois terroirs séparés ont droit depuis 1975 à l'A.O.C. *Béarn*. Deux d'entre eux correspondent à peu près aux aires des A.O.C. Jurançon et Madiran. Le troisième est situé de part et d'autre du Gave de Pau, mais les deux tiers de sa surface sont sur la rive gauche. Au nord, il jouxte le département des Landes, au sud il englobe Salies-de-Béarn et s'avance presque jusqu'à Sauveterre-de-Béarn.

Ce troisième terroir viticole, sans doute très ancien et pour le moins gallo-romain, était florissant au Moyen Age, quand des règlements stricts le protégeaient. Comme ceux de la zone voisine de Jurançon, ses vins s'exportèrent par Bayonne vers la Hollande et l'Angleterre, du XVIe siècle à la Révolution. Après la révocation de l'édit de Nantes, les Béarnais exilés le firent connaître dans leurs pays d'accueil. Détruit par le phylloxéra, le vignoble ne connut le renouveau qu'à notre époque. Les viticulteurs se groupèrent en syndicat dès 1934. En 1946, ils fondèrent la Coopérative de Bellocq. Le label V.D.Q.S. fut obtenu en 1951 et l'A.O.C. en 1975.

La zone proprement béarnaise correspond à des terrains variés du piémont pyrénéen : calcaires, argilo-calcaires, gréseux. Le climat est sensiblement le même qu'à Jurançon.

Pour les vins rouges et rosés, les cépages suivants sont retenus : tannat, cabernet franc (« bouchy »), cabernet-sauvignon, fer, manseng noir, courbu noir. Le tannat, que l'on rencontre aussi à Madiran et à Irouléguy, est un cépage des contreforts pyrénéens. Il appartient à la famille des cots, comme le malbec ou la négrette. Vigoureux et productif, il donne des vins de qualité, très colorés, presque noirs, corsés, aromatiques. Fortement tannique, le vin est un peu dur dans sa jeunesse mais il peut vieillir longtemps. Pour l'A.O.C. *Béarn*, la proportion maximale de tannat est de 60 p. 100.

Les deux cabernets sont bien adaptés au terroir. Le manseng noir et le courbu noir apportent le degré et des goûts spécifiques. Le fer s'appelle ici « pinenc ».

Les cépages blancs sont les mansengs et le courbu, comme à Jurançon. En complément, le lauzet, le camaralet et le raffiat typent l'appellation. Le sauvignon donne également droit à l'A.O.C.

Les vins doivent titrer 10°5. La récolte moyenne est de 9 000 hectolitres. Rares sont les producteurs individuels. La quasi-totalité des vins sont produits par les coopératives de Crouseilles et de Bellocq.

C'est cette dernière qui, actuellement, obtient les meilleurs résultats avec 200 hectares

Barriques neuves et cuves de ciment au curieux décor arborescent : jumelage de styles dans une cave de Madiran, à Aydie.

d'A.O.C. en un seul tenant, situés sur les coteaux dominant le gave de Pau. Son vin blanc *Febus Aban* provient du raffiat de Moncade et du gros manseng. D'un jaune brillant très léger, il a des arômes très floraux, des saveurs de fruits, la légère acidité qui sied à un blanc sec et, assez nettement, le goût de « pierre à fusil ». C'est vraiment un produit typique de ce terroir. Les rosés, d'une belle couleur ambrée, sont souples et fruités. Le meilleur rouge est celui de la *cuvée Henri de Navarre*. D'une belle robe rubis, il est corsé, plantureux, long en bouche. Encore un produit typé qui semble devoir fort bien vieillir.

Madiran et Pacherenc du Vic Bilh

Un même terroir mais deux A.O.C. : le *Madiran* est un vin rouge, le *Pacherenc du Vic Bilh* un vin blanc.

A 40 km au nord de Pau et de Tarbes, entre Riscle au nord et Lembeye au sud, 37 communes ont droit à ces deux appellations : 28 des Pyrénées-Atlantiques, 6 des Hautes-Pyrénées, dont Madiran, et 3 du Gers.

Les glaciers quaternaires puis les torrents qui se jettent dans l'Adour ont ici creusé le plateau tertiaire et apporté des limons et des cailloux. Le paysage est vallonné : terrasses et coteaux s'y succèdent. La vigne occupe des sols siliceux et caillouteux, soit argilo-calcaires, soit, à l'ouest, silico-argileux.

Le vignoble du Vic Bilh (en gascon, le Vic Vieux) remonte à l'époque gallo-romaine. Au Moyen Age, le vignoble appartient à l'Église. Au XIIe siècle, des bénédictins venus de Bourgogne développent le vignoble qui fournira du vin aux pèlerins et aux bergers. Dès cette époque, il est exporté vers l'Europe du Nord par Bayonne et Bordeaux.

Un saut à travers les siècles... jusqu'au phylloxéra, qui laisse la région exsangue. Malgré l'obtention de l'A.O.C. *Madiran* en 1948, le vignoble ne couvre encore que 50 hectares en 1950, alors qu'il était de 1 400 hectares en 1816. Mais, depuis lors, des viticulteurs courageux l'ont reconstitué. La Coopérative de Crouseilles, créée en 1950, a joué un rôle de premier plan dans cette heureuse résurrection. Aujourd'hui, la production de Madiran atteint les 45 000 hectolitres sur un millier d'hectares.

● Pour l'A.O.C. *Madiran*, le cépage de base est le tannat : il doit représenter au minimum 40 p. 100 de l'encépagement, au maximum 60 p. 100. Sur ce terroir, il développe toutes ses vertus. Le cabernet-sauvignon, le cabernet franc et le pinenc sont ses compagnons. Le rendement est fixé à 45 hl/ha.

Les Madiran actuellement produits sont de deux types. Quand la part du tannat est faible et celle des deux cabernets maximale, on obtient, à partir d'une cuvaison courte, un Madiran à boire jeune ou relativement jeune, peu astreigent, riche de saveurs de cassis ou de groseille. Le Madiran d'hier, souvent élaboré à partir du seul tannat et donc très tannique, devait vieillir quinze ou vingt ans. Aujourd'hui, le Madiran de type traditionnel, qui se rapproche de ce modèle, est un vin où la proportion du tannat est de 60 p. 100, dont la cuvaison a été longue et le vieillissement assuré dans des fûts de chêne. Un peu dur dans sa jeunesse, ce Madiran devient ensuite chaud et généreux, équilibré, séveux et développe un bouquet fameux où se conjuguent les épices, les odeurs de pain grillé ou de vanille.

La *Coopérative de Crouseilles* a « lancé » un Madiran du premier type avec son « Pot gourmand » (3 à 5 jours de cuvaison seulement). Celui de l'*Union des Producteurs de Plaimont*, vieilli sous le bois, a une belle couleur rouge foncé, des arômes de petits fruits et un léger boisé. Légèrement tannique, il est corsé et généreux.

Il faut également recommander deux Madiran de grande classe : le *Domaine de Bouscassé* et le *Château Montus*. Une cuvaison longue à basse température, un vieillissement en fûts de chêne en font des vins typés au beau rouge brillant, aux arômes intenses, distingués et persistants, très aptes à vieillir.

Le Château Montus, l'un des meilleurs domaines de Madiran, sur la commune de Maumusson.

● L'A.O.C. *Pacherenc du Vic Bilh* correspond à un vin blanc obtenu sur le même terroir que le Madiran. 1 000 hectolitres seulement sont actuellement produits.

« Pacherenc » signifie, en gascon, piquets en rang *(pachet en renc)*. C'est une allusion à la conduite des vignes en hautains. Les cépages sont les suivants : gros et petit mansengs, courbu (caractéristiques du Jurançon), sauvignon, sémillon et arrufiat, un cépage autochtone.

Les vins du Pacherenc de Vic Bilh sont secs ou moelleux. Titrant 12°, ils sont d'un beau jaune ambré, très aromatiques et très fruités. Parmi les plus réussis, il faut citer ceux du *Domaine du Teston* et du *Domaine du Crampilh*.

Les Côtes de Saint-Mont

Dans le sud-ouest du département du Gers, contigu au terroir du Madiran, le vignoble des Côtes de Saint-Mont s'étend d'Aire-sur-l'Adour, à l'ouest, à la rivière de l'Auzoue, à l'est.

Il faut attendre l'année 1958 pour qu'un syndicat de défense des *Côtes de Saint-Mont* permette la reconstitution du vignoble. En 1974, trois coopératives, celles d'Aignan, de Plaisance et de Saint-Mont, se regroupent pour créer l'Union des Producteurs de Plaimont. Les efforts de ces viticulteurs sont récompensés en 1981, année de l'obtention du label V.D.Q.S.

Les vignes sont plantées sur des collines et des croupes qui dominent la plaine de l'Adour et les vallées de plusieurs petites rivières, Arros, Midour, Douze. Les pentes exposées au sud ou à l'est, graveleuses ou argilo-graveleuses, portent les cépages rouges. Les pentes ouest, plus raides et souvent argilo-calcaires, accueillent plutôt les cépages blancs.

Pour les rouges, le tannat doit constituer au moins 70 p. 100 de l'encépagement. Pour un maximum de 30 p. 100 sont associés le merlot, le cabernet-sauvignon, le cabernet franc et le fer servadou. D'ici à 1991, ce dernier devra correspondre au tiers des cépages accessoires. Le vin rouge doit atteindre 10° minimum, le rosé 10°5. Le rendement doit être de 50 hl/ha.

Les vins blancs proviennent de cinq cépages : le gros manseng, l'arrufiat et la clairette, auxquels sont adjoints le petit manseng et le courbu. Ces blancs doivent titrer 10°5.

La plupart des vins sont produits par l'*Union des Producteurs de Plaimont* (480 hectares en V.D.Q.S.). Les rouges ont une belle couleur rubis foncé, des arômes assez subtils de petits fruits, un agréable boisé dû au passage dans les fûts de chêne, une plénitude indéniable et une astringence minime. Ils sont aptes au vieillissement. Les rosés sont parfumés et fruités, et les blancs très aromatiques.

Outre les V.D.Q.S., l'Union de Plaimont vinifie des blancs vendus comme vins de pays. Parmi eux, signalons le « Colombard d'André Daguin », vin blanc du cépage colombard.

Le Tursan

Dans le département des Landes, au sud immédiat de la grande boucle de l'Adour, s'étend le pays du Tursan. Ce V.D.Q.S. est produit depuis Saint-Sever et Hagetmau à l'ouest jusqu'à la limite du Gers à l'est, depuis l'Adour au nord jusqu'à la limite des Pyrénées-Atlantiques au sud. La région appartient au piémont pyrénéen. La vigne y pousse sur des sols molassiques ou caillouteux. La très dynamique *Coopérative des Vignerons de Tursan* assure 98 p. 100 de la production : 13 500 hectolitres de V.D.Q.S., pour lesquels le rendement a été volontairement fixé à 45 hl/ha.

Le vin blanc est obtenu à partir du baroque, cépage typique de la Chalosse. Il est aromatique et fruité, d'une agréable nervosité. Les cépages rouges sont le tannat (20 p. 100) et les cabernets (80 p. 100). Les vins rouges sont souples et fruités, les rosés très gouleyants.

Avec un optimisme gourmand

Ce voyage viticole nous a conduits du pays de Montaigne aux terres de Béarn et de Gascogne chères au Vert Galant. Mais par quels détours délectables et quels paysages !

Comme le boire est triste sans le savoir-boire et, donc, sans les mets qui valorisent les vins, il est bon d'évoquer, pour terminer, les produits et les spécialités gastronomiques qui s'accordent avec ces vins du Sud-Ouest. Les blancs secs accompagnent les poissons des rivières, des gaves ou de l'Océan, les crustacés, les charcuteries et même certains fromages. Les blancs liquoreux, notamment le Monbazillac et le Jurançon, sont excellents sur les foies gras, le roquefort et même les volailles. Pour les vins rouges, aucun problème vraiment : viandes et gibiers les appellent, mais aussi les confits, les magrets et les cèpes, partout présents, les cassoulets, les tripoux de l'Aveyron, les garbures béarnaises, la piperade basque, les préparations utilisant les truffes. Les rosés, si souvent réussis, sont amis des charcuteries locales, des poissons et même des viandes.

Jura et Savoie

L'admirable site de Château-Chalon, où le vieux village surveille ses vignes du haut de la falaise. L'extraordinaire vin jaune engendré par ce terroir symbolise à l'extrême l'originalité et la perfection que peuvent atteindre les vins du Jura.

Les vins du Jura

La Franche-Comté viticole court sur deux département : le Doubs et le Jura, la Haute-Saône étant légèrement mordue par le vignoble. Celui-ci accroît sa superficie depuis les années 60, ce qui porte aujourd'hui son étendue en vignes d'appellation contrôlée à 1 200 hectares. Les vins sont blancs, surtout, mais aussi rouges, rosés et jaunes — oui jaunes ! — de paille, mousseux, sans omettre le *macvin* (1er ratafia local) ni le marc d'Arbois ou du Jura, sans doute l'une de nos plus fines eaux-de-vie.

Une terre à vins de toujours

La langue de terre qui suit le massif jurassien, du nord au sud, au pied du Revermont, sur une roche très calcaire, passant par Arbois, Poligny, Voiteur et Lons-le-Saunier, a de tout temps été terre à vins. Avec le sel, une denrée capitale dès les temps préhistoriques, produit des sources à Salins et Lons-le-Saunier, le vin sert tôt de monnaie d'échange. Le vignoble devient un lieu de rencontre et de commerce entre la plaine et la montagne : les paysans apportent ici la viande et le fromage, d'autres le blé, d'autant que les vins y sont bons... Dès le Xe siècle, les relations sont étroites avec la Bourgogne.

Fin du XIXe siècle : au lendemain de la crise phylloxérique, le vignoble jurassien, tardivement atteint, développe au maximum sa surface, approchant 20 000 hectares. Aujourd'hui, les vignerons se partagent les 2 000 hectares de bonnes terres — dont 1 200 en A.O.C., rappelons-le.

Relief et climat : rude et dur !

C'est un vignoble d'altitude : les parcelles s'étagent entre 250 et 450 m, avec une exposition dominante en est-ouest, parfois sud-ouest, mais aussi carrément plein sud, dans les plis que forment les combes. Étroit dans son ensemble, il s'élargit par deux fois près de Lons-le-Saunier et au niveau d'Arbois.

Le relief accentué de la région s'appuie sur une grande variété de sols, tourmentés, enchevêtrés au rythme des failles et des plissements. Les meilleurs terrains proviennent du lias : marnes bleues parfois mêlées aux éboulis calcaires.

Le climat est rude, et ce n'est qu'à sa bonne exposition que la vigne doit de ne pas trop souffrir des hivers rigoureux. Comme dans tous les vignobles septentrionaux, les vins du Jura sont très sensibles au temps — et les millésimes caractérisés.

Les cépages

Le Jura est planté de cépages locaux — poulsard, trousseau, savagnin blanc — que complètent deux cépages bourguignons — le pinot noir et le chardonnay.

Le *poulsard* à jus blanc rosé, aux grains violacés, sensible aux gelées printanières, fournit un vin peu coloré, frais et bouqueté.

Le *trousseau*, très productif, raisin rouge à peau épaisse, donne un vin foncé, tannique, ferme, que l'âge affine.

Le *savagnin blanc*, vendangé tardivement, est à la base du célèbre vin jaune, un nectar bouqueté que les ans ne gâtent pas.

Le *pinot noir*, à petits grains serrés, aux reflets noir bleuté, apporte de la couleur.

Le *chardonnay*, enfin, à petits grains ronds et jaunes, est connu à Arbois sous le nom de « melon blanc ».

Les vins

Malgré sa relative petitesse, le terroir est très riche en vins, divers à l'œil comme au palais Bien à part, au-delà des vins rouges, rosés ou blancs, c'est aux célèbres vins jaunes et vins de paille que la région doit sa renommée et sa particularité.

Vendanges à Arbois. Autour de la petite cité où séjourna longtemps Pasteur, la production vinicole conjugue toutes les couleurs et toutes les façons jurassiennes.

Le vin jaune

Né certainement au hasard de fûts oubliés, le vin jaune, sans équivalent en France, couronne le particularisme du vignoble jurassien, pour fournir sa meilleure expression à Château-Chalon. Déjà, le chancelier Metternich reconnaissait ses mérites en le situant au-dessus des grands Tokay.

Vin d'un seul cépage, le savagnin, vendangé vers la Toussaint, il peut titrer entre 13 et 14° en puissance, lorsque septembre et octobre sont beaux. Jeunes, les vins sont très aromatiques, charpentés, acides et puissants. L'âge va leur apporter leur robe jaune et leur goût si typique : ce goût de « jaune » proche, mais en meilleur, de celui des Xérès les plus riches.

Le vieillissement, après la lente fermentation étalée sur plusieurs mois, s'effectue dans des fûts de chêne de 110 ou 220 litres tapissés d'un précieux tartre marqué du goût de jaune. Le vin va y rester au moins 6 ans, sans soutirage ni ouillage (remplissage périodique destiné à compenser l'évaporation) : un véritable cauchemar pour œnologues.

Et c'est là que le miracle s'accomplit. Il se crée à la surface du vin un voile de levures, rempart de protection — fragile — contre la brusque oxydation qui conduirait à une madérisation redoutable. Ce voile est le siège des diverses transformations de couleur et de goût.

A vin exceptionnel, bouteille exceptionnelle : celle-ci, dite « clavelin » et contenant 65 centilitres, était déjà fabriquée au Moyen Age par les maîtres verriers.

Avec son inimitable goût de noix, le Château-Chalon (ci-dessus) domine de sa haute stature les vins franc-comtois. Ci-contre : une cave à vin jaune.

Le vin de paille

C'est un vin naturellement liquoreux et bouqueté, qui doit sa finesse à un assemblage savant de poulsard, de pinot, de trousseau, de chardonnay et de savagnin. Son nom est lié à sa méthode de fabrication. Après la vendange, les raisins sont triés et mis à sécher sur un lit de paille ou sur des claies, ou suspendus à des crochets. Après deux mois de dessiccation, les raisins sont pressurés ; la fermentation se déroule lentement, à partir de moûts très sucrés.

Ce vin liquoreux est de conservation infinie. Il faut le boire frappé. Côté rendement, le chapitre est à éviter : 25 litres de vin de paille nécessitent jusqu'à 100 kilos de raisins !

Des rouges plutôt rosés

Que le néophyte essaie donc de faire une distinction entre eux : quasi impossible ! Les rosés sont pour la plupart des « faux », car vinifiés en rouge. En fonction des cépages, utilisés seuls ou en assemblage, du temps de cuvaison et des températures, la profondeur de couleur varie, les robes se faisant plus claires ou plus foncées. Rose pâle lorsqu'il est à base de poulsard seul, le vin acquiert de la teinte et de la consistance quand ce dernier cépage est marié au pinot.

Robustes et charpentés, les rouges du Jura à base de trousseau sont pour leur part de très bonne garde.

Les blancs

De couleur jaune paille, souvent très typés, ils sont quelquefois un peu rudes dans leur jeunesse mais se conservent bien — comme tous les vins de la région.

Les appellations jurassiennes

La propriété reste très morcelée. Un négociant célèbre a attaché son nom à la région, lui appor-

tant une image de qualité, mais la coopération draine toujours un tiers de la production.

Côtes du Jura

L'appellation couvre l'intégralité du vignoble jurassien. A.O.C. depuis le 31 juillet 1937, les *Côtes du Jura* s'étendent sur 60 communes. Signalons, sous cette appellation, l'excellente production de Luc Boilley (39380 Chissey-sur-Loue) : son rouge de pur trousseau, issu de très vieilles vignes et subissant une longue macération à basse température, est un vin richement tannique, aux arômes exceptionnels. Citons également le très distingué vin jaune du *Château d'Arlay*, vinifié et élevé par R. de Laguiche (39140 Arlay).

Trois autres appellations plus localisées délimitent les meilleurs vignobles : Arbois, Château-Chalon et L'Étoile.

Arbois et Arbois-Pupillin

Il s'agit de l'appellation jurassienne la plus septentrionale, abritée par les 13 communes du canton d'Arbois. L'*Arbois* est A.O.C. depuis 1936, et l'*Arbois-Pupillin* depuis 1970.

Pour les rouges, le penchant actuel est à la vinification de cépages purs : trousseau, poulsard, pinot noir. Le premier cité donne un vin de garde, charpenté, raide quand il est jeune, avec beaucoup de corps, de fruit et de couleur. Comme le pinot de Bourgogne, le trousseau développe des arômes de tonalité cassis.

Les rosés, à base de poulsard et vinifiés en rouge, sont parmi les plus beaux de France : assez clairs, très fruités, nerveux et tendres, il sont d'un corps et d'une tannicité mariant présence et finesse. Le vieillissement ne les gâte pas, mais il les « tuile ».

Les blancs de chardonnay, que complète une part plus ou moins grande de savagnin, sont fins et équilibrés. La fermentation à basse température leur apporte des arômes très typés. Lorsqu'ils sont jeunes, leur approche est fraîche et fruitée. C'est après un vieillissement de 2 ou 3 ans en fûts de chêne que ces vins acquièrent leur bouquet définitif, avec des pointes de « jaune » — et donc de noix — sur des impressions de miel.

L'Étoile

Cette appellation — du nom d'une pierre fossile éclatée en petits cristaux — recouvre des vins blancs, mais aussi des mousseux, des vins jaunes et de paille. Ces vins, A.O.C. depuis 1937, rappellent ceux d'Arbois.

Château-Chalon

C'est ici le domaine par excellence du vin jurassien à base de savagnin pur. Le cépage est tardif, souvent vendangé début novembre. C'est grâce à son exposition exceptionnelle sud-sud-ouest que ce vin peut voir le jour. De robe jaune soutenu, puissant dans ses arômes, cette merveille ne peut arriver à nos palais éblouis qu'après six années de vieillissement.

Le mototreuil allège aujourd'hui le travail des vignerons sur des pentes pouvant parfois atteindre plus de 40 p. 100 de dénivelée.

L'appellation *Château-Chalon* couvre les communes de Château-Chalon, Domblans, Ménétru-le-Vignoble, Nevy-sur-Seille et Voiteur.

Comme momifiées par le givre, les vignes du Domaine du Sorbief, immense propriété produisant un Pupillin rosé de haute tenue.

Du bon usage du vin jaune

Le vin jaune se caractérise par un goût de noix et un bouquet particulier qui le mettent tout à fait à part des vins blancs français. Cela lui vaut sa dénomination spécifique, pour le différencier des autres blancs. En réalité, il n'est pas plus jaune qu'un vin blanc, et sans doute moins que certains.

Ses conditions de vinification en font un vin très solide : par exemple, débouchée depuis trois mois, une bouteille de vin jaune conserve la plupart de ses qualités initiales.

Ce vin est fait pour la garde. Un bon vin jaune dure 30 ans, un grand vin jaune est adulte à 50 ans. A 100 ans, il est encore extrêmement sympathique. Mais, dans ce cas, ne pas oublier de changer les bouchons tous les 30 ans. Attention aussi aux conditions de vieillissement dans les immeubles modernes...

Très en situation à l'apéritif, le vin jaune peut aussi rendre les plus grands services dans la préparation de plats réputés : morilles, coq, poulet, gibelotte de lapin au vin jaune...

Au cours d'un repas, il peut accompagner foie gras au naturel, fruits de mer, asperges, gibier, viandes rouges, fromage de Comté ou noix.

Le vin jaune titre environ 13°. C'est un vin sec qui a beaucoup de personnalité, mais celle-ci peut nuire aux autres vins que l'on déguste après lui, à l'exception d'un très bon champagne.

Le servir à température de la cave, ou légèrement plus tempéré, mais jamais frais.

Les vins de Savoie

Savoie, Haute-Savoie : deux départements réputés pour leurs cimes, leur neige, les sports liés à l'altitude. Si la vigne ne va tout de même pas jusqu'à pousser au pied des tire-fesses, elle est ici bien présente, accrochée aux pentes les plus protégées et ensoleillées, surplombant les lacs et les rivières. Mieux encore, la multiplicité des terrains et la variété des cépages conduisent à des vins de toutes sortes : rouges, blancs, perlants et mousseux.

Ces vins savent être délicieux quand l'altitude et le millésime ne les rendent pas trop acides. Si le temps reste raisonnable, ils seront exquis, désaltérants, légers, de dentelle, bien que manquant, pour certains, d'étoffe. Tous les crus sont loin d'être connus, en raison de volumes de production parfois très limités.

Les blancs sont dominants, progressant tous les ans au rythme des plantations nouvelles : ils représentent près des trois quarts de la production actuelle. Sur les aires délimitées, la vigne couvre environ 1 200 hectares.

En raison de l'afflux touristique qui — été comme hiver — favorise la consommation sur place, le vignoble n'a pas eu pendant longtemps à se préoccuper de débouchés. On n'y a ressenti que tard l'intérêt de produire dans le cadre de la réglementation des appellations d'origine.

Une vieille histoire

Cela débute comme dans les meilleurs contes... Il était une fois l'antique *Sabautia* habitée par les Allobroges, tribu d'irréductibles — mais pouvait-il en être autrement chez les Gaulois ? Déjà, la vigne et le vin faisaient l'objet d'un culte. Plus tard, les vins de montagne au goût de résine seront très en vogue à Rome.

Bien que fort prisés dès 1050 pour réconforter et mettre en liesse les bons moines de l'abbaye de Cluny, ce n'est qu'en 1766 que le directeur

de l'École impériale de la Saulnais use, dans un rapport, de la dénomination « vins de Savoie ».

Au XVIIIe siècle, leurs mérites s'expriment en ces termes : ils n'agitent pas le tempérament. Mais ce n'est qu'après la Seconde Guerre mondiale que la Fédération régionale des vins délimités de qualité supérieure « Savoie-Lyonnais » voit le jour, avec à sa tête quelques vignerons particulièrement entreprenants. Reconnus V.D.Q.S. en 1945, les vins de Savoie passent en A.O.C. en 1972.

Le vigneron savoyard est resté fidèle à ses cépages et à ses traditions, malgré les crises.

Les cépages

L'histoire de la Savoie, longtemps coupée des influences françaises, et l'isolement inhérent à toute zone montagnarde expliquent ici la présence de cépages locaux traditionnels.

En blanc, la *jacquère*, cépage rustique adapté aux climats rudes, majoritaire en Savoie et en Haute-Savoie, donne des vins nerveux, d'un jaune clair aux reflets verts, un peu perlants. Aujourd'hui, les plantations nouvelles sont surtout effectuées avec ce dernier cépage.

L'*altesse*, dont la légende veut qu'elle ait été ramenée de Chypre lors des croisades par un duc de Savoie, est le plant — peu productif — des Roussettes : des vins de grande qualité, amples, très complets, aux arômes de violette, miel et noisette, évoluant avec l'âge : des vins tout à la fois vifs et onctueux.

Le *chasselas*, dit aussi « fendant » de Suisse, cépage précoce et résistant, planté près du lac Léman, donne des vins secs, légers, souvent perlants, d'un jaune pâle légèrement doré, au goût appuyé de noisette et aux parfums floraux.

D'autres cépages, plus confidentiels, sont cultivés sur de petites surfaces : il en est ainsi de deux cépages bourguignons, le *chardonnay* et l'*aligoté*, mais aussi de la *molette*, de la *mondeuse blanche* ou « roussette d'Ayze », du *gringet* et de la *roussanne*.

Une cave savoyarde, dont les foudres renferment d'alertes petits crus de montagne.

Les rouges sont — presque — aussi divers : à côté du fin *pinot noir* de Bourgogne et du *gamay noir à jus blanc* du Beaujolais, à la saveur fruitée, donnant des vins charnus, charpentés, à robe purpurine, une place à part doit être faite à la *mondeuse rouge*, un cépage vigoureux bien de Savoie, aux vins parfumés, fermes, francs, durs dans leur jeunesse, mais s'assouplissant en vieillissant. Pour consommateur averti !

Les appellations

La diversité des vins de Savoie doit beaucoup au cloisonnement naturel du paysage montagnard. En forme d'arc de cercle, le ruban de vignobles éclate en plus de dix îlots, de Ripaille au nord, jusqu'à Montmélian au sud. Les vignerons, souvent sur de petites parcelles — bien moins de 1 hectare —, sont installés là où les rigueurs du climat n'interdisent pas la maturation des grains.

Depuis le décret du 4 septembre 1973, les appellations sur la région appartiennent soit à l'appellation *Vin de Savoie* ou *Roussette de Savoie*, soit aux appellations de crus, *Seyssel* et *Crépy*. Au départ, seuls ces deux derniers vignobles avaient accédé au titre d'A.O.C.

Vins de Savoie

L'appellation *Vin de Savoie* s'applique aux vins tranquilles blancs, réalisés à partir du cépage local, la jacquère, ou, pour certains crus, du chasselas ou de la roussanne, mais aussi à des vins pétillants ou mousseux.

Les rouges de Savoie bénéficient également de l'appellation *Vin de Savoie*.

• ***Abymes*** et ***Apremont.*** *Abymes* et *Apremont* sont parmi les plus prestigieux et les plus fins crus de la Savoie, et certainement les plus connus. Sur le versant sud de la combe de Chambéry, depuis Saint-Baldolph jusqu'à Chapareillan, le vignoble est ancien. L'histoire rapporte qu'il s'est lentement déployé à partir de la moitié du XIIIe siècle, après le colossal éboulement du mont Granier, qui fit 5 000 victimes et engloutit 16 villages. Depuis toujours, le cépage semble être resté le même : la rustique jacquère. Tout aussi traditionnellement, les vins de type perlant sont conservés « sur lies ».

Comme tous les vins légers, ces perlants gagnent à être consommés jeunes, au mieux dans l'année des vendanges. Ils présentent une robe quasi transparente, à peine teintée, et un goût caractéristique de pierre à fusil. Désaltérants et frais, ils doivent être servis à la température idéale de 8 à 10 °C.

• ***Chignin, Montmélian, Bergeron, Cruet, Saint-Jeoire-Prieuré.*** On trouve, au sud-est de Chambéry, un certain nombre de crus correspondant aux diverses communes avoisinantes.

Le *Chignin* et le *Montmélian*, à base de jacquère, sont parmi les blancs secs les plus caractéristiques de l'endroit, légers, parfois perlés, à boire jeunes de préférence.

Issu de la roussanne, le *Chignin-Bergeron* est sans doute l'un des meilleurs vins blancs de Savoie : très fruité (amande), d'une grande élégance, de bonne garde, mais malheureusement trop rare.

• ***Ripaille*** et ***Marignan.*** Souvenir d'une période faste pour la maison de Savoie, le château de Ripaille surplombe le lac Léman dont les rives sont terres d'élection pour le chasselas. Ici, les vins sont secs, perlants ou tranquilles, à la saveur souvent noisetée.

Pour la petite histoire, La Fontaine et Voltaire ont lié ces vins à l'expression : « faire ripaille ».

• ***Ayze.*** Le cru est à l'origine de vins blancs pétillants ou mousseux issus de la méthode locale de fermentation « spontanée » en bouteilles. L'*Ayze*, très sec, extrêmement léger et diurétique, déploie une robe aux reflets verdâtres et doit sa typicité et sa fraîcheur à un cépage tout à fait particulier, le gringet, que certains rapprochent du savagnin jurassien ou du traminer alsacien.

Dans la vallée de l'Arve, au sud-est de Genève, la vigne pousse depuis le XIIIe siècle : des manuscrits témoignent de la vente de vignes de 350 « fossorées », une mesure locale qui correspondait à la surface pouvant être cultivée à la pioche pendant une journée de travail d'un vigneron d'antan.

• ***Chautagne.*** Le vin de *Chautagne* coule sur la rive nord-est du lac du Bourget. Sur cette terre à vins rouges, le gamay est dominant et donne des nectars de couleur purpurine, pleins de chair, aux arômes floraux et à la saveur fruitée. A servir légèrement frais.

• ***Arbin, Saint-Jean-de-la-Porte.*** L'histoire veut que cette combe, sur la rive droite de l'Isère, ait vu naître la mondeuse, ce cépage rouge si savoyard, qui donne des vins francs, durs dans leur jeunesse, mais s'assouplissant en vieillissant.

Le terroir accepte d'autres cépages comme le pinot noir, qui acquiert ici beaucoup d'originalité.

Les Roussettes de Savoie

L'appellation *Roussette de Savoie* est attachée aux vins produits à base d'altesse.

• ***Frangy.*** Sous l'appellation *Roussette de Frangy*, le cépage exclusif altesse qui, rappelons-le, serait originaire de l'île de Chypre, s'est bien adapté aux flancs de la vallée des Usses, affluent du Rhône. Ce vin blanc présente des arômes de violette qui s'extériorisent d'autant mieux que le moelleux est maîtrisé.

Jean-Jacques Rousseau évoque dans ses *Confessions* un entretien au cours duquel le vin de Frangy — qui lui parut excellent — argumentait si victorieusement pour son interlocuteur qu'il aurait rougi de fermer la bouche à un aussi bon hôte.

• ***Marestel, Monthoux*** et ***Monterminod.*** Ces appellations, sur la rive gauche du Rhône au nord de Chambéry, sont installées sur les contreforts du mont du Chat et de la Charvaz, à l'abri des vents froids.

L'altesse type fortement les Roussette de *Marestel* et de *Monthoux* : nectars d'un beau vert doré, fort distingués, dont les arômes évoluent en vieillissant (noisette, violette, miel et noix).

Sont également produits, sur ces terres, des blancs de jacquère ou de chardonnay, ainsi que des rouges de deux sortes. A partir de la mon-

Le vignoble des Abymes. Il fut implanté sur les éboulis amoncelés en 1248 par l'effondrement du mont Granier, dont on devine la silhouette noyée dans les nuages.

deuse noire, les vignerons élaborent des vins virils, typés, qui acquièrent, après un vieillissement d'au moins trois ou quatre ans, un bouquet aux notes de fraise, de framboise et de violette. Quand ils sont issus du gamay ou du pinot noir, les vins sont fins, mais ne gagnent pas à vieillir.

Près de Montmélian, le vignoble de *Monterminod* est également réputé pour sa Roussette.

Crépy et Seyssel

Les vignobles de Crépy et Seyssel ont été les deux premières A.O.C. de Savoie.

• ***Crépy.*** A.O.C. depuis 1948, le vin de Crépy a une longue histoire puisque le cartulaire contenant le titre de propriété de l'abbaye de Notre-Dame-de-Filly évoque déjà les fameux coteaux qui l'engendrent : tout juste des boursouflures sur la rive sud du lac Léman, entre Thonon-les-Bains et Genève, constituant les derniers contreforts alpins.

Le chasselas, roux et vert, entre seul dans la composition de ce vin blanc. Ce cépage, peut-être unique à s'adapter à tous les climats, donne un vin typé, léger, sec et perlant, dont la robe jaune pâle peut prendre avec l'âge de beaux reflets dorés. Sa bouche noisetée est d'une acidité moyenne.

• ***Seyssel.*** Tranquilles ou mousseux, voilà certainement deux des meilleurs vins blancs de Savoie. L'A.O.C. leur a été reconnue tôt pour la région, par décret du 11 février 1942. C'est au XIIe siècle, en 1145 précisément, qu'il est fait officiellement mention, pour la première fois, de la vigne à Seyssel. Le déploiement proprement dit date du XVe siècle, sous l'impulsion des moines d'Arvières. Aujourd'hui, seules les communes de Seyssel-Corbonod, dans l'Ain, et de Seyssel, en Haute-Savoie, peuvent produire ces vins blancs.

Le vignoble, morcelé, couvre 75 hectares environ ; il s'étend sur les collines des deux rives du Rhône, à quelques encablures à peine de la Suisse. Deux raisins seulement participent à l'élaboration des vins : l'altesse et la molette, dans des proportions variables selon le produit escompté.

Deux grands types de sols bâtissent le terroir : l'un supportant parfaitement l'altesse et donnant les vins tranquilles ; l'autre constituant le terrain d'élection de la molette — cépage que l'on ne retrouverait nulle part ailleurs dans le monde — et fournissant des vins suffisamment acides pour être à l'origine du *Seyssel* mousseux. Précisons que ce pétillant est réalisé selon la méthode champenoise. L'altesse, qui y entre pour 10 p. 100 au moins, le type discrètement d'une note de violette. Le second vin, la *Roussette de Seyssel*, est un « tranquille ».

Les vins du Bugey

« C'est du tout aussi bon qu'en Savoie », en beaucoup moins connu.

Dans cette région de l'Ain, constituée par la pointe sud du massif jurassien, le vignoble apparaît dispersé, les vignes recherchant la meilleure exposition, à la base du relief.

Aujourd'hui, cinq types de vins coexistent. Ils sont tous V.D.Q.S. depuis l'arrêté du 27 septembre 1963, bien que proches des A.O.C. de Savoie, au moins pour les cépages qui les composent.

Mentionnons les vins rouges et rosés du Bugey, issus du gamay ou du pinot ; la mondeuse est aujourd'hui confidentielle.

Le *Cerdon* rosé, pétillant ou mousseux, à base de poulsard et de gamay, doux et léger. A boire frais... et très renommé à Lyon.

Les vins blancs du Bugey, légers, nerveux, produits de chardonnay, d'altesse, d'aligoté, de jacquère.

Les *Roussette du Bugey*, fines, aux arômes de violette, assemblages de chardonnay et d'altesse.

Les mousseux ou pétillants du Bugey, à base de jacquère ou de molette.

Le vignoble à Jongieux, un village proche du lac du Bourget et où l'on cultive surtout l'altesse (cru de Marestel).

Un joli vin de Franche-Comté

A la parade ces bouteilles de vin de Champlitte, dont les étiquettes portent le blason à trois houes d'or, symbole de la confrérie locale.

A la pointe ouest de la Haute-Saône, sur la commune de Champlitte, une vieille et pittoresque bourgade fleurant bon le pays comtois, un vignoble est ressuscité après plusieurs décennies d'abandon. Relancé par ses habitants, il couvre aujourd'hui une trentaine d'hectares où le chardonnay, le pinot noir et l'auxerrois — pour l'essentiel — se partagent une excellente côte argilo-calcaire, exposée au levant.

Fondée en 1974, la dynamique cave de Champlitte (Groupement viticole chanitois) vinifie pour l'instant la totalité de la production, selon des méthodes sachant concilier technologie moderne et tradition bien comprise.

Les *Coteaux de Champlitte*, actuellement classés « vins de pays », se déclinent dans les trois couleurs, auxquelles s'ajoutent des vins champagnisés.

Les blancs sont parfaitement typés. Le Chardonnay, nerveux et équilibré, avec de francs arômes, est un élégant qui n'a rien à envier à nombre de ses voisins bourguignons. L'Auxerrois est aimable et coulant, et se donne parfois un petit air d'Alsace. Quant au rouge de pinot, c'est un vin de rubis clair, fin et parfumé, qui sait être fort charmeur, mais avec sa personnalité propre.

Un environnement paisible et bucolique, une tradition vivace — notamment illustrée par une Saint-Vincent fêtée sans interruption depuis 1612 et par un superbe musée folklorique, où n'est pas oublié le patrimoine vigneron — valent sans faute le détour, vineux et touristique, par Champlitte et ses environs.

Languedoc et Roussillon

Ceps d'hiver dans la région de Minerve. Ce lumineux paysage minéral, où les murets de pierre accusent la forte aridité du lieu, irradie la sereine beauté géologique que savent offrir les vignobles languedociens.

Vigne et Languedoc-Roussillon se conjuguent dans quatre départements : du sud au nord, les Pyrénées-Orientales, l'Aude, l'Hérault et le Gard. Tout au bout de la France, la région épouse les rondeurs méditerranéennes du golfe du Lion, s'appuyant sur les Pyrénées, les Corbières et les premiers contreforts du Massif central. Ici, c'est terre de contraste, et il y a peu — de kilomètres s'entend — entre plaines, collines, plateaux et montagnettes, pour ne pas dire montagnes.

Battue par les vents, les célèbres cers et tramontane, la région est aujourd'hui sillonnée d'autoroutes : la « Languedocienne » d'est en ouest et la « Catalane » de Narbonne à Perpignan et, au-delà, vers l'Espagne.

Des Grecs aux pères religieux

Entre vigne et Languedoc-Roussillon, l'amour dure depuis plus de vingt siècles — qui sait désormais exactement depuis quand, la nuit des temps brouillant toutes les dates ? Mais une chose est sûre : les premiers baisers s'échangent autour d'amphores ventrues, dites « marseillaises », les Grecs ayant apporté le vin. La vigne, en même temps que l'olivier, se répand autour des comptoirs portuaires.

Sitôt connu, sitôt aimé : les Gaulois, grands buveurs devant l'éternel, s'entichent du vin, « liqueur des dieux et des héros », que les Romains s'ingénient à toujours mieux adapter aux terroirs et aux climats septentrionaux : produire du vin, c'est s'enrichir ! Malgré quelques interdictions de plantations nouvelles, telle, en 92, celle prise par l'empereur Domitien au profit du blé, la vigne avance toujours vers le nord, par la vallée du Rhône et l'Aquitaine, jusqu'à ce que les Barbares puis, plus tard, les Arabes, stoppent sa progression en brisant les échanges internationaux.

« Gloire vineuse » soit rendue à l'Église ! On ne dira jamais assez le rôle joué par les ordres religieux. C'est autour des abbayes que les vignobles renaissent après le Xe siècle, le vin étant, dans la liturgie, sacralisé au même titre que le pain. L'église d'Elne et les premiers monastères bénédictins du Roussillon tirent des revenus importants de leurs vignobles. La décision définitive de bâtir une abbaye n'est d'ailleurs prise qu'après avoir réalisé des essais de vignoble.

Au XIVe siècle, mais plus encore au XVe siècle, avec le commerce naissant d'étoffes et autres marchandises, la vigne est devenue le moteur économique de la région. A partir des ports, Aigues-Mortes, Agde, Collioure, Port-Vendres, les vins du Languedoc et du Roussillon sont partout, jusqu'aux limites du monde d'alors : les Flandres et l'Angleterre. On croit savoir que les vins liquoreux, sans doute pour leur capacité de conservation, sont très appréciés. Les procédés de fabrication, vieilles leçons du passé, datent des Romains, voire des Grecs : surmûrissage du raisin sur cep, ou bien, une fois la vendange rentrée, ajout de miel. C'est une coutume très ancienne que d'adjoindre aux vins toutes sortes d'ingrédients, herbes, résine, racines ou fruits, créant ainsi des vins aromatisés, ancêtres de nos apéritifs.

C'est indéniable, la vigne est bien ancrée à la province, mais il est bien délicat de juger précisément de son expansion, tant la vie quotidienne de l'époque est agitée : épisodes cathares, guerre de Cent Ans en Languedoc, lutte franco-espagnole autour du Roussillon...

A ces raisons guerrières s'ajoutent des facteurs économiques : l'imperméabilité des frontières entre provinces, les difficultés et la cherté des transports, le voisinage du Bordelais qui protège ses exportations vers l'Angleterre et les Pays-Bas, les famines qui repoussent la vigne vers les seules terres difficiles. Pourtant, envers et contre tout, le vignoble ne s'étiole pas. Tout au contraire, dans le courant du XVIe siècle, il s'enrichit de cépages originaires d'Afrique du Nord, du Moyen-Orient et surtout d'Espagne : grenache, carignan, mourvèdre et morrastel.

Et l'eau-de-vie vint...

Un siècle plus tard, le vignoble bondit de l'avant, une fois encore. Les intendants généraux, administrateurs habituellement éclairés et attachés à leurs provinces, favorisent les plantations. La production s'accroît au rythme de la consommation intérieure et des exportations vers l'Europe du Nord, facilitées par l'inauguration du canal du Midi en 1680.

Fait importantissime pour la région : le XVIIe siècle est aussi celui de l'expansion de l'eau-de-vie, un alcool alors très prisé. C'est de l'université de Montpellier que le monde occidental avait appris, quatre cents ans plus tôt, la distillation des alcools à travers l'alambic d'Arnaud de Villeneuve. Cet engouement brutal pour l'eau-de-vie — tous les marins hollandais s'en servent pour couper leur eau de boisson — aura des retentissements durables sur le vignoble.

Au XVIIIe siècle, son commerce progresse tous azimuts, à l'intérieur des frontières et au-delà, à partir de ports comme Sète, ou de foires régionales comme celles d'Alès, de Pézenas, de Montpellier. Bordelais et Bourguignons viennent ici chercher les moyens de consolider et régulariser leurs propres vins. Pour répondre à la demande, le vignoble descend des coteaux vers la plaine ; c'est le début d'une production à « tout crin ». Très vite, des voix s'élèvent contre les excès.

Mais on n'arrête pas ainsi un mouvement qui voit le Midi alimenter en eau-de-vie et en vin la France entière. Ni la Révolution ni les guerres de l'Empire n'infléchiront cette tendance à la production extensive, sans pour autant étouffer les liquoreux tant appréciés (muscat, banyuls, malvoisie) ni les bons vins rouges.

Au début du XIXe siècle, les besoins sont toujours aussi vifs. Les vins issus des bons terroirs, des coteaux, ne produisent pas l'eau-de-vie la meilleure qui, au contraire, a besoin à la base de produits légers, non tanniques, bref de ceux obtenus à partir de variétés à haut rendement — l'aramon par exemple —, plantées sur des sols fertiles, dans des plaines alluviales.

Quelques chiffres témoignent de cette forte extension des coteaux vers la plaine. De 1850 à 1869, l'Hérault voit sa récolte de vin augmenter de 38 p. 100 et grimper de 4 000 000 à 15 236 000 hectolitres, record absolu jamais dépassé depuis ; une production atteinte sur 226 000 hectares de vigne. Plus de la moitié prend en 1850 le chemin de la distillerie.

Les coteaux de la qualité

A la fin du XIXe siècle, avec l'émergence des alcools de betterave et de grain, l'eau-de-vie du Midi est sévèrement concurrencée. Heureusement pour la production vinicole méridionale, un nouveau marché s'ouvre, celui du vin de table, favorisé par l'industralisation, la croissance urbaine, l'extension des réseaux ferroviaires et, plus tard, routiers. Aucun des vignobles producteurs de vins communs, dans le reste de la France, ne peut alors résister au Languedoc-Roussillon.

Et le vignoble de la région croît toujours, replanté plus encore après la crise phylloxérique, qui bat son plein vers 1875. Jamais, auparavant, le vigneron n'avait eu à combattre pareil ennemi. Il avait plus ou moins vaincu la pyrale et l'oïdium, mais, là, les traitements n'ont pas suffi. Seul le renouvellement des plantations avec les pieds américains permet de surmonter le cataclysme provoqué par le puceron dévastateur.

Parallèlement, sur les hauteurs, accroché aux coteaux, le vignoble traditionnel commence à refaire parler de lui : carignan, grenache, cinsault, clairette et maccabeu. Les premières appellations lui seront attachées. Et la qualité fera lentement sa réapparition, non sans turbulence ; nous somme dans le Midi !

Cépages : vive les assemblages !

C'est au cours des siècles, mais surtout à partir du XVIIe, que le vignoble s'est orienté vers une production massive. La vigne s'est mise « à pisser » en dégringolant des hauteurs vers la plaine, tandis que le choix se portait sur un encépagement productif, au détriment de la qualité. Cette fâcheuse tendance est heureusement en train de s'éteindre, et les viticulteurs se tournent de plus en plus vers la plantation de variétés dites « nobles », qu'ils lient à une vinification plus soignée. Cela ne veut pas dire que la région abandonne son raisin-fétiche, omniprésent et pourtant controversé : le carignan. Mais d'autres cépages, eux aussi traditionnels du Midi mais plus aromatiques, mordent « sa Majesté » : il en est ainsi du grenache, mais surtout du cinsault, de la syrah et du mourvèdre. Quant aux variétés bordelaises, merlot, cabernet franc et sauvignon, elles sont ici autorisées et donnent, en plaine et vinifiées seules, de très satisfaisants « vins de pays ».

Le *carignan*, d'origine espagnole, est la variété par excellence du vignoble languedoc-roussillonnais. Rustique et adaptable à tous les types de sols, il représente encore, dans certaines zones, la quasi-totalité des plantations. Pourtant, s'il peut donner des vins tanniques et assez alcoolisés sur les terrains pauvres, en terres riches, il produit des vins de peu de qualité.

Certains vignerons le considèrent aujourd'hui comme un cépage presque « noble », après vinification en macération carbonique. D'autres, au

Chapitre des Compagnons du Minervois, à Olonzac. Une confrérie vouée à la défense de l'un des meilleurs crus du Languedoc.

Vignes de printemps en Roussillon, une région qui aime à marier les genres, depuis les vins de primeur jusqu'aux vieux rancios.

contraire, persistent à le bannir, estimant qu'il ne donne que des produits communs, grossiers, éludant toute l'originalité du terroir et peu adaptés aux goûts et modes actuels.

Le *grenache*, également d'origine espagnole, est à la base de vins aux arômes fruités — cassis, framboise — discrets mais bien présents. Au passif, le grenache s'oxyde rapidement et sèche en bouche en vieillissant, d'où l'intérêt qu'il y a à le marier au carignan. A noter que, désormais, les vignerons savent éviter les vins qui madérisent, c'est-à-dire oxydés et aux arômes brûlés.

Le *mourvèdre* améliore de plus en plus les vins du Midi.

Ce cépage, qui a besoin de beaucoup de soleil, donne des vins charpentés quand les rendements sont faibles. Antioxydant, il présente la qualité rêvée pour être assemblé au grenache.

Le *cinsault*, très résistant à la sécheresse et au vent, est à proscrire des terrains riches où il est trop productif. Les vins sont souples, peu alcoolisés, sur des arômes distingués.

La *syrah* produit des vins équilibrés, tanniques, colorés, au parfum de violette avec des nuances de framboise et de cerise, si le rendement ne dépasse pas 40 hl/ha.

On l'aura compris, le Languedoc-Roussillon n'est pas la région d'un seul cépage, mais celle des assemblages harmonieux !

Et les vins blancs ?

A découvrir au plus vite ! On en trouve désormais d'excellents. Précisons que le *maccabeu*, à l'origine de vins verts issus de raisins récoltés avant complète maturité, est majoritaire en Roussillon ; que le *mauzac*, de plus en plus associé au *chardonnay*, fait la Blanquette de Limoux ; que la *malvoisie* est à l'origine du fameux blanc sec de La Clape ; que le *picpoul* fait le Pinet, et la *clairette* la Clairette du Languedoc ; sans oublier l'*ugni blanc* ni le *muscat*, pour son vin doux naturel.

Les appellations languedociennes

Les Coteaux du Languedoc

Avec cette appellation régionale (V.D.Q.S., en instance de promotion en A.O.C.) qui couvre l'Hérault, tout en mordant l'Aude et le Gard, nous pénétrons dans ce qui reste l'un des mystères des vins de France : comment ces coteaux et ces garrigues, installés en amphithéâtre face à la mer, autrefois berceau de la vigne, ont-ils pu tomber dans le lot des appellations oubliées ? La réaction à cette situation attristante est sensible aujourd'hui, à force de discipline d'encépagement et de bonne vinification.

Le terroir perd ici son côté continu et éclate, de Narbonne à Nîmes, en une mosaïque dispersée. Chaque fragment représente une appellation : en tout plus de trente, dont la plupart reprennent des appellations dites « primaires » — ou fort anciennes — et pouvant conserver leur nom ou l'accoler à « Coteaux du Languedoc ». Ce sont, d'est en ouest : *Saint-Saturnin*, *Saint-Georges-d'Orques*, *Saint-Drézéry*, *Quatourze*, *Pic Saint-Loup*, *Montpeyroux*, *La Clape*, *Coteaux de Vérargues*, *Coteaux de Saint-Christol*, *Coteaux de la Méjanelle*, *Cabrières*. *Saint-Chinian* et *Faugères*, quant à elles, sont devenues deux appellations d'origine contrôlée. Pour être tout à fait complet, il convient d'ajouter deux appellations en blanc : *Clairette du Languedoc* (A.O.C.) et *Picpoul de Pinet* (V.D.Q.S.), les autres vins blancs étant, pour l'instant, exclus de l'appellation *Coteaux du Languedoc*.

La Clape, à côté de Narbonne, est aussi le refuge de blancs frais et fruités issus du cépage malvoisie. A mentionner, sous cette appellation, les vins du *Domaine de Rivière-le-Haut*, récoltés sur un terroir silico-calcaire en bordure de mur : une culture traditionnelle, une vinification moderne et soignée (conservation sous gaz inerte, que le domaine fut le premier à introduire en Europe, en 1964) leur confèrent de fins arômes et une grande fraîcheur.

Mais revenons-en aux rouges, les rois de ces contrées. En *Coteaux du Languedoc*, les vins sont obligatoirement des produits d'assemblage de carignan (en baisse), de cinsault, de grenache, de syrah et de mourvèdre. On insiste, de plus en plus, sur les trois derniers, qui devront être portés à 30 p. 100 minimum d'ici à 1990. Pour les rosés, carignan blanc, bourboulenc, maccabeu, clairette, ugni blanc et picpoul blanc — tous cépages blancs — entrent jusqu'à proportion de 10 p. 100.

En jouant sur les vinifications, les fermentations à basse température, les macérations carboniques, l'introduction de certains cépages plus ou moins typés, les vignerons jouent la carte de la qualité et celle de la diversification.

Certains rouges sont charnus, solides et droits, d'autres pleins de finesse et de suavité. Les blancs, produits d'une longue histoire, récupèrent une fraîcheur et des qualités aromatiques de bon aloi.

Des places semblent également à prendre sur le marché des vins primeurs.

Saint-Chinian et Faugères

C'est en 1982 que ces deux vins — jusqu'alors classés V.D.Q.S. au sein des *Coteaux du Languedoc* — ont accédé au rang d'A.O.C.

Au nord-ouest de Béziers, le terroir de Saint-Chinian, mitoyen du Minervois, se subdivise en deux zones : des coteaux schisteux au nord, des terres argilo-calcaires au sud. L'encépagement demeure classique : carignan, grenache et cinsault, que complète parfois un petit appoint de syrah. Le *Saint-Chinian* traditionnel est un vin mâle, robuste et très coloré, dans une nuance rouge-violet ; il exige quelque temps de vieillissement pour se dépouiller de sa rugosité initiale et exhaler d'excellents arômes. Vinifié en macération carbonique, il donne des produits typés, mais de consommation rapide.

Limitrophe — à l'est — de l'aire du Saint-Chinian, la région de Faugères produit, sur des sols à dominante schisteuse, des vins rouges (et rosés) provenant de la même trilogie de cépages que leurs voisins. Sous une belle robe rubis, le

Faugères démontre plus d'élégance et moins de rusticité que le Saint-Chinian. Fin et charnu quand il est bien vinifié, il est surtout fondé sur la souplesse et le fruité, avec des notes épicées et de fruits rouges.

Les Muscats

Des multiples productions d'antan, il ne reste plus aujourd'hui que quatre appellations. Mais ce serait sacrilège de les oublier : de *Frontignan*, de *Lunel*, de *Mireval* ou de *Saint-Jean-de-Minervois*, ces douceurs continuent de couler.

Nectars de papes ou de rois, ils étaient considérés autrefois comme « élixirs de vie ». Aujourd'hui, ces vins si typés sont produits à base du seul muscat à petits grains de Frontignan. Les muscats de l'Hérault sont plus sucrés que ceux de Rivesaltes : au moins 125 g de sucre par litre, contre 100 à 115.

L'appellation *Frontignan* se singularise par plus de sucre encore : 185 g minimum pour une teneur en alcool de 15°. Il est traditionnel d'affiner le vin doux naturel dans de vieux foudres de chêne, ce qui provoque une légère oxydation.

Le Minervois

Le *Minervois*, petit dernier au sein des A.O.C. languedociennes, est passé en appellation le 15 février 1985. Le vignoble, au nord du département de l'Aude, est adossé aux premiers contreforts du Massif central, dans un triangle Narbonne-Béziers-Carcassonne. Son nom vient du site de Minerve, blotti au milieu de gorges creusées dans le Causse, un des hauts lieux de l'histoire languedocienne, qui subit le siège de Simon de Montfort poursuivant les cathares.

Ici, comme dans les Corbières voisines, les rouges sont dominants. Mais, si les cépages sont languedociens, carignan et grenache voient leur pourcentage régresser et la part du cinsault, de la syrah ou du mourvèdre s'accroître plus qu'ailleurs.

Le Minervois est un vin qui évolue. La macération carbonique a fait son apparition, produisant des vins primeurs ou des vins de garde plus

souples. En blanc, le bourboulenc (ou malvoisie) et le maccabeu sont les cépages traditionnels les mieux adaptés.

A citer le *Costos Roussos*, vinifié par la Coopérative de Trausse-Minervois : cette cuvée est issue d'un assemblage de mourvèdre, grenache, syrah, cinsault et carignan récoltés sur des sols marno-calcaires, et subit un élevage de quatre mois sous bois ; elle donne des rouges puissants et charnus, très marqués par le terroir.

Cabardès et Côtes de la Malepère

Autour de Carcassonne, ces deux appellations récentes (V.D.Q.S.) ont en commun de ne plus être complètement méditerranéennes. L'influence océanique a chassé — ou va le faire — le carignan de la Malepère et limité sa plantation à 30 p. 100 en Cabardès : bien trop froid ! L'amateur des vins du Midi n'y retrouve déjà plus ses marques. Le Sud-Ouest est ici présent avec les cabernets, le merlot et le cot, au milieu tout de même, Midi oblige, des grenaches et de la syrah. Vins en devenir...

Les terrains du Minervois, où alternent les formations argilo-calcaires et schisteuses, renferment souvent du manganèse, qui type les arômes du vin.

Les Corbières et le Fitou

Les *Corbières* sont des vins virils, trop au gré de l'appellation qui les souhaite plus aromatiques et fins et qui a tracé un plan d'évolution jusqu'en 1990. Titrant au minimum 12° pour l'appellation *Corbières supérieures*, les vins rouges représentent la quasi-totalité de la production. En amont, les plants traditionnels du Languedoc : le carignan, reconnaissable aux tannins assez rudes, toujours prépondérant, mais qui doit régresser pour répondre aux nouveaux goûts des consommateurs ; le cinsault pour sa finesse ; le grenache pour son côté capiteux. L'assemblage traditionnel donne des produits charnus, avec beaucoup de mâche. Souvent raides au début, les vins gagnent à vieillir, au mieux en fûts de chêne.

Devenue A.O.C. par décret du 8 avril 1948, l'appellation *Fitou* s'inscrit dans celle des Corbières, V.D.Q.S. depuis le 2 avril 1951. Assise sur deux zones, l'une en bord de mer, l'autre dans l'arrière-pays, c'est la plus vieille appellation en rouge du Languedoc-Roussillon.

Le Fitou — 90 p. 100 au moins de carignan et de grenache — est un vin très solide. Bien élevé, c'est un produit de haute qualité, aux arômes puissants de type animal, à la robe rubis profond, à la structure tannique complexe qui va s'arrondissant avec le temps.

La Blanquette de Limoux

A.O.C. depuis le 13 avril 1981, c'est le seul cru de vin mousseux du Languedoc-Roussillon et,

Cave à Caunes-Minervois, où se regardent barriques neuves et usagées.

pourtant, une des plus anciennes « appellations » françaises : dès le XVIe siècle, la *Blanquette de Limoux* avait conquis l'Europe. Au XVIIIe siècle, les tavernes de la capitale se l'arrachaient. L'origine de la Blanquette effervescente est certainement liée à la Champagne et à Dom Pérignon. N'oublions pas les relations que nouaient les abbayes, hôtelleries de l'époque.

Jouxtant au sud les Côtes de la Malepère, dans une région elle aussi de transition, située entre les influences océaniques et méditerranéennes, l'appellation s'étend de nos jours sur 41 communes du Limouxin, de part et d'autre de la vallée de l'Aude, avec la ville de Limoux pour centre.

Plusieurs cépages blancs se partagent le vignoble, mais ledit partage est des plus inégaux. En fait, le mauzac — le régional de l'étape —, particulièrement adapté, précoce et rapide de maturation, occupe près de 80 p. 100 de la surface plantée.

Les Costières du Gard

Au sud de Nîmes et de l'actuelle autoroute, les *Costières du Gard* s'étirent de Beaucaire à Vauvert. Crus inclassables, parfois rapprochés du Languedoc, d'autres fois provençaux ou encore rhodaniens... Pour ne fâcher personne, nous conclurons au produit gardois par excellence (V.D.Q.S. depuis le 17 mai 1951).

Les terrains caillouteux, parsemés de galets et de croûtes calcaires, balayés par le mistral, ont de tout temps été considérés comme producteurs de vins de table. Olivier de Serres, à la fin du XIVe siècle, avait évoqué, dans son *Théâtre de l'Agriculture*, les vins friands et clairets de Canteperdrix.

Essentiellement connus pour leurs rosés à la couleur soutenue ou, au contraire, pâle, selon qu'ils sont obtenus par saignée ou extraction directe, les Costières produisent aussi des rouges amples, mais pas trop, charnus comme il faut, équilibrés en alcool, et des blancs frais, équilibrés aussi, aux arômes remarquables.

A signaler encore, pour conclure cette partie, en marge de la zone des Costières, l'A.O.C. *Clairette de Bellegarde*, un des meilleurs vins blancs de la région.

Les appellations roussillonnaises

Les rouges, les rosés et les blancs sont ici chez eux, regroupés au sein de plusieurs appellations d'origine contrôlée : *Côtes du Roussillon*, *Côtes du Roussillon-Villages* et *Collioure*, la plus petite bien que la première en date. A.O.C. depuis le 3 décembre 1971, celle-ci fut rejointe dans sa distinction le 23 mai 1977 par les autres Côtes du Roussillon.

Les Côtes du Roussillon et Côtes du Roussillon-Villages

Les cépages sont ceux traditionnels du Languedoc-Roussillon. Les vins rouges sont produits sur la base du carignan et du grenache noir, dans des proportions allant de 80 p. 100/20 p. 100 à 50 p. 100/50 p. 100. Aujourd'hui, certains d'entre eux s'anoblissent grâce à l'introduction de deux raisins améliorateurs : la syrah et le mourvèdre.

Le cinsault est surtout présent dans la zone des vins rosés, aux arômes subtils, à la couleur franche, titrant 12° ou 12°5. Une part de vendange précoce leur apporte une acidité et une fraîcheur très agréables l'été.

Les vins blancs, de type vert et nerveux, ont les arômes de fleurs propres au maccabeu. Leur degré d'alcool doit osciller entre 11°5 et 12°, l'acidité en dépend. Craignant fort l'oxydation, ils sont parfois mis en bouteilles quatre mois après la vendange.

Les *Côtes du Roussillon* sont originaires de 120 communes. Une appellation plus « pointue », *Côtes du Roussillon-Villages*, s'attache à la production de 25 communes, localisées au nord d'une ligne Perpignan-Ille-sur-Têt. Caramany et Latour-de-France, deux villages attachés depuis longtemps au renouveau de la qualité, peuvent accoler leur nom à la mention Côtes du Roussillon-Villages.

Bel alignement de fûts au Château Valmy : sous le bois s'affine lentement le Rivesaltes.

Collioure

Antérieure aux deux autres appellations, l'A.O.C. Collioure est produite, comme le Banyuls, sur les communes de Banyuls, Collioure, Port-Vendres et Cerbère. Le *Collioure* est un vin rouge original, fruité et épicé, auquel le grenache, majoritaire par rapport au carignan, apporte puissance et alcool.

Les vins doux naturels : une merveilleuse spécialité locale

Les A.O.C. roussillonnaises ne se limitent pas aux trois appellations précédentes. S'y ajoutent d'autres appellations reconnues aux vins doux naturels (V.D.N.), qui trouvent ici leur terroir privilégié... sous ce soleil !

Rappelons que différentes vinifications existent et élaborent des vins doux, les levures étant inhibées lorsque le vin titre 16°-17° d'alcool. Ici, le moût qui a entamé sa fermentation voit celle-ci brutalement stoppée par l'addition d'eau-de-vie. Les textes législatifs définissent aujourd'hui la quantité maximale d'alcool autorisée pour le « mutage ». En fonction des années, cette quantité peut s'établir entre 5 et 10 p. 100 du volume des moûts.

Les vins doux naturels sont très surveillés. L'I.N.A.O. vérifie si le jus de raisin titre un minimum de 252 g de sucre naturel par litre. Seuls quatre cépages, le grenache, le maccabeu, la malvoisie et le muscat, peuvent produire des vins doux naturels.

Tous ces vins sont devenus A.O.C. par décret du 19 mai 1972.

Rivesaltes

L'appellation *Rivesaltes* (« Hautes Rives » en catalan), dont le nom vient d'une commune des Pyrénées-Orientales, couvre 24 000 hectares des 29 000 consacrés aux vins doux naturels. Sa production est d'environ 500 000 hectolitres, issus de plus de 600 caves particulières et d'une vingtaine de caves coopératives.

Les Rivesaltes peuvent être rouges, rosés ou blancs, en fonction des cépages, mais aussi ambrés quand l'âge les dore et recouvre leurs arômes fruités de jeunesse par un bouquet de fruits secs et de rancio. Six longues années sont nécessaires à l'obtention de la qualité « rancio ». Le vieillissement s'effectue, bien entendu, « sous bois ».

Rivesaltes s'appuie sur la notoriété de son muscat...

Muscat de Rivesaltes

L'appellation se limite aux seuls V.D.N. produits avec les deux raisins de muscat : de Frontignan — à petits grains — et d'Alexandrie. Ces raisins, aux arômes floraux puissants et caractéristiques, vinifiés en blanc, parfois par macération, dont la saveur a été comparée au musc, justifient une appellation spéciale.

Contrairement aux autres V.D.N., ces vins sont conservés à l'abri de l'air, afin d'éviter toute oxydation et toute perte des arômes délicats du fruit frais. Ils gagnent à être bus jeunes.

Banyuls et Banyuls grand cru

La production annuelle s'élève à environ 50 000 hectolitres, que se partagent 1 600 viticulteurs sur 2 400 hectares. Les cépages sont ceux des V.D.N., mais le Banyuls doit comporter au moins 50 p. 100 de grenache noir. Le carignan, cépage accessoire, apporte au vin une charpente souvent absente du grenache. Les souches, plantées sur des pentes en général importantes, schisteuses et très caillouteuses, se développent sur des terrasses soutenues par des murets et ne pouvant souvent contenir plus de trois rangées.

Le *Banyuls* exige un vieillissement minimum d'un an. Quant à l'appellation *grand cru*, elle demande une proportion plus grande de grenache, une macération d'au moins 5 jours en cuve de vinification et un vieillissement d'au moins 30 mois en fûts de bois. Le vin atteint ainsi sa plénitude, car les phénomènes d'oxydoréduction ont un rôle majeur dans l'évolution de la couleur vers des notes tuilées et dans la formation du bouquet. Très fruité et tannique quand il est jeune, le Banyuls évolue en cours de vieillissement, se pare d'une élégance et d'une finesse mariant des arômes de café et de vanille au fruit du grenache.

Le Banyuls est produit sur la commune de Banyuls, mais aussi sur celles limitrophes de Collioure, Port-Vendres et Cerbère.

Maury

Ce vin est proche du Banyuls par le volume de production — répartie entre des producteurs indépendants et trois caves coopératives — et par ses cépages dominants : le grenache noir (50 p. 100 environ) et le carignan. Il est obtenu le plus fréquemment par macération simple, l'addition d'alcool intervenant sur le vin. Mais pour les grands *Maury* (environ le tiers de la production), comme pour le Banyuls, le « vinage » s'effectue sur le marc en cours de macération et non plus seulement sur le vin. Cette technique est à la base de produits puissants, tanniques, aptes au vieillissement, d'une couleur toujours plus soutenue que celle des Banyuls. Avec les ans, ces vins acquièrent des saveurs de fruits cuits, de cacao, doublées de notes animales.

L'élevage peut s'effectuer dans des cuves laissées ouvertes, en vidange, ou dans des fûts de bois ; certains vins, les plus rudes, charpentés et colorés, seront traditionnellement sortis à l'extérieur des cuves et laissés au vent, au soleil et aux caprices du temps, dans des « touries », sortes de bonbonnes de verre.

L'appellation couvre les communes de Maury et certaines parcelles de Tautavel, Rasiguères, Saint-Paul-de-Fenouillet et Lesquerde.

Le vignoble à Latour-de-France, un village qui peut ajouter son nom à l'appellation Côtes du Roussillon-Villages. Bonne fille, la vigne s'accroche à ce chaos pierreux, en lisière de garrigue.

Provence et Corse

Au pied de la masse blanche de la Montagne Sainte-Victoire, dont l'éclatante lumière illumina maintes toiles de Cézanne, le vignoble des Coteaux-d'Aix-en-Provence prospère tranquillement, ponctué de cyprès et de maisons roses.

Les vins de Provence

A cheval sur trois départements (Bouches-du-Rhône, Alpes-Maritimes et Var), cette région vinicole s'étend le long de la Méditerranée, de Marseille à Nice, en remontant jusqu'à Aix-en-Provence. L'ancienneté du vignoble est plus que respectable. En effet, 600 ans avant notre ère, les Grecs de Phocée développaient déjà la culture de la vigne dans la région de Marseille. Sous la domination romaine, l'aire de production fut largement agrandie.

La Provence se caractérise par un climat chaud et sec (pluies d'hiver), par un ciel pur, par les couleurs tranchées de ses paysages aux roches blanches et aux forêts de pins, par le mistral, vent du nord qui apporte le complément de poésie à cette région tant aimée des artistes fervents de lumière.

Les monts de Provence s'étirent d'est en ouest (massifs des Maures et de l'Esterel). Ils donnent un relief très complexe où se côtoient chaînons abrupts, plateaux arides et déserts, qui contrastent avec les vallées, oasis de verdure où la vigne et l'olivier règnent en maîtres. Cette diversité géographique a eu certainement son influence sur le nombre des cépages cultivés.

La région ne possède qu'un petit lot d'appellations, mais dont le volume et l'extension sont fort différents.

Bandol

Le vignoble, dont les vins ont reçu l'A.O.C. en 1941, se situe en bordure de mer, à proximité de Toulon.

Depuis longtemps, les vins de Bandol ont une grande réputation. On les exportait, jusqu'au XIXe siècle, en Amérique du Sud et en Inde : ils supportaient bien, dit-on, le voyage par mer.

Le *Bandol* est un vin riche et velouté, à la robe grenat-pourpre et au parfum de violette. Certains affirment qu'il est le plus complet des vins de la Côte.

8 communes ont droit à l'appellation. L'originalité tient ici à la présence de la mer, qui atténue les différences de température et empêche les gelées, ainsi que les excès de chaleur en été. Quant au vent du nord, il est arrêté par les collines voisines. Outre les effets bénéfiques de ce microclimat, le Bandol possède trois cépages idéaux pour élaborer de grandes bouteilles.

En majorité (60 p. 100), le mourvèdre évolue sur un sol silico-calcaire. Il apporte le corps et la robe : « l'âme du Bandol » en quelque sorte ! Le cinsault procure la finesse, le grenache l'alcool et la vigueur. Le séjour en fûts de chêne dure dix-huit mois.

Les rouges de Bandol sont véritablement excellents et méritent une garde parfois longue, qui amène ces vins, assez tanniques dans les premières années, à une belle harmonie.

Les vins blancs sont tout aussi réussis avec des cépages comme l'ugni blanc, le sauvignon et la clairette. Des arômes de fleurs, des vins nets, secs en bouche, sans acidité excessive, sans faux goût.

Depuis quelques années, les rosés sont recherchés pour leur souplesse et leur saveur épicée. Ils sont issus des mêmes cépages que les vins rouges.

Cassis

Ce vignoble, connu de tous, est réputé pour ses vins blancs et rosés, A.O.C. depuis 1936. Sa situation rappelle celle de Bandol, bien que les vignes s'étendent plus à l'intérieur des terres. La différence se situe ici au niveau du terrain, plus calcaire, et de la vinification, essentiellement axée sur les blancs.

Les vins rouges restent inférieurs aux blancs ; leur séjour en fûts est peut-être insuffisant. Ils manquent de finesse, bien qu'ils soient chauds et souples, et n'atteignent pas le caractère des Bandol.

Les vins blancs, issus des cépages ugni blanc, marsanne, clairette et sauvignon, sont secs et

Les façades vernissées des fûts du Château Barbeyrolles accrochent la lumière provençale de Gassin.

corsés : vins de caractère, sans trop d'acidité, avec une finesse exceptionnelle due en partie à la marsanne. Ce blanc de Cassis accompagne merveilleusement la bouillabaisse et vous procure un grand moment de plaisir.

A titre d'anecdote, rappelons que le duc de Guise puis Louis XIV goûtèrent aux plaisirs du vin de Cassis et, à travers les siècles, transmirent leur engouement jusqu'à Frédéric Mistral.

Les rosés rivalisent de succès avec les blancs : pour beaucoup, ce sont les meilleurs rosés de toute la Provence. Excellents vins, très fruités, ils n'ont quand même pas tout à fait le charme du délicieux blanc local.

Bellet

A proximité de Nice, Bellet est un tout petit vignoble concentré sur 16 « lieux-dits » situés sur des collines qui dominent la vallée du Var de 250 à 300 m.

Ici, la vendange est effectuée manuellement, car les vignes en terrasses occupent des pentes abruptes et inaccessibles aux machines à vendanger.

La typicité du *Bellet* (qui a obtenu l'A.O.C. en 1941) se résume à quelques particularités. C'est un vin très fin et d'une fraîcheur due à un bon taux d'acidité, tout à fait rare pour un vin du Midi. Cette nervosité tient en partie à l'altitude du vignoble et aux vents froids qui viennent des Alpes.

La vinification a été principalement reprise en main, depuis peu, par un propriétaire-négociant ambitieux qui produit la majeure partie de la récolte et nous gratifie d'un vin raffiné, dont le prix assez élevé s'explique par sa difficulté naturelle d'élaboration. Blanc, rouge ou rosé, le Bellet est un vin tout à fait original, qui se mariera joliment à la cuisine niçoise.

Les vins rouges, fins et délicats, ont une belle robe rubis. Les rosés, bien vinifiés, possèdent un nez très floral, mais on peut leur reprocher une certaine légèreté en bouche. Les blancs sont typés, se caractérisant par un parfum très élégant et une fraîcheur marquée.

Cépages rouges : folle-noire, braquet, cinsault, grenache.

Cépages blancs : rolle, clairette, roussan.

Côtes de Provence

Les *Côtes de Provence* sont bien connus des Français, amateurs ou non de bons vins : c'est que la région est synonyme de vacances et de soleil.

Le vignoble s'étend de La Ciotat à Saint-Raphaël, sur plus de 100 km, et remonte bien

Ci-dessus : le vignoble de Bandol, où le mourvèdre croît sur des « restanques ». Ci-contre : rosé de Provence, vin de soif...

plus au nord que le massif des Maures, jusqu'à Draguignan et Seillans. Nous trouvons encore des vignes à l'ouest des Coteaux varois, dans la région de Trets, près d'Aix-en-Provence, et au sud de l'aire de Palette, sur la commune d'Allauch.

Les Côtes de Provence produisent en moyenne 700 000 hectolitres par an. Cela explique en partie que ces vins envahissent le marché français, à l'image des Beaujolais.

Les vins obtinrent le label V.D.Q.S. en 1951. Les vignerons locaux, en appliquant un programme d'amélioration des cépages, se virent attribuer l'A.O.C. seize ans plus tard, en 1977. Cette politique de qualité est poursuivie et, à partir de 1986, le carignan passe de 70 p. 100 à 40 p. 100 maximum dans la composition des vins rouges et rosés. Ce qui nous permet d'espérer de belles surprises pour l'avenir...

Dans les larges rangs de vigne du Château de Calissanne, l'un des bons domaines des Coteaux d'Aix, à Lançon-de-Provence.

Les vins rouges, généralement corsés avec un beau bouquet, offrent une grande diversité selon leurs lieux d'origine. A titre d'exemple, évoquons les vins de la région de Saint-Tropez, faciles et souples, tandis que, plus au nord, ceux de la région du Luc deviennent fins et nerveux.

Les cépages employés sont souvent différents pour les rosés et pour les rouges. Les viticulteurs utilisent le mourvèdre et la syrah — avec un appoint de 30 p. 100 de cabernet-sauvignon — pour les rouges, tandis qu'ils réservent grenache et cinsault pour les rosés.

La réputation des vins rosés est parfaitement justifiée. Ils sont le fleuron de l'appellation et ne cessent de s'améliorer. Leurs caractères méritent d'être rappelés : nez très floral, attaque en bouche nette et fraîche... Ils sont essentiels pour accompagner la merveilleuse cuisine provençale : ailloli, anchoïade, etc.

Les vins blancs, vinifiés à base d'ugni blanc, de sémillon et de clairette, bien qu'agréables, ne se hissent pas à la hauteur des rosés. Ils sont secs et bouquetés, mais manquent généralement de sève et sont peu racés. Appréciables tout de même l'été, dans cette région où les viticulteurs font de gros progrès.

Palette

Avec le vin de Palette, nous découvrons l'un des plus grands « crus » de la Provence.

Situé à l'est d'Aix-en-Provence, le terroir est limité aux communes de Meyreuil, du Tholonet et d'Aix. La production annuelle est faible : environ 600 hectolitres.

Le vignoble est connu pour ses vins, mais aussi pour ses caves. Creusées dans le roc, au XVIe siècle, par les moines des Carmes d'Aix, celles-ci jouent un rôle capital quant à la qualité future des bouteilles.

Les vins rouges, issus des cépages grenache, cinsault et mourvèdre, demandent plusieurs

années de vieillissement. Ils sont en effet très charpentés et tanniques. Deux à trois années sont nécessaires pour qu'ils s'arrondissent. Alors, seulement, le dégustateur comprendra pourquoi l'on dit de ces vins qu'ils sont l'âme de la Provence. Leur longévité est grande : dix ans de garde sont recommandés pour les « grands » millésimes.

Les vins blancs sont encore plus étonnants. Trouver une telle qualité, étant donné la latitude, peut surprendre. L'explication tient en partie à l'exposition des vignes : plein nord. Cette situation apporte finesse et nervosité au *Palette*, ainsi qu'une aptitude au vieillissement.

Le *Château Simone*, qui fournit la majorité de la production, s'honore de ce vin blanc superbe. Racé, séveux, équilibré, fruité, il possède toutes les qualités requises par un « grand cru ». Une garde de quatre ans amènera les bouteilles à l'approche de la perfection. Une production vraiment digne d'admiration !

Variations chromatiques pour un vieux cep provençal...

Coteaux d'Aix-en-Provence et Coteaux des Baux

V.D.Q.S. depuis 1972, les *Coteaux d'Aix-en-Provence* et *Coteaux des Baux* viennent d'être récompensés de leurs efforts par l'obtention de l'A.O.C. en 1985. A juste raison...

Ce vignoble, de réputation aussi ancienne que sa capitale Aix-en-Provence, s'étend au nord jusqu'à la Durance, qui lui sert de frontière naturelle, et au sud jusqu'à la mer, près de Martigues. Les Baux-de-Provence servent de frontière à l'ouest, sur la chaîne des Alpilles. En tout, 48 communes du département des Bouches-du-Rhône revendiquent désormais l'appellation contrôlée *Coteaux d'Aix*, ainsi que deux dans le Var (Artigues et Rians). Quant à l'appellation *Coteaux des Baux*, elle concerne 7 communes.

Le cépage toujours utilisé est, pour les vins rouges, le cabernet-sauvignon, qui donne parfois un petit air de Médoc à ces vins. Mais ceux-ci retrouvent leur caractère propre avec la syrah et le cinsault, le mourvèdre et le grenache (le carignan disparaît de plus en plus, fort heureusement). Vins très solides et corsés, les *Coteaux d'Aix* sont d'un très bon rapport qualité-prix et surprennent, « à l'aveugle », plus d'un connaisseur.

Les cépages bourboulenc et clairette entrent en majorité dans la facture des vins blancs. L'ugni blanc, le sémillon et le sauvignon ne sont présents que pour l'appoint (30 p. 100).

Coteaux Varois

Ces anciens vins de pays ont reçu en 1984 le label V.D.Q.S. Récoltés sur des sols calcaires, dans une aire de production située au cœur de la zone des Côtes de Provence, ils sont rouges ou rosés et proviennent des classiques cépages provençaux. Certains affichent un caractère distingué.

Les vins de Haute-Provence

Le nord de la Provence, où l'altitude s'élève et où l'influence maritime s'estompe, n'est pas dépourvu de vignobles, loin de là. Au-dessus de la vallée de la Durance, deux appellations illustrent ces vins haut-provençaux.

Coteaux de Pierrevert

Les *Coteaux de Pierrevert* s'étendent sur 400 hectares, dans le département des Alpes-de-Haute-Provence. En tout, une quaran-

Les Côtes du Luberon, à Oppède-le-Vieux, au pied du massif. Un vignoble qui ne cesse d'améliorer la qualité de ses vins.

taine de communes proches de Pierrevert, de Manosque et de Sainte-Tulle, ont le droit d'élaborer des vins rouges, rosés et blancs. Pourtant, une dizaine seulement d'entre elles participent réellement à la production (15 000 hectolitres en moyenne par an).

Les cépages sont régionaux. Ce sont le cinsault, le mourvèdre, le grenache, la petite syrah et le carignan pour les vins rouges ; la clairette, la marsanne, la roussanne, l'ugni blanc et le picpoul pour les vins blancs. Ceux-ci sont, pour la plupart, réussis et bien typés, ce qui leur a valu le label V.D.Q.S. dès 1959.

Le « clairet » de Pierrevert est un vin rosé, tout à fait original et gracieux. Il développe des saveurs musquées et persistantes, ce qui, pour un vin de petite charpente, est un signe de qualité. Les vins rouges renferment des arômes de fruits cuits et présentent un bel équilibre alcool-acidité. Tous ces vins se boiront dans leur jeunesse, celle-ci étant la garantie de leur nervosité, donc de leur tenue.

Côtes du Luberon

Le vignoble s'étire sur les versants nord et sud du massif calcaire du Luberon. 11 000 hectares lui sont consacrés, couvrant les 35 communes du Vaucluse que dénombre l'appellation. 90 p. 100 de la production passent par les mains de 17 coopératives locales.

Les vins rouges représentent à eux seuls 80 p. 100 du volume total. Les cépages utilisés autrefois, comme le carignan et l'aramon, disparaissent au profit de deux cépages nobles, le grenache et la syrah. Gratifiés d'une belle robe, ces vins sont francs et fruités (notes de cassis). Ils se différencient des Côtes du Rhône voisins par une nervosité en bouche toute particulière.

Les vins blancs sont très satisfaisants, vifs et aromatiques. Il est question d'introduire le chardonnay, cépage blanc bourguignon, dans les prochaines années.

Devant l'effort déployé par les vignerons, l'I.N.A.O. a décidé d'accorder l'A.O.C. aux Côtes du Luberon, dont le rapport qualité-prix demeure très intéressant.

Les vins de Corse

Créé vraisemblablement par des colons de Phocée qui fondèrent Alalia (l'actuelle Aléri) en 564 av. J.-C., ou par les Étrusques qui s'établirent en Corse après avoir battu les Phocéens au large d'Alalia en 535 av. J.-C., le plus ancien vignoble de France est aussi le dernier à avoir accédé à la qualité. Abrupte montagne émergeant de la Méditerranée, l'île constitue pourtant une terre propice à l'épanouissement de la vigne, la mer, l'altitude et d'abondantes précipitations exerçant une influence bénéfique sur le climat.

Après une occupation carthaginoise, la Corse, au terme d'une résistance opiniâtre qui dura du milieu du IIIe siècle jusqu'à celui du IIe siècle av. J.-C., tomba sous la domination de Rome, ce qui favorisa l'extension du vignoble. A partir du XIIIe siècle, la vigne fut l'une des cultures imposées par les administrateurs génois, et, au moment de l'achat de l'île par la France, au XVIIIe siècle, le vignoble s'étendait sur 9 000 hectares ; il en atteignait 16 000 vers 1860, accaparant alors une énorme majorité de la population.

Contrairement aux efforts immédiats de reconstitution entrepris dans d'autres régions, le phylloxéra sonna le glas de la viticulture corse. La France, qui disposait pour l'élaboration des vins de table des énormes vignobles languedocien et algérien, se désintéressa de l'île, dont le marasme économique provoqua une émigration massive. Au milieu des années 50, le vignoble couvrait à peine quelque 8 600 hectares : la production alimentait seulement la moitié de la consommation locale, et les vins de Corse n'étaient connus que par les touristes visitant l'île.

Un vignoble revenu de loin

Ce n'est qu'au début des années 60 que s'amorça l'essor économique de la Corse, où s'installèrent, après l'indépendance de l'Algérie, de nombreux rapatriés. Ces derniers insufflèrent un nouveau dynamisme à la viticulture en lui appliquant des méthodes modernes, si bien que

Technologie et fonctionnalisme dans la cave de Santa Giula. Les coopératives regroupent en Corse l'essentiel de la production vinicole.

le vignoble s'étendit rapidement pour atteindre 27 000 hectares en 1976. L'île devint grosse productrice de vins de coupage à l'usage du marché français, notamment dans la plaine qui s'étend le long du littoral oriental depuis Bastia, au nord, jusqu'à Solenzara, au sud, et a été mise en valeur par l'élimination du paludisme. Aux cépages traditionnels, comme le *sciacarello*, le *niellucio*, le *vermentino* ou l'*ugni blanc*, d'origine toscane (que les Corses appellent aussi *rossola*), s'ajouta l'introduction massive de cépages européens : grenache noir, carignan, cinsault, alicante bouschet...

Parallèlement, on améliora les vignobles d'origine, et ces efforts furent récompensés par l'attribution d'une série d'appellations : un décret du 13 mars 1968 créa les appellations *Vin de Corse-Sartène* (V.D.Q.S.), *Vin de Corse-Patrimonio* (A.O.C.) et *Vin de Corse-Coteaux d'Ajaccio* (A.O.C.) ; il fut complété en 1972 par un décret modifiant les conditions d'encépagement des deux aires d'A.O.C. Le 2 avril 1976, un nouveau décret étendit le droit à l'A.O.C. *Vin de Corse* à des territoires situés sur une cinquantaine de communes, institua de nouvelles dénominations locales (*Calvi*, *Figari*, *Porto-Vecchio* et *Coteaux du Cap Corse*) et classa enfin *Sartène* en A.O.C. Cette législation fut complétée le 25 janvier 1982 par un décret accordant la dénomination *Vin de l'Ile de Beauté* aux « vins de pays » locaux. Enfin, le décret du 23 octobre 1984 distingua les crus *Patrimonio* et *Ajaccio*.

Les conditions de production

Les vignobles se trouvent presque entièrement sur les côtes, formant une sorte de ceinture de l'île, à laquelle s'ajoute une zone intérieure, au nord de Corte, sur les collines de la rivière Golo et de ses affluents, dans la dépression médiane courant de L'Ile-Rousse à Solenzara. Ils produisent des vins rouges, rosés et blancs secs.

Tous les vins de Corse d'appellation d'origine contrôlée doivent titrer au minimum 11°5, sauf les vins rouges de l'appellation locale *Patrimonio* dont le degré alcoolique minimal doit être de 12°5. Le rendement ne doit pas dépasser 50 hl/ha pour l'appellation régionale *Vin de Corse* et 45 hl/ha pour l'appellation *Vin de Corse* suivie d'une dénomination locale.

Pour les *Vins de Corse*, provenant surtout de la plaine orientale et de la zone centrale, les cépages nielluccio et sciacarello doivent entrer au minimum à 60 p. 100 dans les rouges et les rosés ; ils peuvent être complétés par le cinsault, le mourvèdre, le barbarossa et la syrah, ainsi que par le carignan et le vermentino, chacun des deux derniers ne devant pas dépassser 20 p. 100. Les blancs sont obligatoirement issus à 75 p. 100 de vermentino, l'ugni blanc étant toléré jusqu'à 25 p. 100 au maximum.

Ce sont des vins fruités et moyennement corsés, vinifiés et commercialisés en majorité par des coopératives.

Les appellations locales

Les vins de Corse bénéficiant d'une appellation locale sont actuellement au nombre de sept, dont quatre pour la Corse-du-Sud et trois pour la Haute-Corse.

Corse-du-Sud

- Ont droit à l'appellation ***Ajaccio*** les vins récoltés sur des parcelles délimitées du canton d'Ajaccio et d'une dizaine de cantons limitrophes. Les vignobles se situent principalement en

Vendange rouge sur fond de « Grande Bleue » (région de Sartène) : ce duo coloré apparaît souvent dans l'Ile de Beauté.

altitude, sur des coteaux granitiques et bien exposés courant du golfe de Porto à celui de Valinco, au sud. Les rouges, remarquablement équilibrés, constituent 85 p. 100 de la production ; ils doivent être issus au moins à 40 p. 100 de sciacarello, complété par du grenache noir, du cinsault et du carignan, ce dernier ne devant pas dépasser 20 p. 100 des cépages complémentaires. Le vermentino doit entrer pour 80 p. 100 dans la composition des blancs, l'ugni ne devant pas, quant à lui, dépasser 20 p. 100.

• Le ***Vin de Corse-Sartène*** est originaire de parcelles à sol granitique et argileux du territoire de Sartène et de 17 communes de son arrondissement, situées surtout dans les petites vallées qui sillonnent l'aire d'appellation et dont la plus connue est celle de l'Ortolo. Le cépage dominant est ici le *montanaccio*, suivi du sciacarello, du nielluccio, du carcaghilo et du grenache noir, pour les vins rouges et rosés ; le vermentino domine en blanc. Ces vins assez corsés et d'une remarquable persistance sont très typés selon l'exposition du vignoble et son altitude, les vignes grimpant jusqu'à 600 m.

• Comptant parmi les meilleurs de Corse, bien charpentés et aux caractères affirmés, les vins des 3 communes de Figari, Monacia-d'Aullène et Pianatolli-Caldarello, situées dans une région aride, peu arrosée et balayée par les vents, ont droit à l'appellation ***Vin de Corse-Figari***. Ils proviennent de cépages nombreux : sciacarello, nielluccio, carignan, syrah, barbarossa, vermentino, poussant ici sur des sols granitiques et calcaires.

• L'aire d'appellation ***Vins de Corse-Porto-Vecchio*** s'étend de l'extrémité méridionale de l'île jusqu'à Solenzara, sur la côte orientale. Ont droit à l'appellation des vins issus des cépages nielluccio, sciacarello, cinsault, syrah et grenache noir (pour les rouges et rosés), ugni blanc et clairette (pour les blancs). Ils sont récoltés sur les parcelles délimitées de 8 communes : Bonifacio, tout à fait au sud, et Porto-Vecchio, dominé par la grande forêt de chênes-lièges de l'Ospédale, fournissent les vins les plus réputés.

Haute-Corse

• ***Vins de Corse-Coteaux du Cap Corse.*** Célèbre par son muscat, vin doux élaboré à partir de raisins passerillés de muscat et de vermentino, qui sont les cépages dominants, le Cap Corse ne possède plus que 60 hectares de vignes, résidus de l'immense vignoble de 1 500 hectares qui le couvrait au XIXe siècle. On y élabore aussi le « rappu », un vin doux naturel, quelques vins rouges et rosés issus des cépages nielluccio et alicante et d'excellents blancs secs provenant des cépages vermentino et codivarta. L'aire d'appellation recouvre des terrains calcaires dans les cantons de San-Martino-di-Lota et Brando à l'est, Luri au centre, Rogliano au nord et Nonza à l'ouest.

• Le plus réputé des vignobles de Corse s'étend en V autour du golfe de Saint-Florent, au nord-ouest de l'île, à la latitude de Bastia. L'aire

Si les appellations les plus renommées sont localisées sur la côte occidentale, le vignoble corse s'étend en majorité sur la façade orientale de l'île. Le renouveau vinicole y coïncida avec l'installation des rapatriés d'Algérie.

d'appellation ***Patrimonio*** regroupe les parcelles délimitées de 7 communes : Patrimonio, Saint-Florent, Barbaggio, Farinole, Oletta, Poggio-d'Oletta et Santo-Pietro-di-Tenda. Les vins rouges, colorés, puissants et charnus, et les vins rosés doivent être issus à 60 p. 100 au moins du nielluccio, cépage particulièrement adapté au sol calcaire. Sciacarello, grenache noir, vermentino et ugni blanc se partagent le reste de l'encépagement. Les vins blancs, frais et légers, mais aux caractères moins affirmés que les rouges, sont composés obligatoirement de vermentino (60 p. 100 au minimum) ; Patrimonio élabore également un vin de malvoisie, dont la réputation remonte à la Rome antique.

• L'aire d'appellation ***Vins de Corse-Calvi*** produit des rosés assez souples, des rouges distingués et charnus et des blancs assez doux, provenant de trois cépages principaux : vermentino pour les blancs, sciacarello et nielluccio pour les rouges et rosés. Le vignoble occupe des sols granitiques, dans la plaine caillouteuse des cantons de Belgodère, L'Ile-Rousse, Calvi, Calenzana, Lama et Muro.

Le dynamisme retrouvé ?

La production globale de l'île avoisine le million d'hectolitres par an. Elle va partout en s'amenuisant, à la suite d'une politique d'arrachage décidée par la C.E.E., en vue de réduire les excédents de production, et trouchant les vins de table. Ainsi, la surface totale du vignoble corse risque d'être prochainement réduite à 10 000 hectares. Il est vrai que les primes à l'arrachage sont très incitatives...

La commercialisation est opérée par les coopératives ou par les producteurs eux-mêmes, regroupés au sein de l'UVACORSE, qui siège à Ajaccio. Le tourisme joue un rôle non négligeable dans cette vente directe au consommateur, et l'île multiplie, à l'instar d'autres régions viticoles, foires et « routes du vin ».

Si les blancs et les rosés de Corse gagnent à être bus dans l'année, les rouges peuvent se garder en moyenne 2 à 3 ans. Leur température idéale de dégustation est de 12 °C pour les rouges, de 10 °C pour les rosés et de 8 °C pour les blancs.

Les vins de pays

Vignes dans la Nièvre : elles donnent le discret « vin de pays des Coteaux charitois ». La plupart des départements viticoles français peuvent désormais produire des vins de pays, à condition de satisfaire aux critères exigés par la loi.

Cette nouvelle race de vins régionaux, qui bénéficient d'un statut particulier, forme véritablement l'élite des vins de table. Leur qualité, autant que leur quantité (près de 8 millions d'hectolitres annuels), enregistre des progrès constants et a permis, depuis une décennie, leur notable percée sur le marché français.

Régis par une réglementation datant de 1973, les « vins de pays » diffèrent avant tout de leurs anonymes homologues en ce qu'ils arborent fièrement leur lieu d'origine : cela réhabilite la notion — fondamentale et irremplaçable — du terroir. Mais là n'est pas leur seul point fort. Il en est d'autres, tout aussi importants.

Des critères exigeants

Pour satisfaire à la loi et obtenir leur dénomination, les vins de pays — outre qu'ils ont l'obligation de provenir d'une région de production délimitée de façon précise — doivent obéir aux conditions suivantes.

• **Être issus de cépages « recommandés ».** Ceux-ci, agréés par les instances communautaires, sont en gros les plants qu'utilisent les A.O.C. et les V.D.Q.S. de la région correspondante. Ainsi, par exemple, les *vins de pays du Jardin de la France* (Val de Loire) recourent à l'encépagement traditionnel des Touraine et des Anjou : sauvignon et chenin pour les blancs ; gamay, cabernet franc, pineau d'Aunis et grolleau pour les rouges et rosés.

• **Respecter certaines normes de rendement.** L'excès de quantité étant souvent préjudiciable à la qualité, les rendements sont limités. Selon les régions, ils plafonnent généralement entre 80 et 90 hl/ha.

• **Présenter naturellement un degré alcoolique minimal.** Ce dernier, jamais inférieur à 9°, varie bien sûr selon les zones de production. En revanche, à l'inverse des vins de table ordinaires, les vins de pays ne sont pas tenus d'indiquer sur l'étiquette leur titre alcoométrique.

• **Satisfaire à des contrôles analytiques** effectués en laboratoire et qui vérifient leur bonne composition (acidité volatile, SO_2...).

• **Être soumis à l'agrément d'une commission de dégustation**, qui vérifie si leurs caractères organoleptiques sont convenables.

Un tel encadrement est le gage, sinon d'une qualité à toute épreuve, du moins d'un niveau tout à fait honorable pour ces vins plutôt sympathiques, qui font les bonnes bouteilles de tous les jours.

Un dédale de dénominations

Espèce prolifique, s'enrichissant chaque année de nouvelles appellations locales, les vins de pays se rangent en trois catégories de dénomination.

• **Vins à dénomination départementale.** Celle-ci concerne une quarantaine de départements viticoles. C'est la mention la plus simple, la plus dépouillée (exemple : *vin de pays de l'Aude, vin de pays des Bouches-du-Rhône*...).

Les vins de pays doivent remplir des conditions précises en matière d'étiquetage.

Au pied des murailles de la fameuse citadelle de l'Aude, on récolte le « vin de pays des Coteaux de la Cité de Carcassonne ».

• **Vins à dénomination de zone.** C'est, de loin, la catégorie la plus fournie (voir tableau ci-après). Les appellations, au nombre d'une centaine, chantent bon leur terroir. Exemple : *vin de pays de la Vallée du Paradis, vin de pays des collines de la Moure, vin de pays de la Vicomté d'Aumelas*... Ces zones, rigoureusement délimitées, peuvent d'ailleurs chevaucher plusieurs départements.

• **Vins à dénomination régionale.** Celle-ci recouvre systématiquement plusieurs départements. Cette catégorie compte actuellement trois dénominations : *vins de pays du Jardin de la France* (Loiret, Loir-et-Cher, Cher, Indre, Indre-et-Loire, Maine-et-Loire, Vienne, Deux-Sèvres, Loire-Atlantique, Vendée), *vin de pays du Comté Tolosan* (Aveyron, Lot, Tarn, Tarn-et-Garonne, Haute-Garonne, Ariège, Lot-et-Garonne, Gers, Hautes-Pyrénées, Pyrénées-Atlantiques, Landes) et *vins de pays d'Oc* (Ardèche, Vaucluse, Var, Bouches-du-Rhône, Gard, Hérault, Aude, Pyrénées-Orientales).

L'avenir dans la qualité

C'est indiscutable, d'immenses efforts sont déployés par certains producteurs pour hisser ces vins de pays à un excellent niveau de qualité, supérieur parfois — et même de loin — à leur modeste classement. Cette politique de qualité est particulièrement sensible en matière d'encépagement.

Dans le Midi languedocien, par exemple, principal réservoir des vins de pays, on assiste à une spectaculaire montée des cépages « améliorateurs » (syrah, mourvèdre, cabernet-sauvignon, merlot...), lesquels, s'ils sont judicieusement employés dans les assemblages, apportent aux vins un indéniable complément de finesse. L'irruption des plants nobles ou demi-fins se manifeste encore plus dans les vins monocépages, dont la vogue va grandissant : vins de sauvignon, vins de gamay, vins de cabernet-sauvignon pur (un cépage magnifique mais dont — sous couvert de qualité — on abuse quelquefois dans le Midi, car il n'est pas toujours adapté au terrain).

Il n'est jusqu'aux syndicats de défense, dont sont dotés la majorité de ces vins de pays, pour surenchérir et imposer parfois à leurs adhérents des normes de production plus sévères que celles imposées par la loi. Tous ces efforts, d'ailleurs encouragés par l'Office national interprofessionnel des vins (ONIVINS), qui est leur organisme de tutelle, sont la meilleure garantie d'avenir pour ces vins qui ont déjà su conquérir une jolie place au soleil.

Vins de pays à dénomination de zone

AIN
Allobrogie

ALLIER
Bourbonnais

ARDÈCHE
Collines rhodaniennes
Coteaux de l'Ardèche

AUDE
Coteaux de la Cabrerisse
Coteaux de la Cité de Carcassonne
Coteaux Cathares
Coteaux de Miramont
Coteaux de Narbonne
Coteaux de Peyriac
Coteaux de Termenès
Coteaux du Lézignanais
Coteaux du Littoral audois
Côtes de la Malapère
Côtes de Lastours
Côtes de Perignan
Côtes de Prouilhes
Cucugnan
Hauterive en Pays d'Aude
Haute Vallée de l'Aude
Hauts de Badens
Val de Cesse
Val de Dagne
Val d'Orbieu
Vallée du Paradis

AVEYRON
Gorges et Côtes de Millau

BOUCHES-DU-RHONE
Petite Crau
Sables du Golfe du Lion

CHARENTE
Charentais

CHARENTE-MARITIME
Charentais

CHER
Coteaux du Cher et de l'Arnon

CORSE (Haute-Corse et Corse-du-Sud)
Ile de Beauté

DROME
Collines rhodaniennes
Comté de Grignan
Coteaux des Baronnies

GARD
Coteaux cévenols
Coteaux de Cèze
Coteaux flaviens
Coteaux du Pont du Gard
Coteaux de Salavès
Coteaux du Vidourle
Mont Bouquet
Sables du Golfe du Lion
Serre de Coiran
Uzège
Val de Montferrand
Vaunage
Vistrenque

HAUTE-GARONNE
Saint-Sardos

GERS
Condomois
Côtes de Gascogne
Montestruc

HAUTES-PYRÉNÉES
Bigorre

HÉRAULT
Bénovie
Bérange
Bessan
Cassan
Caux
Cessenon
Collines de la Moure
Coteaux de Bérange
Coteaux d'Enserune
Coteaux de Fontcaude
Coteaux de Laurens
Coteaux du Libron
Coteaux de Murviel

Vins de pays à dénomination de zone

Coteaux de Peyriac
Coteaux du Salagou
Côtes du Brian
Côtes du Céressou
Côtes de Thau
Côtes de Thongue
Gorges de l'Hérault
Haute Vallée de l'Orb
Littoral Orb-Hérault
Mont Baudile
Mont de la Grage
Pézenas
Sables du Golfe du Lion
Val de Montferrand
Vicomté d'Aumelas

INDRE
Coteaux du Cher et de l'Arnon

ISÈRE
Balmes dauphinoises
Collines rhodaniennes
Coteaux du Grésivaudan

JURA
Franche-Comté

LANDES
Terroirs landais

LOIRE
Collines rhodaniennes
Urfé

LOIRE-ATLANTIQUE
Marches de Bretagne
Retz

LOT
Coteaux de Glanes
Coteaux du Quercy

LOT-ET-GARONNE
Agenais

MAINE-ET-LOIRE
Marches de Bretagne

NIÈVRE
Coteaux charitois

PYRÉNÉES-ORIENTALES
Catalan
Coteaux des Fenouillèdes
Côte catalane
Val d'Agly

RHONE
Collines rhodaniennes

HAUTE-SAONE
Franche-Comté

SAVOIE
Allobrogie
Coteaux du Grésivaudan

HAUTE-SAVOIE
Allobrogie

TARN
Côtes du Tarn

TARN-ET-GARONNE
Coteaux du Quercy
Coteaux et Terrasses de Montauban
Saint-Sardos

VAR
Argens
Maures
Mont Caume

VAUCLUSE
Principauté d'Orange

VENDÉE
Marches de Bretagne
Retz

MISE EN BOUTEILLES AU CHATEAU

75 cl

SERVE CHILLED
CARR TAYLOR
1984
PRODUCE OF UNITED KINGDOM
CARR TAYLOR
ENGLISH WINE
DRY
ENGLISH TABLE WINE

Probablement originaire de la rive orientale du Pont-Euxin (actuel Caucase), puis propagée peu à peu sur tout le pourtour de la Méditerranée, la vigne à vin *(Vitis vinifera)* atteignit de bonne heure l'Europe occidentale et centrale, sans doute par des chemins différents : par la voie maritime, grâce aux marins phéniciens et grecs, vers les pays latins (Italie, Gaule, Espagne) ; probablement aussi par la voie terrestre, en remontant la vallée du Danube depuis la mer Noire, vers les régions plus continentales (Hongrie, Allemagne). Parallèlement à cette conquête antique, la vigne prospérait en Amérique du Nord, mais dans des espèces peu propices à la vinification.

Il faudra attendre la Renaissance et la conquête du Nouveau Monde par l'Ancien pour que la civilisation du vin touche timidement les deux continents américains, sans production locale pourtant. C'est plus tard, au XVIIIe siècle, puis surtout au XIXe siècle, à la faveur d'opportunités commerciales (Afrique du Sud, Californie) ou de développements coloniaux (Afrique du Nord, Australie), que la viticulture conquit durablement certains pays extra-européens. Entamons ce panorama des vins mondiaux par ceux de la vieille Europe, leur sanctuaire incontesté.

Europe

L'Allemagne

Origine et production

Vignoble d'implantation gallo-romaine, qui connut un remarquable essor sous l'Empire carolingien. Comme en France, les évêques, puis les ordres monastiques, jouèrent un rôle décisif : la région vinicole du Rheingau appartenait en quasi-totalité à l'archevêque de Mayence ; ce sont les moines de l'abbaye cistercienne d'Eberbach, en Hesse, qui créèrent le vignoble local. A noter que le Reich allemand eut en son giron le vignoble alsacien, qui a d'ailleurs emprunté pour son propre compte certains cépages germaniques.

La latitude de l'Allemagne, à la limite extrême d'acclimatation de la vigne, explique que les vignobles soient concentrés dans la partie méridionale du pays : le long des vallées de la Moselle, du Rhin et de ses affluents, sur les versants les mieux exposés. Les vignes s'accrochent à des pentes parfois vertigineuses, souvent aménagées en terrasses. Le vignoble de R.F.A. couvre environ 100 000 hectares (approximativement la superficie du Bordelais), lesquels produisent bon an mal an 10 millions d'hectolitres.

Les cépages

En majorité des cépages autochtones blancs : *müller-thurgau* (croisement de riesling et de sylvaner, représentant près d'un tiers de la production), *riesling* (à la base des grands vins fins allemands), *sylvaner*, *rülander* (pinot gris), *gutedel* (chasselas), *scheurebe*, *kerner*, *gewürztraminer*.

Cépages rouges : *spätburgunder* (le pinot noir, importé de Bourgogne), *blauer trollinger*, *blauer portugieser*.

Les régions vinicoles

Le vignoble allemand est divisé en 11 régions de production dont les vins ont droit à revendiquer leur dénomination d'origine.

- ***Ahr.*** Petit vignoble au sud de Bonn, logé sur les pentes escarpées de l'Ahr, un micro-affluent du Rhin. Principalement des vins rouges clairs et finement bouquetés, faits de pinot et de portugais, et quelques blancs, vifs mais un peu raides (vignoble le plus septentrional d'Allemagne).

- ***Mosel-Saar-Ruwer.*** Vignoble célèbre qui court le long de la vallée de la Moselle, entre Trèves et Coblence, et accompagne également ses deux petits affluents de la Sarre et du Ruwer.

Enseigne vigneronne en pays de Bade, dont le vignoble fait le pendant de celui d'Alsace, par-delà le Rhin.

Terrains schisto-argileux aux pentes souvent très abruptes : le meilleur secteur est situé dans la moyenne vallée de la Moselle, avec ses méandres très encaissés. Vins blancs en majorité écrasante, issus pour l'essentiel du riesling ; trop mordants dans les petites années, ils deviennent racés et élégants en bon millésime, avec beaucoup d'expressivité aromatique (style fleuri).

• ***Mittelrhein.*** Vignoble en aval de Coblence, le long du Rhin. Sols schisteux aménagés en terrasses. Vins blancs de riesling et de müller-thurgau, nerveux et assez charpentés.

• ***Rheingau.*** Le vignoble du Rheingau est la plus prestigieuse région vinicole d'Allemagne. Établi sur la rive droite du Rhin, entre Rüdesheim et Wiesbaden, il plante ses coteaux en plein sud, dans une courbe propice du fleuve, sous la protection bienfaisante du massif du Taunus. Terrains à dominante schisteuse et domaine d'élection du riesling. Grands vins blancs riches et puissants, au fruité incomparable. Excellents vins rouges, quoique très minoritaires, à Assmannshausen. Des domaines de réputation mondiale : *Schloss Vollrads, Schloss Johannisberg, Steinberg*... où s'élabore la quintessence des vins allemands.

• ***Nahe.*** Vignoble de la rive gauche, longeant la petite vallée de la Nahe. Terrains souvent gréseux où prospèrent le riesling, le sylvaner et

Boucle de la Moselle, à Kröv. Sa vallée encaissée forme un ruban ininterrompu de vignes depuis Trèves jusqu'à son confluent avec le Rhin, à Coblence.

le müller-thurgau. Vins amples et fruités, avec de la vivacité.

• ***Rheinhessen.*** C'est le plus vaste des vignobles allemands : près de 25 000 hectares sur la rive gauche du Rhin, au sud de Mayence, où l'on compte plus de 150 villages viticoles. La Hesse rhénane, à côté d'une majorité de vins courants, produit des vins assez fins de sylvaner, de riesling et de müller-thurgau. Blancs frais et coulants, bien bouquetés, et quelques rouges tendres.

• ***Rheinplatz.*** Presque aussi grand que le précédent, le vignoble du Palatinat s'étend entre plaine du Rhin et massif de la Hardt, sillonné par une pittoresque « route du vin ». Sur des terrains très variés (argilo-calcaires, gréseux, basalti-

ques...), l'encépagement est identique à celui de la Hesse rhénane. Nombreux vins ordinaires, mais également des blancs puissants et séveux.

• ***Hessische Bergstrasse.*** Tout petit vignoble situé à l'ouest de Mannheim et fournissant des blancs corsés, de riesling principalement.

• ***Baden.*** Très longue bande de vignobles remontant la vallée du Rhin, depuis Heidelberg, au nord, jusqu'au lac de Constance. Le secteur le plus fourni du pays de Bade se situe au pied de la Forêt Noire, face au vignoble d'Alsace. Des vins blancs variés (rülander, gutedel, müller-thurgau...), fruités et aromatiques, et des vins rouges à base de pinot, aimables et veloutés.

• ***Franken.*** Le vignoble de Franconie escorte le cours supérieur du Main. Vins de la trilogie sylvaner/müller-thurgau/riesling, généralement fermes et corsés. Un cru notoire à signaler : le *Steinwein*, produit près de Würzburg. Les vins de Franconie sont présentés dans un flacon spécial : le « Bocksbeutel ».

• ***Württemberg.*** Vignoble assez distendu, centré principalement sur la vallée supérieure du Neckar. Vins rouges et rosés, issus particulièrement du blauer trollinger, nerveux et fruités ; vins blancs assez vigoureux.

Vin de la Nahe et de la Moselle.

Les classifications

Conformément à la législation européenne, les vins allemands se répartissent entre vins de table — proprement dits ou « vins de pays » (soit ici 15 dénominations régionales) — et vins de qualité. Ces derniers, en Allemagne, se divisent à leur tour en deux catégories :

• ***Qualitätswein b.A.*** (vins de qualité provenant de régions déterminées) : ils proviennent exclusivement des régions ci-dessus énumérées et sont parfaitement représentatifs de leur terroir d'origine.

• ***Qualitätswein mit Prädikat*** (vins de qualité avec label). Cette seconde catégorie est typiquement allemande. Elle classe les vins sous plusieurs labels, chacun correspondant à la richesse en sucre des moûts (mesurée en degrés

réels ou potentiels, de 9 à 30°). Chaque *Prädikat* (label) définit un certain type de vin :
— *Kabinett :* vin léger et tendre ;
— *Spätlese :* vin complet, issu de récolte à pleine maturité ;
— *Auslese :* vin riche, issu de récolte à surmaturité ;
— *Beerenauslese :* vin de vendanges tardives, avec sélection de grains botrytisés ;
— *Trockenbeerenauslese :* vin de vendanges tardives, avec sélection de grains « rôtis » (sommet de la pourriture noble) ;
— *Eiswein :* vin de vendanges ultra-tardives, avec récolte de baies gelées.

Les « vins de qualité » sont obligatoirement soumis à un agrément officiel (numéro d'enregistrement figurant sur l'étiquette). Sont aussi fréquemment mentionnées les variétés de goût : *Trocken* (sec), *Halbtrocken* (demi-sec), *Mild-lieblich* (doux à moelleux).

L'Autriche

Fort de 50 000 hectares, le vignoble autrichien produit quelque 2,5 millions d'hectolitres de vin, faiblement exportés en raison d'une importante consommation intérieure. Un scandale retentissant en 1985 (fraude massive par adjonction au vin de produit antigel) a d'ailleurs passablement terni leur réputation, déjà très locale. Les vins d'Autriche sont en écrasante majorité blancs, issus de quelques plants indigènes *(veltliner, rotgipfer)* et des classiques cépages germaniques (*riesling, müller-thurgau, gewurztraminer...*). Rouges en faible volume, à base de pinot noir et de portugais bleu.

On distingue plusieurs zones vinicoles :

• La ***Basse-Autriche***, autour de Vienne, et principalement dans la région au nord-est de la capitale. Vins faciles et coulants, à boire jeunes. A signaler, deux crus assez réputés : *Dürstein* (dont le vignoble surplombe le Danube, dans la région de Wachau) et *Gumpoldkirchen* (au sud de Vienne).

• Le ***Burgenland***, à la frontière austro-hongroise. Vins doux et même liquoreux ; également le meilleur de la petite production rouge *(Eisenberg)*.

• Le ***Tyrol autrichien*** : blancs nés des cépages allemands traditionnels, qui ne sont pas sans similitude avec les vins du Haut-Adige (Tyrol italien).

Vienne possède la spécialité du *Heurige*. Il s'agit d'un vin de primeur, récolté aux portes de la ville (à Grinzing, à Nassberg... et même dans les faubourgs de Vienne), que l'on sert à peine fermenté dans les tavernes et « weinstuben » de la capitale : vin type du pichet, peu coloré, très léger, mais vif et rafraîchissant.

La Bulgarie

Avec plus de 150 000 hectares de vignes, dont une bonne partie donne du raisin de table, la Bulgarie fournit environ 4 millions d'hectolitres de vin par an. La majorité de la production, placée sous l'égide de la *Vinprmo*, est exportée vers les autres pays de l'Est.

Vignobles d'altitude en général, complantés d'une immense variété de cépages et donnant des vins rouges, rosés, blancs, doux et mousseux. Si les deux dernières catégories offrent peu d'intérêt, les vins rouges sont plutôt soignés : qu'ils proviennent du *gamzè* ou du *mavrud*, ce sont des vins âpres et corsés, à attendre plusieurs années (bons représentants récoltés au pied des monts Rhodope).

L'Espagne

Origines et production

La viticulture existait probablement chez les Ibères avant même la conquête romaine. Cependant, au cours des siècles, l'Espagne n'a jamais fourni de vins de grande renommée, hormis le cas particulier du Xérès. Il fallut attendre la fin du XIXe siècle — et notamment l'exode de nombreux viticulteurs bordelais chassés par les ravages du phylloxéra — pour assister à la naissance de vins de qualité, surtout dans la Rioja. Dans les années 70 se mettait en place un système d'appellations sous l'égide de l'*Instituto*

Nacional de Denominaciones de Origen (comparable à notre I.N.A.O.).

On assiste aujourd'hui à une explosion des vins espagnols. L'Espagne, qui est un peu la Californie de l'Europe en la matière, produit annuellement près de 36 millions d'hectolibres, à partir d'une aire viticole de 350 000 hectares environ. La production est principalement aux mains d'un négoce de type familial : les *bodegas* correspondent à ce que sont les « maisons » en Champagne (elles pratiquent l'élevage des vins, leur commercialisation et une politique de marque).

Les cépages

En rouge, forte proportion de plants autochtones : *trempanillo*, *grenacho* (le grenache noir, dont c'est ici la terre natale), *graciano*, *mazuelo*, *bohal*, *monastrel*, etc. S'y ajoutent des cépages d'origine française : pinot noir et trilogie cabernet-sauvignon/cabernet franc/merlot (souvenir des vignerons girondins...). En blanc : *malvasia*

Vignes espagnoles dans la province d'Alicante, où l'on produit surtout des vins rouges chauds et corsés.

(malvoisie), *maccabeo* (macabeu), *parellada*, *xerello*, grenache blanc, chardonnay, etc.

Les régions vinicoles

On en compte 5 principales, auxquelles s'ajoutent quelques vignobles secondaires (León, Navarre, Galice...).

• ***Rioja.*** Vignoble espagnol de loin le meilleur et le plus prestigieux, situé le long de la haute vallée de l'Èbre, en amont et aval de la ville de Logroño : environ 100 km de long, pour une largeur moyenne de 30 km. Tire son nom du *Rio Oja*, un micro-affluent de l'Èbre ; Haro, au confluent des deux rivières, est la petite capitale du vignoble. Contrairement à beaucoup d'autres, les vins de la Vieille Castille jouissent d'une ancienne réputation, puisque la Rioja était située sur la route de Compostelle et cultiva longtemps la tradition des vins de pèlerins. Depuis l'après-guerre, grâce à l'action de quelques grandes familles locales qui ont recueilli l'héritage bordelais, le vignoble a été largement rénové, les techniques se sont modernisées et la qualité des vins s'est magnifiquement affirmée.

La Rioja se divise en trois secteurs :
— *Rioja Alta*, de Haro à Logroño, sur la rive droite de l'Èbre, avec une petite incursion sur l'autre rive (région de San Vincente). Terrains marneux à soubassement calcaire, climat marqué par l'altitude (environ 500 m) et les influences océaniques ;
— *Rioja Alavesa*, recouvrant une zone plus restreinte sur la rive gauche. Sols de même nature, souvent ponctués de couches sablonneuses, et climat identique. Rioja Alta et Rioja Alavesa sont les deux meilleurs terroirs ;
— *Rioja Baja*, de part et d'autre de l'Èbre, en amont de Logroño. Sols alluviaux, avec quelques îlots argilo-calcaires, et climat beaucoup plus chaud et aride, marqué par les influences continentales et méditerranéennes. Vins généralement moins fins, car plus lourds et alcooleux.

Vins rouges largement majoritaires (environ 75 p. 100). Issus aux trois quarts du trempanillo, avec l'appoint de quelques cépages annexes (graziano, grenache, mazuelo), ils sont produits en *tinto* (couleur foncée) en en *clarete* (couleur claire). Les meilleurs bénéficient d'un long élevage en barriques, l'étiquette mentionnant — en marge du millésime éventuel — le nombre d'années passées sous le bois.

La fine fleur des Rioja se classe ainsi : *Vino de Crianza* (après un séjour d'environ 1 an en cuves, minimum 1 an en barriques et 6 mois en bouteilles), *Gran Reserva* (minimum 3 ans en barriques et 1 an en bouteilles). Dans la réalité, les deux dernières catégories concernent souvent des vins qui ont vieilli entre 5 et 10 ans en cave. Provenant fréquemment d'assemblages, les rouges de la Rioja offrent une grande diversité. Charnus, amples, chaleureux, les vins les plus fins des meilleures *bodegas* ont souvent une envergure exceptionnelle, avec leurs bouquets explosifs et leur structure qui peuvent évoquer les crus septentrionaux de la vallée du Rhône.

Vins blancs de *viura* (nom local du macabeu) et de malvoisie très minoritaires (environ 10 p. 100) : caractère sec et discrètement aromatique, dont la fraîcheur s'accentue avec la modernisation des techniques de vinification. Vins rosés fruités et honorables.

En Espagne s'élabore, selon une alchimie compliquée, le Xérès, prince des vins andalous.

• **Catalogne.** Vins de qualité dans les arrière-pays de Barcelone et de Tarragone, en marge d'une importante production de « champagne » à l'espagnole. *Panadés* est le meilleur d'entre eux, avec des rouges de carignan et grenache très aromatiques et expressifs, ainsi que des blancs secs de bonne tenue. A signaler, dans cette appellation, les superbes produits de la famille Torrés, à Villafranca del Panadés. Vins rouges assez puissants, issus du même encépagement, à *Priorato* (au nord de Tarragone), et vins blancs de bon aloi à *Allela* (au nord de Barcelone).

• ***Manche.*** Vignoble logé dans la région de plateaux au sud de Madrid et fournissant un gros volume de vins courants. Le secteur le plus méridional, autour de *Valdepeñas*, est le meilleur, avec des rouges équilibrés et de niveau honnête.

• ***Levant.*** Autre grand vignoble de masse, étalé près du littoral méditerranéen, de Valence à Alicante, et dans leurs arrière-pays respectifs. Beaucoup de vins rouges issus du monastrel, généralement chauds et robustes. Plusieurs zones d'appellation : *Utiel-Requena, Cheste, Almansa, Jumilla, Yecla, Alicante, Valencia.*

• ***Andalousie.*** C'est surtout le royaume du Xérès *(Jerez)*, ce vin incomparable que les Anglais, qui détiennent une bonne partie des *bodegas* locales, ont immortalisé sous le nom de *sherry*. Son aire de production est située entre Cadix et Séville, notamment autour de Jerez de la Frontera, ville dont il a tiré son nom. Sol de nature particulière, fait d'une craie blanche *(albariza)* qui confère aux vins finesse et arôme. Cépage majoritaire : le *palomino* ; s'y ajoutent quelques cépages d'appoint, dont le *pedro ximenez* qui, séché au soleil après sa vendange, fournit un vin fort et liquoreux, utilisé lors des assemblages.

Après la récolte, la vinification en sec se déroule de manière classique. Une fois terminées les fermentations, les vins font l'objet de savants assemblages selon leurs origines ; puis on les « vine » (addition d'eau-de-vie) en modulant l'ajout d'alcool selon le style des vins : jusqu'à 15° pour le futur *fino* (vin fin et bouqueté), jusqu'à 18° pour le futur *oloroso* (vin corsé et puissant)... Chaque type de vin est ensuite entreposé dans une *criadera* particulière, sorte de chai où il est logé dans des fûts remplis aux trois quarts. Peu à peu se développe à la surface du vin la « fleur » *(flor)*, voile bactérien comme celui observé dans les vins jaunes du Jura et qui provoque une oxydation ménagée.

Superposés en d'impressionnantes rangées, les tonneaux subissent, au cours des ans, des soutirages par gravitation selon une méthode complexe (la *solera*), qui associe mûrissement et assemblage. Son vieillissement étant achevé, le Xérès est un vin d'ambre, au parfum prenant, mais présentant une grande diversité de caractères. On le classe suivant plusieurs dénominations :

— *fino :* vin très sec, clair, à l'odeur d'amande ;
— *amontillado :* vin sec et ample, plus alcoolisé et coloré que le fino (ces deux catégories sont les plus appréciées des connaisseurs) ;
— *manzanilla :* vin sec, au goût légèrement salé, élaboré autour de Sanlucar de Barrameda, sur la côte ;
— *oloroso :* vin sec mais le plus souvent moelleux (par adjonction d'une petite quantité de pedro ximenez - *P.X.*), de couleur ambrée, corsé et puissamment bouqueté ;
— *amoroso :* vin chaleureux, au caractère beaucoup plus liquoreux que l'oloroso ;
— *cream sherry :* vin très liquoreux, obtenu par une importante adjonction de *P.X.*

L'Andalousie possède un autre vignoble particulier, entre Cordoue et Grenade : *Montilla-Moriles*, où les vins, très riches en sucre, sont élevés dans des jarres de terre cuite, protégés de l'air libre par un voile de levures naturellement formé.

Législation

L'Espagne possède aujourd'hui une législation vinicole sérieuse, qui tend, comme d'autres, à s'harmoniser avec celle de la Communauté européenne. Le système en vigueur est celui des appellations d'origine, mis en place et contrôlé par l'I.N.D.O. déjà cité.

Les vins fins espagnols doivent impérativement comporter la mention *denominación de origen* accompagnant le nom de la région de production concernée. En outre, pour les vins de grande qualité (Rioja, Xérès), un *Consejo Regulador* attribue, après contrôles analytique et gustatif, un label de garantie : contre-étiquette ou bande apposée sur le goulot de la bouteille, avec notamment le numéro d'enregistrement officiel.

La Grèce

Berceau de notre civilisation — et particulièrement de celle du vin —, la Grèce n'a peut-être pas conservé la grande tradition vinicole que laissent imaginer les anciens cultes dionysiaques. Le vignoble est pourtant omniprésent ; la production annuelle de vin dépasse 5 millions d'hectolitres, mais la majeure partie de la récolte alimente le marché du raisin frais et sec (de Corinthe).

Le vin le plus courant est « résiné » *(Retsina)* : on lui ajoute de la résine de pin, vieux procédé de conservation, d'où son goût caractéristique de type balsamique. Grosse production de vins résinés en Attique. De bons vins non résinés sont récoltés dans le Péloponnèse, ainsi que dans les îles grecques : rouge de Rhodes, blanc sec de Santorin, muscat de Samos...

La Hongrie

Origines et production

Vignoble de très ancienne création, comme en témoignent les nombreux vestiges romains exhumés près du lac Balaton. Le célébrissime Tokay hongrois, dont le mode d'élaboration remonte au XVIIe siècle, fit les délices de Louis XIV et de Pierre le Grand. Aujourd'hui, la Hongrie fournit, pour une superficie plantée de plus de 150 000 hectares, une moyenne de 5 millions d'hectolitres, les meilleurs vins étant en partie exportés.

Les cépages

En rouge : *kadarka, voros* et quelques cépages d'origine française (merlot, pinot noir, gamay). En blanc : *furmint* (cépage du Tokay), *riesling, szurkebarat* (pinot gris), *harslevelu, ezerjo.*

Les régions vinicoles

Elles sont principalement trois :

- *La zone montagneuse au nord-est de Budapest,* où se récoltent les meilleurs vins magyars. Muscat de Gyöngyös ; *bikaver* (« sang de taureau ») de la région d'Eger, un rouge sombre et corsé, issu du kadarka ; Tokay de la région de Tokaj-Hegyaljá (voir plus loin).
- *La région du lac Balaton :* c'est le *Badacsony,* vignoble couvrant les coteaux de la rive occidentale du lac, au pied des monts Bakony. Excellents vins blancs, moelleux, le plus souvent issus du pinot gris. Vins plus tendres (riesling, furmint) dans la région de Balatonfüred.
- *L'interfleuve entre le Danube et la Tisza.* Région aux terres sablonneuses, produisant surtout d'honnêtes vins blancs, notamment autour de Keeskemet.

L'élaboration du Tokay

Le plus prestigieux des vins hongrois est produit sur une zone d'appellation comprenant une trentaine de villages vinicoles (dont Tokaj),

Le long du lac Balaton, les coteaux sont couverts de vignes blanches (ci-contre). La Hongrie produit aussi de puissants vins rouges dans la région d'Eger (étiquette ci-dessus).

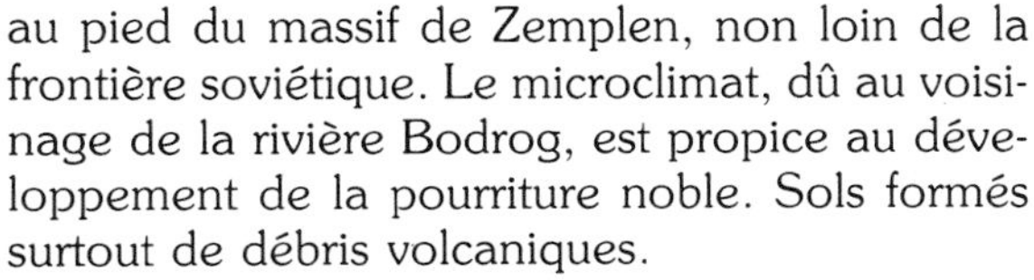

au pied du massif de Zemplen, non loin de la frontière soviétique. Le microclimat, dû au voisinage de la rivière Bodrog, est propice au développement de la pourriture noble. Sols formés surtout de débris volcaniques.

Né du furmint, le Tokay est tardivement vendangé, lorsque les raisins sont passerillés ou, mieux, pourris par le botrytis. Les grains normaux et surmûris donnent le Tokay le plus courant *(szamorodni)*. En revanche, les grains vraiment « rôtis » *(aszu)* sont sévèrement triés et servent à la confection d'une pâte dont on remplit des hottes de 25 litres *(puttonyos)*. Le Tokay *aszu* est le vrai Tokay : on fait fermenter, après pressurage, les raisins non pourris et on ajoute au moût, logé dans des fûts de 130 à 140 litres *(gönc)*, une quantité plus ou moins importante d'*aszu*. C'est pourquoi le Tokay est étiqueté, dans un ordre qualitatif ascendant, en 2, 3, 4 ou 5 *puttonyos*, selon le nombre de hottées ajoutées dans chaque fût. Embouteillé dans des flacons de 50 centilitres, le Tokay est un vin de miel, profondément ambré, incroyablement bouqueté, inimitable en vérité.

L'Italie

Origines et production

Même si son origine est encore plus archaïque, la culture de la vigne se répandit dans la Péninsule grâce aux colons de la « Grande Grèce » (Sicile, Italie du Sud). Rome sut largement propager la civilisation du vin et même, grâce à ses légions conquérantes, l'étendre jusqu'aux confins de l'Empire, créant ainsi les bases des futurs grands vignobles de la Bourgogne, du Rhin et de l'Aquitaine. Dès lors, la vigne a toujours recouvert l'ensemble de la botte italienne, du Piémont alpin jusqu'à la Sicile, même si le relief, la géologie et les diverses influences climatiques ont compartimenté le pays en une multitude de vignobles très contrastés.

Aujourd'hui, l'Italie reste le premier producteur mondial de vin, mais principalement grâce à son flot de vins de table (alors qu'elle laisse la prééminence à la France en matière de vins fins...) : 75 millions d'hectolitres en moyenne par an, pour une superficie totale dépassant 1,1 million d'hectares. Si une législation fort stricte est apparue en 1963, avec les D.O.C.

(voir plus loin), elle n'empêche malheureusement pas certaines pratiques frauduleuses, comme en témoigne le récent scandale des vins traités au méthanol.

Ci-dessus : bêchage de la vigne en Ligurie. Page de droite : vins rouges (Valpolicella) et blancs (Soave) dans leurs fiasques traditionnelles.

Les régions vinicoles

Elles sont extrêmement nombreuses et, pour plus de commodité, on peut les regrouper en 3 grands secteurs. A noter que les vins italiens sont désignés soit par un nom de lieu (localité ou région), soit par un nom de cépage, soit par un nom de cépage + un nom de lieu.

L'Italie du Nord

Piémont, Lombardie et Vénétie comptent parmi les plus importantes régions productrices du pays. Les vignobles recouvrent les collines préalpines ou s'étendent au sud de la plaine du Pô, la proximité de la montagne ou de la mer modulant les conditions climatiques locales. Terrains généralement argilo-calcaires ou granitiques. Très nombreuses appellations dont on ne citera que les principales :

- ***Barolo.*** Rouge de *nebbiolo*, produit au sud-est de Turin. Sombre, puissant et tannique, demandant à vieillir longuement. L'un des grands vins italiens.

- ***Barbaresco.*** Autre rouge de *nebbiolo*, voisin du précédent. Plus léger et plus souple, plus rapidement accompli mais très fin.

- ***Asti spumante.*** Célèbre mousseux italien, issu du cépage *moscato di Canelli*. Élaboré en cuves closes ou selon la méthode champenoise, c'est un vin aromatique et fortement « muscaté ».

- ***Barbera.*** Rouge issu de la *barbera*, cépage très répandu en Piémont et largement récolté autour d'Asti et d'Albe. Vin assez enveloppé, mais facile, à boire plutôt jeune.

- ***Gattinara.*** Rouge de *nebbiolo*, produit au nord de Novare. Vin charpenté et de garde.

- ***Oltrepó Pavese.*** Rouge *(barbera, bonarda)*

et blanc produits sur la rive droite du Pô, au sud de Pavie. Vins coulants et équilibrés.

• ***Valtellina.*** Rouge de *chiavennasca* (nom local du nebbiolo), issu d'un micro-vignoble logé sur les pentes ardues de la Valteline, vallée située entre le lac de Côme et la frontière suisse. Vin de qualité.

• ***Bardolino.*** Rouge ou rosé provenant de plants locaux (*corvina, molinara, negrara*...), produit au sud-est du lac de Garde. Vin clair et léger, très gouleyant.

• ***Valpolicella.*** Rouge de même encépagement, récolté près de Vérone. Vin fruité et nerveux, à boire dans sa jeunesse.

• ***Alto Adige.*** Blanc surtout, issu notamment du riesling, du sylvaner et du müller-thurgau, comme ses homologues du Tyrol autrichien, que prolonge cette région du Haut-Adige. Vin frais et de bonne vivacité.

• ***Soave.*** Blanc de *trebbiano* et de *garganega*, récolté à Soave et Monforte, à l'est de Vérone. Vin sec et délicatement parfumé, l'un des meilleurs d'Italie.

• ***Lambrusco.*** Rouge issu du cépage *lambrusco*, produit au nord-ouest de Bologne. Ce vin léger est célèbre par son caractère « moustillant » (légère effervescence due à un reliquat de CO_2), qui lui donne son agréable picotement.

• ***Piave.*** Rouge (cabernet, merlot) et blanc (*verduzzo*) récoltés entre Trévise et le littoral, au nord de Venise. Vins de consommation facile, les blancs sont de bons accompagnateurs des produits de l'Adriatique.

• ***Prosecco di Conegliano.*** Blanc mousseux assez parfumé, produit au nord de Trévise.

• ***Grave del Friuli.*** Blanc surtout, issu de 7 cépages (chardonnay, riesling, pinot gris...), produit dans le Frioul. Vin d'excellente qualité.

L'Italie centrale

De la Romagne jusqu'au Latium s'étend, sur de douces collines, le grenier à vin de l'Italie, là où climat et terroirs s'accordent pour engendrer des vins de parfait équilibre. Mais à tout seigneur, tout honneur ! Commençons par le vin le plus notoire, celui-là même des Grands Ducs de Toscane.

• ***Chianti.*** Ce vin illustre, formidablement réputé dès la Renaissance, possède une vaste aire de production, principalement située au sud de Florence, où les vignes recouvrent le magnifique relief vallonné de la campagne toscane. Vignoble d'altitude parfois élevée : jusqu'à 600 m. Le Chianti est, pour l'essentiel, constitué de *sangiovese*, le grand cépage centre-italien ; un léger appoint (2 à 10 p. 100) est réalisé avec des raisins blancs de *trebbiano*.

On distingue deux types de Chianti :
— le Chianti de primeur, généralement d'appellation générique, livré dès le mois de mars qui suit la vendange : vin rubis, fruité et coulant facilement ;

Ci-dessus : cortège bachique dans la région de Naples ; gravure du début du XIXe siècle (bibliothèque des Arts décoratifs). Page ci-contre : vignoble dans les Pouilles.

— le Chianti de garde, issu généralement de zones à dénominations particulières, subissant un élevage beaucoup plus long.

Dans cette dernière catégorie triomphe le *Chianti classico*, produit dans un secteur restreint entre Sienne et Florence, dont les vins sont remarquables de finesse, de corps et de potentiel de vieillissement. A signaler l'excellente production de la maison Antinori, pionnière de l'appellation. Certains Chianti peuvent également porter une dénomination locale (*Chianti Montalbano, Chianti dei Colli Fiorentini, Chianti Rufina...*) : vins généralement de bonne qualité.

La mention *riserva* s'applique à des vins ayant vieilli au moins 3 ans sous le bois. A noter enfin que le traditionnel *fiascho*, flacon paillé, est en train de disparaître au profit de la bouteille bordelaise.

• ***Brunello di Montalcino.*** Rouge puissant et dense, né du *brunello* (une variété de sangiovese), produit au sud de Sienne. Exige un lent mûrissement sous bois mais peut affronter de longues gardes.

• ***Montepulciano.*** Autre rouge toscan — qualifié de *vino nobile* — récolté à l'ouest du lac Trasimène. Vin de haute tenue.

• ***Vernaccia di San Giminiano.*** Spécialité toscane de blanc, produit à partir du cépage *vernaccia*. Vin très fin, récolté autour de la ville aux treize tours carrées.

• ***Sangiovese di Romagna.*** Rouge agréable et fruité, produit en Romagne à partir du cépage du même nom. A boire rapidement.

• ***Verdicchio.*** Blanc des Marches, produit le long de la côte adriatique. Vin léger et vif, très à son aise sur coquillages et poissons.

• ***Orvieto.*** Blanc de *trebbiano* et de *malvasia*, récolté dans la région d'Orvieto, en Ombrie. Vin sec ou demi-sec, sympathique et sans manières.

• ***Rubesco di Torgiano.*** Rouge à base surtout de *sangiovese*, produit aux environs de Pérouse. Vin de belle finesse, charnu et apte à la garde.

● ***Frascati.*** Blanc de *trebbiano* et de *malvasia*, récolté autour de Frascati, au sud-est de Rome. Vin sec et jovial, assez corsé. Il désaltère les Romains, de même que son cousin germain le *Marino*.

L'Italie du Sud

De la Campanie à la Sicile, en passant par la Calabre, l'Italie du Sud est grosse productrice de vins courants à fort degré, dont une bonne partie est encore expédiée... vers la France. Cela n'exclut pas d'excellentes spécialités locales : il s'agit de vins un peu archaïques, à l'image de leurs rustiques cépages, dont certains rappellent l'Italie de la période hellénique. Terrains généralement volcaniques.

● ***Greco di Tufo.*** Blanc issu du très vieux cépage *greco*, récolté dans l'arrière-pays napolitain. Vin vif, gagnant à quelque vieillissement.

● ***Lacrima Cristi.*** Blanc fameux (« larmes du Christ ») récolté sur les pentes du Vésuve. Vin fin et doré, produit en petites quantités.

● ***Gragnano.*** Rouge produit près du site de Pompéi. Vin fruité et facile, qui abreuve les Napolitains.

● ***Taurasi.*** Rouge de la montagne campanienne (région d'Avellino), issu du cépage *aglianico*. Vin ferme et charpenté, qui demande à vieillir.

● ***Aglianico del Vulture.*** Rouge proche du précédent (même cépage), récolté dans l'arrière-pays de Salerne.

Les vins de Sicile

La Sicile, dotée d'un climat particulièrement chaud, fournit en grand volume des vins de consommation courante, rustauds et alcoolisés. Néanmoins, il existe dans l'île plusieurs vins de qualité.

Le plus illustre est le *Marsala*, produit à la pointe occidentale de l'île, autour de la ville du même nom. Il s'agit d'un vin doux naturel, mis au point dans la seconde moitié du XVIIIe siècle par les résidents britanniques de Sicile. Sec ou doux, il vieillit sous bois et constitue un excellent vin apéritif, titrant 17 ou 18° ; le vin sec *(Marsala Vergini)* est le plus réputé.

Autres vins de bonne facture : *Etna* (blanc et rouge, récoltés sur les pentes du célèbre volcan), *Faro* (rouge de la région de Messine), *Malvasia delle Lipari* (blanc doux des îles Éoliennes), muscats de Syracuse et de Noto...

Législation

L'Italie prévoit deux niveaux d'appellation pour ses vins :

— *Denominazione di Origine Controllata (D.O.C.).* Appellation concernant l'ensemble des vins fins italiens (environ 200 dénominations) et définissant soigneusement aire de production, conditions d'encépagement, méthodes culturales, rendement à l'hectare, etc.

— *Denominazione di Origine Controllata e Garantita (D.O.C.G.).* Appellation plus rigoureuse encore, puisqu'elle ajoute la notion de « garantie » à celle de contrôle du produit (grâce à des dégustations régulières et au renforcement des analyses). Actuellement, cette dénomination

ne s'applique qu'à 5 vins : *Barolo, Barbaresco, Chianti classico, Brunello di Montalcino, Vino nobile di Montepulciano.*

Le Luxembourg

Le vignoble du Grand-Duché s'ordonne le long de la vallée de la Moselle qui, après avoir quitté la France, s'en va arroser l'Allemagne, là aussi bordée par un célèbre ruban de vignes. Fort d'un millier d'hectares, ce vignoble mosellan ne produit quasiment que des vins blancs (en moyenne 20 000 hectolitres par an, surtout consommés sur place).

Les cépages sont ceux des vignobles environnants : *riesling, elbling* (plant surtout local, aux vins frais et glissants), *auxerrois, rülander* (pinot gris), *rivaner* (le müller-thurgau allemand), *traminer.* Ils donnent leur nom aux vins qu'ils engendrent. Production en général de bonne qualité, avec des vins bien typés, garantis pour la plupart par la « marque nationale », label officiel décerné après contrôle et dégustation.

Le Portugal

Origines et production

Le vin constitue l'une des richesses du Portugal (moyenne de 9 millions d'hectolitres par an, pour une superficie totale de 360 000 hectares), à commencer par son fameux Porto, massivement exporté vers la France et l'Angleterre. Là aussi, comme pour le Xérès espagnol, l'empreinte britannique est demeurée extrêmement forte depuis le XVIIIe siècle : de nombreuses maisons de négoce — et même certains domaines viticoles — sont toujours aux mains de firmes anglaises.

Cette notoriété du Porto ne doit cependant pas éclipser les autres vins portugais, dont plusieurs sont de qualité. La législation, contrôlée par la *Junta Nacional do Vinho*, a établi un système d'appellations d'origine *(Denominaçaos do Origem)* ressemblant à ceux des grands pays vinicoles européens.

Le féerique vignoble en escaliers de l'Alto Douro, où sont récoltés les vins qui deviendront le grand et incomparable Porto.

Les régions vinicoles

On distingue 4 zones principales :

- *La zone des vinhos verdes.* Région septentrionale du Portugal, comprise entre les vallées du Minho et du Douro. L'expression *vinho verde* (« vin vert ») ne se rapporte pas à la couleur du vin — la majorité de ces vins sont rouges — mais à sa saveur particulière, vive et picotante, due elle-même à son mode spécial d'élaboration. La vigne (encépagement très varié) est conduite en hautes treilles, dans des situations intercalcaires : le long des murs, des chemins... La vinification tend à préserver au maximum l'acide malique, ce qui confère aux vins verts leur extrême fraîcheur. Ces vins plaisants sont assez largement exportés.

- *Le Douro.* C'est avant tout la patrie du *Porto* (voir plus loin), mais, en marge de la vallée, sont également récoltés d'honnêtes vins de consommation courante.

- *Le Dão.* Important vignoble encadrant la vallée du Mondego, établi sur des terrasses granitiques. Blancs secs et fruités, rouges ronds et généreux, pouvant vieillir.

- *La région de Lisbonne.* Face à la capitale, dans les sables marins de la région de Sintra, est planté le vieux vignoble de *Colares*, qui a résisté au phylloxéra. Le *ramisco*, cépage local, y donne des rouges fermes et tanniques, aptes à la longue garde, tandis que la malvoisie fournit d'excellents blancs. Au nord de Lisbonne, le vignoble de *Bucelas* donne des blancs nerveux et parfumés, à base d'*arinto.* Au sud de la capitale, spécialité de vin doux de muscat à *Setubal.*

L'élaboration du Porto

L'aire de production du Porto (environ 25 000 hectares plantés) recouvre la haute vallée du Douro et celles de ses affluents. Le vignoble s'accroche difficilement, sur des terras-

Dans ces sombres chais de Porto, la magie du temps aide à la lente transmutation des vins.

ses en méandres, aux versants pentus d'une vallée très encaissée. Sols entièrement schisteux. Climat très rude, malgré la protection montagneuse contre les vents du nord et les précipitations : étés torrides et hivers glacés. La mécanisation progresse, mais de nombreux travaux viticoles ne peuvent être accomplis que manuellement. L'encépagement, aussi bien rouge que blanc, est très hétérogène, mais son influence reste secondaire par rapport à la technique de vinification et d'élevage.

La vinification s'effectue à la propriété *(quinta)*. Les vins sont « mutés » en cours de fermentation par adjonction d'eau-de-vie, laquelle porte le degré alcoolique au-delà de 20°. Après mutage, les vins sont mis en cuves ou en foudres, où ils passent l'hiver. Ils sont ensuite transportés à Vila Nova de Gaia (ville mitoyenne de Porto, à l'embouchure du Douro) et entreposés dans les chais *(loges)* du négoce.

Là, analyses et dégustations d'experts déterminent le sort des futurs Porto, en les divisant en deux familles :
— le *Blended Port*, assemblage de crus divers qui sera logé en fûts *(pipas)*, où il séjournera au moins 3 ans. Il donnera alors trois types de Porto, classés selon la couleur : blanc, *ruby* (rouge franc), *tawny* (rouge clair doré, correspondant à un plus long vieillissement, car le bois décolore progressivement le vin). On trouve également les Porto « 10, 20, 30, 40 ans d'âge », composés de vins dont l'âge moyen n'est pas inférieur à celui indiqué sur l'étiquette.
— le *Vintage*, ainsi que le Porto millésimé. Contrairement au précédent, ceux-là ne proviennent que de la récolte d'une seule année, mentionnée sur l'étiquette. Le Vintage mûrit 2 ans en fûts, puis termine son vieillissement en bouteilles. Le Porto millésimé, lui, vieillit exclusivement sous bois mais ne peut être vendu avant sa septième année. Ces deux types de Porto, qui sont les plus réputés, sont seulement élaborés, en principe, dans les excellentes années.

La Roumanie

La Roumanie bénéficie d'une fort lointaine tradition vinicole, déjà bien enracinée dans l'ancienne Dacie lorsque celle-ci fut absorbée par l'Empire romain au IIe siècle. Sa production actuelle, qui est particulièrement substantielle (8 millions d'hectolibres annuels), est exportée principalement vers les pays du Comecon, quand elle n'est pas consommée sur place.

Les vins roumains sont en majorité blancs : l'altitude de ce pays montagneux corrige en effet sa situation méridionale, plus propice en principe aux vins rouges. Malgré l'existence de plants locaux (*feteasca, tamiioasa...*), l'encépagement consacre une large part aux variétés internationales, notamment d'origine française : chardonnay, riesling, muscat ottonel, furmint en blanc ; cabernet, merlot, pinot noir en rouge. La plus grande zone vinicole est la Dobroudja, plaine littorale entre le Danube et la mer Noire : on y récolte en particulier le fameux *Murfatlar*, excellent vin blanc à base de chardonnay. La Moldavie possède également un important vignoble, notamment dans la région de Iasi : bonnes spécialités de muscat et *Dealulmare*, le meilleur rouge roumain (cabernet, pinot, merlot). A signaler encore le vignoble transylvanien, le long de la Tirnava, où l'on produit des muscats et le blanc doux de *Perlat*. L'amélioration de la qualité, grâce aux progrès techniques, est aujourd'hui sensible.

Sur les bords du lac Léman, le vignoble du canton de Vaud cultive surtout le fendant. Ce cépage donne des blancs délicieux, débordant de fruité et de fraîcheur, et que rehausse une perle légère.

La Suisse

La Suisse possède un vignoble assez disséminé, qui occupe les meilleures situations, en particulier en bordure de ses lacs. Sa production annuelle est loin d'être négligeable, puisqu'elle dépasse régulièrement le million d'hectolitres. La majorité des vins suisses sont blancs et généralement issus du *fendant* (nom local du chasselas) : d'où un air de famille fréquent avec notre Crépy savoyard.

Le canton de Vaud est le plus gros secteur vinicole. Le vignoble surplombe les rives du lac Léman, se divisant lui-même en 3 régions : la *Côte*, de Nyon à Lausanne, *Lavaux*, de Lausanne à Vevey, *Chablais*, au nord de la vallée supérieure du Rhône. Cultivé en terrasses, le fendant donne des vins légers et sautillants, dont le charme premier réside dans leur éclatante fraîcheur. Bons crus à *Dézaley* (Lavaux) et *Aigle* (Chablais). A signaler, une extraordinaire fête des vignerons à Vevey, qui se déroule seulement quatre fois par siècle (dernières en 1955 et 1977) et dont l'origine remonte à 1700.

Le Valais est également un important canton producteur. L'une de ses spécialités, à côté des nombreux fendants, est la *dôle*, un vin rouge fait de pinot noir et de gamay, bouqueté et assez corsé. A signaler encore, le vignoble de Neuchâ-

Étonnants vignobles yougoslaves, étagés en petites terrasses, sur la côte dalmate, à Drasnice.

tel : il occupe les rives du lac du même nom et fournit des blancs alertes, souvent perlants, ainsi qu'un rouge délicat de pinot (à *Cartaillot* notamment). Le canton du Tessin produit enfin, autour des lacs de Locarno et de Lugano, des vins rouges de merlot d'intérêt limité.

L'Union soviétique

Même si sa production est très importante (35 millions d'hectolitres annuels) et en constante progression, l'Union soviétique, contrairement à certains pays voisins comme la Hongrie, ne cultive pas une tradition très raffinée du vin : les meilleurs de ses produits se hissent seulement au niveau de vins honnêtes. N'oublions pas néanmoins que le berceau de *Vitis vinifera*, la Transcaucasie, est situé sur le territoire de l'actuelle U.R.S.S.

Pour des raisons climatiques évidentes, la majeure partie du vignoble soviétique est situé dans les Républiques méridionales, en bordure des mers Noire et Caspienne. L'encépagement est extrêmement hétérogène (plusieurs centaines de variétés) mais accueille principalement des plants européens classiques comme le muscat, le riesling, le cabernet-sauvignon ou le chasselas. Indiscutablement, les meilleurs vignobles — et les plus productifs — sont situés en Géorgie, où leur altitude élevée corrige largement les effets d'une latitude basse. Les crus sont variés et nombreux. Citons, parmi bien d'autres : en blanc sec le *tsinandali n° 1*, en blanc doux le *teliani n° 2*, en rouge le *hvanch-kara*, ferme et équilibré, ou le *mukuzani n° 4*, plus fruité et aromatique. Les autres régions vinicoles importantes sont la Crimée, spécialisée dans l'élaboration des mousseux, la Moldavie, où les vins sont courants, et, en Asie occidentale, l'Azerbaïdjan et l'Arménie.

La viticulture soviétique se complaît dans les imitations de vins occidentaux, français notamment (elle n'est pas la seule, d'ailleurs). Le plus bel exemple est le *champanskoye*, cet ersatz de Champagne qui n'a qu'un fort lointain rapport avec son modèle : on le fabrique, non pas selon la méthode champenoise, mais grâce à une technique particulière, dite « du courant continu », pratiquée au cours de la seconde fermentation dans des installations hyper-sophistiquées et entièrement automatisées. Présenté le plus souvent en demi-sec et doux, ce qui correspond au goût de la clientèle russe, ce mousseux est du reste un produit convenable... En marge de ces « champagnes », il faut signaler — surtout en Crimée — une production de bons muscats, notamment le *massandra*.

La Yougoslavie

Favorisée par un climat propice, la Yougoslavie cultive la vigne sur l'ensemble de son territoire — hormis les zones montagneuses — et particulièrement sur le littoral adriatique, comme dans les plaines alluviales de l'intérieur. Environ 250 000 hectares de vignes produisent près de 7 millions d'hectolitres par an. Sans atteindre la haute qualité, les vins yougoslaves sont généralement très honorables et accompagnent agréablement la cuisine d'été.

L'encépagement fait une large place aux cépages importés : cabernet, merlot, gamay en rouge ; malvoisie, riesling, traminer, furmint en blanc. La Serbie possède un important vignoble le long des vallées du Danube et de la Morava. On y produit surtout des blancs secs assez fins et des fruités rosés ; la coopérative de Vrsac est la plus grosse cave du pays. La vallée de la Save (Croatie) est également escortée de vignobles qui donnent de petits rouges et rosés plutôt vifs.

La Dalmatie, sur la côte comme dans les îles, possède une production très diversifiée, parfois de qualité, provenant d'un encépagement souvent indigène : *Dingac* et *Postup* en rouge (tous deux issus du cépage *plavac*), *Posip* et *Marastina* en blanc sec, *Prosek* en blanc doux, vin rosé de l'île de Vis... A signaler encore, les vignobles de Vojvodine, dans le nord du pays (vins blancs surtout), et de la Macédoine (vins rouges).

Amérique du Nord

Les États-Unis

Les origines

Le Nouveau Monde ne vient pas d'éclore à la civilisation du vin, il s'en faut même de beaucoup. On assisterait plutôt, depuis deux ou trois décennies, à une seconde naissance, à un formidable renouveau qualitatif qui bouleverse le sanctuaire vinicole américain : la Californie. Car c'est de là qu'est partie l'aventure du vin aux États-Unis... et c'est là qu'elle continue aujourd'hui.

L'État de New York possède quelques vignobles de qualité, comme en témoigne cette excellente bouteille de merlot, qui annonce l'assemblage de deux millésimes.

La célèbre Napa Valley, fleuron du vignoble californien, aux environs de Santa Helena.

Les premières implantations de vigne européenne eurent lieu dans la seconde moitié du XVIIIe siècle, à partir de la mission fondée à San Diego par les Franciscains espagnols : la viticulture gagna de proche en proche, au rythme des créations d'établissements religieux. C'est cependant un exilé hongrois, le comte Agoston Haraszthy, qui fut le grand promoteur de la viticulture californienne. Installé dans les années 1850 à San Francisco, puis dans la vallée de Sonoma, il créa un important domaine *(Buena Vista)* avec des plants rapportés d'Europe, notamment du *zinfandel* de Hongrie. En 1861, il présidait la société d'agriculture du nouvel État. Dans son sillage, plusieurs émigrants, d'origine française ou allemande, se lancèrent à leur tour dans la création d'exploitations vinicoles.

En 1874, le phylloxéra s'abattit sur le vignoble californien, qui fut dévasté mais rapidement reconstitué grâce au greffage, sur des pieds de l'espèce indigène, *Vitis labrusca.* A la veille de la Première Guerre mondiale, la viticulture américaine était à nouveau florissante, quand la période de la prohibition (1919-1933) vint en sonner le glas, longtemps même après son abolition, par l'effet prolongé des fraudes en tout genre. La législation adoptée en 1936 en faveur de la qualité ne produisit vraiment ses fruits qu'au lendemain de la dernière guerre. Depuis les années 50, le vignoble californien a connu un véritable boom, accéléré encore dans la dernière décennie, concentrant tous les apports de la technologie viticole et de l'œnologie modernes au service d'une production de masse, mais exigeante quant à la qualité.

Les cépages

Les États-Unis — et particulièrement la Californie — sont, comme en bien d'autres domaines, le réceptacle d'influences très diverses. Ils ont adopté un encépagement fort éclectique : on pourrait parler d'une sorte de conservatoire mondial des cépages.

En rouge, cépages « internationaux » : cabernet-sauvignon, cabernet franc, merlot, pinot noir, gamay noir à jus blanc, syrah, zinfandel... Cépages de type méridional : grenache, alicante bouschet, barbera, carignan, charbono... Quelques variétés locales, obtenues par croisement : *ruby cabernet, gamay « beaujolais »*...

En blanc, le principal apport est français (chardonnay, pinot blanc, sauvignon, chenin, colombard...), puis germanique (riesling, gewurztraminer...). Également quelques hybrides locaux, comme l'*emerald riesling.*

A noter que l'étiquette des vins fins américains *(varietal wines)* porte le nom du cépage, accompagné de celui du domaine producteur *(winerie).* Ces deux mentions sont essentielles pour appréhender le style et la qualité d'un vin. Mais d'autres indications peuvent figurer sur la bouteille : millésime, région d'origine, etc.

Les régions vinicoles

Aux États-Unis, le déséquilibre est flagrant en matière de répartition géographique du vignoble. La Californie, à elle seule, produit plus de 80 p. 100 de la production totale de l'Union (17 millions d'hectolitres en moyenne).

• ***La Californie.*** Énorme vignoble étendu sur près de 300 000 hectares. En fonction du relief, de l'altitude, de la proximité de l'océan, les conditions climatiques varient beaucoup, allant de celles qu'on rencontre dans les vignobles les plus septentrionaux d'Europe (Champagne, vallée du Rhin) jusqu'à celles du vignoble nord-africain. On distingue pour l'essentiel 3 grandes zones viticoles :
— au nord de San Francisco, les vignobles célèbres de *Napa Valley, Sonoma* et *Mendocino*, établis dans les vallées qui entaillent la chaîne côtière. Napa Valley, la plus connue d'entre elles, est le creuset des grands vins californiens : nombreux rouges de cabernet-sauvignon et blancs de chardonnay élevés sous le bois. A mentionner, l'illustrissime maison Robert Mondavi, laquelle élabore, à côté de ses fameux cabernets, des blancs très fins de chardonnay et de sauvignon. La vallée de Sonoma fournit des vins assez comparables, soignés là aussi par des wineries de prestige (chardonnay du Château Saint-Jean par exemple). Malgré sa situation plus septentrionale, la région de Mendocino possède une production honorable et diversifiée (bons vins de Cresta Blanca) ;
— au sud de San Francisco, la Côte centrale, série de vignobles longeant le littoral pacifique. Repoussé par l'extension urbaine de San José, le vignoble de *Santa Clara* est en voie de disparition ; en revanche, celui de *Santa Cruz* est en net développement (cabernets réputés de Ridge Vineyards). Le secteur le plus important est ici le vaste vignoble de *Salinas Valley*, dans l'arrière-pays de Monterey : c'est le fief des « grands » du

Une « winerie » en Californie. On peut y découvrir ces surprenants échafaudages de barriques neuves, dont la manutention est entièrement mécanisée.

vignoble californien (Paul Masson, Almaden), lesquels alignent d'impressionnantes gammes de vins (zinfandel, ruby cabernet, chardonnay, etc.). Plus au sud, la région de *Santa Barbara*, favorisée par un climat assez frais, réussit une production de qualité avec des plants septentrionaux (riesling, chardonnay, pinot noir) ;
— au sud de Sacramento, parallèle à la zone précédente, la vallée de *San Joaquin*. Cet immense vignoble, qui descend jusqu'à Bakersfield en passant par Fresno, est caractérisé par un climat continental chaud : c'est le grand réservoir californien, avec des vins de qualité plus courante, récoltés et vinifiés à l'échelle industrielle par des groupes puissants (Gallo, United Vintners...).

On y trouve encore quelques vignobles disséminés : la vallée de *Livermore* au sud-est de la baie de San Francisco (excellents vins blancs de sauvignon, de sémillon et de chardonnay), la vallée de *San Pasqual* au nord-est de San Diego, le petit vignoble de *San Bernardino* à l'est de Los Angeles, menacé par l'avancée de la mégapole...

• ***L'État de New York.*** C'est la seconde région vinicole des États-Unis, malgré l'énorme différence de production qui le sépare de la Californie. Sa particularité essentielle est qu'y cohabitent encore des vignes de *vinifera* et de *labrusca* (cépages du type *concord*), ainsi que les hybrides franco-américains (*baco, aurora...*). Les meilleurs vignobles sont situés dans la région des Finger Lakes, où certains cépages européens (riesling, chardonnay) donnent des résultats très convenables, et — en moindre étendue — dans la vallée de l'Hudson (excellents vins de Benmarl), ainsi qu'à Long Island (belle palette de Hargrave Vineyard). Bien évidemment, il faut aussi mentionner une production de style industriel avec des qualités fort variables : à signaler, dans cette catégorie, le *great western champagne*, premier mousseux des États-Unis, élaboré par une filiale de la Taylor Company.

• ***Les vignobles de l'Oregon et du Washington.*** Leur taille est sans commune mesure avec les précédents ; la vocation vinicole au nord-ouest des États-Unis est d'ailleurs beaucoup plus récente. Les vins de l'Oregon sont produits au sud de Portland, dans la vallée de Willmette. Ceux de l'État de Washington sont récoltés plus à l'intérieur, dans la vallée de Yakima. Dans ces deux vignobles, l'acclimatation de *Vitis vinifera*, surtout à travers ses variétés blanches (chardonnay, sémillon, riesling...), a bien réussi, avec des vins dont la qualité s'affirme régulièrement.

Amérique du Sud

L'Argentine

La production vinicole argentine, frisant 25 millions d'hectolitres par an, place ce pays au cinquième rang mondial. Ses vins ne sont pourtant pas très connus, car ils sont écoulés presque totalement sur le marché intérieur, très demandeur.

Le vignoble argentin (350 000 hectares environ) s'étend principalement dans les régions de Mendoza et de San Juan, au pied de la chaîne andine. Son implantation remonterait à la seconde moitié du XVIe siècle, lorsque les conquistadores espagnols y apportèrent des plants ibériques (le cépage local, la *criolla*, n'a pas d'autre origine que celle-là). Les conquistadores furent activement relayés par les religieux franciscains et jésuites, dont les missions furent à la base de la grande viticulture d'aujourd'hui. En raison d'un climat aride, pauvre en pluies, il s'agit d'une culture irriguée, pratiquée au sein d'immenses *bodegas*.

L'encépagement laisse désormais une large part aux plants européens. En rouge : malbec, cabernet-sauvignon, merlot, barbera... ; en blanc : riesling, pinot blanc, sémillon... Si la viticulture est demeurée relativement manuelle, à cause d'une main-d'œuvre abondante, la vinification s'est considérablement modernisée. Plus à leur aise ici que les blancs, les vins rouges sont d'un type chaud et corsé ; les vins blancs sont néanmoins en net progrès, avec moins de lourdeur qu'autrefois.

Foudre sculpté, où le bœuf argentin côtoie la grappe de raisin. Caves à Mendoza.

Le Chili

Avec une production confortable (6 millions d'hectolitres par an), bien que très inférieure à celle de l'Argentine, le Chili s'est depuis longtemps imposé comme le meilleur pays vinicole du continent sud-américain. C'est au siècle dernier que furent acclimatés, sous la conduite d'agronomes français, des plants de qualité : cabernet, malbec, merlot, sauvignon, folle-blanche, sémillon, riesling... Ces cépages échappèrent d'ailleurs au phylloxéra, protégés par la barrière des Andes.

Le vignoble chilien s'étend principalement dans la vallée centrale, au pied de la grande Cordillère, entre Valparaiso au nord et Talca au sud, terrains en majorité volcaniques. Cette zone bénéficie d'un climat favorable, car tempéré par l'influence du courant froid de Humboldt. Les vins sont surtout rouges, et leur corpulence n'exclut pas, chez beaucoup, une authentique finesse. Les meilleurs sont garantis par une réglementation officielle qui leur attribue, après contrôle, les labels *reservado* ou *gran vino*. A citer, la très grosse maison Undurraga, dont les vins sont vinifiés dans un style moderne, et largement exportés.

La côte nord du pays, entre le désert d'Atacama et Coquimbo, fournit des vins doux de muscat, tandis que le sud du Chili produit un vin de table courant, issu du *país*, réservé à la consommation nationale.

Le Brésil

Le vignoble brésilien (près de 3 millions d'hectolitres annuels) est marqué, lui, au sceau de l'Italie. Ce sont en effet des immigrants italiens qui le fondèrent dans le sud du pays (État du Rio Grande do Sul), à la fin du siècle dernier. Ils plantèrent bien sûr des plants péninsulaires (trebbiano, barbera, malvasia...), bien que dominent toujours des hydrides américains, mieux adaptés au sol et au climat subtropical. Les meilleurs vins brésiliens sont d'un niveau tout juste honnête.

Autres pays

Parmi les pays d'Amérique latine, quelques autres entretiennent une tradition vinicole. Le *Pérou* (environ 100 000 hectolitres annuels) possède les vignobles les plus élevés du monde — jusqu'à 2 000 m d'altitude — et produit, notamment dans la région de Lima, d'honnêtes vins de table. L'*Uruguay* (600 000 hectolitres), situé à une latitude favorable, fournit, comme le Brésil, des vins fort moyens issus d'hybrides américains, mais aussi des vins plus fins, à base de plants européens. En Amérique centrale, le *Mexique* (150 000 hectolitres), où les premières exploitations espagnoles remontent au XVIe siècle, cultive surtout la vigne au sud de la Californie, au sein de grandes *bodegas* : les vins mexicains, malgré de réels efforts en faveur de la qualité, restent encore d'un assez faible niveau.

Afrique

Le Maghreb

Le vignoble d'Afrique du Nord est une création entièrement française. La grande vague de plantations ne date pas des débuts de la colonisation, mais des années 1880, époque où l'on assista, en Algérie, à l'arrivée massive de viticulteurs métropolitains chassés par les destructions du phylloxéra. Cette fièvre vinicole gagna ultérieurement les deux protectorats français voisins, la Tunisie et le Maroc.

L'Algérie

Grâce à l'action des colons, souvent originaires des régions viticoles (Alsace, Languedoc, Bourgogne...), le vin a constitué pendant près d'un siècle l'une des grandes richesses de l'Algérie. Véritable réservoir de la France, celle-ci produisait essentiellement des vins de table ordinaires ou des vins de coupage destinés à « remonter » les vins français trop faibles en alcool ; en marge de cette production de masse s'était néanmoins développée une gamme de vins plus fins, récoltés dans des secteurs privilégiés, et dont certains accédèrent même au label V.D.Q.S.

Depuis l'indépendance (1962), les surfaces plantées et le volume produit ont régulièrement décru, même si la production actuelle reste confortable : environ 2 millions d'hectolitres par an. Les 180 000 hectares de vigne sont cultivés par de petits exploitants familiaux ou par des fermes collectives, un organisme d'État se chargeant de l'assistance technique et de la commercialisation du vin (exporté pour une bonne partie vers l'Union soviétique et la France).

L'Algérie possède 2 grandes zones viticoles, l'Oranie et l'Algérois, complantées en cépages principalement méditerranéens : cinsault, cari-

Vignes algériennes près de Sidi Rached, dans la Mitidja. Depuis l'indépendance du pays, le recul du vignoble a été considérable.

gnan, grenache, alicante bouschet pour les rouges ; ugni blanc et clairette pour les vins blancs (rares mais assez fins). Les plus connus sont ceux de l'arrière-pays oranais, récoltés en altitude : rouges puissants et alcooleux de *Mascara*, fermes et corsés de *Tlemcen* (près de la frontière marocaine). Au sud-ouest d'Alger, les régions déjà montagneuses de Médéa et Miliana, aux excellents sols argilo-calcaires, sont propices à l'élaboration de vins fruités et aromatiques. Les coteaux qui bordent la plaine de la Mitidja (Sahel d'Alger, Dahra) sont également producteurs de vins chauds et généreux. Malgré une bonne matière première, les vinifications ne sont pas toujours à la hauteur et donnent hélas des vins irréguliers.

La Tunisie

Là aussi, l'empreinte française est forte, même si des influences italiennes s'y sont mêlées. En témoignent les crus de *Thibar* et de *Mornag*, qui jouissent encore d'une certaine réputation. Néanmoins, le gros de la production tunisienne est de qualité très courante. Le vignoble occupe surtout la plaine littorale du Nord, entre Tunis et le cap Bon : rouges et rosés tout au plus honnêtes, bons vins doux de muscat. Production globale en baisse (environ 700 000 hectolitres par an), malgré le débouché touristique et une consommation intérieure en augmentation.

Le Maroc

Après une période de forte croissance, le vignoble marocain se trouve confronté, comme ses homologues maghrébins, à une crise de débouchés. Surfaces productives en nette diminution : 45 000 hectares aujourd'hui. Le meilleur secteur est situé dans la région de Meknès : on y produit des vins fruités et assez légers, dont le plus connu est le « gris de Boulaouane », un rosé pâle et désaltérant. Les techniques sont bien maîtrisées et les produits d'honnête facture.

L'Afrique du Sud

La tradition viticole sud-africaine remonte à fort loin, puisque les premières vignes du Cap furent plantées au milieu du XVIIe siècle par les colons hollandais. Ces derniers reçurent, vers la fin du même siècle, le renfort des nombreux protestants français expatriés, qui apportèrent leur savoir-faire vinicole ainsi que leurs plants bourguignons et girondins. Le vin muscaté de *Groot Constantia* a joui d'une extraordinaire renommée au XIXe siècle, notamment auprès des Anglais (qui s'étaient rendus maîtres du Cap en 1806). Le phylloxéra, conjugué aux effets du protectionnisme britannique, anéantit quasiment le vignoble sud-africain, qui ne renaquit qu'au lendemain de la Première Guerre mondiale.

Cette terre australe bénéficie d'un climat de type méditerranéen, particulièrement favorable à la vigne. Le vignoble occupe principalement la zone littorale près du Cap, notamment autour de Paarl, Malmesburry, Stellenbosch, Durbanville, terrains granito-sablonneux issus de l'érosion de la chaîne côtière. Un autre secteur s'étend dans la région intérieure du Klein Karoo, aux sols schisto-gréseux. Avec un volume annuel d'environ 9 millions d'hectolitres (pour 100 000 hectares), la production sud-africaine est très diversifiée. L'encépagement consacre la quasi-exclusivité des plants français : cabernet-sauvignon, merlot, cinsault (curieusement baptisé *hermitage*), syrah en rouge, auxquels s'ajoute le *pinotage*, croisement local du pinot noir et du cinsault ; chenin, clairette, sémillon, riesling en blanc. Les vins de marque, prédominants, font néanmoins la part belle aux assemblages de plusieurs cépages.

Les vins blancs sont largement majoritaires (environ 75 p. 100) : vinifiés selon des techniques ultra-modernes, ils offrent une fraîcheur et une netteté qui font leur principal attrait. Les rouges se complaisent encore souvent, avec un caractère trop généreux et trop lourd, dans des pastiches de leurs homologues français. Surtout récoltés dans le Klein Karoo, les vins doux de muscat perpétuent une vieille tradition sud-africaine, de même que les façons locales de « xérès » ou de « porto », assez réussies d'ailleurs.

Très réglementariste, le pays de l'apartheid s'est doté en 1972 d'une législation sur les dénominations d'origine, mise au point par le puissant K.W.V. (*Kooperatieve Wijnbouwers Vereniging*, Association coopérative des Vignerons). On trouve désormais, sur les étiquettes des meilleurs vins, les indications d'origine, de cépage, de millésime. La mention *Estate wine*, encore rare, s'applique aux vins mis en bouteilles au domaine.

Australie

Avec 3 à 4 millions d'hectolitres par an, l'Australie est le quatrième producteur de vin de l'hémisphère Sud. La tradition vinicole du pays naquit au début du XIXe siècle, grâce aux colons britanniques qui effectuèrent les premières plantations dans la région de Sydney. Le vin australien — et particulièrement le *sherry*, dont la

Viticulture sud-africaine : vendangeur noir et vendange blanche dans une exploitation près du Cap.

Pastiche à l'australienne : un « château » au milieu de ses vignes dans la Barossa Valley, un vignoble où l'empreinte allemande est marquée.

colonie anglaise s'était fait une spécialité — arrosa régulièrement la Grande-Bretagne, même après l'indépendance du pays (1901).

Aujourd'hui, le vignoble australien occupe essentiellement le sud-est de la grande île, à la latitude la plus propice à la culture de la vigne, ainsi qu'un secteur plus restreint à la pointe sud-ouest, dans la région de Perth. L'encépagement est plutôt classique : syrah *(shiraz)*, cabernet-sauvignon, pinot noir en rouge ; sémillon (dénommé localement *riesling*) et chardonnay en blanc. Ce qui n'empêche pas les vins australiens de développer un caractère et des arômes tout à fait spécifiques.

Le sud-est australien recouvre plusieurs zones de production, à la réputation plus ou moins grande. A mentionner particulièrement :

- *Hunter Valley,* au nord de Sydney, le vignoble des pionniers, qui produit des rouges de shiraz et d'excellents blancs de *Hunter riesling*, gagnant à vieillir ;

- *Corowa-Rutherglen* et *Glenrowan-Milawa*, entre Canberra et Melbourne, avec notamment des rouges chauds et corsés ;

- *Coonawarra-Padthaway,* entre Melbourne et Adélaïde, une région où les rouges de cabernet-sauvignon et les blancs de sémillon atteignent une réelle finesse ;

- *Barossa Valley,* près d'Adélaïde, vignoble de tradition allemande, principalement axé sur les blancs, secs ou doux, et les vins vinés.

Le secteur occidental comprend les vignobles de *Margaret River* et *Swan Valley*, avec un éventail de vins assez ouvert. La production australienne est surtout aux mains de grandes firmes, équipées de façon très moderne. Les vins de l'année, disponibles dès notre printemps en raison de l'époque inversée des vendanges, se taillent un certain succès dans les pays de l'hémisphère Nord.

La **Nouvelle-Zélande** voisine, dont la production est en constant essor (plus de 500 000 hectolitres par an), est en train de se

Inspection de la maturité des raisins dans la Clare Valley, en Australie méridionale.

construire une authentique vocation vineuse, avec un vignoble surtout complanté de cépages français et allemands, et des vins qui ne cessent de s'améliorer.

Proche-Orient

Berceau antique de la vigne, le Proche-Orient conserve une tradition vinicole plus ou moins vive, selon l'emprise de la civilisation musulmane et les vicissitudes d'un présent parfois extrêmement troublé (au Liban, par exemple).

Chypre

Vignoble implanté au Moyen Age par l'ordre des Templiers, comme le rappelle la *commandaria*, un excellent vin liquoreux que produit toujours cette île. Le vignoble cypriote est actuellement le plus gros producteur du Proche-Orient, avec un volume annuel frisant le million d'hectolitres. Traditionnellement écoulés par le port de Limassol, où est concentré le négoce, ses vins sont principalement des vins doux, fortifiés à l'alcool. A signaler néanmoins, une production de vins secs, blancs ou rouges, aux noms évocateurs : *Aphrodite*, *Arsinoé*, *Othello*...

Israël

La terre des Hébreux, comme le souligne abondamment la Bible, a toujours porté le fruit de la vigne. La civilisation du vin prospéra jusqu'au Xe siècle, époque à laquelle l'Islam conquérant la détruisit, pour longtemps. La renaissance n'eut lieu qu'à la fin du XIXe siècle, quand un groupe de colons juifs implanta le vignoble de *Rishonle-Zion* (au sud de Jaffa), encouragé et financé par Edmond de Rothschild, puis celui de *Zichron-Jacob*, en Samarie. Ces deux vignobles restent aujourd'hui les deux principales zones productrices, même si la vigne a conquis depuis d'autres régions désertiques, grâce aux kibboutz. Production moyenne : environ 300 000 hectolitres par an. Encépagement de type méridional (grenache, alicante, carignan, clairette...), avec une progression des plants fins (cabernet-sauvignon, sémillon). Vins blancs, rouges et rosés de qualité honorable, et production correcte de vins vinés.

Turquie

La vigne fut très florissante dans l'ancienne Anatolie et sur les côtes égéennes, mais, comme pour Israël, l'islamisation du pays fut fatale à la viticulture locale. Celle-ci ne reprit vraiment qu'après l'avènement de la République turque (1923). Si la production de raisin frais reste majoritaire, celle du vin est loin d'être négligeable : 400 000 hectolitres par an. Les vins, qui proviennent d'un encépagement éclectique (à la fois indigène et importé), sont dans l'ensemble d'un niveau honnête. Parmi les meilleurs vins turcs : l'*izmir*, blanc sec léger et rafraîchissant, le *buzbag*, rouge charpenté et de bonne garde, le *doluca*, rouge généreux et aromatique.

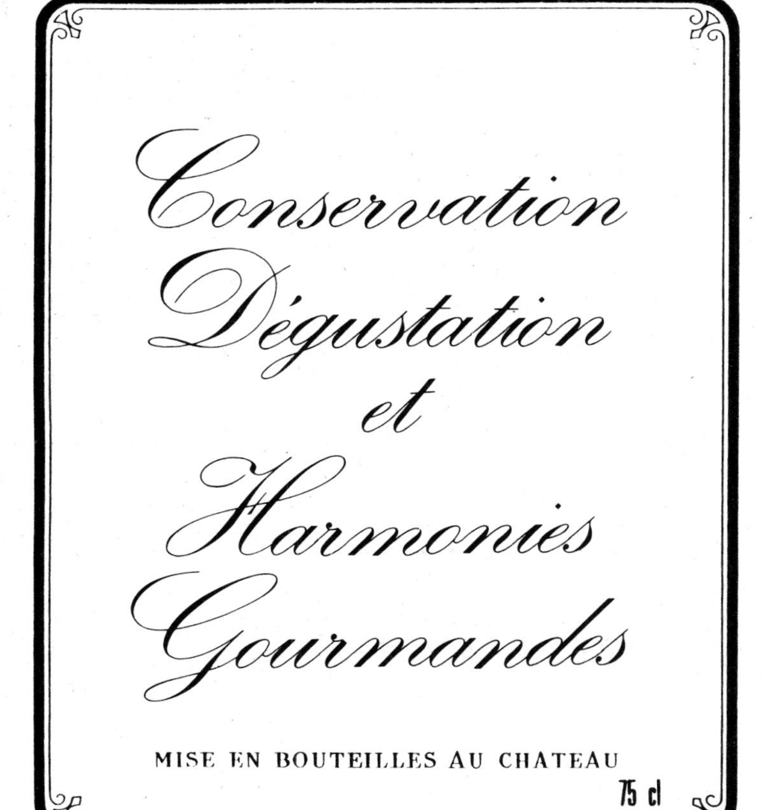
Conservation
Dégustation
et
Harmonies
Gourmandes
MISE EN BOUTEILLES AU CHATEAU
75 cl

Conserver

La condition première des plaisirs futurs de la dégustation réside dans le lent mûrissement du vin, si possible dans un environnement favorable. Garde et vieillissement du vin passent nécessairement par la cave, séjour obligé de toute bonne bouteille, sanctuaire privilégié pour l'amateur. Si celle-ci lui fait défaut — préjudice majeur —, l'œnophile pourra se rabattre sur quelques solutions se substitution, moins gratifiantes pour son imaginaire du vin mais cependant efficaces.

Avoir une bonne cave

Pour répondre à sa fonction — la conservation et l'amélioration de vos vins —, votre cave doit impérativement remplir certaines conditions.

Isolation

Enterrée ou demi-enterrée, la cave sera pourvue de murs suffisamment épais pour atténuer les variations thermiques et hygrométriques, qu'ils soient en pierre, en brique ou en béton. Ceux-ci doivent également préserver le vin des nuisances extérieures, notamment sonores et vibratoires. Le sol, en revanche, sera de préférence en terre battue, dont la perméabilité permet des échanges réguliers. Une dalle de ciment ne condamne pas pour autant votre cave à devenir un lieu sinistré.

Température

C'est l'un des éléments indispensables à la bonne évolution du vin. Dans l'idéal, celle-ci se situera aux alentours de 12 °C, de façon constante. Dans la pratique, une telle température reste rarement fixe et votre cave subira des variations saisonnières bien naturelles ; l'important est que ces dernières soient lentes et d'amplitude limitée. Pourvu que les changements thermiques ne soient pas trop brusques, votre cave peut sans dommage avoisiner les 6 °C au cœur de l'hiver pour remonter jusqu'à 18 °C en plein été : le vin n'en souffrira guère.

Pour remplir idéalement sa fonction, la cave à vin doit notamment disposer d'une aération suffisante et ne pas subir des variations thermiques trop brutales. Elle vous le rendra au centuple...

Si la température moyenne est basse, le vin sera lent d'évolution ; si, au contraire, elle est plutôt élevée, il vieillira prématurément. Attention, donc, aux tuyaux de chauffage passant à proximité de vos casiers à bouteilles : il faut absolument les isoler avec de la laine de verre ou autre matériau synthétique. Les variations de température pourront être contrôlées à l'aide d'un thermomètre à minimum-maximum.

Aération

Sous peine de moisissure dévastatrice des étiquettes et des bouchons, sous peine également d'une ambiance étouffante et malsaine, votre cave doit être convenablement aérée. Dans l'absolu, et selon les meilleurs principes de la ventilation, elle possédera une ouverture basse orientée au nord et une ouverture haute orientée au sud. Si tel n'est pas son cas, rassurez-vous cependant : un seul soupirail (si possible non exposé en plein midi) suffira, avec l'inévitable filet d'air que distille la porte d'entrée de la cave, à assurer une aération correcte.

Humidité

Le taux d'hygrométrie d'une bonne cave doit se situer à environ 70 p. 100. Néanmoins, à tout choisir, mieux vaut un surcroît d'humidité (jusqu'à 95 p. 100, quitte à retrouver vos étiquettes décollées) qu'une trop grande sécheresse. Celle-ci se révèle en effet redoutable pour le vin : en obligeant le liège du bouchon à puiser son humidité dans le vin plutôt que dans l'air insuffisamment hydraté de la cave, elle favorise le développement du « creux » (volume d'air compris entre liquide et bouchon) et par conséquent accélère l'oxydation du vin.

Néanmoins, si l'humidité est excessive, on la combat partiellement en répandant sur le sol une couche de gravier, ou de mâchefer. Au contraire, si la sécheresse de la cave menace l'avenir de vos bouteilles, une couche de sable de rivière régulièrement arrosée, surtout en période estivale, peut être un bon palliatif.

Obscurité

La théorie veut qu'elle soit totale, et elle doit l'être, car le vin trop longuement exposé à la lumière subit une dégradation progressive de certains de ses éléments. Cela étant, inutile d'occulter le léger rai lumineux pouvant filtrer d'un soupirail ou de vous contraindre à des « descentes » à la bougie. Un éclairage léger, par l'intermédiaire d'une installation électrique courante, vous permettra des visites régulières, s'il ne reste pas allumé en permanence.

Propreté

Là encore, c'est une condition primordiale à la bonne santé de vos vins. Contrairement aux idées reçues, une cave — nid à poussière ou foyer de moisissure — n'est pas particulièrement recommandée pour vos chères bouteilles, notamment à cause des risques infectieux. De même, le vin est très sensible aux odeurs étrangères : n'entreposez donc dans votre cave ni légumes ou fruits frais, ni fromages, ni peintures, ni mazout ou produits chimiques... qui pourraient dénaturer à terme les arômes délicats du vin. Avant l'installation de la cave, si celle-ci n'est pas très nette, badigeonnez les murs au lait de chaux (passez à l'antirouille les éventuelles parties métalliques).

Calme

La proximité d'une voie ferrée, d'une route très passante ou d'un chantier prolongé peut à la longue troubler le vin, qui aime le calme et déteste enregistrer des secousses continuelles. Cette opinion est néanmoins à reconsidérer quelque peu avec les vins d'aujourd'hui, dont la stabilité — due aux différents traitements subis en cours d'élevage — les prémunit grandement contre ces perturbations. Cependant, si les trépidations sont vraiment répétées, vous avez la ressource de caler vos casiers à bouteilles avec des tampons en caoutchouc (type « silent block »).

Rangement et livre de cave

Pour ranger vos bouteilles, plusieurs solutions s'offrent à vous. Solutions minimalistes : coucher vos bouteilles à même le sol — mais gare à la détérioration des étiquettes ! — ou les laisser dans leurs caisses d'origine, à condition que celles-ci soient en bois (le carton, lui, ne tarderait pas à pourrir). Solution plus raisonnable et plus pratique : les loger dans des casiers. Ceux-ci sont en matériaux divers : métal, plastique, lave volcanique... Les casiers métalliques sont sans doute les moins onéreux et les plus adaptés au stockage ; ils se prêtent en outre à de nombreuses combinaisons de rangement.

Si vous possédez un lot très important de bouteilles, vous pouvez encore vous construire — ou vous faire construire — des casiers en bois, en brique ou en béton, ou encore jumelant deux matériaux (montants en béton ou en brique, étagères en bois). Cette solution, qui permet une répartition par compartiments en fonction de votre stock, offre surtout l'avantage de loger le maximum de bouteilles dans un espace somme toute réduit.

Un rangement rigoureux n'est pas pensable sans son complément naturel : le livre de cave. Quelle que soit sa forme — simple cahier ou luxueux registre —, il vous permettra de consigner précisément chaque entrée de vin et d'avoir en permanence un état complet de votre cave. Le système le plus simple est de le remplir au fur et à mesure de vos achats, par ordre chronologique — encore qu'un classement plus sophistiqué, par exemple par types de vins ou par régions, soit également envisageable. Lors de chaque acquisition, vous mentionnerez soigneusement :

- le nom du vin (domaine, clos, château...) ;
- le millésime ;
- l'appellation ;

Comme pour ces magnums, le rangement des bouteilles près du sol assurera une bonne hydratation des bouchons.

- le nom (l'adresse) du producteur ;
- la date et le lieu d'achat ;
- le prix unitaire (bouteille ou caisse) ;
- la quantité achetée.

Cette dernière rubrique peut, éventuellement, être mise à jour après chaque prélèvement, vous permettant ainsi de faire à tout moment un inventaire de l'ensemble de vos bouteilles. Enfin, vous n'oublierez pas de réserver un espace, pour chaque vin, à vos commentaires et notes de dégustation.

Quelques solutions de rechange

Si vous résidez dans un logement moderne (appartement ou maison individuelle) et que votre cave soit inexistante ou impropre à la conservation du vin, il vous reste deux ou trois recours, pour ne pas être définitivement frustré et condamné aux achats ponctuels.

La première solution — mais uniquement réservée aux possesseurs de pavillons ou de logements de plain-pied — est de vous faire installer, creusée à même le sol de la maison, une cave modulaire. Celle-ci est constituée d'éléments de béton préfabriqués et s'emboîtant les uns dans les autres, l'ensemble étant enveloppé dans une gaine de caoutchouc et doté d'un système d'aération. Vous pouvez encore la monter vous-même, car elle est également livrée en kit. Sa capacité va de 800 à 2 000 bouteilles. Si le procédé est efficace, il représente néanmoins un investissement important.

Autre solution, moins onéreuse à l'achat mais permettant un moindre stockage (jusqu'à 250 bouteilles) : la cave artificielle d'appartement. Ces armoires réfrigérées reproduisent toutes les conditions d'une véritable cave : température constante à 12 °C, aération, humidité régulée, obscurité, absence de vibrations... Certains modèles vont jusqu'à présenter des températures modulées, en fonction des vins et de leur dégustation.

En dehors de ces succédanés de caves, quelques possibilités s'offrent encore à vous. En vrac : loger vos bouteilles dans un recoin frais et sombre de votre appartement — mais pour quelques mois seulement —, vous faire prêter un coin de la cave d'un ami ou d'un parent, louer un emplacement de cave chez l'un des rares professionnels qui pratiquent ce type de location...

Servir

A la fois rituel et ensemble de prescriptions utiles, le service des vins non seulement ne tolère aucune négligence, mais doit être assuré avec un luxe de soins. Loin d'être formel ou superflu, il est, bien au contraire, le meilleur garant des plaisirs intenses que l'on peut retirer d'une dégustation réussie.

Remontée de la cave

Le moment adéquat pour remonter une bouteille de la cave est lié directement à la température de service, problème abordé plus loin. Si votre cave est fraîche — ce qui est souhaitable —, le délai sera bien sûr à moduler en fonction du vin remonté : à faire chambrer, à servir à température de cave ou à faire rafraîchir. Quoi qu'il en soit, un vin demande toujours à être remonté délicatement, sans manipulation brutale. Il sera amené en douceur de la position horizontale à la position verticale.

A ce sujet, un vin d'un certain âge et présentant du dépôt doit être remonté plusieurs heures — mieux, une journée — à l'avance, être entreposé debout dans un endroit tempéré et tranquille, afin que les particules, inévitablement mises en suspension par cette opération, aient le temps de se redéposer lentement au fond de la bouteille.

L'usage du panier ne s'impose vraiment que pour les très vieux vins à fort dépôt, qu'il faudra donc décanter : on les déposera dans le panier en les maintenant bien sûr quasi horizontaux et en leur infligeant le moins de secousses possible. L'opération, là aussi, exige d'être menée la veille au service.

Le seau à glace : il est encore le meilleur outil de rafraîchissement, car le plus efficace et le moins traumatisant pour le vin.

Chambrage et rafraîchissement

Le « chambrage » — terme qui signifiait naguère mettre à température de la chambre, c'est-à-dire à une température souvent basse, compte tenu de l'absence fréquente de chauffage — consiste à placer, quelques heures avant le service, la bouteille, débouchée ou non, dans la pièce de dégustation. Étant donné la température moyenne des habitations contemporaines, cela revient à dire que la bouteille séjourne un temps aux environs de 19 °C. Cette pratique, dans les faits, ne doit concerner que les vins de haut niveau et de bonne maturité (Bordeaux, Bourgogne, grands Côtes du Rhône...).

A l'autre extrémité du thermomètre, le rafraîchissement d'un vin doit s'effectuer à l'aide d'un seau à glace, quinze à vingt minutes avant le service, au sortir de la cave. C'est de loin la meilleure solution, car elle évite au vin d'être « cassé » par un séjour prolongé au froid, tout en étant efficace et rapide. On peut encore avoir recours au réfrigérateur, mais en écartant, bien sûr, l'utilisation du freezer et en veillant bien à ce que le vin y séjourne juste le temps suffisant à son abaissement de température.

Il est enfin à noter que de nombreux vins — certains blancs, les rouges légers ou primeur — tolèrent parfaitement d'être dégustés à la température de la cave, donc sortis au dernier moment.

Le débouchage

L'ouverture de la bouteille, surtout si celle-ci a longuement séjourné en cave, doit être effectuée précautionneusement. Coupez d'abord, avec une lame, la capsule suffisamment bas pour que le vin, au versement, n'entre pas en contact avec le métal, puis essuyez soigneusement l'extérieur et le dessus du goulot. Enfoncez ensuite le tire-bouchon : veillez à bien planter la vrille au milieu du bouchon, ne forcez pas trop le geste au départ (risques de cassure ou d'enfoncement du bouchon), évitez que la pointe de la vrille ne touche la surface du vin. Le bouchon étant extrait, essuyez enfin, avec un linge propre, l'intérieur du goulot, pour éliminer impuretés et poussières de liège. Une éventuelle « odeur de bouchon » se décèle simplement en portant au nez la face inférieure du bouchon.

De très nombreux modèles de tire-bouchons sont disponibles sur le marché, depuis le simple couteau de sommelier jusqu'au tout récent « screwpull », en passant par les multiples dérivés à levier ou à double molette, sans oublier le traditionnel tire-bouchon à lames des cavistes. Quel que soit celui que vous élirez, un tire-bouchon doit impérativement présenter les deux caractéristiques suivantes : d'abord posséder une vrille à large spirale (pour avoir prise sur le bouchon) et à bords ronds (pour éviter d'arracher le liège), puis pouvoir être actionné sans effort (grand bras de levier, vis sans fin...) afin de retirer délicatement les bouchons neufs comme les vieux bouchons fragilisés par l'âge.

Aération et décantation

Les jeunes vins rouges, surtout s'ils sont tanniques et encore refermés, gagnent à être ouverts une ou deux heures avant leur dégustation : la légère oxydation qu'ils subissent les « fouette » quelque peu et leur permet de s'offrir avec plus de rondeur et d'amabilité. De même, l'oxygénation préalable s'impose pour les vins mis récemment en bouteilles, notamment pour les blancs secs de demi-primeur : elle chasse partiellement l'odeur d'anhydride sulfureux, courante à ce stade. Quant aux vins rouges de garde, parvenus à un âge honorable, ils gagnent plus ou moins à l'aération : si certains sont ainsi stimulés et s'ouvrent lentement, d'autres, en revanche, s'éteignent rapidement et perdent trop vite leur

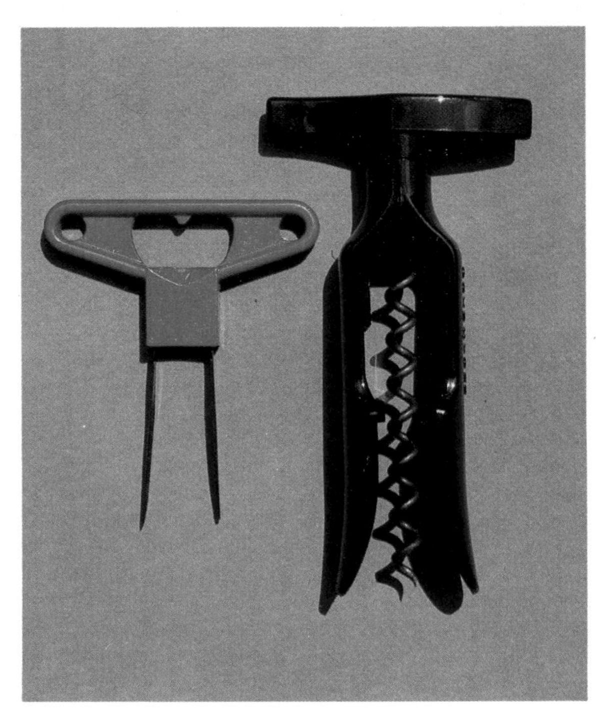

Deux modèles de tire-bouchons, parfaits pour l'ouverture des vieilles bouteilles : à lames (à gauche) et de type « screwpull » (à droite).

charme aromatique. A noter que les Bourgogne, tout en bouquet, tolèrent moins bien l'oxygénation que les Bordeaux, plus charpentés, et demandent souvent à être ouverts au dernier moment.

Reste le problème particulier de la décantation. Cette délicate opération ne concerne que les vieux vins qui ont accumulé un important dépôt. Pour ce faire, on aura pris soin de remonter la bouteille de la cave en position couchée, dans un panier.

Allumez une bougie et préparez une carafe, de cristal ou de verre, parfaitement rincée et sèche. Saisissez de la main droite la bouteille, maintenue horizontale, et, à la lumière de la bougie, transvasez très doucement son contenu dans la carafe, en faisant glisser lentement le vin le long de ses parois. Dès que des particules de dépôt apparaissent à l'entrée du goulot, stoppez aussitôt l'opération, de manière à préserver la totale limpidité du vin déjà versé.

La décantation demande une grande sûreté de jugement, car certains vins, trop vieux ou trop fragiles, ne résistent pas à cette oxydation forcée.

Température de service

Il s'agit là de l'une des données fondamentales du service des vins. Justement dosée, la température est essentielle à l'expression optimale du vin et à sa mise en valeur. A l'inverse, une contre-température peut, irrémédiablement, gâcher une dégustation, en tout cas ne pas satisfaire le légitime désir de l'amateur.

Malgré mille nuances, il est quelques règles de service qu'il est bon de respecter, selon la couleur et la nature des vins, pour tirer le maximum de plaisir de leur dégustation. Ne pas oublier que le passage du vin, de la bouteille dans le verre, augmente rapidement sa température d'un à deux degrés.

Vins rouges

Les vins rouges légers — toutes régions confondues — réclament d'être bus relativement frais (12 à 14 °C). A fortiori, les vins de primeur — type Beaujolais nouveau — peuvent être

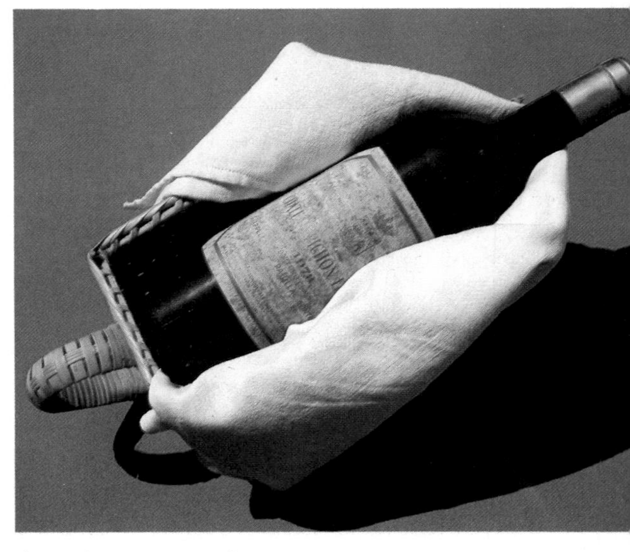

Le panier à vin est en lui-même un excellent instrument de décantation, pourvu que le service soit délicatement effectué.

consommés à une température inférieure (9 à 12 °C), en gros celle d'une cave bien tempérée. Les vins rouges puissants, mais jeunes, doivent être servis aux environs de 15-16 °C, les Bourgogne et les grands vins du Rhône tolérant un léger surcroît de fraîcheur par rapport aux Bordeaux. Ces mêmes vins, vieux, pourront être bus à 18 °C, les Bordeaux vénérables supportant une pointe jusqu'à 20 °C.

Vins blancs

Les vins blancs secs, quand ils sont sans prétention, se boivent aux environs de 8 °C, de même que les vins effervescents, y compris le Champagne. Les vins de meilleur niveau (vins de Loire, Chablis, vins d'Alsace, Graves blancs...) pourront être servis jusqu'à 10-11 °C, tandis que les crus de grande origine, gras et complexes (type Montrachet, Meursault ou Condrieu), accepteront d'aller jusqu'à 12-13 °C.

Les vins moelleux, de leur côté, demandent à être bus très frais (6-8 °C), tandis que les vins liquoreux ne rechigneront pas à descendre aux alentours de 5 °C, température qui contrebalance leur caractère glycériné et alcoolique. A l'inverse, le vin jaune est le seul vin blanc à tolérer le « chambrage » (environ 16 °C).

Le verre I.N.A.O., de par sa forme ovoïde et élancée, est le plus fidèle serviteur de la dégustation analytique.

Vins rosés

Comme les blancs secs, les vins rosés se boivent à très fraîche température (7-9 °C). Les rosés fins et aromatiques (type Marsannay ou Tavel) peuvent cependant être consommés jusqu'à 11 °C.

Des verres adaptés

Dernier maillon de la chaîne avant le contact charnel avec le vin, le verre mérite également d'être choisi judicieusement. A proscrire, d'emblée, les verres sans pied, les verres à angles vifs, les verres colorés, les verres lourdement gravés, les verres biseautés, les verres au pied en forme de personnage, etc. Si certains constituent de remarquables objets de vitrine, ils n'en sont pas moins totalement inadaptés à leur fonction première : la dégustation.

Pour celle-ci, élisez de préférence le verre « tulipe », d'un usage particulièrement répandu en Bordelais. Parfaitement translucide — qu'il soit en cristal, en cristallin ou en verre blanc —, il possède un calice ovale dont la forme rappelle la corolle de ladite fleur, lui-même juché sur une longue tige lisse, qui permet de saisir le verre et de faire aisément tournoyer le vin pour l'oxygéner. La partie supérieure du calice est rétrécie, de façon à emprisonner plus durablement des arômes souvent fugaces. Ce type de verre se prête admirablement à tous les vins, sans exception aucune.

Pour la dégustation pure, il existe un verre normalisé A.F.N.O.R., homologué par l'I.N.A.O. ; sa forme répond judicieusement aux exigences du goûteur, notamment en matière de décryptage aromatique.

Vous avez encore le loisir de boire les divers vins de France dans leurs verres d'origine, quand ceux-ci existent : verre large et pansu de Bourgogne, verre d'Alsace à petit ballon perché sur une tige filiforme, flûte à Champagne finement élancée (et bien préférable à la coupe), etc. L'authenticité du contenant renforcera peut-être celle du contenu.

A noter, pour terminer, que le verre ne doit jamais être rempli au-delà de la moitié de son volume, pour permettre une dégustation fine du vin.

Déguster

La dégustation est souvent évoquée comme un acte rituel où le goûteur maîtrise ses sensations tout en éveillant ses sens.

On peut même parler d'un « art gustatif », tant l'approche et la découverte d'un grand vin sont semblables à celles d'une œuvre d'art. Alors que la vue est le seul sens sollicité pour aborder un tableau ou une sculpture, et que l'ouïe suffit à découvrir et apprécier une œuvre musicale, la dégustation du vin exige, elle, l'usage de plusieurs sens : la vue, l'odorat et le goût.

Importance de la dégustation

Strictement appliquée au vin, la dégustation nous permet — à l'image d'une partition musicale — de déchiffrer les messages, les sensations gustatives qu'il nous livre. Elle ne doit pas seulement correspondre à un plaisir physiologique, mais encore à un effort de concentration, de mémoire, de compétence.

La salle de dégustation de l'Université du vin, au château de Suze-la-Rousse. Son style ultra-fonctionnel contraste avec le décor baroque de l'ancienne chapelle du château.

Pour le vinificateur, la « dégustation » marque en outre l'ultime moment où il va estimer la qualité de son vin et, par suite, orienter le prix de ses bouteilles.

Dans ce cas, la dégustation reste déterminante. Si les analyses chimiques, pratiquées tout au long de l'élaboration des vins, peuvent éviter des erreurs, elles ne peuvent, en aucun cas, rendre compte de la qualité gustative d'un vin. Rien ne peut remplacer les émotions instantanées que procurent la bouche et le nez. La dégustation est donc bien la première garantie pour le propriétaire du vin.

Trois sens requis

Concrètement, nous avons besoin de trois sens. Le premier concerne les sensations visuelles. Celles-ci nous renseignent sur l'aspect du vin. On percevra notamment certains caractères comme la couleur, la fluidité, l'effervescence.

Le deuxième sens utile est l'odorat. Il déchiffrera l'odeur du vin, ses arômes, son bouquet.

Le troisième — certainement le plus complexe — se rapporte au goût, lorsque le vin est en bouche. A ce moment, plusieurs stimulations sensorielles agissent. Ce sont, d'abord, les saveurs ou le *goût* proprement dit, qui s'appliquent essentiellement aux sensations gustatives perçues par la bouche (muqueuses) et la langue.

Quant aux « arômes de bouche », ils sont perçus par le nez, une fois le vin avalé. En effet, le nez communique beaucoup plus d'impressions que la langue. Pour preuve, il est reconnu que, si l'on goûte un vin les narines pincées, les sensations par la langue ne suffiront pas forcément à différencier le vin d'un autre liquide. Cette action du nez, par voie « rétronasale », a donc toute son importance.

La bouche émet certaines sensations tactiles et thermiques : c'est ce que l'on nomme aussi le « toucher ». Les récepteurs tactiles et thermiques jouent un rôle important, pouvant créer des sensations déplaisantes : irritation, douleur par agression thermique.

L'ensemble des sensations perçues par le nez et la bouche porte un nom assez poétique : la « flaveur ».

L'œil

Le prélude à la dégustation commence par l'apparence visuelle du vin. Celle-ci contient quelques données non négligeables, qu'un dégustateur se doit de décoder en premier lieu. Tout d'abord, il s'arrêtera quelques instants sur l'aspect physique du vin. Si son apparence est trouble ou terne, il est certain que, pendant la vinification, le vin aura subi quelques « ratés ».

La couleur doit être nette et franche : on dit qu'elle est le « visage » du vin. Comme chez un individu, on peut lire son âge, son caractère, en le regardant minutieusement.

La couleur proprement dite n'indique pas forcément la qualité. Elle est, d'ailleurs, dépendante de la source lumineuse, qui doit être neutre pour restituer les véritables nuances du vin.

Il est ainsi regrettable de trouver, dans certains restaurants, des éclairages soit colorés, soit trop faibles qui tronquent la coloration naturelle du vin.

En général, plus la lumière rend translucide le vin, plus celui-ci sera léger, d'une charpente simple et court en bouche. A l'inverse, si la couleur est profonde, le vin sera plus corsé, plus riche en tannins et demandera un vieillissement en règle.

Des évolutions de couleur se produisent avec l'âge ; on parlera alors de « teinte ». Au cours des années, les couleurs vives vont s'atténuer, pour se « teinter » de diverses façons : les vins rouges, par exemple, seront « tuilés » ou « briquetés ». Ce phénomène est dû à la coloration des tannins et à la disparition des anthocyanes. La teinte d'un vin est plutôt révélatrice de son âge que de sa qualité.

A la dégustation, le rôle de la vision est donc capital, non seulement parce qu'elle nous renseigne sur l'état du vin, mais aussi parce qu'elle nous influence.

Bon nombre de dégustations « à l'aveugle » donnent des écarts de jugement par rapport aux dégustations libres. Une couleur provoque en effet un mécanisme de plaisir et d'imagination : on interprète déjà la prise en bouche.

Au contraire, sans repère visuel, le dégustateur devra essentiellement faire appel à sa mémoire, à sa connaissance du sujet. Il ne subit aucune influence émotionnelle due à l'aspect du vin.

Le nez

Comme l'odorat de nombreux mammifères, celui de l'espèce humaine est très aiguisé et n'a guère à leur envier. Des expériences ont prouvé que la sensibilité olfactive, chez l'homme, est dix mille fois plus importante que sa perception gustative. Cela peut s'expliquer par le nombre réduit des saveurs (classées seulement en quatre groupes), alors que les substances possédant une odeur se comptent par milliers.

Le classement des odeurs n'est donc pas chose facile. Appliquées aux vins, elles sont généralement regroupées en dix catégories : florales, fruitées, végétales, épicées, boisées, chimiques, balsamiques, animales, éthérées, empyreumatiques. Les arômes et le bouquet recèlent toutes ces odeurs dégagées par le vin.

L'*arôme* d'un vin désigne avant tout les odeurs perçues dans un vin jeune. Celles-ci proviennent des arômes des cépages et des arômes de fermentation. Quand le vin se bonifie avec l'âge, ces arômes se fondent pour laisser place à ce que l'on nomme le *bouquet*. Celui-ci apparaît plus nettement dans les vins de grand caractère (crus de Bourgogne et de Bordeaux, Chinon, etc.) que dans un Beaujolais primeur ou dans des vins blancs à consommer jeunes. On dira des seconds qu'ils sont « pleins en arômes ». En revanche, on pourra dire d'un grand Bordeaux d'âge avancé qu'il « bouquette ».

La bouche

Il est admis que les goûts de base comportent quatre catégories : le sucré, l'acide, le salé et l'amer. S'il existe un nombre de saveurs illimité, elles pourront néanmoins être toujours attachées à ces quatre goûts élémentaires.

La langue va nous permettre de décoder ces saveurs. Elle est en effet beaucoup plus sensible que la bouche, qui perçoit surtout les excitations tactiles et thermiques.

Les trois phases essentielles de la dégustation. Le vin est miré dans la lumière, puis le nez capte ses arômes. Enfin le verre est porté à la bouche, pour l'analyse gustative.

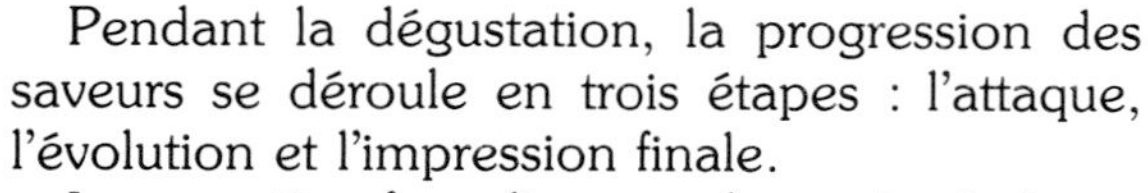

Pendant la dégustation, la progression des saveurs se déroule en trois étapes : l'attaque, l'évolution et l'impression finale.

La première fera discerner les goûts à dominante sucrée. Puis, après diminution de ceux-ci, apparaissent les goûts acides. Enfin, pendant l'impression finale, la dominance des goûts acides s'efface lentement au profit des goûts amers.

Cette progression est due à l'anatomie de la langue qui perçoit les quatre goûts fondamentaux en des endroits différents. Le sucré est perçu sur le bout de la langue, uniquement. L'acidité excite les côtés, de même que les saveurs salées. Quant aux papilles sensibles à l'amertume, elles sont situées à l'arrière de la langue. Les arrière-goûts ne se développent que pendant l'impression finale.

En général, les deux goûts les plus sensibles chez l'être humain sont le sucré et l'acide. Aussi l'harmonie de la structure du vin dépend-elle essentiellement de leur équilibre.

Pratique de la dégustation

L'une des méthodes les plus usitées consiste à donner au verre un mouvement rotatif qui augmente le contact à l'air et favorise ainsi l'évaporation des arômes.

Pour cela, un verre trop plein n'est pas recommandé. Au-delà de 10 centilitres, les sensations olfactives perçues ne varient que pour s'atténuer, dans la mesure où le nez, trop en dehors du verre, respire trop d'air extérieur.

Ce phénomène explique l'importance des verres à vin et de leur forme. Un verre trop évasé n'est pas recommandé. Un verre à dégustation se doit d'être légèrement resserré en haut (forme « tulipe »). En règle générale, à chaque type de vin doit correspondre un verre particulier (flûte pour le Champagne, etc.).

La respiration doit se faire lentement et calmement. Cela demande une concentration générale. Respirer trop longtemps ne sert à rien ; quelques inspirations de deux à cinq secondes suffisent largement. Sentir trop vite ou trop longtemps n'a jamais rien apporté.

Après avoir senti le vin, le dégustateur effectue la première gustation. Cette opération minutieuse comporte plusieurs étapes, qui impliquent la connaissance de quelques principes.

Tout d'abord, le vin ne doit pas être absorbé en bouche comme on le fait pour simplement boire. Il faut au contraire, une fois le verre incliné, aspirer lentement le vin en exerçant une légère pression d'air, aidé en cela par les lèvres et les joues.

La quantité de vin mis dans la bouche doit être faible : à peu près 1 centilitre. Il est déconseillé d'en déguster un plus grand volume. Les raisons en sont simples : tout d'abord, trop de vin en bouche entraîne une déglutition trop rapide pour que le vin ait le temps de se réchauffer. Ensuite, si la dégustation concerne une dizaine de bouteilles, il va de soi qu'il se produira une lassitude éthylique bien compréhensible. Le dégustateur doit donc goûter de petites quantités de vin, toujours constantes, pour que son jugement soit le plus rigoureux possible.

Une fois la prise effectuée, on retient le vin dans la chambre naturelle que forme la bouche et l'on pratique un mouvement de va-et-vient, à l'aide de la langue. Les mâchoires sont alors légèrement mobiles, ce qui donne l'impression que le dégustateur est en train de mâcher.

En général, deux ou trois déglutitions suffisent. Elles seront espacées chacune de deux à quinze secondes, selon la nature du vin. En effet, les vins à fort caractère tannique demandent une gustation plus longue, pour que les saveurs puissent se développer. En revanche, si l'on s'intéresse seulement à l'attaque du vin en bouche, trois ou quatre secondes sont bien suffisantes.

Les premières impressions, lors d'une dégustation sérieuse, sont souvent les plus instructives et les plus justes. La bouche doit être avinée en permanence. Son lavage à l'eau peut en effet masquer certaines impressions antérieures et en modifier la sensibilité.

Harmoniser vins et mets

S'il est un domaine où devrait régner la plus totale liberté, c'est bien celui-là : l'accord des vins et des plats. Parce qu'il tend par essence au pur plaisir des convives, il semble mal s'accommoder des contraintes, des obligations et des canons en tout genre. Néanmoins, chacun a pu expérimenter des alliances précises et ressentir intimement les harmonies secrètes qui lient certains vins à certains mets. Ces mariages, aussi heureux que mystérieux, naissent en fait de complémentarités qu'on peut parfaitement déchiffrer. Ainsi, comme on déguste un vin et le soumet à une analyse sensorielle, on peut scrupuleusement recenser les caractères organoleptiques d'un plat : un rapprochement judicieux des résultats de chaque examen permettra alors de réaliser un accord exemplaire entre ce plat et son compagnon liquide.

Si la licence doit demeurer, vous veillerez simplement à respecter certaines règles purement organiques, celles que vous imposent sans contestation possible vos sens. Mais, rassurez-vous, le champ des associations entre vins et mets s'ouvre... sur l'infini.

Le choc des saveurs

Récepteurs privilégiés, les papilles de la langue vous permettent de percevoir quatre saveurs élémentaires : le salé, le sucré, l'acide et l'amer. La bouche réagit également à la température du vin et, par sensibilité tactile, à l'astringence (tannins), à la viscosité (alcool, glycérol), à l'effervescence éventuelle (gaz carbonique). Combinées aux saveurs fondamentales, ces sensations participent à une « émotion » gustative complexe, qu'il s'agit d'anticiper au maximum avant de décider du mariage d'un vin avec un mets.

Sachez aussi que les saveurs de base influent entre elles et que le choix d'un vin sur un plat doit tenir compte des interactions suivantes :

— le salé augmente les sensations d'acidité et d'amertume ;

— le sucré atténue les trois autres saveurs élémentaires ;
— l'acide renforce la sensation sucrée ;
— l'amer diminue la sensation d'acidité.

Les règles incontournables

Dans l'ordonnance d'un repas et son accompagnement vineux, vous devez — quel que soit le nombre de vins servis — observer successions et progressions, qui ne sont pas dictées par le « bon goût » mais tout simplement par le « goût juste » des choses. Sous réserve de quelques dérogations, voici les principales de ces règles :
- les vins blancs viennent avant les vins rouges (une exception pour les vins de dessert) ;
- le vin rafraîchi précède le vin chambré ;
- on va du vin le plus sec au vin le plus moelleux. Une exception de taille, cependant : les blancs liquoreux servis sur le foie gras en début de repas précèdent généralement des rouges secs ;
- on va du vin le plus léger au vin le plus corsé : il s'agit là d'une règle intangible ;
- les vins jeunes se servent généralement avant les vins vieux. Là encore peuvent intervenir des exceptions : un blanc sec ancien servi sur un poisson précédera un rouge d'un millésime plus récent, ou bien un vieux vin rouge servi sur une préparation délicate sera suivi d'un rouge plus jeune et plus vigoureux sur le fromage ;
- le niveau du vin doit correspondre à peu près à la finesse du plat qu'il accompagne. Ainsi, pas de « vin de pays » sur des ris de veau aux morilles, ou de grand Margaux sur un pot-au-feu.

Cet ensemble de règles peut se résumer dans le postulat suivant : le vin que vous buvez ne doit pas vous faire regretter le vin que vous venez de boire, non parce qu'il lui est forcément supérieur mais parce qu'il est en situation idéale, c'est-à-dire à l'unisson parfait du mets qu'il escorte.

Le régionalisme

Une constatation s'impose : la cuisine régionale s'accorde toujours avec les vins du vignoble local — si tant est que celui-ci existe. Intervient ici la notion de « terroir », au sens le plus large du terme, c'est-à-dire de communauté géographique et culturelle qui a progressivement conduit à une osmose entre chacun de ses éléments, et notamment de ses nourritures solides et liquides.

Vin blanc et saumon, un accord naturel et anciennement cultivé. Nature morte hollandaise, XVIIe-XVIIIe siècle (collection particulière).

Ainsi, proximité et harmonie naturelle jouant, certains plats ou produits appellent immanquablement des vins spécifiques. Difficile en effet d'imaginer meilleur accompagnement d'une choucroute alsacienne qu'un Sylvaner ou un petit Riesling ; d'une bouillabaisse qu'un Cassis ou un Côtes de Provence blanc ; d'un gigot d'agneau de Pauillac qu'un Médoc ou un cru communal ; de « creuses » de Bretagne qu'un Muscadet ou un Gros-Plant ; d'un foie gras landais qu'un Sauternes ou un Graves liquoreux ; d'un crottin de Chavignol qu'un Sancerre... La liste peut être longue de ces alliances régionalistes, qui sont rarement décevantes mais bornent trop le champ des harmonies gourmandes, en condamnant parfois à certains archétypes gastronomiques.

Transformez plutôt votre table en carrefour permanent des provinces françaises, et tentez, par des associations inédites, la rencontre fructueuse du génie vinicole national avec les trésors culinaires de l'Hexagone... ou d'ailleurs.

Le vin unique

La tendance actuelle est à la réduction du nombre des vins servis au cours du repas, par hygiène, par mode, ou tout simplement parce que les menus sont moins plantureux qu'autrefois. La moyenne tourne aujourd'hui, pour un déjeuner ou un dîner fin, autour de trois bouteilles : un blanc et deux rouges, sans compter le vin éventuellement servi en apéritif (Champagne, Porto, vin liquoreux...). Cette évolution nous condamne-t-elle à terme au vin unique ? Probablement non, car cela réduirait par trop les occasions de découverte et détruirait ainsi l'un des charmes essentiels de l'œnophilie.

Cependant, le service d'un seul vin tout au long du repas se pratique, mais assorti de nécessaires variations. Ainsi le repas tout au Champagne est-il un classique du genre, mais encore doit-on le moduler : vous choisirez, en fonction des plats, une cuvée légère (type « blanc de blancs ») ou un vin corsé (type « blanc de noirs » ou rosé), un sans année ou un millésimé, un non-dosé ou un demi-sec, etc.

Vous pouvez de même choisir un vin rouge, mais il faudra alors varier les millésimes selon les plats, ce qui suppose une solide connaissance du cru concerné et la composition d'un menu *ad hoc*. A ce sujet, si vous optez pour le blanc sec, votre repas devra être rigoureusement construit dans le ton : poissons ou fruits de mer, charcuteries, volailles ou viandes blanches, fromages de chèvre ou fromages de montagne... Si vous déclinez tout votre menu au blanc liquoreux, cela exige encore plus de doigté, car le champ des alliances entre vin et mets est singulièrement restreint : difficile d'échapper totalement au foie gras, à la volaille crémée, au roquefort...

Quelques caps difficiles

Certains moments du repas cristallisent particulièrement la difficulté d'harmonisation du vin et du mets. Ces écueils sont connus, mais moins la manière de les surmonter. Sachez donc résoudre les équations en apparence délicates.

Les huîtres

Ces délicieux coquillages posent problème, car leur caractère fortement salé et iodé, comme leur consistance grasse en certaine saison, appel-

Foie gras et Sauternes : une harmonie trop évidente pour qu'elle ne suscite pas son renouvellement éternel...

Règle d'or : les huîtres ne peuvent se passer du vin blanc. Gravure allemande, 1905 (bibliothèque des Arts décoratifs).

lent des qualités souvent contradictoires du vin d'accompagnement : faible acidité pour ne pas être trop exacerbée par le sel, fruité et caractère aromatique pour compenser l'iode, acidité relativement incisive si l'huître est grasse.

Malgré leurs différences de profil organoleptique, les vins « marins » — c'est-à-dire récoltés non loin du littoral, et notamment près des claires — réalisent avec les huîtres une union tout à fait heureuse : Gros-Plant du pays nantais, Entre-deux-Mers, Côtes de Blaye, Graves blanc, Clairette du Languedoc... Le Muscadet, quant à lui, semble vraiment imbattable, grâce à la conjonction de ses multiples vertus : soupçon de « perlant » (reliquat de CO_2) dû à son élevage sur lies, bouquet net et dégagé, fraîcheur en bouche, fruité ample, légère pointe iodée... tout concourt au mariage d'amour, pour peu qu'on évite citron et surtout vinaigre à l'échalote. Reste que des fiançailles réussies peuvent avoir lieu avec des vins plus « terriens » : Chablis, Mâcon-Villages, Pouilly-Fumé, Riesling, vins de Savoie...

Poissons de mer et crustacés

Là, l'enjeu se résume à une seule alternative : blanc ou rouge ? Sur ce point, soyons sans appel. Proscrivez les vins rouges ! Contenant des tannins, substances amères, ceux-ci font forcément mauvais ménage avec ces nourritures marines, où le sel est un élément naturel prédominant. Et puis il serait dommage de vous priver de l'extraordinaire éventail des grands vins blancs de France, qui trouvent ici leur terrain d'entente le plus privilégié. Quoi de plus à sa place qu'un grand cru bourguignon (Chablis, Puligny-Montrachet, Corton blanc, Pouilly-Fuissé), ligérien (Vouvray, Savennières...), rhodanien (Condrieu, Hermitage...), alsacien (Riesling, Tokay) ou bordelais (Graves blanc) pour exalter un poisson en sauce ou de ces homards et langoustes qui exigent des préparations raffinées ? Il est des harmonies évidentes qu'il serait sacrilège de détruire.

Une seule exception à ce dogme : les rares recettes de poissons dans lesquelles entre du vin rouge, comme la classique matelote d'anguilles. On servira alors le vin utilisé pour la préparation.

Les charcuteries

Les charcuteries, surtout si elles sont grasses (terrines à base de porc, rillettes...), réclament des vins d'acidité assez forte pour faire pièce à ce caractère. Les vins blancs secs (et même demi-secs s'ils ont un bon support acide) sont ainsi les bienvenus : les vins de Loire font merveille sur les cochonailles (Sancerre, Touraine blanc de sauvignon, Vouvray, Montlouis, Saumur, Anjou-Coteaux de la Loire...). Si vous optez pour le rouge, choisissez pour la même raison des vins légers et assez mordants : Beaujolais-Villages, gamay de Touraine, vin de l'Orléanais, vin du Haut-Poitou... Les rosés, ces mal-aimés, ont ici parfaitement leur place, surtout les « gris », suffisamment incisifs pour compenser le « gras » de la charcuterie.

Les pâtes

Contrairement à une idée reçue, les pâtes — qui font l'objet de savoureuses préparations —

ne sont pas forcément au mieux de leur forme accompagnées d'un vin rouge. Elles aussi, en effet, ont besoin de vins d'acidité marquée pour contrebalancer leur consistance farineuse. Pour accompagner macaronis, raviolis ou lasagnes — qui, ne l'oublions pas, furent introduits à la cour de France dès le XVIe siècle, dans le sillage de Catherine de Médicis —, rien de tel que des blancs secs, méridionaux peut-être pour mieux coïncider avec ces régals d'origine péninsulaire : Côtes de Provence blanc, clairette du Languedoc, La Clape, Côtes du Rhône blanc, Picpoul de Pinet...

Les blancs simplets d'Alsace (Sylvaner, Klevner, Edelzwicker) conviennent également très bien, issus d'ailleurs d'une région où la fabrication de pâtes est une spécialité fort ancienne. Si vous convoquez les vins rouges ou rosés, la même remarque s'impose que précédemment : choisissez-les avec un caractère vif et tranchant, apporté par un bon taux d'acidité.

Le gibier

Qu'il soit à plume ou à poil, le gibier nécessite le plus souvent d'être escorté par un vin puissant et corsé. Si les petits volatiles — du genre caille, bécasse ou perdreau — tolèrent les Bourgogne aromatiques (Volnay, Chambolle-Musigny, Beaune, Mercurey...) ou les Bordeaux assez délicats (Margaux, certains Saint-Émilion et Pomerol), la venaison, le lièvre ou le faisan ne se satisfont que de rouges dominateurs ou très charpentés.

Ici conviennent les vins les plus virils de chaque vignoble, ce qui n'exclut pas un caractère fortement odorant pour tenir tête au fumet du gibier : Fixin et Gevrey-Chambertin en Côte de Nuits ; Aloxe-Corton et Pommard en Côte de Beaune ; Pauillac, Moulis et Saint-Estèphe en Médoc ; Canon-Fronsac en Libournais ; Côte-Rôtie, Cornas et Hermitage en Côtes du Rhône septentrionales ; Châteauneuf-du-Pape et Gigondas en Côtes du Rhône méridionales... Moins heureux est le mariage avec le vin qui est entré dans la confection du civet, lequel doit être un vin solide et tannique. Toutefois, un garenne en marinade avec un simple et robuste Minervois ou un Corbières peuvent réaliser un accord excellent.

Les fromages

Malgré une idée particulièrement tenace, les grands vins sont rarement mis en valeur par le fromage, les seules unions vraiment réussies concernant d'ailleurs les blancs. Les fromages dignes de ce nom ont une fâcheuse tendance à écraser de leur puissante saveur leur partenaire liquide, à en gommer radicalement la personnalité.

Si les pâtes cuites (type Comté) et pressées (type Saint-Nectaire) ainsi que les chèvres ne présentent pas de véritables difficultés d'accord, il n'en va pas de même avec les pâtes molles, à croûte fleurie (type Brie) ou lavée (type Pont-L'Évêque), ni avec les pâtes persillées (type Bleu des Causses).

Ces dernières ne dédaigneront pas l'accompagnement d'un vin chaud et corsé de la vallée du Rhône (Châteauneuf ou Côte-Rôtie), mais le

Vins blancs de Loire et fromages de chèvre tourangeaux : une alliance classique qui ajoute au mariage régional une délicieuse complémentarité de goûts.

Roquefort, fait au lait de brebis, fera le grand mariage avec un liquoreux (Sauternes, Monbazillac). Les pâtes à croûte sont encore plus difficiles à marier : on peut essayer les Bourgogne de la Côte chalonnaise, les crus du Beaujolais ou les petits Saint-Émilion sur les croûtes fleuries, mais il faudra réserver des vins plus mâles (genre Madiran, Cornas ou Bourgueil de côte) pour les croûtes lavées. Encore ces alliances sont-elles fort aléatoires, selon l'état d'affinage du fromage et le stade d'évolution du vin... Quant aux grands fromages « odorants » (du style Maroilles, Vieux Lille ou Livarot), ils ne supporteront que la confrontation avec un vin de personnalité imposante, dans le genre Château-Chalon ou Gewurztraminer.

D'une manière générale, évitez de réserver votre meilleure bouteille pour le fromage, et n'hésitez pas à conclure sur un rouge jeune et robuste, même derrière un rouge ancien et fragile. En revanche, les vins blancs s'abouchent très volontiers avec les fromages, surtout s'ils sont de même origine. Citons, parmi les classiques, le Gewurztraminer avec le Munster, le Sancerre avec le Chavignol, l'Arbois avec le Comté, l'Apremont avec la Tomme de Savoie, l'Aligoté avec l'Époisses...

Les desserts

Voilà encore un voisinage médiocre. Outre que l'habitude de boire du vin après le fromage s'est perdue, le sucre, dénominateur commun de tous les desserts, se prête mal à la valorisation des vins, de par sa tendance à tuer les autres saveurs fondamentales, en particulier l'acide et l'amer, très présents dans le vin.

Pour peu que le dessert ne comporte pas trop de chocolat ou de citron, vous aurez recours à des vins comportant eux-mêmes peu ou prou de sucre, les saveurs dominantes coïncidant et se neutralisant mutuellement : vins moelleux (Vouvray, Coteaux du Layon, Montravel, Jurançon...), Champagne demi-sec ou, pour des desserts au goût très affirmé, vins doux naturels du Midi.

Les « proscrits »

Certains mets et produits ont été décrétés, à plus ou moins juste titre, ennemis irréductibles du vin. Égrenons la liste de ces proscrits.

- *le potage :* avec raison, on ne servira pas de vin sur un consommé ou une soupe, car, outre des goûts difficiles à associer, la combinaison de deux éléments liquides est peu flatteuse au palais ;
- *la vinaigrette :* pour un motif évident (forte présence de l'acide acétique), les salades et plats en vinaigrette sont vivement déconseillés avec le vin. Si vous persistez, choisissez un petit vin blanc ultra-sec et assez neutre (type « vin de pays » de Charente ou du Jardin de la France) ;
- *les œufs :* eux aussi, ennemis souvent désignés, sont difficiles à amadouer, à l'exception des préparations à base de vin (œufs en meurette) ; il faut les escorter à la rigueur de rosés vifs et sans prétention (type Rosé de Loire ou « Listel » gris) ;
- *les asperges :* leur mauvaise réputation en la matière est assez curieuse, car elles réalisent de savoureuses épousailles avec certains blancs de Loire (Savennières) ou du Rhône (Hermitage), comme elles apprécient la compagnie des petits vins de leurs terroirs d'origine (gris meunier de l'Orléanais, muscat d'Alsace) ;
- *le chocolat :* déjà cité, il est en effet un redoutable partenaire du vin, de par la diabolique conjonction du sucre et du cacao. Une tendance se fait jour à accompagner les entremets ou gâteaux au chocolat avec des alcools bruns (Armagnac, Cognac). Sacrifiez à l'extrême rigueur un rouge assez capiteux (du type de certains Saint-Émilion).

Le Vin Pratique
MISE EN BOUTEILLES AU CHATEAU
75 cl

CHAMPAGNE
CHAMPAGNE
CHAMPAGNE
CHAMPAGNE

Le langage de l'étiquette

L'étiquette est un peu la « carte d'identité » du vin. Elle obéit en effet, dans sa présentation, à une réglementation stricte, qui vous garantit normalement l'authenticité du produit contenu dans la bouteille. C'est donc une source précieuse d'information. Elle ne doit pas susciter l'indifférence ou une lecture superficielle mais, au contraire, être consultée avec intérêt et minutie.

Les appellations d'origine

A la suite de la grande crise phylloxérique de la fin du siècle dernier et de la vague de fraude qu'elle entraîna, le monde viticole français ressentit le besoin d'un encadrement légal qui faisait défaut jusqu'alors. Il fallut néanmoins attendre la loi de mai 1919 pour voir apparaître et s'inscrire dans les textes la notion d'« appellation d'origine ». Cette loi marqua pourtant ses limites, en permettant d'autres pratiques frauduleuses.

A la suite du décret-loi du 30 juillet 1935, qui créait l'« appellation d'origine contrôlée » (et parallèlement l'I.N.A.O.), nos vins durent se plier à une réglementation beaucoup plus exigeante et sourcilleuse qui, au lendemain de la guerre, plaça résolument la France à la pointe de la législation viticole dans le monde. En 1949 apparaissait une nouvelle catégorie de vins, les V.D.Q.S. (vins délimités de qualité supérieure), de moindre prestige que les A.O.C. mais presque aussi sévèrement encadrés ; nombre d'entre eux ont d'ailleurs accédé aujourd'hui à l'appellation contrôlée.

Continuellement enrichi, cet arsenal législatif a été complété, après 1970, par une soumission progressive aux règles communautaires, l'harmonisation étant de rigueur entre les pays membres de la C.E.E. Aussi distingue-t-on actuellement — en vertu des dispositions européennes — deux grandes catégories de vins :
— les *vins de table*, qui rassemblent les « vins de table » proprement dits et les « vins de pays » ;
— les *V.Q.P.R.D. (vins de qualité produits dans des régions déterminées)*, qui regroupent en fait les A.O.C. et les V.D.Q.S.

Aux termes de la loi, les indications portées sur l'étiquette se divisent entre mentions obligatoires et mentions facultatives. Énumérons-les, en ne nous attachant qu'au cas des vins d'appellation d'origine.

Le caviste, un homme de métier et le meilleur conseiller de l'œnophile.

Les mentions obligatoires

Elles sont au nombre de quatre, dont l'une ne concerne que les vins exportés :

- **la dénomination du produit :** il s'agit du nom de l'appellation, suivi ou encadré par la mention « appellation contrôlée » ;
- **le volume nominal :** exprimé en centilitres, il désigne la quantité de vin contenue dans la bouteille (actuellement 75 cl pour une bouteille normale) ;
- **le nom** (ou la raison sociale) **et l'adresse de**

l'embouteilleur, généralement précédés de la mention « mis en bouteille par... » ;
• **l'indication du pays d'origine** (par exemple *Produce of France*), obligatoire uniquement pour les vins destinés à l'exportation.

A signaler que l'étiquette des V.D.Q.S. doit obligatoirement comporter la vignette officielle et numérotée qui concrétise leur label.

Les mentions facultatives

Elles sont fort nombreuses, et il est difficile d'en dresser la liste exhaustive. Contentons-nous de citer les plus courantes :
• la couleur du vin (en dehors des couleurs de base, celle-ci peut être indiquée de manière plus fine : *gris*, *blanc de blancs*, *clairet*...) ;
• le millésime, pourvu que le vin provienne exclusivement de l'année indiquée ;
• le titre alcoométrique : exprimé en pourcentage volumique *(% vol.)*, il n'est obligatoire que pour les vins de table sans indication d'origine, mais n'en dispense pas pour autant les vins d'appellation ;
• une marque commerciale, pourvu qu'elle ne prête pas à confusion avec une appellation proprement dite ;
• le nom de l'exploitation viticole (*château*..., *domaine*..., *mas*...) ou du lieu-dit de provenance (*clos*...) ;
• les mentions traditionnelles, entérinées par l'usage ou par un classement, officiel ou non (*premier cru*, *grand vin de Bordeaux*, *réserve*...) ;
• le mode d'élaboration du vin (*vin primeur*, *sélection de grains nobles*, *tiré sur lies*, *vin de paille*...) ;
• les mentions relatives à la mise en bouteilles (*mis en bouteilles à la propriété*, *mis en bouteilles dans la région de production*...) ;
• le nom et l'adresse d'une personne ayant participé au circuit commercial : par exemple ceux du vigneron dont le vin est sélectionné et embouteillé par un négociant ;
• la teneur en sucre résiduel du vin, grâce à des mentions convenues : *moelleux*, *demi-sec*, *sec*, *brut de brut*... ;
• le nom du cépage, pourvu que celui-ci entre exclusivement dans la composition du vin concerné ;
• les distinctions honorifiques décernées au vin (*médaille d'argent du Concours général agricole*...) ;
• les conseils dispensés au consommateur (*servir frais*...) ;
• le numéro de la bouteille, dans le cas d'un tirage limité.

Les métiers du vin

« L'heure n'est plus au velours du palais éclusé à la va-vite au coin d'un zinc. » Retenez la leçon des propos qui suivent... Et malheur à ceux qui continuent à produire de vulgaires 10-12° de table, des « gros rouges » ! L'avenir ne leur appartient plus.

Les « branchés » s'y sont mis : les consommateurs ont suivi. Le vin n'est plus un breuvage comme les autres : il est devenu signe social, phénomène de société, symbole d'un certain art de vivre. Le tout est d'être du mouvement. Pour s'initier, les cours de dégustation fleurissent aux quatre coins de l'Hexagone, capitale en tête, et les « bars à vin » constituent désormais autant d'étapes initiatiques qui permettent de ne pas « décrocher ». Mais si, il est du dernier chic de s'encanailler autour d'un Pacherenc ou d'un Quincy... Quant aux vacances, on ne les réussit pleinement que si un détour permet de sillonner ou de fouler quelques rangées de vignes. Cela, c'est pour notre côté terrien. Car tout cet engouement s'expliquerait mal si le vin n'était pas pour nous, pauvres Français souvent déracinés, un moyen de retrouver nos origines.

Ce nouveau culte collectif suppose des desservants, sans lesquels il ne pourrait être dignement célébré. C'est l'avis de ces derniers que nous avons recueilli.

Vigneron

Connaissez-vous quelqu'un qui surveille mieux sa vigne que sa femme ? Dans les sphères

Le vigneron dans sa vigne... Sans lui, accoucheur du raisin, le vin ne verrait jamais le jour.

du vin, on vous répondra sans l'ombre d'une hésitation : le vigneron ! De plus, cette espèce d'homme ne part jamais en vacances : qualité obligeant, sa vigne appelle une présence quasi quotidienne, quand ce n'est pas sa cave et son vin qui retiennent toute son attention.

Le métier est en pleine évolution : le vigneron, héritier de traditions ancestrales, port encore abrité des tempêtes, cache aujourd'hui le plus souvent un gestionnaire avisé, doté d'une sérieuse expérience du marketing.

Voici trois témoignages, que nous avons voulus complémentaires.

Le point de vue de Pierre Torrès, directeur de la station viti-vinicole du Roussillon

Bernard Gazé — *Attaché au Languedoc-Roussillon, comment avez-vous vu dans cette région évoluer le vigneron ?*

Pierre Torrès — *Dans le Midi, le vigneron actuel n'est plus celui d'il y a dix ou quinze ans en arrière.*

A l'époque, l'homme apportait son raisin aux caves coopératives, et c'était cette vendange qui lui était rétribuée. Une autre équipe vinifiait quand d'autres personnes, encore, vendaient le vin. Le travail du vigneron s'arrêtait à la vigne. D'ailleurs, on disait alors que le vigneron n'existait pas dans le Midi. On appelait ce travailleur un viticulteur, ou encore un cultivateur de la vigne. Précisons que, pendant longtemps, la politique du Midi a été de payer au kilo de vendange et au degré. Reconnaissez qu'il est difficile de s'intéresser dans ces conditions aux arômes, au « gras » du vin, aux millésimes, toutes qualités qui n'apparaissent pas dans le poids du raisin et le degré alcoolique.

Le vigneron en cave particulière n'était pas mieux loti que le coopérateur, dans la mesure où il ne gardait pas son vin, rapidement vendu au négoce pour des assemblages. A la limite, il mettait sur le marché un vin « de fort degré » ou bien coloré. Sa qualification s'arrêtait à des expressions assez simples.

A l'inverse, le vigneron d'aujourd'hui cultive sa vigne en fonction du vin qu'il veut obtenir. Quand, par exemple, il plante et élève du mourvèdre, un plant améliorateur dans le Midi, il ne pense plus seulement kilo de raisin mais vin, avec plus de tannins, séchant moins à la garde, bien marié au carignan et au grenache, les cépages traditionnels.

Les vignerons ont compris que, pour élaborer une viticulture présente sur les marchés, il faut penser débouchés, commercialisation, et bonne qualité.

B. G. — *Comment avez-vous participé à l'évolution des mentalités ?*

P. T. — *Par la formation, un maître mot. Et, dans le vin, la formation s'appuie sur la dégustation. Elle fait passer tous les messages. Le déclic a lieu brutalement le jour où le vigneron comprend, par sensibilités buccale et nasale, la différence entre deux vins et le pourquoi de cette différence. C'est le début de tout.*

B. G. — *Et la fin de tout, c'est de bien vendre. Le vigneron est désormais homme de marketing.*

P. T. — *Une fois le vin fait, et bien fait, il faut effectivement l'écouler, et donc aller au-devant du consommateur. Voilà une démarche que le viticulteur du Midi a dû apprendre. Bordelais, Champenois et Bourguignons, pour ne citer qu'eux, avaient depuis longtemps un bon contact avec le consommateur, alors qu'on ne s'arrêtait pas dans les caves du Midi, où le vigneron vendait « en vrac », ne faisait pas la bouteille et surtout ne savait pas parler de son vin. La convivialité doit se cultiver au même titre que la vigne.*

Le point de vue de Jean Boivert, vigneron médocain

Bernard Gazé *— Vous, Bordelais, si vous deviez distinguer le vigneron 1986 de ses aînés, comment le caractériseriez-vous ?*

Jean Boivert *— J'évoquerais l'importance des capitaux nécessaires au bon fonctionnement de l'exploitation.*

B. G. *— C'est d'ailleurs un phénomène général à l'agriculture qui voit l'exploitant traditionnel se commuer en chef d'entreprise.*

J. B. *— Dans les vignobles, cela se traduit par des hommes que l'on ne juge plus seulement aux pieds des ceps, mais dans les bureaux : en qualité d'administrateurs, de gestionnaires. Il est tout aussi important de savoir gérer que de savoir tailler.*

Dans les grands châteaux du Médoc, il y a d'ailleurs de moins en moins de vignerons en tant que tels. L'exploitation est structurée, avec un chef de culture, compétent dans les vignes et dans les chais, et des administrateurs, gestionnaires avisés, hommes d'affaires sinon de marketing.

B. G. *— Vous-même êtes ainsi organisé ?*

J. B. *— Non, je ne fais pas partie des très grands. J'essaie de passer encore aujourd'hui plus de temps dans mes vignes et dans mes chais qu'au bureau. C'est mon épouse qui effectue le travail administratif, fastidieux, certes, mais indispensable.*

B. G. *— Vos salariés sortent-ils d'écoles d'agriculture ?*

J. B. *— Les plus jeunes, oui. C'est une bonne chose car l'école les dégrossit avec ses cours désormais de plus en plus ouverts sur l'exploitation.*

B. G. *— Et vous-même, quelle formation avez-vous reçue ?*

J. B. *— École d'agriculture, bac, école d'œnologie. Cela dit, une formation de vigneron ne vous assure pas une exploitation. Comme je vous l'ai déjà dit, il faut de plus en plus de capitaux, et une exploitation s'acquiert rarement par autofinancement, surtout dans les grands vignobles.*

Le point de vue de Robert Plageoles, vigneron à Gaillac

Bernard Gazé *— Nous voyons la gestion et le marketing prendre de plus en plus de place chez les vignerons.*

Robert Plageoles *— Un drame est aujourd'hui en train de se nouer. Le vigneron, s'il n'y prend garde, peut devenir plus commercial qu'agriculteur, il n'a pas le temps de tout faire.*

Or, un grand capital confiance est attaché à cette profession et il serait navrant que le consommateur puisse un jour nous apostropher d'un terrible : « Mais, monsieur, où avez-vous vos vignes ? » Heureusement, le bon vigneron pourra toujours, en racontant son métier et en expliquant son vin à l'occasion de dégustations, persuader ses interlocuteurs de la qualité de ses produits... et donc vendre.

Le vigneron est aussi celui qui magnifie sa récolte par une vinification réussie. Car il ne suffit pas d'avoir une bonne peinture pour bien peindre. Les bonnes années ne donnent de grands millésimes qu'à partir de son travail. Son doigté est indispensable, car le vin ne pourra jamais se mettre en équation. C'est ce qui fait sa magie.

Personnellement, je vous dirai comment va évoluer la récolte de l'année en voyant couler le premier jus de pressoir. Je me suis rarement trompé. Je pense que tout vigneron digne de ce nom porte en lui une part d'irrationalité. Franchement, je crois que nous définissons notre vin en dix secondes, au moment des vendanges, quand nous prenons la décision de récolter telle vigne et pas telle autre. Voyez la terrible responsabilité ! Connaissez-vous d'autres métiers où il faille ainsi se remettre en cause tous les ans ?

Nombre de viticulteurs, également vinificateurs mais aussi commerçants, sont devenus des exploitants complets.

Œnologue

Pour certains vignerons, l'œnologue n'est pas de la famille. Nul talent, pas l'ombre d'un mérite n'est reconnu à cet analyste en blouse blanche, tout juste bon à décrypter dans ses appareils le degré en puissance et l'acidité du moût porté en cave. Et de vous jurer dans la foulée que jamais, au grand jamais, un vigneron digne de ce nom ne lui confierait un de ses vins — comprenez un de ses enfants...

La réalité viti-vinicole de ces trente dernières années est heureusement là pour rétablir une vérité que la passion du vigneron, vivant son vin avec trop d'affectivité, sinon d'affection, n'aide pas toujours à dégager. S'il faut encore traverser de mauvaises conditions climatiques, avec des cycles végétatifs plus ou moins tourmentés, il n'existe plus de millésimes médiocres, surtout dans les grandes régions vineuses. Et ce, grâce à qui ? aux œnologues, dont la science se peaufine sans cesse.

Le point de vue de Jean Mothe, président régional de l'Union française des œnologues

Bernard Gazé — *Cela ne vous fait-il pas mal d'entendre de telles attaques à l'endroit d'une profession que vous estimez tant ? Le vigneron vous reproche souvent de ne vivre le vin qu'au travers de vos éprouvettes. Vous manqueriez selon lui de poésie.*

Jean Mothe — *Mieux vaut en sourire. Quant à la poésie, vous savez, elle accompagne souvent — comme chez tout être humain — le verre de vin de l'amitié. Mais redevenons sérieux ! Au-delà de l'anecdote, personne ne peut contester notre compétence.*

Notre titre officiel d'œnologue, réservé aux titulaires du « diplôme national d'œnologue », a été créé par la loi n° 55-308 du 19 mars 1955. L'œnologue est un technicien hautement qualifié dont le titre et la profession sont protégés par la loi. Ce titre est conféré à la personne en raison de ses connaissances scientifiques et techniques, consacrées par un diplôme national délivré par certaines universités et écoles d'ingénieurs agricoles. Il faut, avant d'entreprendre cette formation, être titulaire d'un baccalauréat, d'un D.E.U.G. (délivré après deux années d'université). Ensuite, deux ans d'étude, un examen et un rapport de stage permettent d'entrer dans la profession.

L'Union française des œnologues, qui existe depuis 1959, avec ses 1 800 membres, veille à la qualité et au respect de notre métier, à travers ses statuts, son règlement intérieur et son code de déontologie.

B. G. — *Un viticulteur vous appelle, que pouvez-vous être amené à faire chez lui ?*

J. M. — *Eh bien, nous allons d'abord voir ensemble l'allure de ses terres, leur nature, les analyses à effectuer, leur emplacement, l'ensoleillement, les vents, la pluviosité, etc. Ensuite, nous nous intéressons aux cépages dans l'optique du caractère du vin qu'il veut produire et en fonction des obligations légales.*

Bien entendu, il n'est pas toujours besoin d'être œnologue pour faire ce type d'analyse. Quelqu'un qui a toujours vécu dans le vin capitalise une grande part d'acquis. Mais, en tant qu'œnologues, nous apportons conseils et explications techniques à des faits et gestes jusqu'alors perçus de façon un peu empirique.

B. G. — *En cave, maintenant, au moment des vinifications, par exemple, quel est votre apport ?*

J. M. — *Nous avons à suivre les fermentations, si elles marchent ou ne marchent pas ; les températures à continuellement réguler ; les acidités volatiles à suivre ; et bien d'autres points encore à surveiller : fins de fermentation alcoolique, aide à la fermentation malolactique...*

Des prélèvements ont lieu jour et nuit, analysés en laboratoire. Nous mélangeons des cuves pour activer les fermentations, nous en refroidissons d'autres pour les ralentir. Toutes ces opérations et analyses sont consignées.

Nous sommes, devant le vin, plus intelligents qu'avec l'homme. Savez-vous qu'il est soigné au préalable afin d'éviter des risques éventuels d'altération et de maladie ? Là encore, nous sommes présents pour effectuer les traitement légaux (physiques et œnologiques) nécessaires à sa bonne santé.

A côté de l'œnologue de terrain et de l'œnologue vinificateur — spécialités généralement réservées aux hommes —, notre profession est largement répandue dans les laboratoires officiels ou de négociants en vins. Tous ces laboratoires emploient aussi bien des femmes que des hommes. Notons que les femmes dégustent très bien, avec beaucoup de précision ; elles sont très sensibles aux goûts et aux odeurs.

De nombreux services administratifs emploient aussi des œnologues ; entre autres, la Direction générale de la Consommation et de la Répression des Fraudes, l'O.N.I. Vins, les Chambres d'agriculture, l'A.C.O.F.A. (organisme rattaché à la C.E.E.), l'I.N.A.O., la SOPEXA, etc.

B. G. — *Utilisez-vous la dégustation proprement dite ?*

J. M. — *Oui, bien entendu. Et à ce sujet je préciserai : une dégustation technique et très sérieuse, scientifique. Pour votre information, le premier Congrès mondial sur l'analyse sensorielle des vins s'est tenue à Barcelone en 1986.*

La dégustation est primordiale, l'analyse vient ensuite :

Homme de laboratoire, l'œnologue assiste techniquement le producteur, mais son influence ne cesse de grandir...

elle n'est qu'un complément indispensable, donnant l'état de santé du vin et beaucoup de résultats très utiles. Mais seule la dégustation permet de déceler les qualités gustatives : par exemple, un Château Margaux et un vin de 11°5 peuvent présenter la même analyse, mais vous n'en doutez pas, la dégustation sera bien différente...

B. G. — *Comment voyez-vous évoluer les vins en fonction des goûts des consommateurs ?*

J. M. — *Des améliorations très importantes ont été accomplies ces dernières années avec la collaboration des œnologues et de toute la profession. Tout ce travail a permis d'améliorer encore la qualité du produit. Le consommateur, en dehors de tous nos grands crus dont la réputation n'est plus à faire, affectionne aussi des vins agréables, frais, jeunes et plaisants, légèrement aromatiques, d'où la vogue toujours plus grande des vins de « primeur ». [...] Ces vins pleins de jeunesse, fruités, avec tous leurs arômes « primaires », sont, avant l'hiver qui arrive, comme une bouffée de printemps !*

Marchand de vins

Il connaît bien les vins qu'il propose ; il a souvent rencontré les vignerons qui les ont modelés ; il a plusieurs fois été leur invité. « Il », c'est le marchand de vins, celui dont la charge est de magnifier un produit que d'autres ont élaboré dans leurs chais. Au fait, dans leurs chais aussi, il a traîné ses guêtres. Lié aux vignerons et proche des consommateurs, c'est le dernier chaînon de la longue guirlande des amoureux du vin.

Le point de vue de Jean-Christophe Estève, caviste à Paris

Bernard Gazé — *Issu d'une famille de vignerons, négociants, tonneliers, vous voilà marchand de vins depuis sept ans maintenant.*

Jean-Christophe Estève — *Je me suis toujours occupé de vins, même au moment où j'exerçais un autre métier : j'étais professeur. Habitant Paris mais originaire du Bordelais, je faisais monter des bouteilles pour mes amis, puis les amis de mes amis, jusqu'au jour où plus de deux cents personnes achetèrent des vins par mon intermé-*

diaire. Des sommes énormes transitaient par mon compte personnel. Ce n'était plus tenable et j'ai sauté le pas, transformant cette activité purement amicale en exercice professionnel.

B. G. — *Vous adorez votre métier ?*

J.-C. E. — *Comment pourrait-il en être autrement ? Je ne suis pas seulement marchand de vins, je suis marchand de rêves, d'histoires, de racines, d'un terroir, et j'ai affaire à des gens heureux. Les viticulteurs, ancrés à leur propriété, souvent héritiers d'une longue tradition (les vignes ne changent pas souvent de famille), cultivent la générosité ; et mes clients viennent acheter tous ces non-dits. Le vin remonte à la plus haute antiquité. Il a toujours été l'ami de l'homme et véhiculé bien des plaisirs. Bien entendu, il peut s'acheter en grande surface, mais nous, marchands de vins, tendrons toujours à mieux le faire comprendre. Nous initions, dans toute la mesure du possible, nos clients à un certain art de vivre : celui du bien-boire. 200 viticulteurs, parmi les 200 000 en France, sont dans mes boutiques sélectionnés pour cette raison.*

B. G. — *Selon vous, qu'est-ce qu'un vigneron sérieux ?*

J.-C. E. — *D'abord quelqu'un de sérieux. Le vin ressemble à son père, toujours : un fantaisiste compose un vin de fantaisie, un affairiste un produit commercial. L'antithèse même de ce que je recherche.*

J'ai rencontré personnellement chez eux tous les vignerons pour lesquels je vends : je peux vous raconter leur intérieur, je les ai suivis dans les vignes, j'ai visité leur cave. Si les murs y sont repeints, le matériel propre, vous pouvez être tranquille. Le vin est à l'image des chais, il ne supporte pas le désordre.

B. G. — *Consacrez-vous beaucoup de temps à ces visites, à la découverte de nouveaux vignerons ?*

J.-C. E. — *Je goûte, je taste sans arrêt, tous les week-ends, les ponts de deux ou trois jours, une partie des vacances.*

B. G. — *Ce n'est plus un métier, mais un sacerdoce.*

J.-C. E. — *Je ne connais pas de gens qui réussissent dans leur profession sans y consacrer la totalité de leurs forces vives. Ma famille entière vit pleinement dans les vignes. Mes enfants, malgré leur jeune âge, sont d'ailleurs experts en odeurs : cela donnera d'excellents dégustateurs. Le nez est le fruit d'une éducation. On vit avec une douzaine d'odeurs alors que l'homme peut en apprendre facilement plus de trois cents.*

D'une manière générale, les Français ne connaissent pas bien leurs vins, pourtant parmi les plus beaux du monde. Ils n'entament que petit à petit l'approche de cette œuvre d'art qui peut se livrer à eux bien au-delà de leurs cinq sens. Comprenez-moi bien, quand on reconnaît un Sancerre blanc par exemple, on peut en même temps distinguer Sancerre, son terroir, voir se détacher son piton rocheux. Le vin est indissociable de sa région, des paysages qui l'ont vu naître, des vignerons qui l'ont confectionné. Nous gagnerions beaucoup à divulguer pour chaque vin son environnement — par diaporama ou film vidéo, par exemple. Voilà qui constituerait un complément moderne à la traditionnelle fiche descriptive et technique.

La formation d'œnologue

Le titre d'œnologue est réservé aux techniciens titulaires du diplôme national d'œnologue, délivré conjointement par le ministre de l'Éducation nationale et le ministre de l'Agriculture. Plusieurs centres d'enseignement œnologique préparent à ce diplôme :

Bordeaux
Institut d'œnologie de Bordeaux
351, cours de la Libération - 33405 Talence

Dijon
Faculté des Sciences, Laboratoire d'œnologie
Campus Mirande - 21000 Dijon

Montpellier
École nationale supérieure agronomique,
Chaire d'œnologie
Place Pierre-Viala - 34060 Montpellier cedex

Faculté de Pharmacie
Avenue Charles-Flahaut - 34060 Montpellier cedex

Reims
U.E.R. de Sciences
Rue des Crayères - 51000 Reims

Toulouse
Institut national polytechnique,
École nationale supérieure agronomique
145, avenue de Muret - 31076 Toulouse cedex

Sommelier

« Sire, mets et boissons je les ai tastés. Dégustez sans crainte d'empoisonnement. » Ainsi s'exprimait, quatre fois par jour que Dieu faisait, l'officier de somme, ancêtre de nos sommeliers, devant son seigneur et maître. La profession, en cette fin de XXe siècle, présente beaucoup moins de risques... Jean Frambourt nous raconte un métier pourtant un temps tombé en désuétude, mais aujourd'hui en plein regain.

Le point de vue de Jean Frambourt, président de l'Union des sommeliers de France

Bernard Gazé — *On a coutume de situer au début du siècle la « belle époque » de la sommellerie. Qui étaient les sommeliers d'alors ?*

Jean Frambourt — *Des cavistes, au départ. Il faut savoir qu'à l'époque, le vin était reçu dans les restaurants en fûts. On en tirait beaucoup, et le travail, je dirais souterrain, était important. Seuls les cavistes qui se détachaient par leur savoir, mais aussi par leur prestance et par leur élégance, une fois acquis le métier en cave, pouvaient espérer « monter en salle ». C'était vécu comme une promotion.*

Pour être plus précis encore, l'apprenti sommelier faisait, entre la cave et la salle, un stage en « cave de jour », un lieu qui sert d'intermédiaire entre la cave profonde et la salle ; les vins y sont stockés à la bonne température. Là, il préparait les commandes dans un seau, une carafe à décanter, un panier, etc. Il apprenait en même temps à servir les apéritifs et les cocktails.

B. G. — *Et aujourd'hui, comment devient-on sommelier ?*

J. F. — *Nos jeunes passent pour la plupart par des écoles hôtelières où ils acquièrent une formation de salle et des connaissances culinaires. C'est différent du cursus d'antan mais, à mon point de vue, excellent. Un C.A.P. de sommelier existait depuis 1955. Il vient d'être récemment réformé et la sommellerie devient aujourd'hui une spécialisation qui ne pourra être préparée qu'après un C.A.P. de restaurant. Nous travaillons aussi avec l'Éducation nationale pour mettre sur pied un brevet professionnel de sommelier.*

B. G. — *La profession est loin d'être désuète.*

F. B. — *Elle est au contraire en plein regain. Malgré la crise, nous sommes entrés dans l'ère des loisirs, du bien-être et du bien-vivre. Les consommateurs achètent*

Personnage fétiche de la maison Nicolas, le fameux Nectar fut créé en 1922 par le dessinateur Dransy. C'est le graphiste Loupot qui a réinterprété ici le sympathique livreur. Affiche en métal sur châssis de bois peint, 1932.

de moins en moins de gros rouges ; ils boivent mieux, recherchent pour leur repas quotidien chez eux des V.D.Q.S. ou de petites appellations. Je suis d'ailleurs heureux de voir le Languedoc-Roussillon, au prix d'efforts énormes, produire désormais d'excellents vins.

La région n'a pas toujours eu bonne réputation. Je profite d'ailleurs de cette évocation pour battre en brèche une idée fausse : le sommelier n'a pas pour objectif de vendre des vins chers. Je donne personnellement deux, quand ce n'est pas trois possibilités de choix au client, sur toute l'échelle des prix. En revanche, j'évite toujours le petit rosé, blanc ou rouge, qui va avec tout.

B. G. — *Le sommelier reste un « plus » attaché à une certaine classe d'établissements.*

J. F. — *On peut même dire d'établissements de luxe, bien qu'une ouverture actuelle se fasse en direction des bistrots à vins où pas mal de sommeliers travaillent.*

Cela dit, les grands restaurants ne sont pas fréquentés par les seules grosses fortunes. Je connais énormément de gens plus modestes pour qui c'est la fête de très bien manger deux ou trois fois par an. Nous n'avons pas le droit de décevoir à ces moments-là.

B. G. *— Avez-vous noté des évolutions dans le goût des gens ?*

J. F. *— La mode actuelle, dont on est obligés de tenir compte pour satisfaire nos clients, voudrait qu'on serve moins de blanc, cause de soi-disant maux de tête. Certains clients commandent du vin rouge avec les huîtres ou le poisson. J'ai personnellement essayé sans que ma conviction soit emportée, mais je ne refuse pas le mariage s'il est souhaité.*

Une autre tendance actuelle voit les gens moins mélanger qu'auparavant, où trois ou quatre vins par repas n'étaient pas rares. Il est vrai que l'on reste moins de temps à table.

Le sommelier, un partenaire dont le consommateur doit exiger beaucoup au restaurant. Enseigne d'une « winstub » à Bergheim.

Pour se préparer au métier de vigneron : quatre niveaux d'étude

- Le **C.A.P. agricole**. Option viti-vinicole : 3 ans de formation après la classe de cinquième.
- Le **B.E.P. agricole**. Option « vigne et vin » : 2 ans de formation après la classe de troisième.
- Le **brevet de technicien agricole**. Option viti-vinicole : 3 ans de formation après la classe de troisième.
- Le **B.T.S.** Option « viticulture-œnologie » ou option « élaboration et commercialisation des vins et spiritueux » : 2 ans de formation après le baccalauréat ou le brevet de technicien agricole.

Un certain nombre de lycées agricoles, situés dans les régions de production du vin, assurent ces formations.

Bordelais

Lycée agricole de Libourne-Montagne
33570 Montagne
Tél. 57.51.01.75.
(B.E.P. et B.T.S. Option élaboration et commercialisation des vins et spiritueux)

Lycée agricole de Bordeaux-Blanquefort
84, avenue du Général-de-Gaulle
33290 Blanquefort
Tél. 56.35.02.27.
(B.E.P. et B.T.S. Option viticulture-œnologie)

École de viticulture Chat-La Tour Blanche
33210 Langon
Tél. 56.63.61.55.
(B.E.P.)

Bourgogne

Lycée agricole de Beaune
16, avenue Jasselin
21200 Beaune
Tél. 80.22.34.77.
(C.A.P., B.E.P., B.T. et B.T.S. Option viticulture et œnologie)

Lycée agricole de Mâcon
71960 Pierreclos
Tél. 85.37.80.66.
(B.E.P. et B.T.S. Option élaboration et commercialisation des vins et spiritueux)

Beaujolais

E.N.P.A. de Belleville-sur-Saône
Saint-Jean d'Ardières

69220 Belleville
Tél. 74.66.45.97.
(B.E.P.)

Côtes du Rhône
Lycée agricole d'Avignon
Cantarel. Domaine petite Castelette
84140 Monfavet
Tél. 90.88.07.73.
(B.E.P. et B.T.A.)

Lycée agricole d'Orange
Route de Caberousse
84100 Orange
Tél. 90.34.07.67.
(C.A.P. et B.E.P.)

Lycée agricole de Nîmes
Rodilhan
30230 Boullargues
Tél. 66.20.20.33.
(B.E.P.)

Languedoc-Roussillon
Lycée d'enseignement professionnel agricole de Pézenas
4, allée G.-Montagne
34120 Pézenas
Tél. 67.98.10.56
(C.A.P. et B.E.P.)

Lycée agricole de Carcassonne
Route de Saint-Hilaire
11000 Carcassonne
Tél. 68.25.76.44.
(B.E.P. et B.T.A.)

Lycée agricole de Montpellier
Route de Mende
34000 Montpellier
Tél. 67.63.20.22.
(B.E.P., B.T.A. et B.T.S. Option viticulture et œnologie)

Centre de formation professionnelle agricole de Narbonne
3, rue Bonnel
11100 Narbonne
Tél. 68.32.16.48.
(B.E.P.)

Lycée d'enseignement professionnel agricole de Rivesaltes
4, rue Pasteur
66600 Rivesaltes
Tél. 68.64.08.41.
(B.E.P.)

Sud-Ouest
Centre de formation professionnelle agricole
52, place Jean-Moulin
81600 Gaillac
Tél. 63.57.01.06.
(B.E.P.)

Charente
Lycée agricole d'Angoulême
16400 La Couronne
Tél. 45.47.10.04.
(B.E.P. et B.T.A.)

Lycée d'enseignement professionnel agricole de Barbezieu
16300 Salles-de-Barbezieu
Tél. 45.78.03.17.
(B.E.P.)

Vallée de la Loire
Lycée d'enseignement professionnel d'Amboise
13, route de Bléré
37403 Amboise
Tél. 47.30.41.53.
(B.E.P.)

Lycée d'enseignement professionnel agricole de Montreuil Bellay
Route de Méron
49260 Montreuil-Bellay
Tél. 41.52.31.96.
(B.E.P.)

Centre de formation professionnelle agricole pour les jeunes de Cosne-sur-Loire
58200 Cosne-sur-Loire
Tél. 86.26.67.67.
(B.E.P.)

Champagne
Lycée agricole d'Avize
51190 Avize
Tél. 26.57.40.42.
(B.E.P. et B.T.S. Option viticulture-œnologie)

Jura
Lycée agricole de Lons-le-Saunier
Montmorot
39700 Lons-le-Saunier
Tél. 84.47.05.23.
(B.E.P.)

Alsace
Lycée agricole de Rouffach
68250 Rouffach
Tél. 89.49.60.77.
(B.E.P.)

Mettre votre vin en bouteilles : les 10 commandements

C'est une pratique largement répandue que de mettre soi-même son vin en bouteilles, s'agissant naturellement des vins de consommation courante ou de niveau modeste, les seuls d'ailleurs à tolérer ce genre de manipulation par l'amateur.

Si la livraison en fûts a quasiment disparu, en revanche, le développement des cubitainers et autres conditionnements modernes (dont le *bag in box* représente le dernier avatar) permet désormais de vous fournir directement chez le producteur, soit en lui passant commande de vrac, soit en vous approvisionnant sur place. Vous réalisez ainsi une réelle économie, à quoi vous ajoutez le plaisir d'une activité réjouissante, surtout si elle est pratiquée avec des amis.

Néanmoins, quelques règles simples sont à respecter impérativement, si vous ne souhaitez pas voir plus tard votre « bon petit vin pas cher » prendre, sans espoir, le chemin de l'évier ou du vinaigrier.

Voici donc, pour cette mise en bouteilles, les 10 commandements de base :

• ***Regroupez au maximum vos commandes,*** si vous vous faites livrer. La quantité, en effet, abaissera le prix moyen de la bouteille, en réduisant proportionnellement les frais de transport (le transporteur consent des tarifs dégressifs en fonction du poids). Passer commande à plusieurs personnes abaisse donc significativement ce poste, qui n'est pas négligeable.

Bouteilles propres, bouchons de liège et petite bouchonneuse à main : le matériel de base pour une mise d'amateur. A ne pratiquer qu'avec des vins modestes.

• ***Évitez les grands froids ou les fortes chaleurs,*** pour faire voyager votre vin. Le froid prolongé risque, en effet, de provoquer des précipitations tartriques, insolubles, tandis que la chaleur — plus dangereuse — peut abîmer irrémédiablement le vin. Les époques les plus recommandables pour le transport sont les périodes d'équinoxe de printemps et d'automne, qui sont aussi les moments les plus propices à la mise en bouteilles.

• ***Utilisez des bouteilles correspondant à l'origine du vin.*** En clair, pas de Bordeaux dans des bouteilles de Bourgogne ou vice versa, pas de vin de Provence dans des bouteilles d'Alsace... Non seulement vous perdriez ce complément d'authenticité qui fait la bonne mise, mais, surtout, votre imaginaire du vin risquerait d'être ensuite perturbé par ce glissement d'apparence.

• ***Lavez très soigneusement vos bouteilles.*** Vous récupérerez des verres vides, prélevés sur votre propre consommation, et serez très attentif à leur propreté, qui doit être irréprochable. Un nettoyage énergique à l'eau chaude (sans addition de détergent) doit suffire, mais toute bouteille présentant un dépôt rebelle devra être écartée. L'opération sera effectuée à l'aide d'un simple goupillon ou, pour une plus grande quantité, d'une machine à brosser-rincer ; pour le lavage, ajoutez au besoin à l'eau quelques gouttes d'acide borique. Après rinçage abondant, les bouteilles seront mises à égoutter, goulot en bas, sur un « hérisson » pendant au moins 24 heures.

• ***Choisissez de bons bouchons.*** Ceux-ci seront de liège pur (jamais d'aggloméré !) et de taille suffisante ; leur longueur et leur grosseur doivent être en rapport avec le délai de garde maximale que vous pensez imposer à vos bouteilles. Ne lésinez pas sur quelques centimes de plus à l'unité, car n'oubliez pas que le fameux « goût de bouchon » provient de bouchons de mauvaise qualité. Pour l'embouteillage proprement dit, faites-les tremper environ une demi-heure dans de l'eau tiède ayant préalablement bouilli.

• ***Utilisez un bouche-bouteilles adapté à vos besoins.*** De nombreux modèles vous sont proposés dans le commerce, depuis la petite bouchonneuse à main en alliage léger jusqu'à la machine à boucher automatique, à grand bras de levier et corps en bronze. Si la première suffit pour boucher, de temps à autre, deux ou trois dizaines de bouteilles, la seconde sera un investissement rentable si vous consommez quotidiennement du vin mis sous verre par vos soins.

• ***Effectuez sans tarder la mise,*** dès réception du cubitainer. Ce type de conditionnement ne constitue, en effet, qu'un logement transitoire pour le vin. Quelques jours de repos, à l'arrivée, seront sans dommage — mais pas plus. Si l'on veut respecter les règles de l'art, la mise en bouteilles doit s'effectuer par temps sec et petit vent du nord. Lorsque vous opérez par temps chaud, n'oubliez surtout pas d'installer votre chantier dans un local frais et aéré.

• ***Remplissez délicatement et bouchez aussitôt les bouteilles.*** L'air est l'ennemi du vin : il importe donc de diminuer au maximum les oxydations. Pour ce faire, remplissez chaque bouteille en faisant glisser le vin le long des parois et en évitant qu'il ne mousse par l'effet d'une chute trop brutale. Le remplissage doit s'effectuer de manière à laisser le plus petit volume d'air possible — ce qu'on appelle le « creux » — entre le liquide et la base du bouchon. Quant au bouchage, il faut l'opérer au fur et à mesure, sans attendre le remplissage de toutes les bouteilles. De même, faites la mise d'une seule traite, sans jamais laisser le cubitainer en vidange.

• ***Laissez vos bouteilles debout pendant une journée,*** après la mise. Cela assure le séchage complet des bouchons, encore imprégnés d'eau de macération, pour éviter d'éventuels faux goûts et permettre une parfaite adhérence du liège au goulot. Vous pouvez ensuite capsuler les bouteilles — ou les cacheter à la cire — et les étiqueter, si le producteur a joint le nécessaire.

• ***Faites reposer les bouteilles plusieurs semaines en cave,*** celles-ci étant naturelle-

La visite chez le caviste reste l'une des démarches les plus éprouvées pour l'achat de bouteilles à l'unité. De nombreuses petites caves, souvent intéressantes, peuplent les grandes villes.

ment couchées. Pendant un mois ou deux, le vin fera en effet ce qu'on appelle la « maladie de la bouteille », qui n'est autre qu'un trouble dû aux oxydations subies : même si sa qualité est excellente, sa dégustation sera sans agrément. Soyez donc patient pendant ce laps de temps.

Et maintenant, à votre santé !

Où acheter votre vin : le pour et le contre

Alors que, il y a seulement deux décennies, l'achat du vin se résumait encore à l'approvisionnement chez le « marchand de vins » ou à l'acquisition d'une pièce chez le producteur, le commerce de détail a, depuis, littéralement explosé et connu une diversification étonnante, qui emprunte même parfois des formes sophistiquées.

Parmi toutes les formules d'achat qui vous sont proposées, laquelle est la meilleure ou la plus éprouvée ? Aucune vraiment, car toutes offrent leurs avantages... et aussi leurs inconvénients. Passons donc en revue chacune d'entre elles, en pesant le « pour » et le « contre ».

Chez le propriétaire-récoltant

Pour : Le dialogue direct avec le véritable géniteur du vin, source irremplaçable d'informations, d'anecdotes et de rêve - La dégustation du produit convoité - Des prix avantageux, qui excluent en principe les frais de transport et d'intermédiaire - Le plaisir d'une balade dans le vignoble.

Contre : La dégustation trop « subjective » dans la cave, contexte extrêmement favorable à l'appréciation du vin - Une vinification parfois défectueuse chez le petit vigneron insuffisamment outillé - L'absence fréquente de millésimes antérieurs au dernier sorti - Une éventuelle disparité entre le vin goûté et la cuvée vendue en bouteilles - L'obligation « morale » d'achat après un accueil cordial.

Dans une coopérative

Pour : La possibilité d'achat en vrac - Le suivi des cuvées, compte tenu des gros volumes traités et du matériel moderne qu'imposent ceux-ci - Des prix compétitifs - Les facilités d'expédition.

Contre : Le plafonnement de la qualité, surtout au niveau de l'élevage, rançon des quantités vinifiées et des impératifs commerciaux.

Chez le caviste

Pour : L'assurance d'une conservation des vins dans d'excellentes conditions - Les conseils du professionnel - La possibilité de se procurer des millésimes anciens avec, parfois, de bonnes affaires à la clé.

Contre : Une tendance (commerce oblige !) à un certain manque de régularité et de cohérence dans les prix.

En grande surface

Pour : Des prix souvent intéressants, au niveau des petits vins mais aussi de grands crus - La possibilité d'un choix en toute tranquillité.

Contre : Les conditions exécrables de garde du vin (lumière, bruit, chaleur, bouteilles debout).

En entrepôt spécialisé

Pour : Un choix de vins souvent important - L'aspect pratique et rapide (parking attenant...) - Des « promotions » à prix intéressant.

Contre : L'obligation fréquente d'acheter par caisses ou cartons entiers - Le professionnalisme relatif de certains gérants.

A un club de vente par correspondance

Pour : Une sélection sérieuse mais sans surprise - L'information dispensée par le périodique du club.

Contre : Des prix assez élevés - Le manque absolu de recherche personnelle.

Aux enchères

Pour : L'ambiance ludique et fiévreuse des ventes - L'espoir de réaliser une belle affaire.

Contre : La nécessité d'une connaissance « pointue » des crus, de leur cote moyenne et de l'évolution des millésimes - Le risque d'acquérir des bouteilles « passées », car mal conservées - Le risque d'acheter, dans l'euphorie de la séance, des vins à un prix supérieur à leur cours du commerce.

Par commande en primeur

Il faut signaler que cette formule d'achat ne concerne quasiment que les grands châteaux de Bordeaux et n'est proposée, pour l'essentiel, que par le négoce.

Pour : Les bonnes affaires possibles, encore qu'il soit assez difficile de prévoir l'évolution du prix de ces vins souvent objets de spéculation - La patience qu'elle impose, vertu première de l'amateur de vin.

Contre : Les frais « annexes », pas toujours clairement annoncés au moment de l'offre en primeur.

Expositions, concours et foires aux vins

Pour l'amateur, comme pour le professionnel, ces manifestations ponctuent régulièrement l'année vineuse, dont elles constituent les rendez-vous les plus animés. Elles sont à la fois vitrine de la production nationale, lieu de rencontre entre le producteur et ses acheteurs, occasion de découverte pour les amateurs, prétexte à saine émulation entre les producteurs eux-mêmes, par le biais des concours.

Les manifestations nationales

Parmi celles-ci, deux se sont hissées au rang de véritables institutions, car leur sont associés des concours très recherchés par les producteurs, lesquels ne manquent pas, s'ils ont été primés, de mettre bien en évidence sur leurs bouteilles la médaille ou la distinction qu'ils ont reçue.

La première est le *Concours général agricole*, organisé dans le cadre du *Salon international de l'Agriculture*, qui se déroule chaque année, en mars, au Parc des Expositions de la Porte de Versailles. Les exposants y sont fort nombreux et le concours bénéficie d'un prestige incontesté, à tel point que s'est créé en lisière un *Carrefour des lauréats du Concours général agricole*, qui se tient annuellement en novembre (à bord d'une péniche amarrée sur la Seine, près de la Tour Eiffel) et rassemble des producteurs distingués.

La seconde est la *Foire nationale des Vins de France*, qui a lieu chaque année à Mâcon, au Parc des Expositions, dans la seconde quinzaine de mai. S'y déroule également un concours fameux, où les échantillons testés sont très abondants et les médailles... particulièrement généreuses.

A ce sujet, notons quand même que ces concours ont une valeur relative : les régions sont très inégalement représentées (forte préférence des Alsaciens pour Mâcon, des Bordelais pour Paris...), une multitude de vins sont absents,

Le Salon des vins de la Foire de Paris, rituelle festivité marchande se célébrant chaque printemps dans la capitale.

volontairement ou non, les échantillons ne sont pas toujours représentatifs...

Deux grandes manifestations annuelles se tiennent encore dans la capitale. Le *Salon des Vins* se déroule dans le cadre de la célèbre *Foire de Paris* (fin avril-début mai, à la Porte de Versailles). Lui aussi est assorti d'un palmarès, plus modeste cependant, mais il faut malheureusement signaler l'inflation qu'enregistrent trop souvent les tarifs des exposants à cette occasion. Depuis 1979 se tient, fin novembre-début décembre, le *Salon national des Caves particulières*, qui rassemble chaque année un nombre grandissant de vignerons indépendants et propose au visiteur de multiples échantillons d'excellente qualité.

Citons enfin l'imposant *VINEXPO*, manifestation d'envergure internationale qui a lieu tous les deux ans à Bordeaux (courant juin, au Parc des Expositions) et s'adresse principalement aux professionnels. Y sont présentés non seulement des vins de toutes origines, mais aussi tout ce qui touche à la technique en matière viti-vinicole. En marge se déroule le concours des vins du *Blayais-Bourgeais.*

Les foires régionales

De moindre taille et essentiellement axées sur les vins locaux, les foires régionales n'en sont pas moins de sympathiques retrouvailles annuelles et, pour le visiteur de passage, une occasion de découverte de crus parfois méconnus.

Inaugurée par la foire d'Ammershwihr (fin avril), qui est la première présentation des vins de la dernière récolte, l'année alsacienne a pour point d'orgue l'importante foire de Colmar (mi-août), qui est consacrée exclusivement aux vins d'Alsace et établit un palmarès annuel attribuant force médailles.

La Bourgogne, à côté de ses fêtes et ventes célèbres (se reporter au chapitre consacré à cette région), voit se dérouler chaque année, au début novembre, la Foire gastronomique et des vins de Dijon.

Lancée avec la fête Raclet, qui est la première « sortie » des vins nouveaux du Beaujolais et du Mâconnais, l'année beaujolaise est principalement centrée sur l'exposition-concours de Villefranche, qui a lieu au début décembre.

Les vins des Côtes du Rhône s'exhibent chaque année à la foire aux vins d'Orange (janvier), tandis que ceux de Champagne sont représentés aux foires-expositions de Troyes et de Reims (juin). Quant aux vins de Loire, leurs foires se déroulent en période hivernale (janvier-février), successivement au Mans puis à Tours.

Aux concours de vins et autres manifestations vineuses sont convoqués les nez les plus fins et les plus pointus...

Les mots du vin

Comme il existe différentes manières de déguster, il y a plusieurs façons de parler du vin : la terminologie du professionnel, le vocabulaire « littéraire », plus ou moins lyrique mais souvent imprécis, ou celui, généralement improvisé ou vague, de l'amateur occasionnel.

On en parle aussi différemment selon la circonstance ou son propre état d'esprit. Dans le glossaire ci-dessous, nous essayons de donner des définitions claires, précises et sans ambiguïté, en éliminant les termes trop techniques et d'autres, certes traditionnels mais difficilement évocateurs : il en va ainsi du « goût de poux », ces insectes figurant rarement sur nos tables, ou de l'expression « œil de perdrix » pour qualifier une nuance de couleur ; nous doutons fort que même ceux qui se livrent au plaisir de la chasse regardent souvent une perdrix dans les yeux !

Acerbe : vin qui irrite la bouche à la fois par un excès de tannins, d'où l'âpreté, et par un excès d'acidité, d'où la verdeur. Si l'acerbité est forte, on dit que le vin est « pinçant » et, si elle est très forte, qu'il est « mordant ». Dans le cas d'un vin rouge, on dit encore qu'il est « raide ».

Acide : élément constitutif de l'équilibre des vins et l'une des conditions de leur longévité, l'acidité est l'une des quatre saveurs du goût proprement dit. Un vin qui manque d'acidité est dit « mou » ; s'il est à dominante acide, il devient « frais ». Un vin est dit « vif » s'il est très acide et « mordant » si l'acidité est excessive, surtout pour les vins rouges ; cette acidité provient souvent d'une immaturité du raisin. On qualifie aussi de « vif » un vin jeune à l'acidité agréable.

Acre : vin qui irrite et brûle la bouche par une âpreté plus ou moins prononcée.

Affaibli : vin qui a mal vieilli et a perdu en qualité.

Affiné : vin peu astringent, qui a atteint son équilibre et développé son bouquet.

Agressif : vin qui irrite les muqueuses par un défaut (piqûre, etc.).

Aigre : vin à l'acidité désagréable, au goût de vinaigre ; cela peut être dû à une maladie bactérienne.

Aimable : petit vin agréable, bien équilibré mais sans beaucoup de caractère.

Alcooleux : vin à trop forte teneur alcoolique, provoquant une sensation de chaleur intense sur les muqueuses (pseudothermie).

Altéré : vin qui a perdu ses caractères par suite d'une maladie.

Amaigri : vin mal équilibré, qui a perdu sa couleur, son onctuosité.

Amer : l'une des quatre saveurs fondamentales perçues par les papilles gustatives. Caractère d'un vin rouge très riche en tannins.

Ample : vin bien équilibré et assez charnu qui remplit la bouche.

Anguleux : vin dont l'âpreté masque les caractères.

Apre : vin trop astringent par sa forte teneur en tannins. C'est parfois le cas des vieux vins rouges qui ont « séché ».

Aqueux : au sens propre : qui a la nature de l'eau. Se dit d'un vin d'une consistance très faible, manquant d'alcool.

Aromatique : vin au parfum très marqué.

Arôme : ensemble des perceptions olfactives perçues par voie nasale directe (odorat) et par voie rétronasale, lorsque le vin est en bouche (arôme de bouche) ; celle-ci correspond au passage interne des substances volatiles de la cavité buccale aux fosses nasales par le rhinopharynx. On distingue l'*arôme primaire*, qui est celui du raisin, odeur fruitée correspondant au cépage (on le préserve par exemple pour le muscat, en écourtant la fermentation par le mutage, et par des mesures de protection lors de la mise en bouteilles) ; l'*arôme secondaire*, c'est-à-dire l'odeur vineuse due à l'action des levures pendant la fermentation ; l'*arôme tertiaire*, qui est le « bouquet » que le vin acquiert en vieillissant.

Aspect : ensemble des sensations visuelles provoquées par le vin : couleur, limpidité, fluidité, effervescence.

Astringent : vin rouge qui manque d'onctuosité et donne une impression tactile de rugosité, de sécheresse, due à la coagulation de la salive et à la contraction des muqueuses par un excès de tannins. On qualifie de « rêche » un vin dont l'astringence est très forte.

Austère : vin provisoirement ou définitivement « fermé » et très astringent.

Bouche : on dit qu'un vin a de la bouche, ou bonne bouche, lorsqu'il satisfait particulièrement les sensations olfactives, gustatives et tactiles qui constituent le goût proprement dit.

Bouquet : c'est le parfum, ou plutôt le mélange des parfums, propre aux vins vieillis, par rapport aux arômes des vins jeunes, sous l'effet, assez mal connu, de divers phénomènes et réactions chimiques. On parle encore d'« arôme tertiaire ». On distingue généralement deux sortes de bouquets :
— le *bouquet de réduction*, le plus courant, des vins vieillis à l'abri de l'air : il se compose du bouquet de maturation ou d'élevage, qui se forme dans des fûts toujours pleins, auquel s'ajoute le bouquet de vieillissement lorsque le vin a reposé en bouteilles hermétiquement obturées par des bouchons longs. L'oxydation peut diminuer le bouquet de ces vins au contact de l'air, par exemple lors des opérations de transvasement : aussi protège-t-on le vin, dans ces cas, par adjonction d'anhydride sulfureux, qui est un antioxydant ;
— le *bouquet d'oxydation* des vins riches en alcool ou vinés par addition d'alcool (muscats, banyuls, madère, porto) et qui vieillissent au contact de l'air, l'alcool à un fort degré tuant les bactéries ennemies du vin. Lors de leur mise en bouteilles, ces vins sont « faits » et ne s'améliorent plus.

Bref : vin dont la persistance aromatique est fugitive. On dit aussi « court en bouche ».

Brillant : limpidité parfaite aux reflets scintillants. Si ce caractère est exceptionnel, on emploie le qualificatif de « cristallin ».

Brut : se dit d'un vin effervescent présentant très peu de saveurs sucrées ; cela est dû à son faible dosage.

Bullé : se dit d'un vin tranquille qui contient des bulles dues à une légère fermentation en bouteilles, ou à un résidu du gaz carbonique issu de la fermentation.

Capiteux : riche en alcool.

Caractère (ou ***cachet***) : qualificatif d'un vin possédant bien les éléments propres à son type. Les *caractères organoleptiques* d'un vin sont ses propriétés (visuelles, olfactives, gustatives, tactiles) perçues par les sens, et qui entrent dans son équilibre. Selon la nature et la qualité d'un vin, l'un de ces caractères peut être dominant.

Cassé : se dit d'un vin qui, au contact de l'air, de la lumière, du froid, de la chaleur ou d'une maladie microbienne, est devenu trouble ou a changé de couleur.

Chaleureux : vin très riche en alcool, donnant en bouche une sensation de chaleur, appelée « pseudothermie » puisqu'elle est indépendante de la température. Lorsque cette sensation est très forte, on qualifie le vin d'« ardent » ; s'il pèche par excès d'alcool, on dit qu'il est « brûlant ».

Chargé : vin sans caractère et trop riche en alcool.

Charnu : vin corsé, riche en glycérol, qui remplit bien la bouche.

Charpenté : au bouquet bien prononcé, corsé et riche en alcool.

Chatoyant : vin dont la robe a des reflets brillants.

Chemisé : vin très coloré, riche en tannins, qui laisse un dépôt sur les parois de la bouteille.

Complet : vin très équilibré, bien constitué en un ensemble harmonieux de toutes ses qualités.

Corsé : vin qui a du corps, c'est-à-dire riche en alcool, et de bonne charpente, complet et donnant une sensation de plénitude ; par opposition à « léger », « mince », « fluet », « maigre ».

Coulant : vin fluide, souple et agréable à boire.

Couleur : premier élément d'appréciation des vins pour le dégustateur, la couleur est un élément déterminant de l'aspect puisqu'elle définit d'abord le type du vin : blanc, rosé ou rouge. Elle traduit aussi l'âge du vin car elle évolue avec le vieillissement. Selon ses qualités ou ses défauts, la couleur laisse augurer les autres caractères, avec lesquels elle a une relation certaine.
Le vocabulaire utilisé pour parler de la couleur est extrêmement abondant : à côté de termes précis et concis, on recourt à des comparaisons avec des pierres précieuses, des fleurs, des fruits, ou en identifiant le vin à la personne humaine : on parle ainsi de la carnation du vin, de son teint, de sa robe, on dit qu'il est bien ou mal habillé, court vêtu...
Trois composantes entrent dans la couleur :

— l'*intensité colorante* ; la couleur peut être pâle, légère, faible, forte, intense ou profonde. On parle aussi de vins « noirs » pour des vins rouges très colorés ;
— la *vivacité* ; la couleur peut être nette, franche, fraîche, éclatante ou au contraire terne, mate, douteuse, indécise, éteinte ;
— la *teinte*, dont on exprime les nuances dans les trois types de vins :

1) Les vins blancs — qui ne sont d'ailleurs ni blancs ni incolores — ont des nuances jaunes ou dorées : vert doré ou jaune-vert (à reflets verts), jaune doré (vif), citron (lumineux), jonquille, topaze, plombé (grisâtre), beige (à nuance grise), miel, or pâle, or vert, vieil or (à nuance chaude), or rouge. En vieillissant, les blancs peuvent prendre des nuances fauves, feuille-morte, ambrées (jaune doré de l'ambre), mordorées, brunâtres.
2) Les vins rosés ont des teintes allant du jaune au rouge clair : gris (à peine teinté), champagne, rose franc, vif (très lumineux), rose-jaune, rose orangé, cerise, framboise, roux, pelure-d'oignon (à nuance cuivrée), rose-violet.

3) Les vins rouges sont clairs, clairets (peu colorés par une macération courte), rouge franc, rouge-jaune ou pelure-d'oignon (nuance jaune très prononcée), brique, pivoine, rubis (rouge vif qui caractérise souvent les vins jeunes bien acides), rouge sang, rouge feu, rouge brique, rouge foncé ou pourpre (à nuances violettes), rouge violacé (vins manquant souvent d'acidité), grenat ou tuilé (nuances de vieillissement).

Creux : vin déséquilibré par manque de chair et excès d'acidité.

Décharné : vin très maigre qui a perdu ses qualités d'origine.

Délicat : vin léger et fin, bien équilibré.

Dépôt : particules solides qui se déposent au fond des bouteilles. Il s'agit d'un processus normal pour le vin rouge, dont certains composants deviennent insolubles au vieillissement, ou pour le vin blanc, dont le dépôt cristallin (bitartrate de potassium) peut provenir d'une exposition au froid. Mais certains dépôts légers, qui rendent le vin trouble lorsqu'on manipule la bouteille, peuvent être dus à une maladie du vin.

Déséquilibré : excès ou déficience de l'un des composants de l'équilibre. Vin mal charpenté, décharné, dépouillé ou desséché.

Desséché : vin sans chair ni moelleux.

Disque : surface supérieure du vin dans le verre, brillante lorsque le vin est sans défaut, mate s'il a perdu ses caractères.

Distingué : vin fin et de grande qualité, aux caractères bien développés et à longue persistance aromatique.

Dosé : un vin effervescent est plus ou moins dosé selon la quantité de sucre additionné.

Doucereux : douceur fade d'un vin dont le caractère sucré est plutôt désagréable.

Doux : vin qui glisse bien en bouche, grâce à sa bonne teneur en sucre.

Dur : vin qui, par excès d'acidité ou de tannins (astringence), glisse mal en bouche et manque de souplesse.

Effervescent : terme employé par opposition aux vins « tranquilles ». Il désigne des vins d'où se dégagent des bulles de gaz carbonique formant une mousse que l'on juge selon son importance, sa durée et la dimension des bulles, la qualité étant inversement proportionnelle à la dimension de celles-ci. Selon la pression en bouteille, exprimée en atmosphères (unité de mesure de la pression des gaz, correspondant au poids d'une colonne de mercure de 1 cm^2 de base sur 76 cm de hauteur), on distingue les vins :
— *perlants*, à faible dégagement et à pression quasi nulle ;
— *pétillants* (2 à 3 atmosphères), à fort dégagement de bulles fines mais à mousse non persistante ;
— *mousseux* (plus de 4 atmosphères), à très fort dégagement de bulles fines, provoquant une mousse abondante qui se rassemble sur les parois pour former le collier.

Élégant : qualificatif supérieur à distingué et s'appliquant généralement aux grands crus.

Enveloppé : vin jeune souple.

Épais : vin commun, sans élégance ni caractère, très coloré et lourd en bouche.

Épanoui : vin aux qualités bien développées, au bouquet délicat, qui donne une sensation de plénitude en bouche.

Équilibré : vin dont les caractères (acidité, sensation douce de l'alcool, du glycérol et des sucres, onctuosité de la glycérine, chaleur de l'alcool, astringence du tannin pour les vins rouges) interviennent dans de justes proportions et forment un accord parfait. Il va de soi que l'équilibre est spécifique au type de vin.

Éteint : qualifie un vin qui a perdu ses caractères.

Étoffé : vin ample et bien équilibré, riche et d'une belle couleur.

Éventé : vin exposé à l'air et dont l'oxydation a nui à l'arôme ou au bouquet.

Fade : vin de peu de caractère, sans saveur ni goût affirmé.

Faible : vin manquant d'ampleur et de caractère, peu alcoolisé, sans être forcément désagréable à la dégustation.

Fait : vin ayant atteint son plein épanouissement.

Fatigué : vin dont les qualités, diminuées notamment par suite de secousses au transport, se reconstitueront après un temps de repos.

Féminin : par opposition à « viril », se dit d'un vin rouge assez moelleux, au bouquet subtil mais peu ou moyennement puissant.

Ferme : vin aux caractères assez soutenus mais qui manque de souplesse et de chaleur.

Fermé : vin dont le bouquet peut disparaître momentanément au cours de son vieillissement. C'est souvent le cas de vins riches en tannins et très acides.

Filant : vin de consistance huileuse.

Fin : vin équilibré et harmonieux, parfaitement limpide et d'un bouquet distingué. C'est le propre des vins de classe élevée.

Fin de bouche : sensations qui restent en bouche peu après l'expulsion du vin, dont on dit — selon le cas — qu'il « finit bien » ou « mal ».

Flaveur : ensemble des caractères olfactifs, gustatifs et tactiles perçus par le nez et la bouche.

Flou : vin qui, sans être vraiment trouble, manque de limpidité.

Fondu : belle harmonie entre les constituants d'un vin rouge vieilli, qui se distingue alors par son extrême souplesse et sa faible astringence.

Fort : très riche en alcool, ce trait dominant les autres caractères.

Frais : vin agréable, aux caractères bien accusés, légèrement acide, mais sans excès.

Franc de goût : se dit d'un vin qui n'a aucun goût étranger à son type, ni faux goût. On dit aussi « droit de goût » et « net ».

Frelaté : vin altéré par des substances étrangères.

Friand : vin jeune plaisant à boire, par sa saveur agréable, sa fraîcheur et son fruité.

Froid : vin de faible degré alcoolique, qui manque de chaleur.

Fruité : vin jeune à la saveur proche du goût naturel du raisin.

Gâté : vin altéré par une maladie ou un défaut.

Gazeux : vin présentant un excès de gaz carbonique dû à une maladie ou à une refermentation en bouteille.

Généreux : vin corsé et riche en alcool.

Glissant : vin très agréable qui se boit facilement.

Gouleyant : vin fruité, léger et très souple, qui glisse particulièrement bien en bouche.

Goût : ensemble des sensations perçues lorsque le vin est en bouche : gustatives, c'est-à-dire la saveur ou le *goût* proprement dit, et olfactives, c'est-à-dire perçues par voie rétronasale.
On appelle « goût étranger » un goût anormal qui ne provient pas d'une maladie, comme le *goût de fût* dû à une barrique défectueuse (bois moisi par exemple), le *goût de chêne* du vin conservé dans des fûts de chêne neufs, le *goût de bouchon* (on dit alors que le vin est « bouchonné ») provenant souvent d'un liège défectueux, mais parfois aussi d'une mauvaise conservation. Le *goût de levure*, qui ressemble à celui du pain chaud dans les vins effervescents, disparaît généralement au bout d'un certain temps, ainsi que le *goût de lie* des vins tranquilles, qui subsiste rarement dans le vin en bouteilles.
On appelle *goût de grêle* un léger goût de pourri de vins dont les raisins ont subi la grêle. Le *goût de soufre*, utilisé comme désinfectant et antioxydant, peut se retrouver dans le vin lorsqu'il a été utilisé abusivement (on dit aussi *goût de mèche* lorsqu'il est dû aux mèches soufrées que l'on brûle dans les fûts).
Le *goût foxé*, qui rappelle l'odeur caractéristique de petits carnivores comme la civette, le blaireau ou le renard (d'où son nom, *fox* signifiant en anglais « renard »), est en revanche naturel : il provient d'espèces de vignes américaines, comme *Vitis labrusca* ou ses hybrides tels que le *noah* (planté autrefois en France et dont on disait que le vin était hallucinogène !).

Gras : vin charnu, plein et corsé, moelleux et onctueux, riche en alcool et en glycérol.

Grossier : vin lourd, sans qualités et désagréable.

Huileux : vin altéré à consistance visqueuse.

Jambes (ou ***larmes***) : traînées ou écoulements huileux et transparents que le vin laisse sur les parois du verre après son écoulement : cela est fonction de son taux d'alcool, ce dernier étant plus volatil que l'eau. On dit encore que le vin « pleure ».

Léger : vin peu alcoolisé et peu corsé.

Limpide : vin qui ne présente visuellement aucun trouble, aucune matière en suspension. Selon le degré de limpidité, on qualifie le vin de brillant, clair, cristallin, lumineux, transparent ; sinon on dit qu'il est bourbeux, laiteux, louche, mat, opaque, terne, trouble, voilé.

Long : vin qui laisse des sensations olfacto-gustatives assez longtemps après son expulsion de la bouche. Les techniciens en mesurent la durée en secondes (appelées *caudalies*) : cela peut aller de 2 caudalies pour les vins ordinaires jusqu'à plus de 20 caudalies pour les grands vins liquoreux.

Louche : vin légèrement troublé.

Lourd : vin épais et déséquilibré, trop riche en alcool et manquant d'acidité.

Mâche : terme employé à propos d'un vin plein, corsé et charnu, qui remplit si bien la bouche qu'on a l'impression de pouvoir le mâcher : on dit alors qu'il « a de la mâche ».

Maigre : par opposition à « charnu », vin peu corsé, manquant d'alcool, souvent trop acide, qui donne l'impression de ne pas remplir la bouche. On dit aussi « mince » ou « fluet ».

Mielleux : vin déséquilibré, dont la richesse en sucre domine les autres constituants.

Moelleux : se dit d'un vin assez riche en sucre et en glycérine, plein, rond et tapissant bien la bouche. Ne pas confondre avec l'appellation « moelleux » proprement dite, désignant des vins à forte teneur en sucre et faisant l'objet d'une vinification spéciale.

Montant : d'un vin corsé et bouqueté, on dit qu'il « a du montant ».

Mordant : vin à l'acidité excessive.

Mou : vin plat, sans corps ni fraîcheur.

Muet : vin sans caractère et qui, contrairement à un vin « faible », n'a aucun agrément.

Mûr : vin arrivé à son épanouissement.

Nerveux : vin corsé et d'une bonne acidité.

Neutre : vin sans aucun caractère ni originalité.

Nez : se rapporte aux caractères olfactifs du vin, à son arôme ou à son bouquet. On dit par exemple que le vin « a du nez », « beaucoup de nez », « bon nez », un « nez subtil » (fin et délicat), un « nez fleuri » ou « fruité » ; certains vins, en revanche, ont « peu de nez ».

Odeur : caractère du vin perçu par le nez. En bouche, les sensations sont souvent perçues globalement et il faut une certaine expérience, et un effort d'analyse, pour séparer les sensations odorantes des saveurs.
L'odeur est dépendante du cépage, du terroir, de l'âge du vin et de son état de conservation. Contrairement au goût proprement dit, composé de quatre saveurs de base, les odeurs sont extrêmement nombreuses, complexes et variées. Celles rencontrées dans le vin peuvent être classées en dix séries de nuances odorantes :
— *la série végétale :* herbe, herbeux ou herbacé (qui peut être une odeur agréable mais s'utilise souvent dans un sens péjoratif, lorsqu'elle provient d'un apport étranger aux grains de raisin dans la cuve), foin, feuilles vertes, froissées ou mortes, lierre, fougère, mousse, humus, champignons, chou, cresson...
— *la série florale :* fleuri (ne pas confondre avec le goût d'évent provoqué par la maladie de la fleur), fleurs d'acacia, d'oranger, de pommier, de pêcher, de sureau, jasmin, jacinthe, géranium, chèvrefeuille, genêt, bruyère, rose, tilleul, verveine, violette...
— *la série fruitée :* raisin frais ou sec, cerise, prune, mirabelle, amande, myrtille, cassis, fraise, framboise, mûre, groseille, citron, orange, banane, figue, noix...
— *la série épicée :* poivre, muscade, girofle, ail, oignon, marjolaine, thym, basilic, fenouil, lavande, menthe, anis, réglisse, vermouth (note due parfois à une forte oxydation)...
— *la série boisée :* bois vert ou vieux, santal, écorce, cèdre, acacia, chêne...
— *la série animale :* ambre, musc ou musqué, odeurs de viande, gibier ou venaison...
— *la série empyreumatique* (en rapport avec le feu) : fumée, fumet (surtout pour les vins vieillis), poudre, feu de bois, torréfaction, encens, caramel, amandes ou pain grillés, café, chocolat, caoutchouc, cuir...
— *la série balsamique* (de « baume ») : résine, pin, encens, térébenthine, genévrier, huile de cade, vanille...
— *la série chimique :* acide acétique (vinaigre), iode, chlore, soufre, alcool, odeurs médicinales ou pharmaceutiques...
— *la série éthérée :* acétone, vernis, levure, ferment, bière, cidre, odeurs de lait, fromage ou beurre, bonbon acidulé, savon, bougie, cire...
Certaines odeurs échappent à cette classification, comme celles de type minéral (odeurs de « pierre à fusil » ou de « pétrole », par exemple).
Les nuances végétales, florales, fruitées se retrouvent généralement dans les vins jeunes, les nuances épicées dans les vins blancs vieux, les nuances animales dans les vins blancs issus de cépages très aromatiques (muscat, sauvignon...) et les vins rouges vieux. Les odeurs boisées proviennent surtout des fûts de conservation ou de l'évolution des tannins, les nuances éthérées de la fermentation.

Onctueux : vin moelleux, peu astringent, qui glisse agréablement en bouche.

Oxydé : défaut d'un vin trop exposé à l'air, qui peut devenir trouble, changer de couleur ou perdre de son bouquet.

Parfumé : se dit plus particulièrement des vins dans le bouquet desquels dominent les nuances florales ou fruitées.

Passé : vin ayant perdu ses qualités, par suite d'un mauvais ou trop long vieillissement.

Pâteux : vin lourd, épais et trop riche en sucre.

Petit : se dit d'un vin ordinaire lorsqu'il est agréable ou, péjorativement, d'un vin de qualité qui justement ne possède pas les qualités qu'il devrait avoir.

Picotant : vin contenant trop de gaz carbonique, qui picote la bouche.

Piqué (ou ***acescent***) : vin qui s'est transformé en vinaigre, ou plus exactement dont l'alcool est devenu de l'acide acétique sous l'action de bactéries : on appelle ce phénomène « piqûre ».

Plat : vin qui manque de corps et de saveur, par déficience d'acidité ou d'alcool.

Plein : vin dont les caractères intenses donnent l'impression de bien remplir la bouche.

Pommadé : vin trop riche en sucre ou dont le caractère a été artificiellement fardé.

Prêt : vin « fait ».

Puissant : vin corsé, étoffé et généreux, d'une belle charpente.

Racé : vin fin et original, qui possède bien les caractères de son type.

Raide : vin vert ou acerbe.

Râpeux : vin qui râpe la bouche par excès d'astringence.

Riche : vin chaleureux et bien équilibré.

Robe : ensemble visuel formé par la couleur, la limpidité et le brillant. La robe s'apprécie par son intensité et sa teinte, ou plutôt par les nuances de cette teinte.

Rond : vin souple et bien charnu.

Rude : vin de petite qualité et trop astringent.

Saveur : à ne pas confondre avec le « goût », ensemble des sensations perçues en bouche. La saveur désigne les sensations perçues par les papilles gustatives de la langue et que provoquent les substances sucrées, acides, salées et amères, les deux premières étant prédominantes dans le vin.

Sec : se dit d'un vin blanc tranquille peu sucré, d'un vin effervescent à faible dosage ou d'un vin rouge manquant de moelleux.

Séché : vin vieilli, souvent trop riche en sucre et qui laisse une impression de sécheresse dans la bouche après avalé ou expulsion.

Sévère : vin trop acide, trop astringent, de peu de goût.

Séveux : vin riche, plein d'une saveur intense.

Sirupeux : vin dont l'excès de sucre nuit à son équilibre.

Solide : vin corsé, bien charpenté, malgré une astringence quelque peu excessive.

Souple : vin assez moelleux et peu astringent, qui glisse bien en bouche.

Soyeux : vin d'une extrême souplesse, légèrement moelleux.

Suave : vin à la fois soyeux et bouqueté.

Suite : on dit qu'un vin a une grande ou une petite « suite », selon l'intensité de sa persistance aromatique.

Tannique : contrairement à une confusion fréquente, tannique n'est pas synonyme d'« astringent ». Ce terme ne qualifie pas non plus un vin trop riche en tannins, mais signifie simplement qu'il en contient.

Tendre : vin peu acide, souple et léger.

Tenue : un vin qui « a de la tenue » est un vin solide, possédant bien les caractères de son type.

Toucher : ensemble des sensations tactiles (consistance, fluidité, onctuosité, température, comme d'une certaine manière l'astringence et l'effervescence) qui participent au goût.

Tranquille : se dit d'un vin non effervescent.

Trouble : perte de limpidité par maladie ou accident. Ne pas confondre avec le « dépôt ».

Tuilé : se dit d'un vin rouge dont la couleur a pris des nuances jaune orangé en vieillissant.

Typé : vin qui possède les caractères spécifiques de son origine. On dit aussi qu'il a le « goût de terroir ».

Usé : se dit d'un vin qui a perdu ses caractères, généralement à la suite d'un trop long vieillissement, mais aussi d'un traitement défectueux.

Velouté : vin souple, fondu et onctueux.

Vert : vin jeune à l'acidité excessive, laquelle peut disparaître lorsqu'il est « fait ». Un vin « verdelet » reste agréable, malgré sa trop grande acidité.

Vide : vin sans caractère.

Vif : vin nerveux, assez acide sans être désagréable. Se dit aussi d'une couleur éclatante.

Vigoureux : vin aux caractères bien accusés, généralement tanniques.

Vineux : vin dont la richesse alcoolique donne une sensation de chaleur dans la bouche. Si celle-ci est trop forte, on dit que le vin est « alcooleux ».

Viril : vin au bouquet puissant et possédant une solide charpente.

Voilé : vin légèrement troublé.

Table alphabétique des A.O.C. et V.D.Q.S.

Dénomination d'origine	Mention	Couleur	Département de production	Volume de production (en hl)*	Page
Ajaccio	A.O.C.	R B r	Corse-du-Sud	—	295
Aloxe-Corton	A.O.C.	R B	Côte-d'Or	4 500	105
Alsace ou Vin d'Alsace	A.O.C.	R B r	Bas-Rhin - Haut-Rhin	987 300	74
Alsace grand cru	A.O.C.	B	Bas-Rhin - Haut-Rhin	—	83
Anjou	A.O.C.	R B	Maine-et-Loire Vienne - Deux-Sèvres	202 800	234
Anjou-Coteaux de la Loire	A.O.C.	B	Maine-et-Loire	1 150	236
Anjou Gamay	A.O.C.	R	Maine-et-Loire Vienne - Deux-Sèvres	250	235
Arbois	A.O.C.	R B r j	Jura	38 850	266
Arbois-Pupillin	A.O.C.	R B r	Jura	—	266
Auxey-Duresses	A.O.C.	B R	Côte-d'Or	4 450	108
Bandol	A.O.C.	R B r	Var	25 400	287
Banyuls	A.O.C.	R r	Pyrénées-Orientales	25 900	284
Banyuls grand cru	A.O.C.	R	Pyrénées-Orientales	6 000	284
Barsac	A.O.C.	B	Gironde	14 450	165
Bâtard-Montrachet	A.O.C.	B	Côte-d'Or	550	109
Béarn ou Vin de Béarn	A.O.C.	R B r	Pyrénées-Atlantiques	9 400	258
Beaujolais	A.O.C.	R B	Rhône - Saône-et-Loire	575 950	128
Beaujolais supérieur	A.O.C.	R B	Rhône - Saône-et-Loire	13 300	128
Beaujolais-Villages	A.O.C.	R B	Rhône - Saône-et-Loire	369 100	130
Beaune	A.O.C.	R B	Côte-d'Or	14 100	106
Bellet	A.O.C.	R B r	Alpes-Maritimes	1 000	288
Bergerac	A.O.C.	R B r	Dordogne	249 000	246

Abréviations : A.O.C. = appellation d'origine contrôlée ; V.D.Q.S. = vin délimité de qualité supérieure ; R = rouge ; B = blanc ; r = rosé ; j = jaune

* Les volumes cités sont les chiffres arrondis de la récolte 1983 qui, sauf exception, fut quantitativement très équilibrée.

Bienvenues-Bâtard-Montrachet	A.O.C.	B	Côte-d'Or	109	109
Blagny	A.O.C.	R	Côte-d'Or	200	108
Blanquette de Limoux	A.O.C.	B	Aude	81 350	281
Blaye ou Blayais	A.O.C.	R B	Gironde	22 850	173
Bonnes-Mares	A.O.C.	R	Côte-d'Or	450	100
Bonnezeaux	A.O.C.	B	Maine-et-Loire	1 450	236
Bordeaux	A.O.C.	R B	Gironde	1 657 800	175
Bordeaux clairet	A.O.C.	R r	Gironde	6 100	176
Bordeaux (supérieur) Côtes de Castillon	A.O.C.	R	Gironde	106 200	173
Bordeaux Côtes de Francs	A.O.C.	R B	Gironde	9 500	173
Bordeaux Haut-Benauge	A.O.C.	B	Gironde	—	
Bordeaux mousseux	A.O.C.	B	Gironde	100	
Bordeaux (supérieur) rosé	A.O.C.	r	Gironde	9 900	176
Bordeaux supérieur	A.O.C.	R B	Gironde	427 450	175
Bourgogne	A.O.C.	R B r	Côte-d'Or - Yonne Saône-et-Loire - Rhône	121 500	113
Bourgogne aligoté	A.O.C.	B	Côte-d'Or - Yonne - Saône-et-Loire	54 750	113
Bourgogne aligoté-Bouzeron	A.O.C.	B	Saône-et-Loire	1 100	113
Bourgogne Grand ordinaire	A.O.C.	R B r	Côte-d'Or - Yonne Saône-et-Loire - Rhône	17 300	113
Bourgogne Hautes-Côtes-de-Beaune	A.O.C.	R B	Côte-d'Or	16 900	114
Bourgogne Hautes-Côtes-de-Nuits	A.O.C.	R B	Côte-d'Or	13 100	114
Bourgogne Irancy	A.O.C.	R r	Yonne	4 100	94
Bourgogne Marsannay-la-Côte ou Bourgogne rosé Marsannay	A.O.C.	R r	Côte-d'Or	1 400	97
Bourgogne Passe-tout-grain	A.O.C.	R r	Côte-d'Or - Yonne - Saône-et-Loire	60 050	113
Bourgueil	A.O.C.	R r	Indre-et-Loire	44 650	230
Brouilly	A.O.C.	R	Rhône	69 850	132
Bugey ou Vin du Bugey	V.D.Q.S.	R B r	Ain	14 200	272
Cabernet d'Anjou	A.O.C.	r	Maine-et-Loire Vienne - Deux-Sèvres	146 700	236

Cabernet de Saumur	A.O.C.	r	Maine-et-Loire	3 250	234
Cabrières	V.D.Q.S.	r	Hérault	6 450	279
Cadillac	A.O.C.	B	Gironde	1 800	174
Cahors	A.O.C.	R	Lot	127 250	250
Canon-Fronsac	A.O.C.	R	Gironde	12 000	170
Cassis	A.O.C.	R B r	Bouches-du-Rhône	4 400	287
Cérons	A.O.C.	B	Gironde	4 850	165
Chablis	A.O.C.	B	Yonne	85 150	92
Chablis grand cru	A.O.C.	B	Yonne	6 750	94
Chablis premier cru	A.O.C.	B	Yonne	41 350	94
Chambertin	A.O.C.	R	Côte-d'Or	700	99
Chambertin Clos de Bèze	A.O.C.	R	Côte-d'Or	500	99
Chambolle-Musigny	A.O.C.	R	Côte-d'Or	5 000	100
Champagne	A.O.C.	B r	Marne - Aisne - Aube	2 240 050	181
Chapelle-Chambertin	A.O.C.	R	Côte-d'Or	200	100
Charmes-Chambertin	A.O.C.	R	Côte-d'Or	1 150	99
Chassagne-Montrachet	A.O.C.	R B	Côte-d'Or	12 500	111
Château-Chalon	A.O.C.	j	Jura	750	266
Château-Grillet	A.O.C.	B	Loire	150	202
Châteaumeillant	V.D.Q.S.	R r	Indre - Cher	3 950	222
Châteauneuf-du-Pape	A.O.C.	R B	Vaucluse	78 400	209
Châtillon-en-Diois	A.O.C.	R B r	Drôme	2 500	211
Cheilly-lès-Maranges	A.O.C.	R B	Saône-et-Loire	1 300	111
Chénas	A.O.C.	R	Rhône - Saône-et-Loire	13 800	131
Chevalier-Montrachet	A.O.C.	B	Côte-d'Or	150	109
Cheverny	V.D.Q.S.	R B r	Loir-et-Cher	20 800	225
Chinon	A.O.C.	R B r	Indre-et-Loire	61 000	231
Chiroubles	A.O.C.	R	Rhône	18 000	132
Chorey-lès-Beaune	A.O.C.	R B	Côte-d'Or	4 650	106
Clairette de Bellegarde	A.O.C.	B	Gard	2 100	282
Clairette de Die	A.O.C.	B	Drôme	59 750	211
Clairette du Languedoc	A.O.C.	B	Hérault	10 500	279

Clape (La)	V.D.Q.S.	R B r	Aude	29 050	279
Clos des Lambrays	A.O.C.	R	Côte-d'Or	200	100
Clos de la Roche	A.O.C.	R	Côte-d'Or	550	100
Clos Saint-Denis	A.O.C.	R	Côte-d'Or	200	100
Clos de Tart	A.O.C.	R	Côte-d'Or	250	100
Clos de Vougeot	A.O.C.	R	Côte-d'Or	1 600	101
Collioure	A.O.C.	R	Pyrénées-Orientales	1 550	283
Condrieu	A.O.C.	B	Loire	450	202
Corbières	A.O.C.	B R r	Aude	810 850	281
Corbières supérieures	V.D.Q.S.	B R r	Aude	—	281
Cornas	A.O.C.	R	Ardèche	1 800	202
Corse (Vin de) ou Vin de Corse + appellation locale	A.O.C.	R B r	Haute-Corse - Corse du Sud	80 750	294
Corton	A.O.C.	R B	Côte-d'Or	3 250	105
Corton-Charlemagne	A.O.C.	B	Côte-d'Or	1 650	105
Costières du Gard	A.O.C.	R B r	Gard	167 350	282
Côte de Beaune	A.O.C.	R B	Côte-d'Or	500	114
Côte de Beaune-Villages	A.O.C.	R	Côte-d'Or	7 150	114
Côte de Brouilly	A.O.C.	R	Rhône	23 450	132
Côte de Nuits-Villages	A.O.C.	R B	Côte-d'Or	6 000	114
Côte Roannaise	V.D.Q.S.	R r	Loire	3 850	218
Côte-Rôtie	A.O.C.	R	Rhône	4 700	201
Coteaux d'Aix-en-Provence	A.O.C.	R B r	Bouches-du-Rhône - Var	107 350	291
Coteaux d'Ancenis	V.D.Q.S.	R B r	Loire-Atlantique - Maine-et-Loire	18 050	240
Coteaux de l'Aubance	A.O.C.	B	Maine-et-Loire	1 450	238
Coteaux des Baux	A.O.C.	R B r	Bouches-du-Rhône	7 600	291
Coteaux Champenois	A.O.C.	R B	Marne - Aisne - Aube	1 000	192
Coteaux du Giennois ou Côtes de Gien	V.D.Q.S.	R B r	Nièvre - Loiret	5 000	221
Coteaux du Languedoc	A.O.C.	R r	Hérault - Aude - Gard	92 000	279
Coteaux du Layon ou Coteaux du Layon + appellation communale	A.O.C.	B	Maine-et-Loire	47 100	236
Coteaux du Layon-Chaume	A.O.C.	B	Maine-et-Loire	1 600	238

Coteaux du Loir	A.O.C.	R B r	Sarthe	1 100	226
Coteaux du Lyonnais	A.O.C.	R B r	Rhône	10 650	134
Coteaux de la Méjanelle	V.D.Q.S.	R r	Hérault	11 700	279
Coteaux de Pierrevert	V.D.Q.S.	R B r	Alpes de Haute-Provence	14 850	292
Coteaux de Saint-Christol	V.D.Q.S.	R r	Hérault	7 050	279
Coteaux de Saumur	A.O.C.	B	Maine-et-Loire	100	233
Coteaux du Tricastin	A.O.C.	R B r	Drôme	78 200	211
Coteaux Varois	V.D.Q.S.	R r	Var	—	292
Coteaux du Vendômois	V.D.Q.S.	R B r	Loir-et-Cher	10 650	227
Coteaux de Vérargues	V.D.Q.S.	R r	Hérault	19 450	279
Côtes d'Auvergne	V.D.Q.S.	R r	Puy-de-Dôme	20 700	217
Côtes de Bergerac	A.O.C.	R	Dordogne	25 100	246
Côtes de Bergerac moelleux	A.O.C.	B	Dordogne	44 200	247
Côtes de Bordeaux-Saint-Macaire	A.O.C.	B	Gironde	3 000	174
Côtes de Bourg ou Bourg ou Bourgeais	A.O.C.	R B	Gironde	143 250	172
Côtes du Buzet ou Buzet	A.O.C.	R B r	Lot-et-Garonne	133 650	249
Côtes du Cabardès ou Cabardès	V.D.Q.S.	R r	Aude	9 150	280
Côtes de Duras	A.O.C.	R B r	Lot-et-Garonne	64 550	248
Côtes du Forez	V.D.Q.S.	R r	Loire	7 200	218
Côtes du Frontonnais	A.O.C.	R r	Tarn-et-Garonne - Haute-Garonne	61 800	252
Côtes du Jura	A.O.C.	R B r j	Jura	27 400	266
Côtes du Luberon	V.D.Q.S.	R B r	Vaucluse	120 000	293
Côtes de la Malepère	V.D.Q.S.	R r	Aude	13 800	280
Côtes du Marmandais	V.D.Q.S.	R B r	Lot-et-Garonne	45 600	249
Côtes de Montravel	A.O.C.	B	Dordogne	5 100	247
Côtes de Provence	A.O.C.	R B r	Var - Bouches-du-Rhône Alpes-Maritimes	750 250	289
Côtes du Rhône	A.O.C.	R B r	Drôme - Vaucluse - Gard Rhône - Loire - Ardèche	1 568 300	200
Côtes du Rhône-Villages	A.O.C.	R B r	Drôme - Vaucluse - Gard	149 500	207
Côtes du Roussillon	A.O.C.	R B r	Pyrénées-Orientales	231 000	282

Côtes du Roussillon-Villages ou Côtes du Roussillon-Villages + appellation communale	A.O.C.	R	Pyrénées-Orientales	73 350	282
Côtes de Saint-Mont	V.D.Q.S.	R B r	Gers	12 150	260
Côtes de Toul	V.D.Q.S.	R B r	Meurthe-et-Moselle	6 100	86
Côtes du Ventoux	A.O.C.	R B r	Vaucluse	241 450	211
Côtes du Vivarais ou Côtes du Vivarais + appellation communale	V.D.Q.S.	R B r	Ardèche Gard	36 750	211
Crémant d'Alsace	A.O.C.	B r	Haut-Rhin Bas-Rhin	47 350	81
Crémant de Bourgogne	A.O.C.	B r	Yonne - Côte-d'Or - Saône-et-Loire	30 550	113
Crémant de Loire	A.O.C.	B r	Loir-et-Cher Indre-et-Loire - Maine-et-Loire	23 600	235
Crépy	A.O.C.	B	Haute-Savoie	4 600	271
Criots-Bâtard-Montrachet	A.O.C.	B	Côte-d'Or	50	111
Crozes-Hermitage	A.O.C.	R B	Rhône	29 950	203
Échezeaux	A.O.C.	R	Côte-d'Or	1 000	103
Entraygues-et-du-Fel (Vin d')	V.D.Q.S.	R r	Aveyron	20	252
Entre-Deux-Mers ou Entre-Deux-Mers Haut-Benauge	A.O.C.	B	Gironde	140 450	173
Estaing (Vin d')	V.D.Q.S.	R B r	Aveyron	450	252
Étoile (L')	A.O.C.	B j	Jura	2 600	266
Faugères	A.O.C.	R	Hérault	47 500	279
Fiefs Vendéens	V.D.Q.S.	R B r	Vendée	—	242
Fitou	A.O.C.	R	Aude	57 700	281
Fixin	A.O.C.	R	Côte-d'Or	3 100	97
Fleurie	A.O.C.	R	Rhône	44 150	132
Fronsac	A.O.C.	R	Gironde	36 300	170
Gaillac	A.O.C.	R B r	Tarn	145 800	255
Gevrey-Chambertin	A.O.C.	R	Côte-d'Or	15 900	97
Gigondas	A.O.C.	R r	Vaucluse	25 150	209
Givry	A.O.C.	R B	Saône-et-Loire	5 950	112
Grand-Roussillon	A.O.C.	R	Pyrénées-Orientales	50	
Grands-Échezeaux	A.O.C.	R	Côte-d'Or	250	103

Graves	A.O.C.	R B	Gironde	138 050	159
Graves supérieur	A.O.C.	B	Gironde	25 950	159
Graves de Vayres	A.O.C.	R B	Gironde	15 050	175
Griotte-Chambertin	A.O.C.	R	Côte-d'Or	50	100
Gros-Plant du Pays nantais	V.D.Q.S.	B	Loire-Atlantique Maine-et-Loire - Vendée	235 500	242
Haut-Médoc	A.O.C.	R	Gironde	144 550	151
Haut-Montravel	A.O.C.	B	Dordogne	300	247
Haut-Poitou (Vin du)	V.D.Q.S.	R B r	Vienne - Deux-Sèvres	41 450	239
Hermitage	A.O.C.	R B	Rhône	4 650	202
Irouléguy	A.O.C.	R r	Pyrénées-Atlantiques	2 300	256
Jasnières	A.O.C.	B	Sarthe	850	227
Juliénas	A.O.C.	R	Rhône	32 700	131
Jurançon	A.O.C.	B	Pyrénées-Atlantiques	16 950	257
Ladoix	A.O.C.	R B	Côte-d'Or	2 050	105
Lalande-de-Pomerol	A.O.C.	R	Gironde	35 650	170
Latricières-Chambertin	A.O.C.	R	Côte-d'Or	300	99
Lavilledieu (Vin de)	V.D.Q.S.	R r	Tarn-et-Garonne	900	254
Lirac	A.O.C.	R B r	Gard	17 550	208
Listrac	A.O.C.	R	Gironde	29 500	155
Loupiac	A.O.C.	B	Gironde	10 600	174
Lussac Saint-Émilion	A.O.C.	R	Gironde	57 700	170
Mâcon ou Pinot- Chardonnay Mâcon (blancs)	A.O.C.	R B r	Saône-et-Loire	5 250	123
Mâcon supérieur	A.O.C.	R B r	Saône-et-Loire	66 850	123
Mâcon-Villages ou Mâcon + appellation communale	A.O.C.	B	Saône-et-Loire	100 900	123
Madiran	A.O.C.	R	Pyrénées-Atlantiques - Gers	40 500	259
Marcillac (Vin de)	V.D.Q.S.	R r	Aveyron	4 800	252
Margaux	A.O.C.	R	Gironde	58 250	154
Maury	A.O.C.	R	Pyrénées-Orientales	40 750	284
Mazis-Chambertin	A.O.C.	R	Côte-d'Or	250	99
Mazoyères-Chambertin	A.O.C.	R	Côte-d'Or	—	99

Médoc	A.O.C.	R	Gironde	158 650	151
Menetou-Salon	A.O.C.	R B r	Cher	7 850	221
Mercurey	A.O.C.	R B	Saône-et-Loire	25 500	111
Meursault	A.O.C.	R B	Côte-d'Or	15 550	108
Minervois	A.O.C.	R B r	Aude - Hérault	254 200	280
Monbazillac	A.O.C.	B	Dordogne	34 650	248
Montagne Saint-Émilion	A.O.C.	R	Gironde	74 650	170
Montagny	A.O.C.	B	Saône-et-Loire	4 450	112
Monthélie	A.O.C.	R B	Côte-d'Or	3 500	107
Montlouis	A.O.C.	B	Indre-et-Loire	6 800	230
Montlouis mousseux	A.O.C.	B	Indre-et-Loire	8 200	230
Montpeyroux	V.D.Q.S.	R r	Hérault	10 900	279
Montrachet	A.O.C.	B	Côte-d'Or	400	109
Montravel	A.O.C.	B	Dordogne	15 200	247
Morey-Saint-Denis	A.O.C.	R B	Côte-d'Or	3 050	100
Morgon	A.O.C.	R	Rhône	58 350	132
Moselle (Vin de)	V.D.Q.S.	R B r	Moselle - Meurthe-et-Moselle	300	86
Moulin-à-Vent	A.O.C.	R	Rhône - Saône-et-Loire	35 500	132
Moulis	A.O.C.	R	Gironde	21 700	155
Muscadet	A.O.C.	B	Loire-Atlantique Maine-et-Loire - Vendée	51 600	242
Muscadet des Coteaux de la Loire	A.O.C.	B	Loire-Atlantique - Maine-et-Loire	19 900	241
Muscadet de Sèvre-et-Maine	A.O.C.	B	Loire-Atlantique	524 200	241
Muscat de Beaumes-de-Venise	A.O.C.	B	Vaucluse	8 100	210
Muscat de Frontignan	A.O.C.	B	Hérault	10 300	280
Muscat de Lunel	A.O.C.	B	Hérault	6 000	280
Muscat de Mireval	A.O.C.	B	Hérault	3 900	280
Muscat de Rivesaltes	A.O.C.	B	Pyrénées-Orientales	89 300	284
Muscat de Saint-Jean-de-Minervois	A.O.C.	B	Hérault	1 200	280
Musigny	A.O.C.	R B	Côte-d'Or	300	100
Nuits-Saint-Georges	A.O.C.	R B	Côtes-d'Or	10 750	103

Orléanais (Vin de l')	V.D.Q.S.	R B r	Loiret	11 100	225
Pacherenc du Vic-Bilh	A.O.C.	B	Pyrénées-Atlantiques - Gers	1 700	259
Palette	A.O.C.	R B r	Bouches-du-Rhône	550	290
Patrimonio	A.O.C.	R B r	Haute-Corse	—	296
Pauillac	A.O.C.	R	Gironde	48 500	153
Pécharmant	A.O.C.	R	Dordogne	9 800	248
Pernand-Vergelesses	A.O.C.	R B	Côte-d'Or	3 650	105
Petit Chablis	A.O.C.	B	Yonne	8 300	92
Pic Saint-Loup	V.D.Q.S.	R r	Hérault	37 000	279
Picpoul de Pinet	V.D.Q.S.	B	Hérault	8 750	279
Pomerol	A.O.C.	R	Gironde	30 100	170
Pommard	A.O.C.	R	Côte-d'Or	10 550	107
Pouilly-Fuissé	A.O.C.	B	Saône-et-Loire	42 500	124
Pouilly-Fumé	A.O.C.	B	Nièvre	41 100	218
Pouilly-Loché	A.O.C.	B	Saône-et-Loire	1 500	125
Pouilly-sur-Loire	A.O.C.	B	Nièvre	6 550	218
Pouilly-Vinzelles	A.O.C.	B	Saône-et-Loire	2 450	125
Premières Côtes de Blaye	A.O.C.	R B	Gironde	131 850	173
Premières Côtes de Bordeaux	A.O.C.	R B	Gironde	91 300	174
Puisseguin Saint-Émilion	A.O.C.	R	Gironde	30 050	169
Puligny-Montrachet	A.O.C.	R B	Côte-d'Or	9 800	109
Quarts-de-Chaume	A.O.C.	B	Maine-et-Loire	750	237
Quatourze	V.D.Q.S.	R r	Aude	12 750	279
Quincy	A.O.C.	B	Cher	4 500	221
Rasteau	A.O.C.	B	Vaucluse	2 700	210
Reuilly	A.O.C.	R B r	Indre - Cher	2 150	221
Richebourg	A.O.C.	R	Côte-d'Or	150	103
Rivesaltes	A.O.C.	R B	Pyrénées-Orientales	394 850	283
Romanée	A.O.C.	R	Côte-d'Or	20	102
Romanée-Conti	A.O.C.	R	Côte-d'Or	30	102
Romanée-Saint-Vivant	A.O.C.	R	Côte-d'Or	150	103
Rosé d'Anjou	A.O.C.	r	Maine-et-Loire Vienne - Deux-Sèvres	201 650	235

Rosé de Loire	A.O.C.	r	Maine-et-Loire Vienne - Deux-Sèvres	22 900	235
Rosé des Riceys	A.O.C.	r	Aube	350	192
Rosette	A.O.C.	B	Dordogne	50	247
Roussette du Bugey	V.D.Q.S.	B	Ain	800	272
Roussette de Savoie	A.O.C.	B	Savoie - Haute-Savoie	4 200	270
Ruchottes-Chambertin	A.O.C.	R	Côte-d'Or	100	99
Rully	A.O.C.	R B	Saône-et-Loire	6 200	111
Saint-Amour	A.O.C.	R	Saône-et-Loire	15 850	130
Saint-Aubin	A.O.C.	R B	Côte-d'Or	3 700	109
Saint-Chinian	A.O.C.	R	Hérault	116 850	279
Saint-Drézéry	V.D.Q.S.	R r	Hérault	2 600	279
Saint-Émilion ou Saint-Émilion grand cru	A.O.C.	R	Gironde	261 900	168
Saint-Estèphe	A.O.C.	R	Gironde	60 400	153
Saint-Georges d'Orques	V.D.Q.S.	R r	Hérault	11 250	279
Saint-Georges Saint-Émilion	A.O.C.	R	Gironde	1 750	169
Saint-Joseph	A.O.C.	R B	Ardèche	17 300	202
Saint-Julien	A.O.C.	R	Gironde	45 950	154
Saint-Nicolas-de-Bourgueil	A.O.C.	R	Indre-et-Loire	30 050	230
Saint-Péray	A.O.C.	B	Ardèche	2 300	202
Saint-Pourçain	V.D.Q.S.	R B r	Allier	24 600	218
Saint-Romain	A.O.C.	R B	Côte-d'Or	2 950	108
Saint-Saturnin	V.D.Q.S.	R r	Hérault	18 800	274
Saint-Véran	A.O.C.	B	Saône-et-Loire	16 650	125
Sainte-Croix-du-Mont	A.O.C.	B	Gironde	16 050	174
Sainte-Foy-Bordeaux	A.O.C.	R B	Gironde	8 500	175
Sampigny-lès-Maranges	A.O.C.	R	Côte-d'Or	100	111
Sancerre	A.O.C.	R B r	Cher	122 500	219
Santenay	A.O.C.	R B	Côte-d'Or	12 250	111
Saumur	A.O.C.	R B	Maine-et-Loire	49 100	232
Saumur-Champigny	A.O.C.	R	Maine-et-Loire	42 900	233
Saumur mousseux	A.O.C.	B r	Maine-et-Loire	118 500	233

Saussignac ou Côtes de Bergerac-Saussignac	A.O.C.	B	Dordogne	1 800	247
Sauternes	A.O.C.	B	Gironde	31 300	165
Sauvignon de Saint-Bris	V.D.Q.S.	B	Yonne	4 600	95
Savennières ou Savennières + nom de cru	A.O.C.	B	Maine-et-Loire	2 000	238
Savigny-lès-Beaune	A.O.C.	R B	Côte-d'Or	11 250	106
Savoie (Vin de) ou Vin de Savoie + appellation locale	A.O.C.	R B r	Savoie - Haute-Savoie	85 500	269
Seyssel	A.O.C.	B	Savoie - Ain	2 750	271
Tâche (La)	A.O.C.	R	Côte-d'Or	100	103
Tavel	A.O.C.	r	Gard	32 700	208
Thouarsais (Vin du)	V.D.Q.S.	R B r	Deux-Sèvres	900	239
Touraine	A.O.C.	R B r	Loir-et-Cher - Indre-et-Loire	280 200	227
Touraine-Amboise	A.O.C.	R B r	Indre-et-Loire	11 550	228
Touraine-Azay-le-Rideau	A.O.C.	B r	Indre-et-Loire	3 100	229
Touraine-Mesland	A.O.C.	R B r	Loir-et-Cher	11 450	228
Tursan	V.D.Q.S.	R B r	Landes	9 900	261
Valençay	V.D.Q.S.	R B r	Indre	7 850	225
Volnay	A.O.C.	R	Côte-d'Or	6 850	107
Vosne-Romanée	A.O.C.	R	Côte-d'Or	4 000	102
Vougeot	A.O.C.	R B	Côte-d'Or	450	101
Vouvray	A.O.C.	B	Indre-et-Loire	66 500	229
Vouvray mousseux	A.O.C.	B	Indre-et-Loire	50 700	230

Crédits photos

Couverture : doc. Nicolas

Jean-Loup Charmet : 6, 10, 11, 13, 14, 17, 19, 21, 36, 48, 140, 217, 245, 275, 316, 346, 348 ; C.N.M.H.S.-SPADEM : 9 ; C.I.V.B. : 38 bas, 40, 47, 50, 51, 54, 58, 59 haut, 59 bas, 61, 65 haut, 138, 141, 146, 152, 163, 171, 172, 175, 178, 344 haut droite, 344 bas ; C.I.V.D.N.-Marc Garanger : 68, 279, 283, 285 ; Collection C.I.V.A. : 39, 70, 76, 79, 81, 82, 83 ; Comité départemental du Tourisme de la Drôme : 342 ; Explorer : 127, 131 (P. Lorne), 229 (H. Veiller), 231 (A. Munoz de Pablos), 233, 234, 309 (N. Thibaut), 239 (A. Wolf), 240 (F. Jalain), 257, 327 (F. Gohier), 306 droite (G. Boutin), 310, 321 (P. Tetrel), 312, 315, 317, 320 (Ph. Roy), 314, 318, 322 (L.-Y. Loirat), 324 (G. Cros), 325 (M. Moisnard), 328 (Th. Anderson-Fournier), 330 (Ribieras), 331, 332 (J.-P. Ferrero) ; Photothèque I.T.V. - P. Mackiewicz : 55, 56, 66, 125, 126, 133, 166, 181, 183, 193, 194, 198, 201, 211, 215, 226, 250, 255, 268, 271, 294, 295, 296, 297, 358 ; Francis Jalain : 3, 38 haut, 43, 45 haut, 49, 52, 60, 62, 65 bas, 91, 112, 113, 129, 136, 139, 143, 144, 149, 150, 154, 158, 162, 169, 179, 196, 199, 200, 202, 203, 205, 206, 208, 209, 213, 216, 219, 220, 241, 244, 247, 253, 259, 260, 286, 288, 289 bas, 290, 291, 300, 344 haut gauche, 347, 355, 363 ; Jean Le Clerc : 46, 184 gauche, 187 ; Henri Maire : 20, 264, 265 bas, 267 ; Michel Mastrojanni : 12, 15, 34, 41, 42, 45 bas, 63, 67, 71, 72, 73, 74 gauche, 74 droite, 75, 77, 78, 87, 88, 89, 90, 93, 94, 95, 96, 98, 99, 100, 101, 102, 103, 104, 106, 108 haut, 108 bas, 109, 110 haut, 110 bas, 114, 115, 116 haut, 116 bas, 117, 120, 142, 145, 151, 153, 155, 157, 159, 160, 164, 167, 168, 173, 180, 182 haut, 182 bas, 184 droite, 189, 190 gauche, 190 droite, 192, 197, 204, 210, 222, 223, 224, 225, 227, 228, 232, 235, 237, 238, 251, 254, 262, 265 haut, 266, 273, 274, 280, 292, 298, 299, 304, 306 gauche, 307, 313, 323, 334, 337, 338, 339, 340, 341, 349, 352, 356, 360, 361, 365, 366 haut, 366 bas ; Moët et Chandon : 185, 186 haut, 186 bas ; Clichés Musées Nationaux : 22, 25, 26, 28, 29, 30, 31, 32 ; Saône-et-Loire Tourisme : 122, 124 ; Syndicat des vins de Bandol : 289 haut ; Syndicat du cru Minervois : 276, 281 ; Syndicat régional des vins de Savoie : 272 ; Vignerons réunis des Côtes de Buzet : 249.